특공황비

초교전

特工皇妃

楚喬傳

3

특공황비 초교전 3

ⓒ소상동아 2018

초판1쇄 인쇄	2018년 8월 1일
초판2쇄 발행	2019년 8월 8일

지은이	소상동아潇湘冬兒
옮긴이	이소정

펴낸이	박대일
편집	이문영 · 임유리 · 신지연 · 박현주 · 전보라
교정	김미영
마케팅	임유미
디자인	김은희

펴낸곳	파란미디어
출판등록	2004년 9월 14일 제313-2004-00214호

주소	03992 서울시 마포구 동교로23길 14, 국제빌딩 6층
전화	02.3141.5589 영업부 070.4616.2012 편집부
팩스	02.3141.5590
전자우편	paranbook@gmail.com
카페	http://cafe.naver.com/paranmedia
페이스북	http://www.facebook.com/paranbook

ISBN	978-89-6371-530-8(04820)
	978-89-6371-519-3(전6권)

특공황비

초교전

特工皇妃

楚喬傳

3

소상동아 장편소설
이소정 옮김

파란

3부 변당

4부 연북

3부

변당卜唐

제1장 어깨를 스치고 지나가네

햇빛이 눈을 찌르며 갑자기 쏟아져 들어와 초교는 이맛살을 찌푸리며 천천히 눈을 떴다. 사람들이 가득 오가는 번화한 거리가 보였다.

고개를 숙여 보니 초교는 삼베 조각을 걸치고 있었다. 삼베의 중앙에 구멍을 뚫어 머리를 빠져나오게 하고, 양쪽을 허리춤에서 새끼줄로 묶어 놓은 상태였다. 가슴과 등에는 아주 커다랗게, 노비를 뜻하는 '노奴' 자가 적혀 있었다.

정말이지 오랜만에 입어 보는 차림이었다. 초교는 어이가 없는 나머지 픽 웃다가, 실수로 턱에 있는 피멍을 건드리고는 아픔에 얼굴을 찡그렸다.

어찌 된 일인지 생각을 더듬을 필요도 없었다. 그녀는 지금까지 일어난 일을 모두 분명하게 기억하고 있었다.

초교는 조순아의 원한을 얕보았을 뿐 아니라, 조철의 지혜도 얕잡아 보고 있었다. 그 대가로 그녀는 한바탕 고생을 할 수밖에 없었다.

뿔뿔이 흩어지던 대하 제국은 진황성이 격문을 발표한 후 갑자기 단결하기 시작했고, 각지의 번왕들도 잇따라 호응했다. 그들 모두 연북군을 토벌하는 데 실패했기 때문에, 초교를 잡아 공을 세우려고 혈안이 되어 있었다. 초교를 향한 포위망은 한 번 또 한 번 좁혀 왔고, 그녀는 마침내 중상을 입고 쓰러졌다. 그 순간, 그녀는 최후의 기지를 발휘해 팔려 가는 노비들 사이로 숨어들었다. 그렇게 하지 않았다면 그녀는 아마 지금쯤 진황성에 끌려가 있을 것이다.

"들어가!"

한 사내가 그녀를 우리 안으로 밀어 넣었다. 쇠로 만든 우리 안에는 이미 상당수의 노비들이 있었다. 그들은 남녀노소의 구분 없이 뒤섞여 있었는데, 나이가 많은 경우는 사오십 대 정도였고, 어린 경우는 예닐곱 살 정도로밖에는 보이지 않았다. 아이들은 겁에 질려 구석에 앉아 주위를 두리번거리고 있었다.

"얌전히들 있어! 잠시 후 귀한 손님께서 오실 테니. 그때 너희들 중 누구라도 사고를 치면, 혼쭐을 내 줄 것이다!"

한바탕 으르댄 남자는 거들먹거리며 그 자리를 떠났다.

노비들은 모두 뿔뿔이 흩어져 앉아 있었고, 채찍을 맞은 이들은 힘없이 신음하고 있었다. 초교는 피를 너무 많이 흘린 나머지 고열이 내리지 않아 정신마저 이상해질 지경이었다. 그녀는 우리의 쇠창살에 기댄 채 마포로 얼굴을 가리고 깊은 잠에 빠져들었다.

이때, 한 무리의 인마가 현양가의 대로를 질주하고 있었다. 그들 중 우두머리인 듯한 남자는 눈처럼 새하얀 말을 타고 있었다. 살짝 올라간 눈꼬리에 검과 같이 날카로운 눈썹, 보통 사람들보다 높고 곧은 코에 선명하게 붉은 입술이며 유난히 깊은 눈빛까지, 남자의 잘생긴 얼굴은 사특해 보일 정도의 매력까지 풍기고 있었다. 그의 뒤를 따르는 시위들도 모두 풍채가 좋았다.

"도련님."

주성이 말을 붙여 오며 작은 소리로 말했다.

"곧 운하의 아문에 도착합니다. 주정이 먼저 가서 모든 것을 안배해 두었고, 변당의 사자도 그곳에서 도련님을 기다리고 있다고 합니다. 우리는 아문으로 가서 운하를 통해 변당으로 가면 됩니다."

아침 해가 새벽의 옅은 안개를 몰아내며 떠오르고 있었다. 짙푸른 장포를 입은 제갈월이 고개를 끄덕였다.

"가자."

그때, 시끄러운 징 소리가 들려왔다. 노비 시장이 열리는 것을 알리는 소리였다. 주변이 갑자기 시끌벅적해졌다.

목 사장의 오늘 장사는 아주 괜찮은 편이었다. 사전에 이야기를 끝냈던 대규모의 매매 외에도 손님들이 끊이지 않았다. 목 사장은 누런 이를 드러내며 콩알 같은 눈을 가늘게 뜨고 전

대를 만져 보았다.

사람들은 목 사장의 가게 앞에 모여 서서 노비들을 구경하고 있었다. 건장한 남자 노비며 고운 여자 노비가 계속 무대 위로 끌려 나왔다. 노비를 사려는 이들은 우리를 둘러싸고 가축을 고르듯 손가락질을 했다. 그들은 노비의 체격, 얼굴, 치아 등을 살폈고, 심지어 여자 노비의 몸 상태를 그 자리에서 검사하겠다고 요구하는 남자도 있었다.

목 사장의 사업은 점점 더 절정에 오르고 있었다. 목 사장 오른편에 있는 낮은 움막에는 아직 손님들의 넋을 잃게 만들 노비가 가득했다.

예순이 넘은 늙은이가 열 살 남짓한 어린 여자 노비를 열 명이 넘게 사들였다. 주위를 둘러싼 사람들은 한바탕 제 의견을 떠들고 있었고, 노비를 파는 목 사장의 목소리에는 점점 더 힘이 실렸다. 모두 물샐틈없이 그들을 둘러싸며 길을 막고 있었기에, 마침 그 자리를 지나던 제갈월 일행은 더 이상 앞으로 나갈 수가 없었다.

"도련님, 속하가 보고 오겠습니다."

월칠은 이미 다 자란 청년이었다. 건장한 체격에 침착한 눈빛, 누가 보아도 검법에서 대성을 이룬 검객임을 알 수 있었다.

제갈월이 고개를 끄덕이자 월칠이 몇몇 수하들과 함께 길을 뚫었다. 제갈월은 담담한 표정으로 시장의 풍경을 살펴보았다. 그때, 어린 여자 노비들이 흐느끼는 소리가 들렸다. 제갈월이 소리 나는 곳으로 고개를 돌려 보니 열 살 남짓한 어린 소녀들이 울고 있었다. 모두 몸도 채 다 가리지 못하는 낡은 옷을 입고 있어 얼핏 보기에는 거지 무리 같아 보였다.

이미 어린 여자 노비를 열 명도 넘게 사들인 노인은 예순이 넘어 보였는데, 저속한 금원보* 무늬를 수놓은 붉은 옷을 입고 있었다. 벼락부자임이 분명한 노인은 누런 이를 드러내고 웃으며 어린 소녀들의 여린 얼굴을 어루만지고 있었다.

제갈월이 천천히 미간을 찌푸렸다. 그의 눈에 도저히 감출 수 없는 혐오감이 드러났다. 그가 가볍게 손을 흔들자 주성이 다가왔다. 제갈월은 차가운 표정으로 말했다.

"가서 저 아이들을 사 오너라."

"예?"

주성이 멈칫하더니, 눈을 깜빡이며 물었다.

"노비를 사서 무엇 하시게요? 어린 노비들이 있으면 가는 길 내내 불편할 텐데요."

"가서 사 오라고 하면 사 올 것이지, 무슨 쓸데없는 말이 그리 많으냐?"

주성은 제갈월의 일갈을 듣고 목을 움츠리며 달려가더니, 얼마 되지 않아 소녀들을 이끌고 돌아왔다. 호색한으로 소문난 늙은이의 시중을 들지 않게 된 소녀들은 안도의 한숨을 내쉬면서도, 다시 겁먹은 표정으로 새로운 주인을 살펴보았다. 아직

---

* 원보는 옛 중국에서 쓰이던 말발굽 모양의 화폐로, 그중 금으로 만들어진 것을 금원보라 하며 부유함의 상징이다.

우리 속에 있던 노비들은 소녀들을 부러운 눈으로 바라보며, 이 부유한 공자가 자비롭게 자신들도 사 주지 않을까 희망하고 있었다.

"도련님, 모두 열두 명을 사 왔습니다. 원래 열셋인데, 한 명은 중병에 걸린 것 같고 너무 지저분하기에 사장에게 돌려주고 왔습니다."

주성이 보고했다. 제갈월이 고개를 끄덕이며 수하들을 이끌고 목 사장의 가게를 떠났다.

이때, 잠들어 있던 초교가 미간을 찌푸리며 눈을 떴다. 한 노인이 화살촉을 손에 든 채 목 사장과 이야기하고 있었다.

"보라고, 이렇게나 긴 화살촉인데. 만약 하루라도 늦었다면 대라금선*이 와도 목숨을 구할 수 없었을 거야."

목 사장이 귀찮다는 듯 투덜거렸다.

"목숨만 붙어 있으면 된 거지. 젠장, 방금 그 작자에게 대강 섞어서 함께 팔아 치우려고 했는데, 저렇게 자빠져 있으니 팔 수가 있나. 정말 재수 없는 계집이야. 노육, 잠시 후에 대량으로 구매하는 손님이 있으면 어떻게든 끼워 팔도록 해. 일단 팔고 나면 죽건 말건 상관없으니까."

사람들은 시끄럽고, 하늘은 구름 한 점 없이 맑았다. 지금은 유월, 이곳은 이미 찌는 듯한 더위가 시작되고 있었다. 하늘에는 새들이 날고 있어 하늘과 땅, 어디를 보더라도 계속 시끌벅

---

* 중국 신화에 나오는 신선으로, 대라천에 살며 불로불사한다고 알려져 있다.

적했다.

"도련님."

주성이 말했다.

"제가 가서 말 몇 필과 마차를 하나 사 오겠습니다. 저 아이들을 당경까지 뛰어가게 할 수는 없으니까요."

제갈월이 고개를 돌려 보니 소녀 노비들이 있는 힘을 다해 뛰어 쫓아오고 있었다. 다들 얼굴도 새빨갛게 달아오르고 땀투성이였다. 소녀들은 그 와중에도 새까만 눈동자를 굴리며 제갈월을 바라보았다. 그들의 눈빛 속에는 두려움과 아첨의 빛이 뒤섞여 있었다.

"그러도록."

제갈월이 고개를 끄덕였다.

"기왕이면 옷도 좀 사다 갈아입히면 좋겠군."

"알겠습니다. 노비가 다녀오겠습니다."

주성은 시장으로 돌아가고, 일행은 계속 앞으로 가기 시작했다. 뒤에 있던 하인들이 작은 소리로 이야기하기 시작했다.

"도련님께서는 노비에게 정말 잘 대해 주시는군."

"몰랐나? 도련님께서는 본래 노비들에게 매우 상냥하시다."

이 소곤거림을 들은 월칠이 고개를 돌려 하인들을 준엄하게 꾸짖었다.

"모두 닥쳐라!"

일행은 시끄러운 시장에서 멀어져 계속 앞으로 가고 있었다. 길은 점차 조용해졌고, 저 멀리에 운하의 아문이 보이기 시작했다. 그때였다.

"도련님!"

주성이 마차 두 대와 새로 산 말 몇 필을 끌고 빠르게 달려
왔다.

"모두 준비했습니다."

제갈월이 만족스러운 듯 고개를 끄덕이며 말들을 흘깃 바라
보다가 갑자기 미간을 찡그렸다. 그의 눈에 용맹한 표범이 사
냥물을 발견했을 때와 같은 날카로운 빛이 스쳐 갔다.

제갈월이 새로 사 온 말들에게 다가가더니, 가장 끝에 서 있
는 칠흑빛 준마 곁에 멈춰 섰다. 그 말은 다른 말들과는 달리
제갈월을 경계하며 신중하게 두어 걸음 뒷걸음질 쳤다. 묶어
있어 도망칠 수는 없었지만, 의심스러운 눈빛으로 제갈월을 바
라보며 불안한 듯 말발굽으로 지표면을 긁고 있었다. 말의 몸
에는 방금 전까지 독하게 얻어맞은 듯 상처가 가득했다.

"유성?"

제갈월이 나지막하게 부르자 준마가 귀를 세우고 기쁜 듯
그를 바라보았다. 제갈월의 안색이 크게 변했다.

"유성, 정말 너란 말이냐?"

말은 기쁜 듯 울면서 제갈월의 손바닥에 코를 비비대며 콧
소리를 냈다. 잘 아는 사람을 만난 듯한 태도였다.

"이 말을 어디서 사 왔지?"

"바로 앞의 말 시장에서 사 왔습니다."

"그곳으로 안내하도록."

주성이 머뭇거리며 말했다.

"도련님, 시간이 별로 없습니다. 우리……."

"안내하라고 했다!"

제갈월이 차갑게 소리쳤다. 주성이 깜짝 놀라 쿵 소리가 나도록 땅에 무릎을 꿇었다.

"노비가 명을 받들겠습니다."

제갈월 일행은 다시 시장으로 질주했다. 말을 팔았던 사람은 무슨 문제라도 있나 싶어 서둘러 달려 나왔다.

"이 말, 어디서 훔쳤느냐?"

제갈월이 묻자 말 장수는 안색이 변했지만, 곧 웃으며 말했다.

"공자께서 우스갯소리를 하시는군요. 모두 소인이 어릴 때부터 키워 온 말입니다."

제갈월은 음울한 표정으로 목소리를 낮췄다.

"다시 한 번 묻겠다. 어디서 훔쳤지?"

"소인은, 소인은 거짓말을 하지 않습니다요!"

이때 월칠이 보검을 뽑아 남자의 목에 가져다 대며 큰 소리로 외쳤다.

"어서 말하지 못하겠느냐!"

말 장수는 깜짝 놀라 땅에 무릎을 꿇었다.

"공자님, 살려 주십시오! 정말 소인이 그런 것이 아닙니다! 저쪽, 시장 동쪽의 목 사장이 저에게 대신 팔아 달라고 했습니다. 막 잡아 온 노비의 말이라고 하면서요. 소인은 이 말이 공자님의 말인 줄 꿈에도 몰랐습니다요. 소인이 알았다면, 감히 이 말을 팔지 않았을 것입니다!"

"이랴!"

제갈월은 말 장수의 말이 끝나기도 전에 말 머리를 돌려 동쪽을 향해 나는 듯이 달리기 시작했다. 주성이 당황하여 그를 따라가며 물었다.

"도련님, 어디 가시는 겁니까?"

제갈월이 눈썹을 치켜세웠다. 그의 얼굴은 여전히 차가웠지만, 눈빛 속에는 도저히 감출 수 없는 뜨거운 감정이 일렁이고 있었다.

"노비를 사러 간다."

제갈월이 수하들을 이끌고 위풍당당하게 목 사장을 찾아갔을 때, 목 사장은 이미 자리를 접고 떠날 준비를 하고 있었다. 월칠이 먼저 앞으로 나가 외쳤다.

"기다려라."

목 사장은 평생 수많은 이들을 보아 왔다. 누가 돈이 있고 없는지, 한번 보기만 해도 눈치챌 정도로 눈이 날카로운 사람이었다. 특히 이 일행은 오늘 가격조차 묻지 않고, 자신이 이미 다른 이에게 팔았던 소녀 노비를 열 명도 넘게 사들였다. 분명 돈이 많은 자일 것이다. 목 사장은 재빨리 허리를 굽실거리기 시작했다.

"공자님, 제가 도와드릴 일이라도 있습니까?"

제갈월은 대답하지 않고 차가운 얼굴로 말을 달려 그의 뒤에 묶여 있는 노비들에게 다가갔다. 목 사장이 당황하여 그 뒤를 따라갔다.

"공자님……."

그때 월칠의 검 끝이 목 사장의 목에 닿았다. 월칠이 음침한 표정으로 느릿느릿 말했다.

"누가 감히 우리 도련님께 가까이 가도 좋다고 했지?"

목 사장은 긴장한 나머지 두 손을 비비며 물러났다. 다년간의 경험이 그에게 경고하고 있었다. 눈앞의 이 무리는 자신이 당해 낼 수 있는 상대가 아니었다.

잠시 후, 제갈월이 말에서 뛰어내리더니 목 사장에게 다가와 물었다.

"네 노비는 이들이 전부인가?"

"예, 전부 여기 있습니다요. 제가 파장하느라 움집에 두었던 것들까지 모두 데리고 나왔습니다. 공자님, 마음에 드는 아이라도 있으신지요?"

제갈월이 미간을 천천히 찡그리며 한참 동안 아무 말도 하지 않더니 잠시 후 다시 물었다.

"모두 여기 있는 것이 확실한가?"

단순한 질문이었지만 목 사장의 이마에 식은땀이 배어 나오기 시작했다. 그는 긴장한 채 말했다.

"그렇습니다. 공자님, 모두 여기 있습니다. 소인이 아무리 간덩이가 부었다 해도 감히 공자님을 속이겠습니까."

주성은 이미 상황을 파악했다. 그가 조심스럽게 제갈월에게 말했다.

"도련님, 잘못 보신 것이겠지요. 성아 아가씨의 능력이 그리 출중한데, 저런 자들에게 잡혀 계셨을 리 만무하지 않습니까?"

제갈월은 잠시 침묵했다. 마침내 그의 눈빛이 다시 얼어붙었고, 방금까지 일렁이던 뜨거운 감정은 사라졌다. 제갈월이 그 자리를 떠나려던 그 순간, 목 사장 뒤에 있는 움집에서 얼굴이 검은 사내 하나가 달려 나오며 기쁘게 소리쳤다.

"주인님! 그 계집이 아주 좋은 검을 지니고 있었습니다. 제 눈에는 아주 비싸 보입니다요."

모든 이들이 그 사내를 바라보았다. 제갈월 역시 예외가 아니었다.

제갈월은 곧 날카로운 눈썹을 세우며 사내에게 성큼성큼 걸어가 검을 빼앗더니, 검집에서 검을 뽑아 들었다. 찰나의 순간, 검에서 찬란한 빛이 번쩍였다. 모든 이가 깜짝 놀라 눈만 휘둥그렇게 뜨고 그 날카로운 보검을 바라보았다. 푸른 검날에 은은한 핏빛 무늬가 보이고, 검신 위에 두 개의 글자가 쓰여 있었다. 바로 '파월'이라는 글자였다.

제갈월의 표정이 순식간에 차갑게 얼어붙었다. 그가 사내에게 물었다.

"이 검, 어디서 났느냐?"

"그, 그게…… 그게…… 소인이 주웠습니다요."

제갈월이 장검을 휘둘렀다. 거센 바람이 불어와 그의 짙푸른 옷소매를 말아 올리는 가운데, 그의 검 끝은 이미 목 사장의 목을 겨누고 있었다. 제갈월이 가라앉은 어조로 물었다.

"제대로 말하지 못하겠느냐?"

"살려 주십시오! 공자님, 살려 주십시오! 이, 이 검은 노비의 것이었습니다."

"그 노비는 어디 있느냐?"

목 사장이 혼비백산하여 떨리는 목소리로 대답했다.

"방금 팔았습니다요."

"팔았다?"

제갈월이 차갑게 코웃음 쳤다.

"죽어야 깨달을 위인이군. 나와 끝까지 해 볼 작정인가?"

"공자님! 소인의 말은 전부 사실입니다요. 거짓말은 하나도 없습니다. 만약 믿지 못하시겠다면, 주변에 있는 가게 사람들에게 물어보십시오. 확실히 누군가가 노비들을 한 무리 사 갔고, 그중에 검을 지니고 있던 그…… 있었습니다."

목 사장이 쿵 소리가 나도록 땅에 무릎을 꿇고, 놀란 얼굴로 더듬거리며 외쳤다. 그의 말을 들은 제갈월이 다시 나지막하게 물었다.

"누구에게 팔았느냐? 떠난 지는 얼마나 되었지?"

"막 팔았습니다요. 아직 향 하나 피울 시간도 지나지 않았습니다. 사 간 이가 누구인지, 소인은 모릅니다. 소인은 정말로 모릅니다!"

갑자기 한바탕 바람이 불어와 땅에 가득한 먼지를 말아 올렸다. 제갈월의 옷자락이 춤을 추듯 펄럭이고, 검은 머리카락은 밤하늘처럼 물결쳤다. 그의 입술은 더욱 붉어 보였고, 그의 눈빛 속에 평소에는 보기 힘든 미망의 빛깔이 스쳐 갔다.

제갈월은 거리를 끊임없이 오가는 인파를 바라보았다. 한 발 늦어 버린 것에 분노했고, 후회는 깊디깊었다. 도무지 방법이 보이지 않아 망연하기도 했다. 그리고 지금 그의 마음을 가장 많이 채우고 있는 것은 짙은 실망감이었다.

"아마 상처를 입은 상태였겠지. 아주 심했나?"

목 사장이 눈치 빠르게 말했다.

"아주 심했지요, 심했습니다. 왼쪽 옆구리에 칼에 맞은 상처가 있었고, 어깨에 화살촉도 박혀 있었습니다. 어젯밤, 제가 변두리 성황묘에서 아가씨를 거두었을 때 말입니다. 제가 명의를 찾아 아가씨를 치료해 드렸습니다. 제가 아가씨의 생명을 구한 것이지요. 공자님, 소인이 우둔한 나머지 귀한 분을 알아보지 못했습니다. 아가씨가 공자님의 친우일 줄은 생각하지 못하고 노비로 팔아넘겼으니, 소인, 만 번 죽어 마땅한 죄를 지었습니다. 만 번 죽어 마땅하고말고요!"

제갈월이 슬쩍 눈가를 찌푸리더니 목 사장을 바라보며 말했다.

"그래, 너는 확실히 죽어야겠다."

나지막한 그의 목소리에 피비린내가 배어 있었다. 그에게서 풍겨 나오는 거대한 살기에 목 사장은 깜짝 놀라 할 말을 잃고 말았다. 제갈월이 계속 말했다.

"이 세상에 그녀의 주인은 단 한 사람, 나뿐이다. 네가 감히 그녀를 물건처럼 팔아넘겼다고?"

"공자님, 소인은…… 소인은……."

"월칠, 뒷일을 부탁한다. 돌아오는 길에 저자가 다시 내 눈을 거슬리게 하는 일이 없었으면 좋겠군."

월칠이 조용히 대답했다.

"예."

제갈월은 목 사장의 애걸을 더 이상 들어 주지 않고 말을 달려 곧 시끌벅적한 거리에서 사라지고 말았다. 그리고 이 말발굽 소리가 끊임없이 울리는 번화한 거리에 돼지 멱따는 듯한 비명 소리가 울려 퍼졌다. 주변 사람들의 환호성 속에, 목 사장, 이 악독한 졸부는 월칠의 검 아래 죽고 말았다.

"주성, 아문에 연락을 취해라. 우리는 운하로 가지 않고 육로로 가겠다고."

주성이 멈칫했다. 그는 아까부터 이렇게 될 것 같다고 생각 중이었지만, 결국은 참지 못하고 제갈월에게 이야기했다.

"도련님, 어르신께서는 가능한 한 빨리 당경으로 가라고 분부하셨습니다. 육로로 가면 시간이 오래 걸릴뿐더러, 다른 세 가며 번왕들은 모두 수로로 가는데 우리만 다른 길로 간다면 아마 유언비어가 떠돌 것입니다."

그러나 제갈월은 대답하지 않고 차갑게 주성을 쏘아보았다. 그 눈빛의 의미는 더 말할 필요도 없이 분명했다.

주성의 등줄기가 쭈뼛해 왔다. 그가 제갈월의 생각을 모를 수는 없었다. 이번 당경에서 벌어질 성대한 행사 때문에 미리 초청받은 가문이 아니라면 운하를 이용할 수 없었다. 그러니 보통 행인이나 세력이 없는 이들은 육로를 통할 수밖에 없었다. 목 사장처럼 낮은 등급의 노비를 파는 이에게서 하인을 산 사람이라면 분명 대단한 가문 출신은 아닐 것이다.

제갈월이 육로로 가겠다고 하는 의미를, 주성도 눈이 있는데 어찌 모르겠는가. 그러나 제갈월이 그녀를 찾아낸다 해도, 현재의 신분이 있는데 대체 무슨 의미가 있을까? 제갈월은 더이상 세상 물정 모르는 소년이 아니었고, 그녀도 더 이상 가진 것 없는 어린 노비가 아니었다.

도련님, 그녀를 찾으신다 해도 말입니다. 무엇을 하실 수 있겠습니까? 그녀는 호랑이입니다. 잠시 부상을 입어 사냥꾼에게 사로잡힌다 해도, 사냥꾼의 우리 안에서 키울 수는 없는 존재입니다.

그러나 주성은 그 말을 하지 못하고 그저 머리를 흔들며 아문을 향해 걷기 시작했다.

작열하는 태양이 제갈월의 짙푸른 소매 위로 눈부신 빛을 떨어뜨렸다. 결코 평범하지 않은 그의 풍채가 더욱 돋보이고 있었다.

멀리 무성한 버들가지가 보였다. 그 사이에 굵은 느릅나무가 한 그루 있었는데, 붉은 천 조각이며 예쁘게 오린 종이들이 가득 매달려 있었다. 이 지역 사람들은 느릅나무 안에 신선이 살고 있어 재난을 막아 주고, 모든 일이 순조롭게 풀리게 해 준다고 믿었다. 특히 오래 묵은 나무일수록 신통력이 대단하다고 믿었다.

제갈월이 말을 달려 느릅나무 앞으로 가더니, 허리에 차고 있던 옥패를 풀어 나무 위로 던졌다. 툭, 소리와 함께 진귀한 옥패가 높디높은 가지 위에 걸려 흔들거리며 햇빛 아래 찬란한 빛을 내뿜기 시작했다.

"이랴!"

제갈월이 수하들을 이끌고 자리를 떠났다. 여름 매미가 날카롭게 울어 대는 가운데 옥패는 나뭇잎 사이에서 뜨거운 바람을 맞아 흔들거리고 있었다.

✦

초교가 눈을 떴을 때는 이미 황혼 무렵이었다. 강 위에 금빛 물결이 눈부시게 넘실거렸다.

목 사장이라는 자는 꽤 수단이 좋은 모양이었다. 거의 죽어 가는 초교를 팔아넘겼을 정도니 말이다. 다행히도 그녀를 산 사람은 상당히 좋은 사람이었다. 초교를 괴롭히지 않았을 뿐 아니라 의원을 찾아 그녀를 치료해 주기까지 했다. 그녀의 모든 상처는 깨끗하게 싸매 둔 상태였고, 열여덟 정도로 보이는 여인이 초교에게 약을 먹이고 있었다.

그 상황에서도 살아남았다니, 내 운이 그렇게까지 나쁜 건 아닌 모양이군. 초교는 자조하듯 웃으며 물었다.

"언니, 여기는 어디인가요? 우리는 어디로 가는 거죠?"

초교에게 약을 먹이던 여자는 잠시 어색하게 웃더니 곧 자신을 소개했다.

그녀의 이름은 명소로, 이 가문의 시녀였다. 초교를 산 주인은 20대의 젊은이로, 이름은 첨자유, 변당 변경에 위치한 수수성 출신이라고 했다. 또한 이 가문에는 아직 혼사를 치르지 않은 아가씨가 둘 있다고 했다. 그들은 지금 변당의 수도인 당경으로 가는 길이었고, 모두 세 척의 큰 배로 움직이는 중이었다. 함께 가는 하인만 백 명이 넘었고, 호위 중인 시위들도 마흔이 넘는다고 했다.

이리 많은 이들이 함께 움직이는 것으로 보아 첨자유라는 자는 대부호임에 분명했다. 초교는 한참 머리를 짜내 보았지만, 첨씨 성을 가진 가문은 들어 본 기억이 없었다.

어쨌든 이들이 당경으로 가는 이상 초교 입장에서는 조급할 일이 없었다. 이들을 따라가면 몸도 회복할 수 있고, 대하 쪽의 추격자들도 쉽게 따돌릴 수 있을 것이다. 일거양득이었다. 여기까지 생각한 초교가 물었다.

"변당으로 간다고요? 웃어른께 문안이라도 올리러 가는 건가요?"

그러자 명소가 달콤하게 웃으며 말했다.

"변당의 태자 전하께서 혼례를 치르실 예정이라, 변당의 모든 세가 귀족은 물론이고 대하와 회송의 귀족들도 당경의 혼례식에 참석하려 하고 있어. 우리 큰도련님께서 이번에 당경에 가시는 것도 바로 혼례식 때문이야."

"변당의 태자가 혼례를 치른다고요?"

초교가 당황해서 되물었다. 바로 이때, 배가 갑자기 흔들리더니 천천히 움직이기 시작했다. 물가에서 들려오던 시끄러운 소리들도 점차 줄어들었다.

"휴, 이제야 출발이네."

명소가 말했다.

"대하의 귀족 하나가 늑장을 부리면서 배에 올라타려 하지 않았다지 뭐야. 큰도련님께서 감히 먼저 배를 띄울 수 없어 우리는 하루 종일 기다려야 했거든. 그런데 그 귀족은 아직도 다른 일이 있는지, 우리에게 배를 먼저 띄우라고 전갈을 보내왔다더라고."

"변당의 태자가 태자비를 맞이한다고 했지요? 어떤 사람인가요? 대하의 공주인가요?"

"아, 언니에게 들었는데, 원래는 태자비로 맞아들이려고 했었다던데, 후에 대하에 내란이 일어나서 측비로 맞아들이기로 했다고 하더라고. 측비라 해도 어쨌든 태자 전하께서 처음으로 비를 들이시는 것이니 융숭하게 예를 갖추지 않을 수 없지. 게다가 상대가 대하의 공주니, 혼례식은 아주 성대할 거야."

초교는 고개를 숙이고 오래도록 아무 말도 하지 않았다. 명소가 걱정스러운 듯 물었다.

"왜 그러니? 어디 또 아픈 거야?"

"아니에요."

초교는 고개를 저으며 침상에 천천히 기댔다.

"피곤해서 조금 자고 싶어요."

명소가 고개를 끄덕였다.

"그럼 일단 좀 쉬도록 해. 나는 나가 볼 테니."

명소가 나간 후, 초교는 미간을 찡그리며 중얼거렸다.

"대하가 마침내 변당과 혼인을 맺는구나. 연순, 어쩌지?"

———◆———

하늘은 씻은 듯 새파란 빛이었다. 뱃머리 방향에서 영치기 소리가 크게 들려왔다. 뱃사람들이 크게 떠들며, 온 힘을 다해 노를 젓고 있었다. 돛을 활짝 편 배는 비람을 맞으며 빠르게 움직이기 시작했다. 그리고 멀리 물가에서, 한 무리의 인마가 조용히 멀어져 가는 배를 바라보고 있었다.

주성이 제갈월에게 다가와 조심스럽게 말했다.

"도련님, 모든 안배가 끝났습니다. 변당에서 도련님을 맞이하기 위해 보냈던 배도 먼저 출발시켰고, 통관문서도 모두 처리했습니다. 이제 우리는 백지관을 통해 변당으로 들어가면 됩니다."

제갈월은 무심한 표정으로 강물을 바라보며 천천히 말했다.

"급할 것 없으니, 먼저 현양성에 가서 이틀 머무르도록 하지."

주성은 소리 없이 탄식했다. 제갈월은 이 지역 사람이 다시 초교를 사 갈까 봐 걱정하고 있는 것이 분명했다. 주성은 고개를 끄덕이며 말했다.

"노비가 명을 따르겠습니다."

강 위로 맑은 바람이 유유히 불어왔다. 제갈월은 생각에 잠겨 점차 멀어져 가는 배를 바라보다가, 몸을 돌려 현양성 방향으로 말을 달리기 시작했다.

운명이란 이러한 것이다. 제갈월은 자신이 찾고 있는 사람이 본래 자신을 위해 준비되었던 배에 누워 있다는 사실을 알지 못했다. 그래서 이 세상에 '공교할 교巧'라는 글자가 있는 것이다. 세상일은 이렇게 터무니없이 공교롭고, 또 터무니없이 인연이 닿지 않을 수도 있는 것이다.

제갈월이 말을 달려 떠나는 바로 그 순간, 초교는 선실에 하나 있는 작은 창의 발을 들어 올렸다. 그녀가 머리를 내밀고 밖을 내다보았지만, 옅은 안개 속 먼지를 일으키며 달려가는 사람들의 뒷모습만이 보일 뿐이었다.

이날은 유월 초아흐레였다. 이레 전, 변당의 태자 이책이 혼사를 치른다는 소식이 온 서몽 대륙에 퍼졌고, 모든 이들이 이 화친이 가져올 정치적인 이익을 남몰래 계산하고 있었다.

현재 대하 황조와 철저하게 사이가 틀어진 연북을 제외하면, 서몽 대륙의 모든 세력이 변당의 수도인 당경으로 몰려들고 있었다. 각 세가, 부족, 번왕들은 모두 가문에서 세력이 있는 이들을 사자로 보냈다. 이것은 변당과 좋은 관계를 유지하고 싶다는 의사 표시일 뿐 아니라, 이 기회를 빌려 서몽 대륙에서 가장 안정적인 정권인 변당이 대하의 내란에 대해 어떠한 태도를 보이는지 탐문하기 위해서이기도 했다.

진황성에서 연회를 벌이다가 내란으로 인해 좋지 않은 표정으로 헤어졌던 이들이 다시 한 번 변당으로 모이고 있었다. 오랜 세월을 지켜 온 변당이 모여드는 사람들로 인해 분위기가 달아오르고 있었다.

이틀 후, 제갈월은 일행을 이끌고 현양성을 떠나 백지관으로 들어가 드디어 변당의 땅을 밟았다. 그리고 이와 동시에, 한 무리의 일행이 연북을 떠나 서몽 대륙의 동남쪽을 향해 빠르게 이동하고 있었다.

제2장 음과 양을 혼동하다[*]

밤의 장막이 내려오자, 모두 배에 등불을 밝혔다. 멀리 보이는 배들도 밝게 빛나고 있었다. 물가 양편으로 보이는 산들은 마치 칼처럼 뾰족했고, 때때로 거대하고 가파른 절벽들이 보였다. 거대한 날개를 펼친 참매가 밤하늘을 날아가며 날카로운 울음소리를 내는 것이 들렸다.

초교는 열흘이 넘도록 계속 누워 있었다. 이제 상처는 거의 나은 것 같았다. 그녀는 선창을 나와 텅 빈 갑판 위 구석진 곳에 무릎을 끌어안은 채 앉았다. 고요한 밤, 유유히 불어오는 바람 소리만 들려왔다. 초교는 얼굴을 스쳐 가는 축축한 바람을 느끼며 이 조용한 밤의 풍경을 지켜보았다. 그동안 그녀가 초

---

[*] 여러 가지 원인으로 인해 일이 잘못되었다는 뜻의 중국 속담.

조하게 근심하던 것들이 되살아났다. 초교는 깊이 한숨을 쉬며 조용히 강물을 바라보았다.

"방금 무슨 노래를 하고 있었느냐?"

갑자기 뒤에서 청아한 목소리가 들려왔다. 초교가 고개를 돌려 보니, 한 남자가 나무로 만든 바퀴의자에 앉아 있었다. 남자는 대나무 비녀로 머리를 묶어 올리고 푸른 장삼을 입은 채, 어둠 속에서 달빛을 등지고 말없이 그녀를 바라보고 있었다. 초교가 당황하여 물었다.

"누구신가요?"

남자는 이 상황이 재미있는지, 입꼬리를 들어 올리며 반문했다.

"그러는 너는 누구냐?"

그가 손을 움직이자 바퀴의자의 나무 바퀴가 천천히 갑판 위 밝은 곳으로 굴러 왔다. 초교는 이제야 그를 정확하게 볼 수 있었다.

그의 옷은 바람을 따라 살짝 말려 올라가고, 이마 앞에 내려온 몇 오라기 머리카락도 바람에 따라 흔들리고 있었다. 물에 비친 달빛이 그의 얼굴에 반사되어 창백한 피부는 더욱 투명해 보였다. 백옥일까, 난초일까. 준수한 얼굴에 검은 눈썹, 곧은 콧날이며 살짝 얇은 입술까지, 보통 사람 같지 않은 외모였다. 물과 같이 그윽한 달빛 아래 밤바람을 맞으며 옷자락을 펄럭이고 있는 남자는 마치 그림 속에서 그대로 빠져나온 사람처럼, 속세의 기운이라고는 전혀 없었다.

"저는 막 들어온 하인으로, 소교라고 합니다."

"소교라?"

남자가 낮은 소리로 읊어 보더니, 얼굴을 활짝 펴고 웃었다.

"기억하기 쉬운 이름이군."

그의 미소는 마치 삼월 호수 위 따뜻한 바람처럼 편안하고 다정해 보였다.

"나는 첨자유라고 한다."

초교는 당황하고 말았다. 이 가문의 주인에게 장애가 있으리라고는 생각지 못했기 때문에, 이 남자가 첨자유일 거라고는 생각지 못했던 것이다. 그녀는 재빨리 한 걸음 물러서서 예를 행하며 말했다.

"큰도련님이셨군요. 제가 실례했습니다."

첨자유는 담담하게 고개를 끄덕이더니 곧 고개를 돌려 조용히 강물을 바라보았다. 그는 비싸 보이지 않는 무명의 소복을 입고 있었고, 안색이 창백하여 아파 보였다. 그의 눈은 산에 흐르는 샘물처럼 맑았지만 그 눈에는 결코 사라지지 않을 듯한 어스름한 빛깔이 담겨 있어, 보는 이마저 우울해지는 것 같았다.

초교가 자리를 비켜 주어야 하는지 계속 있어야 하는지 알 수 없어 주저하고 있노라니, 갑자기 첨자유가 말을 걸었다.

"네가 부르던 노래가 정말 듣기 좋던데, 제목이 무엇이지?"

초교는 그제야 첨자유가 오기 전 자신이 노래를 흥얼거리고 있었다는 사실을 깨닫고 얼굴을 붉히며 답했다.

"그저 입에서 나오는 대로 부른 노래입니다. 고향의 노래지요."

"고향이라?"

첨자유가 중얼거렸다.

"고향이 어디지?"

"제 고향은 아주 먼 곳입니다. 아마 평생 돌아가지 못할 것입니다."

"그렇군."

첨자유는 미소 지을 뿐, 더 이상 묻지 않았다.

"큰도련님, 강에 바람이 셉니다. 제가 돌아가시도록 도와드릴까요?"

첨자유가 고개를 들더니 자조하듯 웃었다.

"내가 아주 고생을 해서 겨우 나왔다. 아직 얼마 앉아 있지도 못했는데 벌써 돌아가라는 말이냐?"

갑판에는 등불이 바닥에 놓여 있어, 첨자유의 머리를 부드럽게 비춰 주었다. 초교는 그제야 그의 검은 머리카락에 희끗희끗한 빛이 섞여 있는 것을 발견했다. 초교는 어떻게 대답해야 할지 알 수 없어 그저 조용히 서 있기만 했다.

"말을 탈 줄 아느냐?"

잠시 후, 첨자유가 갑자기 물었다. 초교는 영문을 알 수 없었지만 고개를 끄덕였다.

"탈 줄 압니다. 잘 타는 편입니다."

첨자유가 웃으며 말했다.

"예전에 내게 좋은 말이 한 필 있었지. 내 아내가 나에게 선물한 말이었다."

초교는 일단 맞장구쳤다.

"분명히 아주 좋은 말이었겠지요."

"분명히 그랬지. 다만 성질이 아주 강한 말이었어."

"아."

초교가 고개를 끄덕였다.

"보통 좋은 말들은 그렇기 마련입니다. 시간을 들여 길들여야 하지요. 지금 그 말은 말을 잘 듣나요?"

"죽었다."

초교는 당황하여 입을 다물고 말았다.

"그 말은 사람에게 얽매이고 싶지 않아 했지. 그래서 결국은 기둥에 스스로 머리를 박고 죽었다."

초교는 멍하니 그를 바라보았다. 대체 무슨 말을 해야 좋을지 알 수 없었다.

첨자유가 웃으며 말했다.

"내일 오팽성에 도착하면, 기회를 봐서 떠나도록 해라."

초교는 천천히 미간을 찡그리며 속삭였다.

"당신은 누구죠?"

첨자유가 조용히 고개를 들었다. 맑고 차가운 달빛이 마치 해변의 은빛 모래처럼 그의 얼굴에 쏟아지고 있었다.

"수수성에서 네 초상을 보았다. 또한 최근 병마 동원령도 있었지. 네 신분을 추측하는 것 정도야 어렵지 않다."

"그렇다면 어째서 나를 놓아주려는 건가요?"

"내가 수수에 잠시 살았긴 하다만, 대하 사람은 아니지."

첨자유가 바퀴의자를 움직여 선창으로 향했다.

"나는 귀찮은 일이 생기는 것이 싫다."

초교는 재빨리 두 걸음 달려가 바퀴의자의 등받이를 잡고 나지막하게 물었다.

"귀찮은 일이 생기는 것이 싫다면 애초에 왜 나를 구해 주었던 거죠?"

첨자유가 고개를 돌려 담담한 눈길로 초교를 바라보더니, 한참 후에야 입을 열었다.

"대하의 십삼황자께서 서신을 보내 너를 찾아봐 달라고 하셨다. 나는 예전에 그분께 빚을 진 적이 있지."

초교는 멈칫하며 자신도 모르게 손을 놓았다.

"나는 그저 몰락한 가문의 자제일 뿐이다. 그리고 내일부터는 더 많은 대하 사람들과 동행하게 될 예정이라 더 이상은 너를 데려갈 수 없다. 내가 할 수 있는 일은 다 했으니, 이제 너 스스로 알아서 헤쳐 나가도록 해라."

바퀴가 갑판 위를 구르며 희미한 소리를 내기 시작했다. 초교는 밤바람을 맞으며 날이 밝아 올 때까지 그 자리에 오래도록 서 있었다.

강물이 구슬프게 훌쩍이며 천천히 흘러갔다. 언제부터인가 가는 비가 뿌리기 시작했다. 추적추적, 빗소리는 강물의 울음소리에 섞여 들었다. 초교는 말없이 하늘만 바라보았다.

멀리 일엽편주가 천천히 지나가고, 건너편 제방에 빠르게 질주하는 준마 몇 필이 보였다. 내리는 빗방울을 따라 한기가 초교의 골수까지 스며들었다. 그녀는 천천히 눈을 감았다. 창백한 얼굴, 피가 묻어 있던 입술, 그리고 차가운 바람 속에 외롭게 흔들리던 텅 빈 옷소매. 그 모든 것이 보이는 것 같았다.

초교가 생각에 잠겨 있는 동안, 제방에서 말을 달리던 이들이 갑자기 멈춰 섰다. 그중 한 사람은 심지어 몸을 돌려 그녀가 서 있는 방향을 바라보기도 했다. 그러나 밤새도록 잠을 자지 않았던 초교는 더 이상 생각을 이어 갈 힘이 없어 그들을 보지 못하고 선창으로 돌아왔다.

이때, 강변에서 말을 세운 남자는 바로 제갈월이었다.

"도련님, 앞이 바로 화수군입니다. 작은 마을이지요. 그곳에서 잠시 쉰 다음 다시 길을 갈까 합니다. 그 앞이 바로 오팽성입니다."

빗방울이 제갈월의 얼굴을 타고 흘러내렸다. 그는 강 위를 흘러가는 배 몇 척을 바라보며 물었다.

"주성, 저 배들은 우리와 함께 현양성에서 출발한 배들이 아닌가?"

주성이 잠시 살펴보더니, 곧 고개를 끄덕였다.

"도련님께서 역시 관찰력이 좋으시군요. 저 배들은 본래 현양의 아문에서 우리를 위해 준비해 두었던 배입니다. 우리가 육로로 가기로 한 후 먼저 내보냈지요. 지금 저 배를 타고 있는 이들은 분명 변당의 첨가일 것입니다."

"서집령의 첨가 말이냐?"

"예, 바로 그 첨가입니다."

제갈월의 눈길이 마치 우물 속처럼 어두워지더니, 냉담하게 말했다.

"그런 가문까지 모두 뛰쳐나오다니, 아무래도 이번에 당경이 정말로 시끌벅적해지겠군."

주성도 말을 이었다.

"첨가는 이번에 전 가문이 함께 변당으로 향하고 있더군요. 아무래도 평범한 일은 아닌 것 같습니다."

제갈월이 말했다.

"그들도 당연히 무슨 생각이 있겠지. 하지만 생각대로 일이 이루어질지는 두고 봐야 아는 것이고."

"그래도 지금 첨가의 가주는 상당히 능력 있는 자라고 하더군요. 교우 관계도 넓고, 강호에도 세력이 꽤 퍼져 있다고 합니다. 또한 십삼 전하와도 사이가 좋은 것을 보면, 아무래도 평범한 사람은 아닌 것 같습니다."

제갈월이 미간을 찌푸리며 잠시 생각하더니 물었다.

"네가 말하는 자가, 제 여동생을 취한 그 첨자유냐?"

"그렇습니다."

주성이 말을 이었다.

"첨자유는 어린 시절 창산으로 들어가 기예를 배웠고, 창진인의 자리를 전수받으며 이름을 창설로 바꿨지요. 열일곱이 되던 해 산을 내려와 유랑하던 중, 원치 않는 혼사를 피해 가출하여 이름을 숨기고 있던 첨가의 둘째 아가씨 첨자금과 만났습니다. 두 사람은 사랑에 빠져 평생을 함께하기로 하고, 아이까지 낳았다고 합니다. 그들은 첨가의 사람들에게 뒤를 밟힌 후에야 서로의 신분을 알게 되었다고 합니다. 첨 어르신은 화가 난 나머지 첨자유의 다리를 자르고, 첨자금은 산 채로 불에 태워 죽였습니다. 그리고 첨가는 이 일로 인해 변당에서 더 이상 버틸 수 없게 되어 온 가문이 우리 대하로 옮겨 오게 되었지요. 들기로는 당시 십삼 전하께서 여러 가지로 편의를 봐 주셨다고 합니다."

"산 채로 불에 태워 죽였다고?"

제갈월이 차갑게 코웃음 쳤다.

"첨자유, 그자는 정말 쓸모없는 인간이군. 무슨 일을 하기 전에 제대로 알아보지도 않고, 일을 저지른 후에 책임지지도 못하고. 두 다리가 잘린 것 정도야 잘못에 비하면 아주 가벼운 형벌이지."

주성이 웃으며 맞장구쳤다.

"그렇고말고요. 도련님께서는 역시 현명하십니다."

제갈월이 피식 웃었다.

"아첨은 그만해라. 가자. 모레 새벽까지는 오팽에 도착해야 하니까."

모든 이가 이구동성으로 답하며 말을 채찍질했다. 그러나 바로 이때, 제갈월의 곁에 있던 검은 전마가 갑자기 건너편 강을 향해 길게 울부짖었다. 다른 이들이 아무리 끌어당겨도 멈추지 않았다.

"유성!"

제갈월이 나지막하게 외쳤다.

"왜 그러느냐?"

유성은 두 앞발을 들고, 건너편 강의 배를 향해 길게 울부짖었다. 제갈월은 미간을 찡그리더니, 채찍으로 유성의 목을 가볍게 후려치며 다시 물었다.

"대체 왜 그러는 것이냐?"

"도련님, 유성이 놀란 것 같습니다."

"놀랐다고?"

제갈월이 눈가를 찌푸리며 다시 한 번 아득한 강 저편을 바라보았다.

선창 안에 있던 초교가 갑자기 벌떡 일어났다.

"소교, 왜 그래?"

명소가 깜짝 놀라 물었고, 초교는 몸을 꼿꼿하게 세운 채 대답했다.

"유성이 나를 부르는 것 같아요."

"누구? 누가 널 부른다고?"

"유성, 내 말이에요."

초교의 대답에 명소가 웃으며 놀리듯 말했다.

"그럴 리가 있겠어? 여기는 물 위인데, 네 말은 수영도 할 줄 아나 보지?"

그러나 초교는 이맛살을 찌푸리며 창문을 열었다. 비바람이 즉시 창 안으로 몰아쳐 왔다. 초교는 창밖으로 머리를 내밀어 보았지만 비가 점점 세게 내리고, 강 위에 짙은 안개가 가득하여 아무것도 보이지 않았다. 그녀는 한참 동안 집중하여 귀를 기울이다가, 갑자기 침상에서 일어나 옷을 걸쳤다. 명소가 깜짝 놀라 그녀를 잡았다.

"뭘 하려는 거야?"

"나가서 보고 오려고요. 정말로 유성이 나를 부르고 있어요."

명소가 고개를 저으며 말렸다.

"밖에 비가 이렇게 많이 내리는데, 나가면 병이 나고 말 거야."

그러나 초교는 미간을 찡그린 채, 외투 하나를 걸치고 선창을 뛰쳐나왔다. 비는 방금 전보다 훨씬 거세져 있었다. 온 천지가 은빛으로 빛나고, 아무것도 제대로 보이지 않았다. 선원들은 흔들리는 배를 안정시키려 노력하며 급하게 물을 밖으로 퍼내고 있었다. 다들 배에 문제라도 생기지 않을까 걱정하는 빛이 역력했다.

초교는 사람들 사이에서 망연한 표정으로 사방을 둘러보았다. 어디에도 유성의 그림자는 보이지 않았다. 그녀는 손나팔을 만들어 큰 소리로 외쳤다.

"유성!"

그러나 그녀의 목소리는 곧 천둥소리에 묻혀 버리고 말았다. 그리고 그때, 선장이 조급하게 선창에서 뛰어나오며 선원들에게 외쳤다.

"주군께 이야기드렸다. 이 비는 점점 더 커질 거다. 물가에 배를 대도록!"

선원이 물었다.

"어느 쪽으로 댈까요?"

"왼쪽 물가가 가깝긴 하지만, 물이 얕으니 배를 받칠 수 없다. 오른쪽으로!"

그리고 바로 이때, 왼쪽 물가에서는 거센 비로 인해 발이 묶인 제갈월 일행이 낡은 정자 안에서 비를 피하고 있었다. 유성은 여전히 자신을 단단히 묶고 있는 밧줄을 끊어 버릴 기세로 다급하게 뛰어나가려 했다.

제갈월은 그런 유성을 바라보다가, 귀를 슬며시 움직이며 천천히 얼굴을 찌푸렸다.

"주성, 들었느냐?"

주성이 당황하여 물었다.

"도련님, 무엇을 말입니까?"

제갈월은 말없이 계속 미간을 찌푸린 채 집중하고 있었다. 그러나 비가 점점 더 세게 내리고, 천둥소리도 끊임없이 울려 퍼졌다. 그리하여 들릴 듯 말 듯하던 그 목소리는 결국 흔적 없이 사라지고 말았다.

제갈월은 일어서서 뒷짐을 진 채 아득한 저편을 바라보았다. 천지간은 온통 희뿌연 빛이었고, 선박 몇 척이 폭우 속으로 사라져 더 이상 보이지 않게 되었다.

초교도 포기할 수밖에 없었다. 배가 오른쪽 물가에 정박했을 때, 그녀의 온몸은 비에 흠뻑 젖어 있었고, 유성을 부르느라 목도 쉬어 버리고 말았다. 명소가 우산을 받쳐 들고 따라 나와 초교에게 씌워 주며 말했다.

"어서 들어와. 이러다가 병이라도 나면 어쩌려고."

그러나 초교는 대답하지 않고 오래도록 강 건너편을 바라보았다. 그녀는 분명 유성의 울음소리를 들었다고 확신하고 있었다.

다음 날 배가 다시 물가에 도착했을 때, 초교는 몰래 배를 빠져나와 전날 밤 유성의 울음소리가 들렸던 곳으로 갔다. 그리고 유성의 목에 걸려 있던 방울을 발견했다. 그녀가 직접 유성에게 걸어 주었던 바로 그 방울이었다.

유성이 어째서 이곳에 있는 걸까? 진황성으로 돌아가지 못한 걸까?

조순아가 포위망을 좁혀 왔기 때문에, 초교는 어쩔 수 없이 길을 꺾어 변당으로 향했다. 변당의 정주에서 서남 운하를 따라 연북으로 돌아갈 생각이었다. 물론 그러기 위해서는 연북의 도움이 필요했지만, 초교로서는 연순에게 소식을 전달할 방법이 없었다. 고민하던 그녀는 서신을 한 통 써서 유성의 말발굽 안 공간에 숨겼다.

유성은 우에게서 받은 말로, 원래 진황성 안 대동회 목장에서 자랐다고 했다. 유성은 아주 영리했기 때문에, 수년에 걸쳐 초교와 우 사이의 연락을 전하는 일을 담당해 왔다. 아마 우는 현재 진황성에 없겠지만, 유성이 대동회 사람을 찾아내기만 한다면 소식을 전달할 수 있을 터였다.

그런데 유성이 지금 이곳에 있다는 것은, 초교의 소식이 전해지지 못했다는 의미일 수도 있었다. 초교는 고민하기 시작했다. 과연 자신은 정주로 가도 되는 것일까? 수많은 대하의 살수들이 그곳에 매복한 채 자신을 기다리고 있을지도 모른다. 그러나 정주로 가지 않는다면, 연북으로 가는 길은 대하의 국경을 넘어 조순아의 포위망 속으로 들어가는 것뿐이었다.

한참 고민하던 초교는 당분간은 연북으로 돌아가지 않기로 결심했다. 대신 유성의 흔적을 추적하며 이동했다. 그 결과, 그녀는 오팽성 성주의 관저 앞에 도착했다. 웅장하고 화려한 관저를 보며, 초교는 밤이 되면 그 안으로 들어가 조사해 보기로 마음먹었다.

둥근 달이 어두운 구름 속으로 숨어 버려 칠흑처럼 검은 밤이 되었다. 초교는 쥐도 새도 모르게 관저 안으로 잠입해 들어갔다. 그녀는 나무 위에서 미끄러져 내려온 후, 재빨리 가산 뒤로 숨어 귓바퀴를 살며시 움직였다. 그녀가 있는 방향으로 다가오는 발걸음 소리가 들렸다.

초교는 눈을 가늘게 뜨고, 오른쪽 굽이치는 회랑의 기둥을 향해 재빨리 달려가 즉시 박차고 뛰어올랐다. 세 걸음 위를 향해 연달아 뛰어오른 후, 그녀는 두 손을 뻗었다. 한 손으로는 회랑의 기와지붕을 잡고, 다른 팔과 다리 사이에 기둥을 끼웠다. 그리고 재빠르게 기어오르기 시작했다. 회랑 모퉁이에 등불이 보이는 순간, 초교는 마치 한 마리 도마뱀처럼 이미 지붕 위에 단단하게 엎드려 있었다.

"이쪽입니다."

조심스럽게 아첨하는 목소리가 들려왔다. 아마도 누군가가 길을 안내하는 중인 것 같았다. 곧 스물은 넘을 듯한 난잡한 발걸음 소리가 들려왔다. 초교는 미간을 찌푸린 채 미동도 하지 않았다.

"평소 공자님에 대한 이야기는 많이 들었습니다. 지혜와 용맹을 겸비하신 인중교룡이라고 말이지요. 오늘 뵈오니, 소문이 실제보다 못하다는 것을 알겠습니다. 시정에 떠도는 말들은 공자님의 풍채를 만분의 일도 표현하지 못하고 있군요."

말을 하던 남자는 자신의 아첨이 꽤 그럴듯하다 생각했는지 하하 소리 내어 웃었다. 그러나 문제의 공자는 단 한 마디도 대꾸하지 않았고, 화원에는 그저 남자의 과장된 웃음소리만 울려 퍼졌다. 어색하기 짝이 없는 분위기였다.

남자는 다른 이들이 아무 반응도 보이지 않자 다시 억지웃음을 짓더니, 갑자기 무슨 생각이 떠올랐다는 듯 용렬한 표정을 지으며 말했다.

"이쪽에서 기다리고 계시면, 본관이 막 현양성에서 사 온 여자 노비가 올 것입니다. 얼굴도 비할 데 없이 예쁘고, 아주 귀엽고 사랑스러운 아이지요. 이미 단장을 마친 상태니, 본관은 그저 공자님께서 즐기시기만을 바랍니다."

사람들은 바로 초교가 엎드려 있는 곳 아래까지 걸어왔다.

초교는 온몸의 근육을 팽팽하게 긴장시키며 손에 쥐고 있던 비수를 꽉 쥐고, 숨마저 멈췄다.

"현양성이라고?"

마침내 그 문제의 공자가 나지막한 목소리로 말했다. 감기라도 걸린 듯, 콧소리가 살짝 섞여 있었다.

"그렇고말고요."

아첨하던 남자가 다시 웃기 시작했다.

"흐흐, 공자님께서도 잘 아시겠지만, 대하는 노비에 대한 관리가 비교적 느슨한 편이지요. 가격도, 하하, 역시 변당보다는 저렴한 편이고요. 지난번 우리 서기국의 최 사마가 현양성에 일을 보러 간 김에 사서 보내 준 노비입니다. 공자님, 어떠신가요?"

공자는 한참 침묵하다가, 마침내 나지막하게 대답했다.

"한번 보고 싶소."

아첨하던 관원이 몹시 기뻐하며 웃었다. 사람들은 곧 그 자리를 떠났다. 초교는 천천히 멈추고 있던 숨을 내쉬었다. 아무래도 오늘 이 관저에 귀한 손님이 온 모양이다. 대체 어떤 손님이기에 그리 후한 대접을 받는지 모르겠다. 게다가 대하에서 왔다니.

초교는 방금 지나간 이들에 대한 생각을 거두고, 몸을 일으켜 반대 방향으로 걷기 시작했다. 어둠 속의 그녀는 마치 한 마리 고양이처럼, 걸음걸이는 가볍고 행동거지도 나긋나긋했다. 그러나 회랑의 지붕을 지나려는 순간, 갑자기 발이 미끄러졌다. 초교는 재빠르게 무릎을 굽혀 자세를 잡았다. 자신이 미끄러진 부분을 손가락으로 쓸어 보니, 푸른 이끼를 밟았던 모양이었다.

미끄러지는 소리를 누군가가 듣지는 않았겠지? 초교의 심장이 재빠르게 뛰기 시작했다. 그리고 바로 그때, 뒤에서 차가운 목소리가 들렸다.

"누구냐?"

목소리의 주인은 순식간에 초교가 있는 지붕 아래 회랑으로 다가왔다. 바로 그 말이 없던 공자였다. 초교는 비수를 꽉 쥔채, 깊이 숨을 들이마시고 아무 말도 하지 않았다.

공자는 초교가 답이 없자 냉소하더니, 몸을 날려 회랑의 기둥을 밟고 재빠르게 처마에 한 팔을 걸더니, 한 팔의 힘만으로 지붕 위로 뛰어올랐다.

어두운 구름이 달을 가리고 있어 사방은 칠흑처럼 어두웠다. 초교가 볼 수 있는 것은 그저 남자가 키가 크고 자세가 바르다는 것뿐이었다. 거센 바람이 불어와 남자의 옷자락이 펄럭이는 가운데, 날카로운 기운만이 희미하게 전해져 왔다.

초교는 화가 나서 눈꼬리를 살짝 들어 올렸다. 이대로 가면 상대의 일행들이 도착할 것이 분명했지만, 또 지금 당장 피할 방법도 없었다. 그녀는 공중으로 뛰어오르며 비수를 휘둘렀다. 상대방도 별다른 말 없이 바로 손을 뻗어 와 초교의 팔을 잡고 사납게 끌어당기며, 다른 한 손으로 그녀의 목을 공격해 왔다. 빠르다! 빨랐다! 정말이지 너무 빨랐다!

초교는 재빨리 몸을 뒤로 젖혀 상대의 공격을 피하며, 뒤로 공중제비를 돌아 깔끔하게 물러났다. 그리고 몸을 돌리는 순간 상대방의 품으로 손을 뻗었다. 그러나 이와 동시에 그녀의 어깨로 장풍이 날아왔고, 초교는 어깨에 불에 덴 듯한 고통을 느꼈다. 그녀는 힘차게 상대를 잡아당기며 발길질했지만 급소를 차지는 못했다. 오히려 상대가 초교의 다리에 반격을 가했고, 두 사람의 다리뼈가 힘차게 부딪쳤다. 두 사람 모두 다리가 저려 와 뒤로 물러난 후, 차가운 눈길로 상대방을 노려보았다.

지붕 아래 회랑에서 발걸음 소리가 들려왔다. 아마도 상대 방의 시위들이 오고 있는 것 같았다. 초교는 속으로 저주를 퍼부었다. 이 관저에서 이런 고수를 만나게 되다니. 그들이 합동해서 포위해 온다면, 그녀는 오늘 이 자리에서 죽을 수밖에 없었다.

초교는 살기 띤 눈으로 다시 공격을 시작했다. 그녀의 몸짓은 갑작스럽고 맹렬했으며, 공격은 극히 악랄하고 치명적이었다.

그러나 상대도 마냥 선량한 사람은 아니었다. 그는 냉소하며 손에 들고 있던 물건을 집어던졌다.

초교는 공격을 늦출 수밖에 없었다. 그러나 비열하다고 외칠 틈도 없이, 상대가 갑자기 초교 앞으로 다가와 두 손을 교차시키더니, 그녀의 두 손목을 잡고 몸을 붙여 왔다.

초교는 차가운 눈길로 몸을 구부리고, 왼쪽 다리를 자신의 머리보다도 높이 차올려 상대의 어깨를 걸어찼다. 남자가 신음 소리를 냈고, 그와 동시에 진한 술 냄새가 초교의 얼굴로 풍겨왔다.

남자는 걷어차이고도 물러나지 않았다. 대신 한 걸음 뛰어 오르더니 초교의 허리를 답싹 안아 올렸다. 이 지붕 위에는 푸른 이끼가 가득했다. 두 사람은 동시에 지붕 위에서 넘어져 함께 아래로 미끄러졌다.

이 회랑은 높다기에는 높지 않고, 낮다기에는 낮지 않았다. 어쨌든 열 자 이상은 충분히 되는 높이였고, 이대로 떨어진다면 죽지는 않더라도 크게 다칠 것이 분명했다.

두 사람은 약속이라도 한 듯 동시에 서로를 놓고 재빨리 기와를 잡았다. 그와 동시에 남자가 갑자기 가로로 다리를 뻗더니 초교의 다리를 억눌렀다. 초교가 반격하려 했지만, 남자는 이미 팔꿈치로 사납게 그녀의 명치를 치려고 하고 있었다!

초교는 즉시 다른 다리를 구부리고 사나운 눈길로 남자를 쳐다보았다. 남자가 계속 이런 식으로 공격해 온다면, 남은 평생 사내구실을 못하게 만들어 줄 작정이었다. 그러나 남자는 초교의 의도를 알아챈 듯 갑자기 공격을 멈추고 몸을 틀어 자리를 옮겼다. 그리고 다음 순간, 두 사람은 격렬한 고통에 동시에 신음 소리를 냈다.

남자의 팔꿈치는 초교의 어깨를 사납게 으스러뜨리고 있었고, 초교는 힘차게 남자의 허벅지를 걷어차고 있었다.

남자의 팔꿈치에 맞은 어깨는 마치 망치로 얻어맞은 것 같았다. 초교의 손에 있던 비수가 달그랑 소리를 내며 회랑의 지붕을 따라 아래로 떨어졌다.

초교는 낭패한 몰골로 몸을 일으켰다. 그러나 그녀가 제대로 서기도 전에 상대가 공격해 오는 소리가 들렸다. 초교는 미간을 찌푸리며 몸을 돌려 발을 차올렸다. 그녀는 상대가 발길질을 피하기 위해 공격을 거둘 거라고 생각했지만, 그는 그것을 감수하기로 한 모양이었다. 남자는 신음 소리 한번 내지 않고 초교에게 몸을 붙여 오더니, 손을 위로 올려 금나수의 수법으로 그녀의 가슴을 잡았고, 그 순간 두 사람은 동시에 넋이 나가고 말았다!

남자의 손에 잡힌 가슴은 부드럽고 또 부드러웠다. 비록 남들보다 높이 솟아 있는 가슴은 아니었지만 놀라울 만큼 탄력이 있어, 손에 와 닿는 감촉이 특별하게 좋았다.

남자는 그제야 겨우 초교의 성별을 알게 된 것 같았다. 그는 깜짝 놀라 다리로 펼치려던 초식도 잊고, 초교의 가슴에서 손을 거두는 것도 잊고 말았다. 초교는 차갑게 코웃음 치며 바로 남자의 요대를 잡은 후, 폭발하는 듯한 기세로 재빠르게 남자의 허리 옆쪽을 발로 찼다.

남자는 신음 소리를 내며 비틀거렸다. 초교가 다시 한 번 공격하려 했지만, 사람들의 발걸음 소리가 이미 가까이까지 와 있었다. 초교는 차가운 눈으로 남자를 흘깃 본 후 재빨리 회랑 아래로 뛰어내렸다. 그리고 사람들이 아직 도착하지 않은 틈을 타서 빠르게 어둠 속으로 사라졌다.

관저의 시위들이 사다리를 가져왔다. 오팽성의 성주인 전여성이 낑낑거리며 지붕 위로 올라오더니, 이마의 땀을 닦으며 조심스럽게 물었다.

"공자님, 대체 무슨 일입니까?"

주위의 병사들이 잇달아 회랑으로 몰려들어 횃불을 밝혔다. 방금까지 초교와 싸우던 잘생긴 남자는 짙은 자색의 비단옷을 입고 있었는데, 가슴 앞의 천이 찢겨 나가 있었다. 문은 핀 하나도 없이 초교의 손에 찢겨 나간 자국이었다.

"자객이오."

남자의 말에 전여성은 깜짝 놀라 소리쳤다.

"자객이라니! 여봐라, 어서 자객을 쫓아라!"

온 관저에 거대한 징 소리가 울려 퍼졌고, 횃불이 사방에서 밝게 타올라 관저 전체가 대낮처럼 밝아졌다.

"전 성주."

남자가 전여성을 바라보며 말했다.

"부하들에게 반드시 산 채로 잡아야 한다고 전해 주시오. 결코 활을 쏘거나 칼로 상처 입히지 말라고."

전여성은 멈칫했으나 곧 대답했다.

"공자님 말씀대로 하겠습니다."

밤바람에 남자의 화려한 옷자락이 펄럭였다. 그는 초교가 사라진 방향을 응시하며, 조용히 미간을 찌푸린 채 그녀가 펼친 무술을 복기하고 있었다.

그리고 초교는 매우 곤란해져 버렸다. 칠흑같이 어둡던 관저가 대낮처럼 밝아지더니, 어디를 가도 병사들이 가득했다. 그녀가 아무리 뛰어나다 해도, 이래서야 독 안에 든 쥐 신세였다.

무슨 공자라는 그 극악무도한 사내를 떠올리며 초교는 사납게 이를 악물었다.

"나와 다시는 만나지 않는 것이 좋을걸!"

그녀의 손에는 마름모 형태의 옥패가 들려 있었다. 방금 싸우는 도중 남자의 허리에서 잡아챈 옥패였다. 남자의 얼굴은 보지 못했지만, 아마 이 옥패를 잘 살펴보면 그의 신분을 추측할 수 있을 것이다. 초교는 남자가 자신의 가슴을 쥐었던 일이 다시 떠오르자 화가 나서 얼굴이 파랗게 질렸다.

이 일은 반드시 여기서 끝내고야 말겠어.

잠시 후, 초교는 화려한 방 안 병풍 뒤로 숨어들었다. 잠시 숨을 고르고 있노라니, 교태 섞인 목소리가 들려왔다. 잠든 것 같았던 이 방의 여주인이 깨어난 모양이었다.

여인은 새하얀 가슴을 절반이나 드러내고 야하게 옷을 입고 있었다. 그녀는 나른하게 허리를 펴더니 병풍 뒤를 향해 걸어왔다. 초교는 머리가 쭈뼛해 왔다. 피하려 했지만 피할 곳이 없었다. 초교가 정신을 차려 보니 여인은 어느새 어안이 벙벙한 얼굴로 그녀를 바라보고 있었다.

여인이 비명을 지르려는 듯 입을 크게 벌렸다. 그러나 그 순간, 초교는 재빨리 손바닥으로 여인의 목을 쳤다. 여인의 눈이 희번득 돌아가더니 정신을 잃고 힘없이 쓰러졌다. 초교는 안도의 한숨을 내쉬었다. 아무래도 오늘 밤은 이 방에 숨어 있어야 할 것 같았다.

초교가 여인을 포박했을 때, 밖에서 다시 발걸음 소리가 들

려왔다. 초교가 당황하는 가운데, 전여성의 혐오스러운 목소리
도 들려왔다.

"공자님, 이곳이 바로 제가 새로 들인 노비의 방입니다. 아
직 아무도 손을 대지 않은 청백의 몸이지요. 부디 즐겨 주시기
바랍니다."

뭐라고! 초교는 당황한 나머지, 그만 눈을 휘둥그렇게 뜨고
말았다.

제3장 욕실의 봄바람

　방문이 열리고, 청량한 밤바람에 소나무 향이 섞여 들어왔다. 문제의 공자는 어느새 옷을 새로 갈아입은 모양이었다. 앞자락은 넓고 소매는 좁은 먹빛 장포에 짙은 남색의 장화를 신고 있었는데, 장화에는 짙푸른 이무기 자수가 있었다. 같은 색으로 수를 놓아 얼핏 보기에는 눈에 뜨이지 않았지만, 정교하고 세심하게 놓은 그 자수를 자세히 살펴보면 몹시도 패기가 넘치는 것이 이무기가 당장이라고 장화 밖으로 뛰어나올 것 같았다.

　실내는 어두웠다. 양쪽 구석에 등불이 둘 있을 뿐인데, 그나마 그 등불에 분홍빛 등갓을 씌워 놓았기에 방 안 전체가 어두운 그림자에 싸여 있었다. 여인은 복숭앗빛 얇은 옷을 입고 무릎을 꿇고 있다가, 공자가 들어오자 공손하게 고개를 숙였다. 위에서 보면 여인의 학처럼 우아하고 새하얀 목덜미만이 보였다.

전여성은 자객 때문에 놀라서인지 조금 창백한 표정이었지만, 곧 마음을 가라앉히며 말했다.

"공자님, 그럼 편히 쉬십시오. 본관은 먼저 물러가겠습니다."

공자가 고개를 끄덕이며 나지막하게 말했다.

"전 대인의 후의에 감사드리오."

전여성은 허리를 굽실거리며 다시 몇 마디 아첨의 말을 하고, 떠나기 전 땅에 엎드려 있는 여인에게 말했다.

"공자님을 정성껏 모시도록 하여라. 알겠느냐?"

여인은 매우 공손하고 온순하게 몸을 더욱 굽히며 부드럽게 대답했다.

"예."

여인의 목소리는 마치 물처럼 부드러웠다. 그러나 방금 잠에서 깨어난 것인지, 콧소리가 섞여 있었다. 공자가 신경 쓰지 않는 것을 보고, 전여성 역시 신경 쓰지 않고 조심스럽게 물러나 문을 닫았다.

전여성의 발걸음이 멀어져 가는 소리가 들렸다. 그러나 방 밖에 최소한 스물은 되는 시위들이 파수를 보고 있었다. 느껴지는 기운을 보면 결코 평범한 무리가 아니었다.

등불이 흔들려 실내는 더욱 몽롱해 보였다. 방의 정면에는 터무니없이 커다란 침상이 하나 있었는데, 대여섯 사람은 넉넉하게 누울 수 있을 만한 크기였다. 침상에는 새빨간 비단이 깔려 있고, 부드러운 이불이며 높은 베개, 붉은 명주실을 꼬아 만든 화려한 휘장까지 전부 갖춰져 있었다. 침상 전면에는 찬란하게 반짝이는 진주를 꿰어 놓은 발이 있었고, 그 위에 붉은 망사 휘장을 다시 덮어 두었다. 방 안에 바람도 없건만, 붉은 망사 휘장은 스스로 춤을 추듯 가볍게 요동치고 있었다. 따뜻한 빛깔의 등불 아래, 방 안은 사치스럽고도 묘한 분위기가 흐르고 있었다.

공자는 담담하게 휘장을 들어 올려 침상에 편한 자세로 앉더니, 여전히 문가에 무릎을 꿇고 있는 여인에게 평온한 어조로 물었다.

"무엇 하고 있느냐?"

여인은 모기 소리만 하게 "예."라고 답한 후, 여전히 고개를 숙인 채 무릎으로 공자 앞까지 기어왔다. 그리고 새하얀 두 손을 내밀어 젊은 공자의 다리 하나를 들어 낮은 의자 위에 올리고, 조심스럽게 그의 장화를 벗겼다.

갑자기 젊은 공자가 여인의 어깨를 발로 찼다. 힘은 세지 않았지만, 여인은 깜짝 놀라 덜덜 떨며 바로 다시 엎드려 고개도 들지 못했다. 젊은 공자는 미간을 찌푸리며 그런 여인을 바라보았다. 그의 음울한 표정은 분노하는 것 같기도 하고 실망하는 것 같기도 했다. 그리고 희미하게, 의미를 파악하기 어려운 안도감도 서려 있었다.

더 볼 필요도 없군.

남자는 천천히 고개를 들고 천장을 바라보았다. 아무래도 현양성에서 사 온 노비라는 말에 너무 뜬구름 잡는 생각을 했던 모양이었다. 그녀라면 쉽게 사람에게 사로잡힐 리도 없을뿐더러, 설사 부상을 입어 사로잡혔다 해도 그 후에 반드시 도망쳤을 것이다. 눈앞의 노비처럼 온순하고 공손하게 다른 이의 시중을 들고 있을 리 없지 않은가.

오히려 방금의 그 자객이……. 마지막에 들었던 그 목소리가……. 그리고 그 민첩한 몸놀림이……. 그 출중한 무예가…….

그는 그 자객의 신분을 8할 정도는 확신하고 있었다!

여기에 생각이 미치자 그는 번민하기 시작했다. 비를 맞으며 내 머릿속까지 씻겨 나가기라도 한 것일까? 그는 그 자객의 신분을 짐작하면서도 수하들을 보내 쫓게 하거나 자신이 직접 나서지 않았다. 자신이 왜 그랬는지, 그 스스로도 이해할 수 없었다. 너무 큰일이 벌어질까 두려워서였을까? 아니면 완벽하게 확신할 수 없었기 때문에? 혹은 그녀가 다른 이의 손에 떨어져 있다는 생각을 하고 싶지 않아서?

그는 더 이상 생각하지 않기로 하고 몸을 일으켜 성큼성큼 병풍 뒤의 욕실로 향했다. 그는 걸어가며 옷을 벗어 되는 대로 바닥에 떨어뜨렸다. 마침내 그는 하얀 면으로 만든 내의만을 남기고, 먹빛 머리카락도 모두 풀어헤쳐 등 뒤로 늘어뜨렸다. 그의 얼굴은 새하얗고 입술은 선명한 붉은빛이었다. 그의 눈빛은 아름답고, 사람 전체가 사악한 매력을 풍기고 있었다.

여자 하나일 뿐 아닌가!

남자는 이렇게 생각하려고 애쓰고 있었다. 나는 그저 내 물건을 돌려받고 싶은 것뿐이라고.

흔들리는 불빛 속에서, 젊은 공자는 내의마저 벗고 건강한 몸을 드러냈다. 그는 병풍 뒤 문을 열었다. 문 안에서 수증기가 사방으로 뿜어져 나와 금세 방 전체가 따뜻해졌다.

초교는 계속 고개를 숙이고 있느라 남자의 얼굴을 제대로 보지 못했다. 방금까지 복숭앗빛 옷을 입고 남자의 시중을 들고 있던 여자는 바로 초교였다. 그녀는 이 방을 수많은 시위들이 지키고 있다는 것을 알고 있었고, 자신이 AK607 기관단총을 가지고 있다 해도 살아서 빠져나갈 수 없다는 것도 알고 있었다.

남자가 방 안에 들어오기 전, 그녀는 하책임을 알면서도 최후의 수단을 쓰기로 했다. 자신에게 얻어맞아 혼절한 여인을 벽장 속에 숨기고 그녀의 옷으로 갈아입었다. 그녀인 척하며 고비를 넘길 생각이었다. 그리고 지금까지는 초교의 도박이 성공한 것 같았다. 최소한 전여성은 그녀에게 속아 넘어갔고, 눈앞에 있는 무예가 출중한 저 공자는 그녀에게 아무 흥미도 느끼지 못하는 것 같았다.

초교는 살며시 입술 끝을 들어 올렸다. 뜻대로 되어 가는 것 같아 만족스러웠다. 욕실 안으로 들어간 남자는 몇 번이나 초교의 발목을 잡았지만, 진지하고 엄숙한 것이 여색을 즐기지 않는 것 같아 보였다. 남자의 기분을 상하게 하면 욕을 한바탕 퍼붓고 내쫓아 줄 것 같았다. 그럼 그녀는 어깨를 으쓱하며 떠나면 그만일 터였다.

"거기, 들어오도록."

그러나 즐거움이 극에 달하면 슬픔이 온다던가. 초교가 속으로 즐거워하고 있을 때, 욕실 안의 남자가 나지막하게 말했다.

"등을 밀어 다오."

초교의 표정이 순식간에 변했다. 그녀는 미간을 찡그리며, 지금 그가 무기를 지니고 있지 않은 틈을 타서 그를 끝장낼까 고민하기 시작했다. 그러나 곧 남자가 다시 말했다.

"등을 다 민 다음에는 나가 봐도 좋다."

초교의 팽팽하던 신경이 편안해졌다. 굳이 일을 크게 만들 필요야 없지. 그녀는 보통의 여자 노비처럼 순종적인 태도로, 재게 발걸음을 놀려 욕실로 들어갔다.

욕실 문을 열자 얼굴로 열기가 훅 끼쳐 왔다. 도처에 새하얀 수증기가 가득이라 앞을 전혀 분간할 수 없었고, 숨을 쉬는 것조차 힘들었다. 초교가 미간을 찌푸리며 욕실 안으로 들어가자 남자가 다시 말했다.

"신발은 벗어라."

초교는 그제야 바닥에서도 따뜻한 기운이 올라오는 것을 발견했다. 그녀의 신발은 이미 반 이상 젖어 있었다. 그녀는 재빨리 신발을 벗고 맨발로 들어갔다.

이 욕실은 아주 컸다. 침실보다 크면 컸지 작지는 않을 것 같았다. 밖에서 보기에는 병풍 뒤에 이렇게 커다란 공간이 있으리라고 상상하기 어려웠지만.

욕실의 정중앙에는 수영을 할 수 있을 만큼 커다란 욕탕이 있고, 욕탕의 삼면 벽에는 백옥으로 조각한 미녀의 석상이 각각 네 개씩 있었다. 이 석상들은 모두 반라의 모습으로 유혹적인 자세를 취하고 있었다. 이 열두 개의 석상 뒤에서 열기가 끓어오르는 물이 흘러나와 욕탕 안으로 들어가, 다시 욕탕 가장자리에서 넘쳐흐른 후 바닥의 수로를 따라 다시 욕실 밖으로 흘러 나가고 있었다.

인공적으로 물을 끓이는 것이라면 지금의 기술로 이만한 양의 물을 유지하기 어려울 것이다. 더군다나 물의 온도가 아주 높았다. 역시 지금의 기술로는 물이 욕탕으로 흘러 들어오기 전에 이미 식을 것이고, 이렇게 수증기가 자욱하지도 않을 것이다. 초교는 이 관저가 온천 위에 지어진 모양이라고 생각했다.

욕실의 사방에 등불이 몇 개 있었지만 다들 희미했다. 욕실의 벽도 화려하게 조각되어 있었는데, 초교가 자세히 살펴보니 모두 옷을 벗은 여인들이 요염한 자세를 취하고 있는 부조였다. 수줍게 중요한 부분만을 가리고 있는 그녀들은 매우 유혹적이었다. 욕실의 온도가 너무 높아서인지 아니면 그 부조들 때문인지, 초교의 얼굴이 발갛게 달아올랐다. 그녀는 즉시 눈을 내리깔고 더 이상 벽을 바라보지 않았다.

욕실 한쪽에는 높고 평평한 대가 하나 있었는데, 그 아래에는 불이 타오르는 화로가 있어 온돌처럼 대를 따뜻하게 유지하고 있었다. 대 위에는 백곰의 가죽이 깔려 있고, 그 곁에 과일이며 술, 고기도 놓여 있었다. 초교는 그 대가 어떤 용도인지 알아차렸다. 화로가 대를 데우고 있기 때문에 대 위의 백곰 가죽은 이 습한 욕실에서도 습기를 머금지 않고 있었다. 남자들이 목욕을 끝낸 후, 어여쁜 노비들과 몸과 마음을 건강하게 하는 격렬한 운동을 하기에 적당해 보였다.

"죽기라도 한 건 아니겠지?"

남자의 목소리가 다시 들려왔다. 초교는 차갑게 눈을 흘겼다. 등을 밀어 달라고 했지? 좋아, 등가죽을 아예 벗겨 줄 테다!

초교는 남자에게 다가갔다. 욕탕으로 다가갈수록 수증기가 점점 많아져 아무것도 보이지 않았다. 욕탕 근처에 가니 자신의 손과 발도 잘 보이지 않을 정도였다.

초교는 앞을 더듬으며 조심스럽게 발을 내디디었다. 욕탕 가장자리에 닿았나 싶었을 때, 갑자기 휙 소리와 함께 그녀의 발이 미끄러졌다. 본래 초교의 능력이라면 안정적으로 균형을 잡을 수 있었지만, 욕탕 안에 근접전의 고수가 있는 지금 그녀의 능력을 들키는 것은 좋은 생각이 아니었다. 초교는 어쩔 수 없이 비틀거리며 욕탕 쪽으로 넘어지고 말았다.

바로 그때, 남자의 손이 그녀의 허리를 잡아 부축해 주더니, 그녀를 욕탕 가에 반쯤 무릎 꿇고 앉게 만들었다.

"나는 그저 등을 밀어 달라고 부른 거다. 너무 많은 일을 할 필요는 없다."

수증기 가득한 욕실에 울려 퍼지는 남자의 목소리에는 아주 분명한 경멸이 담겨 있었다. 아마도 남자는 그녀가 욕탕에 빠질 뻔한 것을 일종의 유혹이라고 여기는 모양이었다.

초교는 깊이 숨을 들이마시며 분노를 억눌렀다. 그녀는 욕탕 가장자리를 더듬어 보았지만, 등을 밀어 줄 만한 수건 같은 것은 어디에도 보이지 않았다. 초교의 이마에 슬며시 땀이 배어 나오기 시작했다. 그녀는 살짝 미간을 찌푸렸다.

그때 물소리가 들려왔다. 제대로 보이지는 않았지만 이 역겨운 남자가 고개를 돌려 자신을 보고 있다는 것을 알 수 있었다. 초교는 수증기 속에서도 상대의 예리하고 인내심 없는 시선을 충분히 느낄 수 있었다.

싸움을 끝낼 무렵 자신이 말을 했기 때문에, 상대에게 자신의 목소리를 그대로 들려줄 수는 없었다. 초교는 일부러 목소리를 가늘고 부드럽게 내며 조심스럽게 물었다.

"노비가 먼저 공자님께 안마를 해 드리면 어떨까요?"

남자는 대답 없이 그저 다시 고개를 돌렸다. 허락한다는 뜻인 것 같아, 초교는 소매를 걷어 올리고 새하얀 손을 내밀어 남자를 안마하기 시작했다.

우수한 특공대원은 여러 가지 상황에서 완벽하게 각각 다른 신분을 연기할 수 있어야 했다. 임무를 완성하기 위해 여성으로서 희생하는 일도 어느 정도는 있었다. 초교는 현대 사회에서 이미 안마와 추나 기술을 전문적으로 훈련받은 바 있었다. 오랫동안 쓰지 않은 기술이었지만, 완전히 잊은 것은 아니었다. 남자는 초교의 안마에 만족한 듯 점차 근육의 긴장을 풀고 있었다. 초교는 그가 편안해하고 있다는 것을 알아차렸다.

남자의 얼굴은 보이지 않았지만, 남자의 몸은 아주 좋았다. 아니, '아주'라는 말만으로는 부족했다. 그의 근육은 매우 단단했다. 그러나 보통 무인처럼 울퉁불퉁하게 단단한 것이 아니었다. 그의 근육은 조금이라도 더한 부분도 덜한 부분도 없이 완벽하게 아름다운 선을 만들어 내고 있었다. 그의 몸은 문사의 우아한 기질을 품고 있는 동시에, 사내의 강인한 아름다움도 동시에 드러내고 있었다.

초교는 남자의 어깨에 뜨거운 물을 부어 주었다. 물은 남자의 넓은 등을 따라 천천히 흘러내려 열기가 올라오는 탕 안으로 떨어졌다. 초교는 부드럽고 하얀 손가락으로 그의 몸 구석구석을 눌러 주었다. 그녀의 손목 힘은 충분했고, 혈도 정확하게 짚고 있었다. 남자는 천천히 숨을 들이마시더니 슬며시 목을 뒤로 젖혔다. 이대로 그녀의 허벅지에 기댄 채 한숨 자려는 것 같았다.

초교는 인상을 쓰면서도 어찌할 방법이 없었다. 이 남자의 무예는 평범하지 않아, 그녀가 전력으로 응대한다 해도 이길 수 있다고 확신할 수 없었다. 설사 그가 경계를 푼 틈을 타서 죽인다 해도, 문밖에 있는 시위들의 공격을 피해 도망치기는 어려울 것 같았다.

초교는 분노를 억누르며 남자의 어깨를 천천히 안마했다. 시간이 제법 흐르자, 그녀는 땀투성이가 되었다. 안마가 한바탕 싸우는 것보다 더 피곤한 것 같았다.

그녀의 이마에서 땀방울이 흘러내려 남자의 콧날 위로 떨어졌다. 젊은 공자는 눈도 뜨지 않고 담담하게 말했다.

"옷을 벗어라."

"예?"

초교는 당황하여 반문하다가, 스스로의 실수를 깨닫고 서둘러 분위기를 수습했다.

"공자님, 무엇을 하고 싶으신가요?"

"내가 너에게 뭔가를 해 주기를 간절히 바라는 모양이지."

젊은 공자의 목소리에는 희미한 조소가 담겨 있었다.

"안타깝게도 나는 지금은 너에게 흥미가 없다. 그저 욕실 안에서 그렇게 옷을 입고 있는 이를 본 적이 없어 하는 말이다. 네가 이곳에서 쪄 죽기 전에 미리 알려 주는 것뿐이지."

"공자님의 호의에는 감사드립니다만, 노비는 덥지 않습니다."

남자는 그 말이 거짓말이라는 것을 알고 있었지만, 전여성의 말이 떠올라 더 이상 권하지 않았다. 이 여자 노비는 잔꾀를 부리며 자신을 유혹하는 듯했지만, 아직 누구와도 밤을 보낸 적 없는 청백의 몸이라 했다. 그러니 부끄러움을 조금은 탈 것이다.

한편, 초교의 얼굴은 아주 좋지 않았다. 이곳은 수증기가 자욱한 나머지 아무것도 보이지 않았기에 그녀는 더 이상 표정을 관리할 필요성도 느끼지 않았다.

이 남자는 정말이지 사람을 너무 업신여기고 있었다. 게다가 회랑 지붕에서 이 남자의 손이 자신의 가슴을 잡았던 것을 생각하니……! 초교의 입가에 차가운 웃음이 서렸다. 잠시 생각한 후, 그녀는 남자의 어깨를 따라 손가락을 천천히 아래로 향했다. 마치 나비처럼 유혹하듯 남자의 어깨를, 목을, 단단한 가슴을 가볍게 미끄러지다가 다시 원을 그리며 위로 올라갔다.

남자의 입가에 웃음기가 번져 나갔지만 아무 말도 하지 않았다. 그는 계속 그녀가 자신에게 집적거리는 중이라 생각하고 묵인하고 있었다. 초교는 목소리를 낮추고 교태 부리듯 말했다.

"공자님, 여기가 바로 전운혈이랍니다. 피로를 풀기에 가장 좋은 혈이지요."

말을 마치자마자 그녀는 주먹을 쥐고, 손가락 관절로 그의 명치를 사납게 때렸다. 과연, 남자가 갑자기 신음 소리를 내며 몸 전체를 굽혔다. 방금 전까지의 나른한 자세는 더 이상 취하지 못했다. 초교는 재빨리 머리를 숙이고, 무릎을 꿇은 채 당황한 척 물었다.

"노비가 너무 세게 하였나요?"

남자는 신음 소리와 함께 급하게 숨을 몰아쉬었다. 그리고 한참 후에야, 쉰 목소리로도 남자다운 허세를 담아 말했다.

"너 때문이 아니다."

그러나 그는 곧 다시 숨을 몰아쉬며, 낮은 소리로 중얼거렸다.

"나쁜 계집, 손속이 여전히 이리도 악랄하다니."

"공자님께서 이야기하시는 나쁜 계집이 저인가요?"

"네가 아니다."

초교는 당연히 남자가 누구를 이야기하는지 알고 있었다. 왜냐하면 그 혈은, 자신이 지붕 위에서 그를 공격했던 부위였기 때문이다. 다만 그가 이야기하는 내용이 좀 이상했다. 남자는 마치 방금 싸웠던 자객이 누구인지 아는 것 같았다. 초교가 살짝 이마를 찌푸리며 두 눈을 가늘게 떴다.

"너는 전 대인이 며칠 전 현양성에서 사 온 노비라지?"

남자는 갑자기 흥미가 일었는지, 은덕이라도 크게 베푸는 듯 그녀에게 말을 걸었다. 아무래도 옷장 속에서 정신을 잃고 있는 여인이 현양성에서 사 온 노비인 모양이었다. 이거 나랑 꽤 연분이 있는 사이였는걸.

초교는 여전히 달콤하다 못해 느끼할 정도로 목소리를 꾸며 대답했다.

"공자님께 대답드립니다. 바로 그렇답니다."

"그래."

남자가 계속 물었다.

"어느 가게에서 왔지?"

현양성의 노비 상인 중 초교가 아는 이는 단 하나였기에, 즉시 대답했다.

"서시의 목 사장 가게였답니다."

"서시?"

이 말이 그의 흥미를 끈 모양이었다. 남자가 바로 몸을 돌리며 물었다.

"그럼 혹시 여자 하나를 보지 못했느냐? 키는 대강 너만 하고, 무예가 아주 뛰어난데."

초교가 미간을 찌푸리며 물었다.

"무예가 뛰어나다고요? 무예가 뛰어난데 잡혀서 노비가 되겠습니까?"

"상처를 입었다. 아주 심한 상처를."

초교는 들으면 들을수록 가슴속이 서늘해 왔다. 그녀는 미간을 찌푸린 채 탐문하듯 물었다.

"상처 입은 노비들은 아주 많았습니다. 혹시 그 여자의 이름을 아시는지요?"

"그녀의 이름은……."

남자가 멈칫하더니, 한참 말없이 생각하다가 대답했다.

"아니다. 분명 가명을 사용했을 거다."

"그럼 노비는 모르겠습니다."

초교는 일부러 웃음소리마저 내며 대답하고, 다시 조심스럽게 물었다.

"공자님께서는 어떤 사람을 찾고 계신가요? 맞아, 공자님 같은 신분으로 노비와 친우이실 리는 없으니, 공자님 댁의 가노인가요?"

그러나 남자는 갑자기 맥이 풀린 듯 아무 말도 하지 않았다. 석상 뒤에서 열기가 피어오르는 물이 계속 흘러내리고 있었다. 한참 후, 남자가 마침내 속삭이듯 중얼거렸다.

"그녀를 찾을 거야."

그 순간, 초교의 심장이 순식간에 얼어붙었다. 아마도 이 남자는 십중팔구 대하의 추격병일 것이다. 과연 능력이 좋긴 좋군. 초교가 목 사장의 수중으로 흘러갔던 것까지 알고 있는 데다, 먼저 오팽성에 와서 자신을 포위하고 있는 셈이 아닌가. 만약 자신이 첨가의 배에 오르지 않았다면 이미 예전에 무슨 일이 났어도 났을 거라는 생각이 들었다. 이렇게 대하의 추격병에게 빠르게 따라잡힐 줄 알았다면, 차라리 배에 좀 더 숨어 있는 편이 나았을 것 같았다.

초교가 잠시 생각에 잠겨 있는 동안, 남자가 갑자기 몸을 일으켰다. 정신을 놓고 있던 초교는 온몸의 통제력을 잃고 풍덩 소리와 함께 머리부터 사납게 욕탕 안으로 쓰러지고 말았다. 그녀의 머리가 욕탕 바닥에 부딪쳤다. 만약 물이 깊어 부력이 크지 않았다면 머리가 깨져 피를 흘렸을 정도로 세게 부딪쳤기에, 초교는 순간적으로 눈앞이 캄캄해지며 현기증이 났다. 그때였다. 누군가가 밭에서 무라도 뽑듯 그녀를 위로 들어 올렸다.

"쿠…… 쿨럭……."

석상 뒤에서 갑자기 물이 더 세게 흘러나왔고, 동시에 거대한 수증기가 뿜어져 나와 욕실 전체에 자욱하게 깔렸다. 아무리 특공대원이라도 물을 먹으면 보통 사람과 같은 법, 초교는 남자의 부축을 받아 그의 팔에 기댄 채 큰 소리로 기침하고 있었다. 그녀는 제대로 서지도 못하고 얼굴이 빨갛게 달아오른 상태였다. 뜨거운 물을 먹으며 목이 데기라도 했는지, 목 안이 유난히 견디기 힘들었다.

남자는 격렬하게 몸을 떠는 초교를 품에 안고 있었다. 마치 내장을 다 토해 낼 듯 기침하고 있는 그녀의 몸은 아주 늘씬했다. 팔에 살이라고는 거의 없이 말라 있었지만 감촉이 아주 좋았다. 그녀의 피부는 탄력 있고, 윤기가 돌고 있었다.

남자는 몽롱한 수증기 속에서도 여인의 젖은 옷이 몸에 달라붙어 있는 것을 볼 수 있었다. 그녀의 아름다운 몸매가 드러나고, 굴곡도 확실해 보였다. 그녀의 긴 다리는 남자의 몸에 단단히 붙어 있어, 규방에서 자란 대가의 규수들과 비교할 수 없이 건강하고 탄력 있다는 것을 알 수 있었다.

이유를 알 수 없었지만, 남자의 마음 깊은 곳이 부드러워졌다. 그는 여인의 등을 가볍게 두드려 그녀의 상태가 완화되도록 도우려 했다. 그러나 생각지도 못하게, 그의 손이 그녀의 등에 닿았을 때 그녀가 입고 있던 얇은 옷이 아래로 흘러내렸다. 남자의 손이 매끄럽고 유연한 등에 닿았고, 그녀의 피부는 백옥처럼 윤이 나고 부드러워 손에 닿는 느낌이 놀라울 정도로 좋았다.

그리고 그 순간 초교의 몸이 굳어 버렸다. 너무 놀라 기침조차 멈출 정도였다.

남자의 눈에 음울한 빛이 스쳐 가더니, 그녀의 팔을 잡고 고개를 숙이더니 입술에 사납게 입을 맞췄다.

초교는 그만 얼이 빠져 버리고 말았다. 놀랍기도 하고 화가 나기도 했다. 그러나 남자의 강한 팔이 그녀를 단단하게 감싸 안고 있었다. 그의 혀가 채 단단하게 다물지 못한 그녀의 이를 재빠르게 비틀어 열었다. 격렬하고 야만스러운 숨결이 맹렬하게 쏟아져 들어왔다. 남자의 한 손은 초교를 자신의 품에 꽉 끌어안고, 다른 손으로는 있는 힘을 다해 그녀의 뒤통수를 내리누르고 있었다. 초교는 도저히 그 상황에서 피할 수가 없었다.

처음에는 두려움이 밀려와 그녀의 머리가 텅 비어 버린 것 같았다. 그러나 그녀는 곧바로 정신을 차리고, 다리를 들어 남자를 사납게 걷어찼다. 그러나 안타깝게도, 그녀는 자신이 지금 물속에 있다는 사실을 잊고 있었다. 그녀는 물의 저항력 때문에 남자를 제대로 걷어차지 못했을 뿐 아니라, 몸 전체의 균형을 잡지 못하고 뒤로 휘청거렸다.

남자가 사악한 웃음소리를 내며 그녀를 안은 자세 그대로 욕탕 안으로 들어갔다. 풍덩 소리와 함께 사방으로 거대한 물보라가 튀었다!

사방에서 뜨거운 물이 쏟아져 나왔다. 두 사람의 검은 머리카락이 물속에서 어지럽게 춤을 추며 서로의 시선을 가렸다. 남자가 초교의 몸을 억누른 상태로, 두 사람은 물속으로 천천히 가라앉았다. 그 모습이 마치 물속에서 꽃잎이 피어나는 것처럼 보였다. 두 사람이 바닥에 가라앉는 순간, 남자가 초교의 머리를 한 손으로 받쳐 들고, 다른 손으로 그녀의 허리를 안은 채 다시 한 번 사납게 입을 맞췄다.

남자의 입맞춤은 능숙하면서도 마치 무엇인가를 쏟아 내고 싶은 듯 열렬했다. 그의 혀가 야만스럽게 그녀의 입 안 곳곳을 돌아다니며 달콤함을 빨아들였다. 초교는 이제 더 이상 자신의 능력을 숨기려 하지 않고 주먹을 휘둘렀다. 그러나 물속에 있었기 때문에 모든 시도는 엉망이 되어 버리고 말았다.

남자는 초교의 머리를 받치고 있던 손을 빼서 노련하게 그녀의 두 손을 등 뒤로 그러모아 잡고, 두 다리로 그녀의 다리를 단단하게 조였다. 그러는 사이에도 남자의 다른 한 손은 계속 위로 이동했다. 초교의 유연한 허리를 지나 배를 스치고, 다시 희고 말랑말랑한 가슴으로……

"응……."

초교는 신음하며 격렬하게 반항하기 시작했다. 그녀는 사납게 남자의 혀를 깨물었다. 짙은 피비린내가 삽시간에 입 안에 감돌았지만 남자는 전혀 물러서지 않았다. 오히려 그녀의 반항이 남자의 욕망을 더욱 부채질한 것 같았다. 남자가 초교의 옷자락을 헤쳤고, 순식간에 그녀의 투명한 피부가 드러나고 말았다.

초교는 분노로 두 눈을 크게 뜨고 코웃음 쳤다. 그러나 그녀가 반항할 틈도 없이, 남자의 따뜻한 손바닥은 이미 그녀의 가슴을 어루만지고 있었다. 초교는 다급한 나머지 금나수의 수법으로 재빨리 남자의 손에서 빠져나온 후 팔꿈치로 남자의 머리를 사납게 내리쳤다. 그리고 경쾌하게 뛰어올라 수면으로 머리를 내밀었다.

"하!"

오랫동안 숨을 참고 있었기 때문에 그녀의 두 볼이 새빨갛게 달아올라 있었다. 그녀가 격렬하게 숨을 몰아쉬고 있노라니, 남자도 물 아래서 머리를 내밀었다.

"이리 오너라."

남자가 나지막하게 말했다.

"내 앞에서는 좋으면서 아닌 척할 필요 없다."

"응, 좋아."

초교는 분노가 극에 달한 나머지 오히려 웃기 시작했다. 그녀는 눈을 가늘게 뜨고, 마치 사냥감을 살피는 사냥꾼처럼 상대를 사지에 몰아넣을 각오를 하고 있었다.

애석하게도, 욕실 안 수증기가 자욱한 나머지 남자는 초교의 표정을 볼 수 없었다. 그녀가 물속에서 천천히 남자에게 다가가자, 남자는 그녀가 마음을 돌려 자신의 말을 듣는다고 여겼다.

그러나 바로 그 순간, 초교의 몸이 표범처럼 사납게 위로 뛰어올랐다. 물속이었지만 두 자 정도나 뛰어올라 팔을 한 번 휘두르더니, 곧 오른다리를 휘둘러 사납게 위로 차올렸다!

펑! 방금보다 더 큰 물보라가 사방으로 튀었다. 남자가 당황한 상태로 초교에게 가슴 중앙을 걷어차여 뒤로 날아갔다.

초교는 분노한 암사자처럼 남자에게 사납게 달려들었다. 그녀는 제 발에 차여 날아간 남자와 함께 물속으로 뛰어들어 주먹을 휘두르기 시작했다. 손에 정이라고는 전혀 남기지 않은 상태로, 남자의 준수한 얼굴을 사정없이 내려쳤다!

이 모든 일은 찰나의 순간에 발생했다. 남자의 무예는 결코 초교보다 못하지 않았지만, 이렇게 폭발적인 공격 아래에서는 어떤 반격도 할 수 없었다. 퍽, 퍽, 거대한 소리가 연속해서 울리는 가운데, 남자의 얼굴은 이미 몇 대나 제대로 맞았다. 만약 물속이 아니었다면 남자의 콧대가 이미 부러졌을 만한 힘이었다!

남자는 어리둥절한 나머지 반격할 기회조차 찾지 못하다가, 결국은 자신의 신분에 맞지 않는 행동을 하기로 마음먹었다.

남자는 한 팔로 초교를 밀어 버리고 낭패한 몰골로 욕탕에서 기어 나가려 했다.

"도망치시겠다?"

초교는 입 안의 물을 토해 내고, 분노한 표범처럼 다시 한 번 달려들었다!

빠른 속도, 숙련된 돌격 기술, 거기에 강력한 분노까지 더해졌다. 남자는 역시 반격하지 못하고 다시 한 번 그녀에게 붙잡혔다. 초교는 있는 힘을 다해 다시 남자를 한바탕 때렸고, 남자는 겨우 욕탕 밖으로 기어 나와 욕실 밖을 향해 달려갔다.

물론 초교는 남자에게 욕실 밖으로 나갈 기회를 줄 생각이 없었다. 이미 자신의 능력을 드러냈으니, 화근을 철저하게 제거해야 했다. 남자가 밖으로 도망친다면, 남자가 아닌 자신이 죽게 될 것이다.

초교는 몸을 날려 재빨리 남자의 허리를 잡았고, 두 사람은 동시에 쿵 소리를 내며 바닥에 쓰러졌다.

두 사람 모두 물속에서 빠져나왔기에 행동이 불편하지 않았다. 남자도 더 이상 그저 얻어맞기만 하는 상황이 아니었다. 자욱한 수증기 속, 두 사람이 동시에 일어나 재빠르게 서로를 공격하며 육박전을 벌이기 시작했다. 서로의 팔꿈치가 서로에게 날아가다 동시에 부딪치고, 서로의 무릎끼리 부딪쳤다. 그리고 서로 내지른 주먹들끼리 부딪쳤다. 두 사람 모두 지극히 빠른 속도며 매서운 힘이 가히 일품이라 할 만했다.

초교는 자신의 정체를 드러냈기 때문에 남자를 놓치면 자신이 살아날 수 없다는 것을 알고 있었고, 목숨을 걸고 싸우고 있었다. 그리고 남자 역시 더 이상 초교를 보통의 여자 노비로 여기지 않고 자신의 모든 절기를 펼쳐 보이기 시작했다.

두 사람 모두 무기를 갖고 있지 않았고, 암습도 불가능했다. 그들은 스스로 갖추고 있는 무공으로만 서로를 상대해야 했다. 그러므로 눈 깜빡할 사이에, 그들의 싸움은 이미 목숨을 건 대결이 되어 있었다!

탁탁, 쾅쾅, 수십 번에 걸쳐 두 사람의 팔꿈치가, 두 사람의 무릎이, 두 사람의 다리가 교차했다. 두 사람 모두 온몸이 저려 왔고, 두 손은 아파서 이미 감각조차 잃은 상태였다. 그러나 그들은 죽음을 각오하고 버티고 있었다. 두 사람 모두 아무 말도 하지 않았고, 심지어 소리를 지르려 하지도 않았다. 빠르게 공격하고 막아 내느라, 다른 데에 신경을 쓸 여유가 전혀 없었던 것이다.

두 사람의 눈에 이미 핏발이 가득했다. 불현듯, 두 사람은 흰 수증기 속에서 마치 두 줄기 번개처럼 서로를 향해 달려갔다. 극히 빠른 속도였고, 눈 깜빡할 사이에 그들의 손가락은 동시에 상대의 목을 향하고 있었다!

두 사람의 힘은 엇비슷했고, 동작도 기이할 정도로 똑같았다. 두 사람 모두 다섯 손가락을 짐승의 발처럼 구부려 상대의 목을 잡고 있었다. 두 사람 중 한 사람이라도 움직이면, 다른 사람 역시 사정없이 상대의 목숨을 끊어 버릴 터였다.

그리고 이 순간, 두 사람은 묵계라도 주고받은 것처럼 움직임을 멈췄다. 그리고 동시에 천천히 다른 손을 들어 휴전을 제안했다. 이대로 가면 동귀어진 하게 되어 있었다. 그것은 너무 바보 같은 짓이 아닌가!

두 사람은 동시에 상대의 목을 누르고 있던 손가락을 떼고, 천천히 뒤로 물러났다.

바로 이때, 갑자기 거대한 물소리가 울려 퍼졌다. 이 결정적인 순간, 석상 뒤에서 물이 다시 한 번 맹렬하게 욕탕 안으로 쏟아진 것이다. 그와 동시에, 한 걸음 물러서던 두 사람이 다시 앞으로 달려 나와 손가락으로 상대의 목을 찔러 갔다.

"비열한!"

두 사람이 동시에 외치고 약속이나 한 듯이 서로를 차갑게 흘겨보았다. 그리고 어쩔 수 없이 다시 상대방의 목에 있는 손을 내렸다.

바로 이때, 남자가 욕탕 옆에 있던 나무통 하나를 발로 차올리더니, 초교가 몸을 피하는 틈을 타서 제 몸을 뒤로 미끄러뜨려 쏜살같이 달리기 시작했다.

남자가 보기에 초교는 근접전에 있어 초고수였다. 남자는 굳이 그녀와 강경하게 맞설 필요가 없었다. 그가 욕실에서 나가기만 하면, 바깥에 있는 시위들이 안에서 벌어지는 싸움 소리를 들을 수 있을 것이다. 그렇게 되면 남자는 우세한 위치를 점하게 된다.

그러나 초교의 반응은 극히 빠르고 계산도 정확했다. 그녀는 사납게 뛰어올라 마치 귀신이라도 된 것처럼 남자를 쫓았다.

서로의 눈빛이 똑같았다! 서로의 보법도 똑같았다! 두 사람의 동작은 정확히 일치했고, 심지어 선택한 노선도 같았다!

쾅 소리와 함께 욕실의 문이 열렸다. 남자가 초교의 발길질을 감수하며 있는 힘을 다해 발로 차서 욕실의 문을 연 것이다. 순식간에 초교의 등줄기가 서늘해 왔다.

이 정도 소리라면 밖에 있는 시위들이 분명 들었을 것이다. 오래 끌어 봤자 3초다. 3초면 밖에 있는 이들이 문을 부수고 들어오겠지. 시위들은 활에 화살을 메길 것이고, 그녀는 날개가 돋는다 해도 이곳에서 도망치지 못할 것이다!

3초 내에 이 남자를 해결해야 했다. 그리고 이 남자를 끌고 저 호화로운 침상 위로 기어 올라가 떳떳하지 못한 자세를 취하며 고비를 넘겨야 했다. 이 계획에 얼마나 구멍이 많은지 생각할 여유조차 없었다. 어차피 다른 방법은 없었으니까.

초교는 앞으로 몸을 날리며 입고 있던 비단옷을 찢어 버렸다. 마침내 무명으로 만든 짧은 저고리와 요염한 속바지만을 입은 상태로, 그녀는 강하게 한 발로 벽을 차서 날아올랐다. 그리고 관성의 힘을 빌려 남자의 몸을 덮쳤다.

두 사람이 함께 구르는 순간, 초교의 주먹이 남자의 등에 명중했고, 두 사람은 동시에 호화로운 침상 위로 굴러떨어졌다! 바깥의 발걸음 소리는 이미 가까워져 있었다. 초교는 어떻게든 그를 제압하여 이 고비를 넘겨야 했다. 그를 제압할 수 없다면 인질로라도 삼아야 했다. 그러므로 그녀가 지금 해야 하는 일은 단 한 가지였다.

이 순간, 초교는 자신이 미친 것 같다고 생각했다.

초교가 손목을 익숙하게 움직였다. 찰나의 순간, 두 사람은 다시 스무 번 넘게 손을 주고받았다. 그리고 발걸음이 문 바로 앞까지 다가온 그 순간, 초교는 마침내 쾌거를 이뤘다.

그녀는 상대를 인질로 잡는 데 성공했다. 그녀는 다시 한 번 남자의 목을 잡고 있었다. 물론 초교 역시 대가를 치러야 했다. 남자 역시 온 힘을 다해 그녀의 목을 잡고 있었던 것이다. 방금 전과 기이할 정도로 같은 상황이었다. 동귀어진, 초교는 차라리 동귀어진 하는 편이 낫겠다고 생각했다.

문밖에서 사람들이 맹렬하게 문을 두드렸다. 시위들이 초조하게 외치고 있었다. 그리고 한참 동안 엎치락뒤치락하던 남녀는 마침내 고개를 들어, 몽롱한 등불 아래 상대방이 대체 얼마나 대단한 인물인지 똑바로 볼 수 있었다.

서로를 바라본 순간, 두 사람 모두 입을 크게 벌렸다. 그들 모두 바보가 된 것처럼, 그저 눈만 크게 뜨고 서로를 바라보았다.

쾅 소리와 함께, 누군가가 몸을 부딪쳐 문을 열었다. 시위들이 우르르 방 안으로 들어오고, 우두머리인 듯한 무사가 큰 소리로 외쳤다.

"넷째 도련님! 넷째 도련님! 무슨 일이십니까?"

그리고 시위들은 그제야 두 사람이 침상 위에 있는 것을 발견했다. 모두 눈을 휘둥그렇게 뜨고 두려운 표정으로 주위를 둘러보았다.

방 안 전체가 엉망진창이었다. 마치 도적이라도 쓸고 간 자리처럼, 바닥에는 물이 흥건했고, 깔개도 구겨져 있었다. 본래 침상 위에 있어야 할 이불은 반쯤은 바닥에 끌리고 있었고, 두 사람의 옷도 여기저기 바닥에 흩어져 있었다. 그리고 두 남녀는 사치스러운 침상 위에 지극히 애매한 자세로 뒤엉킨 채 서로를 바라보고 있었다. 마침내 남녀가 동시에 문가를 바라보았다.

"누가 들어와도 좋다 했지?"

찰나의 순간, 엄청난 태풍이 대지를 쓸고 간 것 같았다. 월 칠을 비롯한 시위들은 그 태풍에 휩쓸리는 기분이었다. 그렇 다. 이 사람은 바로 제갈월이었다. 모든 이들의 얼굴이 흙빛이 되었고, 그중 몇몇은 쿵 소리가 나도록 바닥에 무릎을 꿇었다. 그리고 3초도 되지 않아, 방문은 다시 조심스럽게 닫혔다.

초교와 제갈월은 다시 한참 동안 얼이 빠져 있다가, 동시에 고개를 돌려 서로를 바라보았다. 그리고 다시 동시에 분노한 목소리로 포효하듯 외쳤다.

"어째서 네가 여기 있는 거지?"

"어째서 당신이 여기 있는 거지?"

제4장 달 아래 눈썹을 그리다[*]

방 안은 매우 조용했다. 벽에 달린 등불이 조용히 타오르며 때때로 불씨를 토해 냈다. 물과 같은 달빛이 창틈으로 쏟아져 내리고, 서늘한 바람이 상쾌하게 불고 있었다.

무예를 연마한 사람이라면 청력이 아주 좋기 마련이다. 특히 이렇게 조용한 밤이라면 더욱. 얼마 지나지 않아, 제갈월과 초교는 밖에 있는 시위들이 목소리를 낮추고 하는 이야기를 들을 수 있었다. 시위들은 조심스럽게 주인의 추문을 화제에 올리고 있었다.

"도련님께서 평소에는 아주 엄숙하시지 않은가. 그런데 그

---

[*] 장창화미張敞畫眉라는 고사성어에서 나온 말이다. 한나라 때 장창이라는 사람이 아내의 눈썹을 그려 준 것에 빗대어 화목한 부부 사이를 일컫는 말이다.

런…… 방식을 좋아하실 줄은 상상도 못했네."

"누가 아니래. 그렇게 큰 소리를 내시다니. 옷은 또 여기저기 벗어 놓으셨고…… 대체 얼마나 격렬했던 건지!"

"어쨌든 그 여인은 운수가 트인 거지. 우리 도련님께서 꽤나 마음에 드신 모양이니."

"그도 그럴 것이 그 여인, 몸매가 정말 좋더라고. 그 두 다리를 봤나? 길고 또 하얗고……."

"제정신이 아닌 모양이군! 그 여인은 이미 도련님의 여인이라고. 도련님께서 네 눈을 파내지 않도록 조심하는 것이 좋을걸!"

"아, 장 형의 말이 옳아. 우리 모두 이 일을 철저하게 잊어버리자고. 자기가 장님이었다고 생각하도록 해."

"내가 제갈부에 몇 년이나 있었는지 알지? 모두 도련님께서 지금 성격이 아주 좋아 보인다고 방심해서는 안 돼. 예전에는 상당히 포학하셔서, 우리 부에서 두려워하지 않는 자가 없었을 정도거든. 그러니 다들 내 말을 듣는 것이 좋아. 그런데 말이 나왔으니 말인데, 저 안에 있는 소녀 노비는 꽤 괜찮더군. 그 몸매며, 그 모습이 아주……. 그런데 어째서 눈에 익은 것 같은지 모르겠단 말이야?"

"미인이라면 자네 눈에 모두 익어 보이겠지."

사람들이 낮게 킬킬거리며 문에서 멀어져 갔다.

방 안의 두 사람은 여전히 원래의 자세를 유지하고 있었다. 서로의 목을 잡은 채, 네 다리는 더욱 단단하게 뒤엉키고 있었다. 그리고 서로를 바라보는 눈에 너무 많은 감정들이 스쳐 가고 있었다.

창밖에서 갑자기 바람이 불어왔다. 침상의 붉은 망사 휘장이 바람을 따라 가볍게 춤을 추었고, 비단실을 꼬아 만든 발도 가지런히 흔들렸다. 투명한 휘장이 두 사람 사이를 스쳐 가니, 어두운 등불 아래 상대의 모습이 몽롱하게 보이기 시작했다.

시간은 그렇게 천천히 흘러갔다. 어두운 밤하늘에 야경꾼의 북 치는 소리가 들려왔다.

두 사람의 눈빛도 결국 조금씩 가라앉았다. 서로를 발견했을 때의 놀라움, 부끄러움, 분노, 그리고 적의 등은 점차 평온함으로 바뀌었고, 두 사람은 약속이라도 한 듯 동시에 서로의 목을 잡고 있던 손을 풀고 슬며시 뒤로 물러났다.

초교는 비단 이불을 잡아끌어 자신의 벗은 몸을 가렸다. 그러는 와중에도 그녀의 두 눈은 계속 남자를 응시하고 있었다. 그녀는 휘몰아치는 모든 감정을 간신히 억누르고 있었다. 그녀가 현재 스스로에게 허락할 수 있는 것은 경계심과 신중함뿐이었다.

분노하던 남자도 이제 안정된 것 같았다. 그는 눈썹을 비스듬히 치켜세우고, 차가운 눈빛으로 초교를 바라보았다. 그러나 그의 표정에 적의는 없어 보였다. 제갈월은 곧 평소의 한결같은 모습을 회복하여, 느긋한 가운데 어느 정도 음울한 빛을 내보이고 있었다.

잠시 후 그는 거리낌 없이 침상 아래로 내려가, 자신이 벗어 두었던 먹빛 장포를 주워 대강 걸쳤다. 허리의 요대는 적당히 묶어, 햇빛에 그을린 가슴을 그대로 드러내고 있었다. 그리고 의외의 자비심을 발휘해, 초교가 벗어 두었던 옷들을 주웠다. 그리고 그녀에게 다가오더니, 한 손으로 온통 젖어 있는 초교의 옷을 든 채 다른 한 손을 그녀의 얼굴 앞으로 내밀었다.

"내놔라."

"내놓으라니?"

초교가 눈썹 끝을 치켜세웠다.

"무엇을?"

제갈월도 가볍게 눈썹을 치켜세우며 그녀를 흘겨보았다. 그녀가 또 뭔가 연기를 하고 있다고 생각하는 것 같았다.

"연순이 대동회, 그 거지들과 함께 제 소굴로 돌아가더니, 이 정도까지 옹색해졌나? 너에게 도둑질까지 시킬 정도로?"

"무슨 말을 하는 거지?"

초교가 차가워진 눈길로 분노하여 외쳤다.

"말할 때 조심 좀 하시지!"

제갈월은 담담한 표정으로 그녀를 힐긋 보며, 무시하듯 말했다.

"모두 도마 위의 고기 신세건만. 이렇게 날뛰다니."

초교의 안색이 차가워졌지만, 그 말에 대꾸하지는 않았다. 오늘 밤은 한 번의 실수로 전체가 어그러지고 말았다. 정말 엉망진창이었다. 초교는 속으로 번민하며, 요즘 자신의 운수가 정말 나쁘다고 중얼거렸다. 그러나……

인정하고 싶지 않았지만, 방금 제갈월의 얼굴을 본 순간 초교는 무어라 표현하기 어려운 안도감을 느꼈다. 그의 손에 떨어지는 것이 다른 이에게 잡히는 것보다는 나을 것이다. 최소한, 바로 목이 잘리지는 않을 테니까. 초교는 진황성이 살아 있는 그녀가 아닌 그녀의 머리에 현상금을 내걸었다는 사실을 잘 알고 있었다.

"내놓으라고."

제갈월이 집요하게 요구했다.

"대체 뭘 내놓으라는 거야?"

"모르는 척은 그만하고!"

제갈월이 차갑게 코웃음 치며, 냉담한 눈길로 그녀를 바라보았다.

"방금 회랑에서, 네가 내 물건 하나를 훔쳐 갔을 텐데. 내가 더 말해야 하나?"

초교는 그제야 제갈월이 옥패 이야기를 하고 있다는 것을 깨달았다. 그러나 그녀는 여전히 우기듯 말했다.

"누가 당신 물건 따위를 탐낸다고. 어쩌다 보니 손에 잡혔던 거고, 이미 버린 지 오래야. 그 물건을 찾고 싶으면 이 저택의 호수 속이나 뒤져 보든가."

제갈월이 음울한 눈길로 얼굴을 찌푸렸다. 그러나 초교는 조금도 두렵지 않다는 듯 고집 센 표정으로 그를 바라보았다.

획, 제갈월이 그녀에게 젖은 옷을 던지더니, 몸을 돌려 문가로 가서 방문을 열었다. 그러고는 밖에 있던 시위에게 간단하게 몇 마디 분부했다. 정말로 간단한 분부였다. 그저 호수 아래에서 옥패를 찾아오라는.

그러나 시위들의 얼굴은 창백하게 질렸다. 호수는 작은 배로 한 바퀴 돌면 반 시진 정도 걸릴 크기로, 깊이는 무려 4장에 달했다. 대체 호수 어디에서 작디작은 옥패를 찾으라는 것인지…….

고개 숙이고 있던 시위 하나가 난감한 표정으로 고개를 들었다.

"도련님, 그건…….'

픽! 말이 끝나기도 전에 제갈월이 그의 머리를 사납게 때렸다. 시위는 눈앞에 떠도는 별을 보며 어쩔 수 없이 다시 고개를 숙였다.

"누가 너에게 고개를 들어도 좋다고 했지?"

시위는 연신 고개를 끄덕이며 더 이상은 감히 고개를 들지 못했다. 이 장면을 본 초교는 살며시, 멍한 표정으로 제갈월을 바라보았다. 방문을 열면 바로 침상이 보였으니, 시위가 고개를 들면 초교를 볼 수밖에 없었다. 그리고 그녀는 아직 옷을 입지 않은 상태였다.

시위들이 물러간 후, 밖에 횃불이 잔뜩 올라가기 시작했다. 꿈속에 있던 시위들 모두 불려 나와 화원의 호수로 달려가고 있었다.

제갈월이 고개를 돌렸을 때, 초교는 이미 젖은 옷을 다시 걸친 후였다. 그러나 그녀가 입은 옷은 아주 얇은 비단으로 만든 것인지라, 젖어서 온몸에 찰싹 달라붙으니 아무것도 입지 않은 것과 별다를 바가 없었다. 아니, 오히려 더욱 요염하고 유혹적이었다.

제갈월이 미간을 찌푸리며 그녀를 바라보았다. 초교는 그의 시선을 받자 어색하고 부끄러운 마음이 들었다.

제갈월이 벽에 늘어서 있는 옷장으로 다가가더니, 가장 가까이 있는 옷장의 문을 열었다. 초교의 안색이 갑자기 변했다. 그녀가 무어라 말하기도 전에, 쿵 소리와 함께 옷장 속에 있던 꽁꽁 묶인 여자가 제갈월의 발치로 굴러떨어졌다.

제갈월의 반응은 극히 빨랐다. 그는 놀란 나머지, 옷장 속의 여자가 자객이라고 생각한 모양이었다. 제갈가의 넷째 도련님은 전혀 봐주는 기색 없이 여자를 발로 찼고, 그 가련한 노비는 옷장에서 바닥으로 완전히 굴러떨어지기도 전에 발에 차여, 가죽공이라도 된 것처럼 날아가고 말았다.

그나마 다행인 것은, 제갈월이 그렇게까지 악랄한 초식을 쓰지는 않았다는 것이다. 요염한 여인은 땅에 누운 채 잠시 넋을 잃고 있었다. 얼굴을 찌푸리는 것이 계속 뭔가를 떠올리고 있는 모양이었다.

그 노비 여인은 이미 자라 보고 놀란 가슴 솥뚜껑을 보고 놀라는 심정이 되어 있었다. 잠에서 깨어나 욕실로 가다가 아무 이유도 없이 웬 여자에게 얻어맞고 정신을 잃었는데, 깨어나 보니 옷장 안에 묶여 있었다. 가까스로 옷장이 열려 풀려났다 싶었지만 그녀가 소리를 지르기도 전에 사납게 발에 걸어차였다. 여자 노비는 살기등등한 표정의 제갈월을 보더니, 눈을 희번득 뒤집으며 다시 혼절하고 말았다.

"저기! 그 여자를 해치지 마."

제갈월이 고개를 돌려 보니, 초교가 곤란하다는 표정을 짓고 있었다. 제갈월은 즉시 어찌 된 일인지 깨달았다. 이 방 안에서 자신을 기다리고 있던 노비는 본래 초교가 아니라 바닥에 혼절해 있는 여인이었던 것이다. 저 여인이 바로 전여성이 자신을 위해 준비한 노비임이 분명했다.

상황을 파악한 제갈월은 바닥의 여인은 무시하고, 옷장 안에서 옷을 한 벌 꺼내 초교에게 던졌다. 그리고 입 끝을 슬며시 들어 올리며 말했다.

"성아, 여전히 악랄하게 손을 쓰고 다니는군."

"나를 성아라고 부르지 마!"

초교는 흠뻑 젖은 옷을 벗지 않고 새 옷을 그 위에 걸치면서 냉랭한 어조로 말했다.

그러나 그녀가 말을 끝내기도 전에 제갈월이 코웃음을 치며 사나운 호랑이처럼 덮쳐 왔다. 그는 강인한 몸으로 초교를 제 몸 아래에 꽉 누르고, 강철 같은 제 다리 사이에 그녀의 두 다리를 끼운 후, 한 손으로 사납게 그녀의 턱을 치켜들고 침울한 표정으로 물었다.

"그럼 너를 뭐라 부르면 좋지? 형월아? 아니면 그 무슨······ 초교던가?"

제갈월의 목소리는 음산했다. 그의 두 눈 속에 거대한 회오리바람이 일어나고 있었다. 그는 점점 더 손에 힘을 세게 주며, 가라앉은 목소리로 한 글자 한 글자 명확하게 이야기했다.

"연순에게 의탁한다 해서 네 조상조차 잊고 성씨마저 갈아치우다니, 대체 어찌 된 거냐? 그럴 거라면 차라리 아예 연씨의 족보로 들어가지 그랬어?"

그러나 초교는 그의 말에 대답하지 않고, 차가운 목소리로 말했다.

"나를 놓아줘!"

"놓아 달라고?"

제갈월이 냉소했다.

"내가 놓아주면 어디로 갈 생각이지? 변당에 온 건, 너와 혼사를 치르겠다고 하던 옛 정인을 보러 온 건가? 아니면 길을 돌아 연북으로 가려고? 내가 왜 예전에는 알아보지 못했을까? 우리의 어린 성아가 미소 한 번으로 성을 기울게 만드는, 온갖 재앙을 불러들이는 미녀가 될 거라는 것을?"

"제갈월, 경고하겠어. 나를 놓아줘!"

"경고?"

제갈월이 입 끝을 들어 올리며 사악하게 웃었다. 그의 눈이 마치 참매처럼 차갑게 가늘어졌다.

"성아, 마치 나를 오늘 처음 안 것처럼 구는군. 나, 제갈월이 언제 다른 이의 경고를 듣는 사람이었나?"

초교는 더 이상 설득하기를 포기하고, 다섯 손가락을 짐승의 발톱처럼 세워 사납게 제갈월의 목을 낚아챘다!

그러나 그의 동작도 느리지 않았다. 제갈월이 재빨리 몸을 뒤로 젖힌 덕분에, 초교의 손은 미끄러져 그의 옷깃을 잡게 되었다. 본래 가슴을 드러내며 느슨하게 입고 있던 옷이었기에, 초교가 옷깃을 잡은 것만으로도 절반 이상이나 벗겨지고 말았다.

제갈월이 갑자기 사악하게 웃으며 초교의 턱을 잡고 있던 손가락을 아래로 미끄러뜨려 그녀의 새하얀 목이며 아름다운 쇄골을 어루만졌다.

"도저히 기다릴 수 없나 보지?"

초교는 얼굴색 하나 변하지 않고 눈을 가늘게 떴다. 그녀의 눈에는 분노의 기색이 역력했다. 그녀는 사납게 제갈월의 사타구니를 걷어찼다!

그러나 제갈월이 정면에서 공격해 오는 것을 그대로 맞고만 있을 사람은 아니었다. 그는 재빨리 두 손으로 중심을 잡고, 공중에서 뒤로 제비를 돌았다. 다시 침상으로 떨어질 때는 두 손으로 몸을 받치며 초교에게 몸을 붙여 왔고, 결국 공중제비를 돌기 전과 완전히 똑같은 자세로 그녀 위에 엎드려 있게 되었다. 제갈월과 초교는 서로의 숨소리까지 들을 수 있을 정도로 얼굴을 마주하게 되었다.

"흥!"

초교가 코웃음을 쳤다. 그녀는 분노로 눈을 반짝이며, 두 손을 비틀어 제갈월의 어깨를 주먹으로 쳤다.

제갈월은 어깨를 내리며 완전히 힘을 풀더니, 한 손으로 초교의 허리를 안은 채 재빠르게 침대 위를 굴렀다. 그의 품 안에 있던 초교도 어쩔 수 없이 한 바퀴 돌 수밖에 없었는데, 두 사람이 구르는 것을 따라 침상에 있던 비단 이불이 그들의 몸을 말아 버렸다. 두 사람은 마치 대나무 잎에 잘 싸 놓은 밥과 같은 꼴이 되어 버렸다. 제갈월은 이 기회를 놓치지 않고, 한 손으로 초교의 두 손을 누르면서 다시 한 번 자신의 다리로 그녀의 다리를 감쌌다.

초교는 온 힘을 다해 발버둥 쳤지만 이불 속을 빠져나갈 수가 없었다. 오히려 움직이면 움직일수록 이불은 더욱 단단하게 두 사람을 얽매어 왔다. 게다가 제갈월의 힘이 그녀보다 세다보니, 결국 초교는 발버둥 치다 기운이 빠져 엎드린 채 숨만 크게 몰아쉬었다.

구르고 발버둥 치는 사이, 초교가 걸치고 있던 옷도 함께 말리면서 눈처럼 새하얀 피부가 드러났다. 그녀는 얼굴이 새빨갛게 변해 제갈월을 사납게 노려보았다. 어찌나 화가 났는지, 그녀의 가슴이 계속 위아래로 오르락내리락하고 있었다.

"아직도 승복하지 않는 건가?"

초교가 차갑게 대꾸했다.

"망할 놈!"

그러나 제갈월은 초교의 몸 위에 엎드린 채, 그녀의 격렬한 숨소리며 빠르게 뛰는 심장 소리를 듣고 있었다. 그녀의 몸에서는 은은한 향기까지 풍겨 왔다. 제갈월의 표정이 부드러워지더니, 의기양양하게 웃으며 물었다.

"계속 싸울 생각이냐?"

초교는 입술을 꽉 깨물었다. 근 몇 년 동안, 그녀는 누군가와 싸우면서 고생스럽다는 생각을 한 적이 거의 없었다. 그러나 지금 그녀는 표현하기 어려운 당혹감을 느끼고 있었다. 이유는 알 수 없었지만, 그녀는 지금 이 순간 이 자리에서 사라지고 싶었다. 눈앞의 이 남자를 다시는 보고 싶지 않았다.

"나를 놓아줘!"

"성아, 계속 같은 말만 하고 있는데, 지겹지도 않은가?"

초교의 옷 아랫자락이 풀어져 눈처럼 새하얀 두 다리가 드러나 있었다. 제갈월의 다리가 그녀를 더욱 단단하게 얽맸고, 서로의 피부가 스치면서 두 사람 사이의 공기가 미묘하게 변했다.

초교가 사납게 제갈월을 노려보며 이를 악물었다.

"정말이지 당신을 찔러 버리고 싶어!"

그러나 제갈월은 소리 내어 웃었다. 그의 눈은 사악해 보일 정도로 반짝이고, 입술은 유난히도 붉어 보였다. 그가 호탕하게 말했다.

"그보다는 차라리 나를 두어 대 치고 끝내 주면 좋겠군."

"흥!"

초교는 화가 난 나머지 그를 보지 않으려고 고개를 돌렸다. 싸운들 이길 수 있을 것 같지 않았고, 도망칠 수도 없을 것 같았다. 그녀와 제갈월의 무예 실력은 비슷했지만, 싸우는 시간이 길어지다 보니 체력으로 남자를 따라갈 수가 없었다. 게다가 문밖에는 그의 시위들이 대거 둘러싸고 있지 않은가.

여기까지 생각하자 억울한 마음이 들어 눈시울이 붉어졌다. 그녀는 분노한 목소리로 외쳤다.

"그냥 나를 죽이든가!"

그러나 제갈월은 여전히 웃으며 초교를 바라보았다.

"성아, 설마 나를 이기지 못해서 울고 싶은 것은 아니겠지? 그건 네 성격답지 않은데."

ㄱ 말에 두 사람 사이이 긴장된 분위기가 풀어졌다. 두 사람은 여전히 묘한 자세로 맞붙어 있었다. 그리고 바로 이때, 침상 아래 혼절해 있던 여인의 신음 소리가 들려왔다. 정신을 차린 모양이었다.

초교는 당황했고, 제갈월도 안색이 변해 초교의 손을 풀어 주고는 침상 위 비단 이불을 공중에 던졌다. 이불은 정확하게 여인의 얼굴을 덮어 버렸다!

그리고 초교는 이 기회를 놓치지 않았다. 제갈월이 손을 풀어 준 그 순간, 그녀는 차갑게 소리치며 미꾸라지처럼 이불 속에서 빠져나가, 침상 위를 무릎으로 기어 도망치려 했다.

초교의 이런 모습을 본 제갈월이 차갑게 웃었다. 그의 웃음기가 눈가에 퍼지기도 전에, 제갈월은 얇은 비단 이불을 집어 들었다. 비단 이불이 마치 민첩한 뱀처럼 초교의 발목을 얽어맸고, 그녀는 마음속으로 비명을 질렀다. 다음 순간, 제갈월은 힘을 주어 비단 이불을 잡아당겼고, 초교는 다시 넘어져 그와 함께 구르고 말았다.

눈 깜짝할 사이에, 쾅음과 함께 침상 전체가 무너져 내렸다. 망사로 만든 휘장이며 침상을 겹겹이 싸고 있던 붉은 비단들, 그리고 밝게 빛나는 진주 구슬 등이 모두 떨어져 내렸고, 초교와 제갈월은 그 아래 파묻히고 말았다. 침상이 무너지는 소리가 어찌나 큰지, 문밖에 있던 이들도 똑똑히 들을 수 있을 정도였다.

이때, 시위들은 처음의 절반밖에 남아 있지 않았다. 나머지 절반은 호수에 옥패를 찾으러 갔기 때문이었다. 한 젊은 시위가 장씨 성을 가진 시위에게 조심스럽게 물었다.

"장 형, 대체 저게 무슨 소리인 거죠?"

장씨 성을 가진 시위는 조신스럽게 귀를 세우더니, 고개를 끄덕이며 비밀스럽게 속삭였다.

"내 생각엔, 침상이 무너지는 소리 같은데."

"침상이 무너진다고?"

젊은 시위는 말문이 막힌 모양이었다.

"세상에, 얼마나 격렬하기에!"

그동안 제갈월은 비단 더미에 묶이다시피 하여, 꽤 힘을 들여서야 빠져나올 수 있었다. 그러나 비단 틈에서 고개를 내밀었을 때, 그의 안색이 변하고 말았다.

초교가 이미 자리를 잡고 그 앞에 앉아 있었다. 그녀의 눈빛은 음울하게 차가웠고, 손에는 부러진 침상 기둥 토막이 들려 있었다. 그 나무토막의 끝은 아주 뾰족했고, 초교는 그 뾰족한 끝을 제갈월의 목에 들이대고 있었다.

"움직이지 마!"

초교가 차갑게 외쳤다. 그러나 제갈월은 담담하게 웃으며, 초교의 가슴을 흘깃거리며 말했다.

"앞으로 다른 사람에게 그런 말을 할 때는, 먼저 옷부터 잘

챙겨입도록. 그래서야 무서워 보이지가 않는다."

"헛소리 마! 어서 나를 놓아줘!"

제갈월은 계속 웃으며 대답했다.

"섬아, 지금 네가 나를 이리 협박하는데, 내가 어찌 너를 놓아줄 수 있을까?"

"제갈월, 나에게 다른 방법이 없다고 생각하는 것은 아니겠지? 나는 당신을 죽이고 도망칠 수도 있어. 나는 그저 그렇게까지 하고 싶지 않을 뿐이야. 당신과 나 사이에 원한이 있다 해도, 나는 이런 식으로 당신을 죽이고 싶지는 않아."

"그거 참 안타깝군."

제갈월이 어깨를 으쓱했다.

"나는 살아 있는 한 너를 놓아줄 생각이 없으니까."

초교가 눈을 가늘게 떴다.

"나를 협박하지 마!"

"나는 너를 협박하고 싶은데."

바로 이때, 바깥에서 갑자기 한바탕 발걸음 소리가 들려왔다. 발소리가 어지러운 것이 제갈월의 시위들은 아닌 것 같았다. 두 사람이 동시에 멈칫했다.

초교가 바깥에 신경을 쓰고 있는 틈을 타서 제갈월이 갑자기 몸을 비틀었다. 초교의 손에 들린 날카로운 나무토막을 피하려는 의도였다. 그러나 동시에, 초교는 그의 움직임을 눈치챘고, 무의식적으로 손에 들고 있던 나무토막을 움직였다.

푹 소리와 함께 제갈월의 어깨에서 새빨간 핏물이 쏟아지기 시작했다. 그 모습을 보는 순간, 초교의 마음이 차갑게 얼어붙었다. 그녀는 그저 눈을 크게 뜨고 제갈월이 피 흘리는 모습을 지켜보았다. 그리고 바로 이때, 문밖에서 전여성의 공손한 목소리가 들렸다.

"공자님, 아직 깨어 계시는지요?"

제갈월과 초교는 각자 침상 구석에 앉아 있었다. 제갈월의 어깨에는 엄지손가락 정도 굵기의 나무 조각이 박혀 있었고, 상처에서 흘러내린 붉은 피가 침상을 적시고 있었다.

이 모든 일은 눈 깜빡할 사이에 벌어진 것이었다. 나무토막이 제갈월의 몸에 박히던 순간, 초교는 심지어 제갈월이 살짝 입을 벌리는 모습까지 보았다. 이 정도의 상처라면, 그가 통증을 참지 못하고 비명을 지르는 것도 당연할 것이다. 그러나 이 순간, 전여성이 문밖에 있었다.

전여성은 무관 출신으로, 젊은 시절 부친을 따라 변당군에 참가하여 대하를 침략했고, 대하 내륙에까지 들어가 전투를 벌인 적이 있었다. 당시 연북의 사자왕 연세성이 대하를 도와 변당군을 물리치지 않았다면, 아마 현재 홍천의 주인은 대하가 아닌 변당이었을 것이다. 그러나 연세성의 활약으로 대하는 홍천을 지켰고, 전여성의 부친은 그 전투 중에 전사했다. 전여성이 연북을 얼마나 미워하는지는 두말할 필요도 없었다.

제갈월이 비명을 지른다면 전여성은 주저 없이 문을 부수고 들어올 것이다. 그리고 초교가 전여성의 손에 떨어지게 되면, 그 결과는 더 이상 생각할 필요도 없었다.

초교는 자신의 다리를 더듬었다. 그녀는 평소 그곳에 비수를 하나 숨겨 두고 있었다. 그녀의 솜씨라면 이렇게 가까운 거리에서 이미 상처 입은 제갈월을 죽이는 것은 아무 문제가 아니었다. 그러나 그녀는 자신의 다리를 더듬다가 자신이 허량에서 비수를 잃어버린 사실을 기억해 냈다.

절체절명의 순간, 제갈월은 초교가 생각했던 대로 소리치지 않고, 아무 파란도 없는 평온한 어조로 대답했다.

"전 대인이신가? 이리 깊은 밤에 무슨 일이신지?"

초교가 깜짝 놀라 고개를 들고 제갈월을 바라보았다.

"공자님께서 아주 중요한 물건을 호수에 떨어뜨리셨다고 들었습니다. 밤새 시위들을 시켜 찾았지만 찾지 못했습니다. 궁리 끝에 관개수로를 하나 파서 호수의 물을 모두 빼낼까 합니다만, 공자님의 생각은 어떠신지요? 그렇게 하면 아마 찾을 수 있을 것 같습니다."

제갈월은 심호흡을 하고, 피가 흐르는 어깨를 꽉 잡은 채 나지막하게 말했다.

"그러시오. 전 대인의 호의에 감사드리오."

전여성이 하하 웃으며 말했다.

"공자님의 근심을 덜어 드릴 수 있다면, 그야말로 본관의 영광 아니겠습니까."

"그 외에 다른 일이 없다면 대인께서도 돌아가 쉬시는 것이 좋겠소."

"그럼 본관은 이만 물러나겠습니다. 공자님께서도 편히 쉬시지요."

발걸음 소리가 점차 멀어졌고, 바깥은 다시 조용해졌다.

제갈월이 길게 한숨을 쉬며 힘이 빠진 몸을 침상에 기대더니, 이를 악문 채 밖으로 드러난 나무 조각을 뽑아냈다! 그는 얼굴을 일그러뜨리고 고통에 찬 신음을 흘리면서도, 최선을 다해 자신의 목소리를 억눌렀다.

상처에서 선혈이 뿜어져 나왔다. 초교가 깜짝 놀라 바로 다가가 손으로 그의 상처를 막았다. 제갈월은 고통 때문에 눈앞이 흐려져 거의 정신을 잃을 지경이었다. 초교는 그를 부축하며 조급하게 물었다.

"괜찮아?"

제갈월이 창백한 얼굴로 이를 악물고 사납게 말했다.

"아주 괜찮고말고."

"일단 움직이지 마. 내가 상처를 싸매 줄 테니까."

초교가 몸을 일으켜 재빨리 욕실로 들어갔다. 얼마 지나지 않아 나무통 하나를 들고 뛰어나와 다시 침상으로 뛰어오르더니, 능숙하게 제갈월의 상처를 소독했다.

"안에…… 가시가 너무 많아. 뽑아내야 해."

초교가 제갈월의 창백한 얼굴을 바라보며 머뭇거렸다.

"견딜 수…… 있겠어?"

제갈월이 차갑게 코웃음 쳤다.

"별걱정을 다 하는군!"

초교가 방 안에서 비수를 하나 찾아내, 탁자 위의 술에 불을 붙여 소독했다. 그러고는 제갈월에게 수건을 건네며 말했다.

"혹시라도 혀를 깨물지 않도록 물고 있어."

제갈월은 수건을 받아 들기는 했지만 입에 물지는 않고, 상처를 입지 않은 다른 손에 쥐고 있기만 했다. 초교는 더 이상 이야기하지 않고 열심히 그의 상처를 살피기 시작했다.

나무토막이 낸 상처는 생각보다 더 심각했다. 상처의 크기는 말할 필요도 없고, 무수한 가시가 몸 안에 박혀 울퉁불퉁하게 솟아 나와 있었다. 이 가시들을 완벽하게 제거하지 않으면 분명 몸 안에서 썩어 들어갈 것이다. 이런 상처를 보자, 초교의 손이 자신도 모르게 떨리기 시작했다.

"의원…… 의원을 불러오는 게 어떨까?"

그 말을 하자마자 그녀는 바로 입술을 깨물었다. 의원이 오면 그녀의 정체가 밝혀질 가능성이 높고, 그렇다면 그녀를 기다리는 것은 죽음뿐이다. 아니, 어쩌면 의원이 온 후 혼란한 틈을 타서 도망칠 수 있을지도 모른다. 가능성은 아주 적지만.

제갈월이 음울한 얼굴로 비수를 빼앗았다.

"네가 못하겠다면 내가 하지."

그는 말을 마치자마자 스스로의 살을 직접 베어 내려 했다. 초교가 기겁하여 다시 비수를 빼앗았다.

"내가 할게! 내가!"

초교는 다시 그를 물끄러미 바라보았다. 제갈월은 반쯤 눈을 감고, 아무 일도 없었던 듯한 표정을 짓고 있었다. 종잇장처럼 창백한 안색만 아니라면, 표정만 보아서는 상처를 입었으리라고 상상할 수도 없을 것 같았다. 초교는 깊이 심호흡하고, 제갈월의 상처를 치료하기 시작했다.

세 시진이 지났다. 하늘은 이미 희뿌옇게 밝아 오고 있었다. 초교의 옷은 식은땀으로 흠뻑 젖어 있었다. 그녀는 자신이 처음 이 방에 들어올 때 입었던 옷을 찾아내, 그 안에 휴대하고 있던 금창약을 꺼내 제갈월에게 발라 주었다. 그 다음 다시 깨끗한 명주로 그의 상처를 잘 싸매 주니, 마침내 모든 치료가 끝났다.

이 과정을 거치는 내내 제갈월은 신음 한번 내지 않았다. 초교는 고개를 들어 그를 바라볼 엄두를 내지 못했다. 치료를 마치고 겨우 그를 바라보니, 제갈월은 이미 혼절한 상태였다. 이마에는 땀방울이 맺혀 있고, 미간은 내 천川 자를 그리며 굳어 있었다. 그는 초교가 건넨 수건을 여전히 손에 들고 있었는데, 그 수건은 땀으로 흠뻑 젖어 있었다. 머리카락도 땀으로 축축한 것이, 마치 물에 들어갔다 나온 것 같았다.

초교는 제갈월을 부축해 침상에 눕히고, 수건을 적셔 와서 그의 몸에 묻은 피며 얼굴의 땀을 닦아 주었다. 그리고 다시 마른 면포를 찾아 그의 머리카락을 조금씩 말려 주기 시작했다.

수탉이 새벽을 깨우며 우는 소리가 들렸다. 창밖이 밝아 오고, 하인이 문 두드리는 소리가 들렸다. 긴장한 초교는 목소리를 바꿔 제갈월이 아직 깨지 않았다고 말했다. 문밖에서 젊은 시위들이 키득거리는 소리가 들렸다. 그렇다. 시위들이 보기에는 제갈월이 그렇게나 격렬한 밤을 보냈으니, 하루 종일 잠을 자며 게으름을 부려도 이상할 것이 없는 것이다.

다행히도 제갈월 일행은 오팽성에서 이틀을 머물게 되어 있었다. 시위들은 오팽성의 시녀에게 제갈월을 더 이상 방해하지 말라고 분부했다.

　초교가 침상으로 돌아와 보니, 제갈월은 여전히 깊은 잠에 빠져 있었다. 초교의 얼굴에도 피로가 쌓여 있었다. 그러나 그녀는 눈을 감지 않고 제갈월을 바라보았다. 단단하고 곧은 눈썹, 사악한 매력이 엿보이는 눈매, 선명하게 붉은 입술, 그리고 언제나 차가운 말을 내뱉는 그 입.

　"우리는 적이잖아."

　초교가 중얼거렸다. 그러나 자신이 제갈월에게 말을 걸고 싶은 것인지, 아니면 스스로에게 일깨우고 싶은 것인지는 알 수 없었다.

　"공적인 관계를 생각하면, 나는 나라를 배신한 노비고 당신은 제국의 귀족이지. 그리고 사적으로는 당신이 임석을, 즙상을, 그리고 소칠과 소팔을, 수많은 형가의 아이들을 죽였어. 그리고 나와 연순을 8년 동안이나 짐승만도 못한 삶을 살게 만들었지. 나는 당신의 작은 할아버지를 죽였고, 당신의 하인을 죽였고, 또 제갈부에서 도망쳐 나왔고 말이야. 당신과 나 사이에 존재하는 갈등은 결코 해결할 수 없는 거야. 당신이 나를 죽인다 해도 당신이 비난받을 일도 아니고, 내가 당신을 죽인다 해도 당연한 것이지. 우리 사이에 정이라고 할 만한 것은 남아 있지 않아. 그리고 우리는 서로 사정을 봐주는 일은 없어야겠지. 우리는…… 당신이 죽으면 내가 살고, 당신이 살면 내가 죽을 거야. 그래, 우리는 그런 관계인데…….”

그랬다. 당연히 그러했다. 논리적으로 보나 인간의 도리상으로나, 그들은 그런 관계여야 했다. 그리고 방금 전까지만 해도 초교는 이 점에 대해 어떤 의심도 없었다.

그러나 어째서일까. 초교의 목소리는 점차 낮아졌다. 그녀 자신조차 제대로 듣지 못할 정도로.

제갈월이 혼수상태에서도 미간을 찌푸렸다. 초교는 참지 못하고 손을 뻗어, 가볍게 그의 상처를 어루만지며 속삭였다.

“어쨌든, 내가 당신에게 목숨을 한 번 빚져 버렸네.”

초교가 속삭였다.

“제갈월, 미안해.”

방 안은 쥐 죽은 듯 고요했다. 창밖에 태양이 떠올라 따뜻한 빛을 침상 위에 뿌려 주고 있었다. 초교는 침상 곁 바닥에 앉아 제갈월의 곁에 엎드렸다. 견딜 수 없는 피로감이 밀려와, 그녀는 그대로 깊은 잠에 빠져들었다.

제갈월은 한밤중까지도 여전히 혼수상태에 빠져 있었다. 초교는 그의 상처에 다시 약을 발라 주었다. 다행히도 상처에 염증은 보이지 않았고, 깔끔하게 아물고 있었다.

밖은 이미 칠흑처럼 어두웠다. 얼마나 오랜 시간이 흘렀는지는 알 수 없었지만, 제갈월이 마침내 눈을 떴다. 그는 초교가 새로 갈아입혀 준, 금빛 자수가 있는 검은 실내복의 매끄러운 촉감을 느끼고 있었다. 배도 고프고 온몸이 욱신거렸다.

초교가 제갈월을 물끄러미 바라보았다. 그는 졸음기 때문인지 몽롱한 눈빛으로, 천천히 미간을 찌푸리며 중얼거렸다.

"차."

초교는 말없이 묽을 따라 그에게 건네주었다

정말 목이 말랐는지, 제갈월은 찻잔 안을 제대로 보지도 않고 고개를 젖혀 마시더니, 마른 입술을 혀로 핥으며 쨍그렁 소리가 나도록 찻잔을 바닥에 내던졌다. 그리고 고개를 돌려 노한 소리로 외쳤다.

"인삼차!"

그러나 말을 끝내자마자 그는 바로 멍하니 초교를 바라보았다. 겨우 자신이 어떤 상황에 있는지 기억해 낸 것 같았다.

"잠이 덜 깼나 보지?"

초교는 가볍게 말을 건네며 침상 아래 깨진 찻잔을 줍고, 탁자 위의 식합을 가리켰다.

"저기 먹을 게 있으니 가져다 먹어."

제갈월은 이런 식으로 스스로를 제어하지 못하는 모습을 보인 적이 거의 없었다. 그는 숨을 깊이 들이마시며 마음을 진정시켰다. 어깨 위의 상처는 여전히 통증이 있었다. 그는 미간을 찌푸린 채 물었다.

"어째서 내가 잠든 사이에 도망치지 않았지?"

"나도 도망치려고 했지."

초교가 입을 배쭉 내밀며 고개를 돌렸다.

"당신 부하들이 방을 물샐틈없이 포위한 채 하루 종일 쉬지도 않고 지키는데, 내가 어떻게 도망칠 수 있겠어?"

제갈월이 차갑게 코웃음 쳤다.

"솔직하군."

초교가 어깨를 살짝 으쓱했다.

"당신을 상대로, 군이 말을 빙빙 돌릴 필요가 없지."

초교는 찻잔 조각을 모조리 주운 후 창가로 가서 자리를 잡고 앉아, 제갈월을 바라보며 평온한 얼굴로 물었다.

"말해 봐. 나를 어쩌려는 거야?"

제갈월은 그녀를 흘깃 보더니, 침상에서 내려와 말없이 탁자 위의 식합을 들었다. 식합 안의 음식을 꺼낼 생각이었지만, 어깨의 상처가 아파 움직이기 편하지 않았다. 그는 아주 당연하다는 듯 초교에게 말했다.

"이리 와서 내 식사 시중을 들도록."

초교는 바로 얼굴을 찡그리고, 미동도 하지 않았다. 그러나 제갈월은 아주 무뢰하게 탁자 앞에 자리를 잡고 앉았다.

"나는 배가 고플 때는 다른 사람들과 교류하는 것을 싫어하지. 나에게서 뭔가 알고 싶은 것이 있다면, 나를 배부르게 만든 다음 다시 물어보는 것이 좋을걸."

휴, 한숨을 쉬며 초교는 탁자 앞으로 다가가 침착하게 식합을 열었다. 그리고 그릇에 담긴 탕을 꺼내, 힘차게 탁자 위에 내동댕이쳤다. 쨍그렁 소리와 함께 두툼한 도자기가 산산조각 나며, 그릇에 담겨 있던 탕이 사방으로 튀었다.

제갈월이 깜짝 놀라 소리치며 뒤로 물러났지만, 뜨거운 국물이 이미 전부 그의 몸에 뿌려진 다음이었다. 탕에 들어 있던 흰 목이버섯이며 용안의 열매 등이 그의 가슴에 달라붙은 채 열기를 뿜어내고 있었다.

제갈월은 우울한 얼굴로 제 몸을 내려다보았다. 그의 눈에 분노의 빛이 스쳐 갔지만, 그는 잠시 후 별다른 말 없이 욕실로 걸어가며 나지막하게 말했다.

"따라와. 내 몸을 씻어 줘!"

욕실? 또 욕실이라고!

제갈월은 검은 주단으로 만든 바지만 입고 상반신을 드러낸 채, 매우 자연스러운 태도로 초교를 향해 담담하게 말했다.

"거기 서서 뭐 하는 거야? 이리 오라고!"

초교의 가슴이 급하게 오르락내리락했다. 그녀는 깊이 숨을 들이마시며 주먹을 쥐었다 풀었다 몇 번 반복한 후, 마침내 그에게 다가갔다. 그리고 욕실로 들어가 손 닿는 대로 거대한 나무통을 들고, 욕탕 안에 가득한 뜨거운 물을 퍼 올렸다.

초교의 눈길은 음험하고, 얼굴은 얼음처럼 차가웠다. 아무리 제갈월이라 해도 간담이 조금은 서늘할 정도였다. 그는 뒤로 한 걸음 물러서며, 자신도 모르게 방어의 자세를 취하며 신중하게 물었다.

"뭘 하려는 거지?"

초교는 물이 가득 찬 나무통을 들어 올리며 아무렇지도 않게 대답했다.

"당신이 몸을 씻겨 달라고 하지 않았어? 물로 적시지 않으면 어떻게 씻겨 주지?"

"난 상처 입었다고!"

제갈월이 자신의 가슴을 두드리며 큰 소리로 강조했다.

"그래."

초교가 고개를 끄덕였다.

"알아. 그 상처를 낸 게 바로 나인걸."

"그런데 물을 뿌리려는 건가?"

"물을 뿌려 적시지 않으면 어떻게 씻겨 주지?"

무의미한 대화가 반복되고 있었다.

"하지만 나는 상처 입었다고."

"알아. 봤어. 상처도 내가 냈어."

"됐다."

제갈월의 표정이 일그러졌다.

"나가 봐."

초교가 다시 한 번 나무통을 들어 보이며 물었다.

"정말 필요 없는 거야?"

제갈월이 이제 바로 화를 냈다.

"나가라니까!"

초교는 몸을 돌려 휘파람을 불며 유유자적하게 욕실을 나갔다.

제갈월의 모습은 말이 아니었다. 피와 땀 외에도, 탕에 들었던 식재료까지 달라붙어 엉망이었다. 그는 욕탕 옆에 서서 꾸물거리며 바지를 벗었다. 상처에 물이 들어가지 않도록 조심스럽게 움직였다. 상처에 물이 들어가면 감염될 수 있고, 감염되면 염증이 생길 것이다. 염증은 상처를 남기고, 상처가 남으면 보기 좋지 않았다.

"여기 새로운 옷이야. 사람을 시켜 가져오라고 해어."

초교가 욕실 문을 발로 차서 열었다. 제갈월은 풍덩 소리가 나도록 욕탕 안으로 뛰어들며 분노한 소리로 외쳤다.

"나가라고 했지!"

제갈월은 이 욕실 수증기가 너무 자욱해서 초교가 들어온다 해도 그저 사람의 형체를 볼 수 있을 뿐, 세세하게 볼 수 없다는 것을 잊고 있었다. 초교는 고소한 듯 키득거리며, 선량한 목소리로 일깨워 주었다.

"조심하도록 해. 익사하지 않도록."

그리고 몸을 돌려 욕실에서 나갔다.

제갈월의 상처는 이미 물에 잠겨 있었다. 그는 분노하며 어깨를 싸맨 명주천을 벗겨 내고, 화가 난 나머지 손바닥으로 수면을 몇 번이나 쳐 댔다.

초교도 하루 낮과 밤을 아무것도 먹지 않았기 때문에 뱃속이 비어 있었다. 그녀는 탁자를 정돈한 후, 식합 안에 있는 음식을 하나하나 꺼내 늘어놓았다. 전여성은 확실히 제갈월을 극진하게 대접하고 싶은 모양이었다. 식합 안 음식들은 모두 정성 들여 만든 것들이었고, 풍겨 오는 향도 결코 평범하지 않았다. 식합은 세 층으로 나뉘어 있었는데, 한 층은 숯불, 한 층은 맑은 물, 그리고 한 층은 음식이 들어 있었다. 그래서 식합을 받은 지 한참이나 지났지만 음식은 여전히 따뜻했다.

초교는 느긋한 마음으로 만찬을 즐기기 시작했다. 제갈월이 욕실에서 나왔을 때 보게 된 것은 바로 이런 장면이었다. 그는 분노를 억누르며 초교 곁으로 다가와 차갑게 코웃음 쳤다.

"정말이지 기운이 넘치는군."

초교가 달콤하게 웃으며 대답했다.

"당신만은 못하지."

제갈월이 그녀를 가늠해 보는 듯 바라보며 말했다.

"죽음이 눈앞에 닥쳐왔는데도 이렇게나 기운이 넘치다니."

초교는 여전히 웃기만 했다.

"뭘 모르는 모양이네. 원래 사형수도 죽기 전에 한 끼 정도는 맛있는 것을 먹어야 한다고."

제갈월은 몸을 앞으로 내밀고, 음울한 눈길로 천천히 말했다.

"내가 너에게 아무 짓도 하지 않을 거라 확신하는 건가?"

"설마 내가 어떻게 그걸 확신하겠어."

초교가 계속 웃으며 대답했다.

"하지만 당신이 내 신분을 모르는 척해 주는데, 내가 무엇 때문에 쓸데없이 속을 태워야 하지?"

제갈월은 의자에 기대앉으며 차갑게 웃었다.

"이 몇 년 동안 연순 곁에서 배운 것이 적지는 않은 모양이군."

"그 모든 게 당신 덕분이지. 배운 것이 많지는 않아. 그저 인내심이 아주 많이 늘었을 뿐이야."

등불은 희미하고, 유난히 처량한 느낌이 드는 밤이었다. 두 사람은 냉랭한 눈빛으로 서로를 바라보았다. 두 사람 중 누구도 약한 모습을 보이고 싶어 하지 않았다.

초교의 얼굴에서 웃음기가 사라졌다. 그녀는 제 눈앞에 있는 잘생긴 남자의 얼굴을 차가운 눈빛으로 응시하며 말했다.

"제갈월, 대체 나를 어떻게 할 생각인지, 이제 좀 가르쳐 주시지!"

제갈가의 넷째 도련님은 도리어 담담하게 웃으며 사악하게 눈을 빛냈다.

"내가 어떻게 할 것 같나?"

쾅, 갑자기 시끄러운 소리가 울려 퍼졌다. 조용히 앉아 있던 두 사람이 순간적으로 동시에 손을 쓰기 시작했다. 두 사람의 팔이 전광석화처럼 재빠르게 교차하고, 날카로운 빛이 공중에서 흔들리며 새하얀 궤적을 그렸다. 두 사람은 물러서지 않고 오히려 한 걸음 서로에게 가까이 다가섰다. 차가운 빛이 번쩍이는 가운데, 두 사람의 몸이 맹렬한 기세로 서로에게 부딪쳤다! 두 사람은 다시 육박전을 벌이기 시작했다!

서로의 손에 들린 날카로운 무기가 민첩하게 움직였다. 두 사람은 모두 치명적인 초식을 쓰고 있었고, 움직일 때마다 서로의 급소를 노리고 있었다. 두 사람의 손목이 더할 나위 없이 빠르게 회전하며 서로를 낚아채고 부딪쳤다. 서로가 서로의 손목을 잡은 그 순간, 그들은 동시에 재빨리 무기를 다른 손으로 넘겼고, 각자의 무기는 빛을 발하며 상대방의 목을 찔러 갔다!

그리고 시간이 멈췄다. 1초, 2초…….

두 사람 중 누구도 칼을 휘두르지 않았다. 잠시 동귀어진의 자세를 취하고 있던 그들은 눈 깜빡할 사이에 본래 앉아 있던 자리로 돌아가, 평온한 표정으로 서로를 바라보았다.

그들은 여전히 상대방을 경계하고 있었다. 여전히 상대방에 대한 적의로 가득 찬 상태였다. 제갈월은 욕실을 장식하던 작은 칼을 찾아냈고, 초교도 과일의 껍질을 벗기기 위한 비수를 챙겨 두었다. 그들은 무기를 몸에 감춘 채, 서로가 서로를 경계하며 불시의 습격을 대비하고 있었던 것이다.

"제갈월, 나를 놓아줘. 그러지 않을 거라면……."

초교가 눈을 가늘게 뜨며 속삭였다.

"차라리 나를 죽여."

제갈월이 사악하게 입 끝을 들어 올리며 미소 지었다.

"성아, 이 세상엔 흑과 백만이 있는 게 아니다. 이 세상에는 회색도 존재하고, 선택이라는 것도 반드시 두 가지만 있는 것이 아니지."

"하지만 당신과 나 사이에 택할 수 있는 길은 두 갈래뿐이야."

초교가 제갈월의 눈을 응시하며 진지하게 말하기 시작했다.

"당신은 여러 번에 걸쳐 나를 죽이지 않고 구해 주었지. 그 은혜에는 진심으로 감사하고 있어. 하지만 그렇다고 해서 내가 당신과 화목하게 지낼 수 있다는 의미는 아니야. 제갈월, 당신은 세가 출신이고, 압도적인 권력을 지니고 있는 그런 사람이 잖아. 그런 당신이 대체 무엇 때문에 이렇게 천진난만하게 구는 거지? 왜 이리 쉽게 사람을 믿는 거야? 언젠가 내가 당신을 물어뜯을까 봐 무섭지는 않아?"

제갈월이 소리 내어 웃기 시작했다.

"성아, 내가 무슨 인정이니 도리니 하는 것 때문에 너에게 손을 쓰지 않고 있다고 생각하는 건가?"

그의 표정이 순식간에 차갑게 변했다. 그는 초교를 뚫어지게 바라보며 담담하게 말했다.

"나는 너라는 사람을 꿰뚫어 보고 있지. 연순은 그때 너에게 아주 약간의 은혜를 베풀어 주었을 뿐인데, 너는 네 생사마저 돌아보지 않고 암담한 상황 속에서도 그의 곁에 8년이나 한결같이 머물렀지. 자, 그렇다면 그런 네가, 너를 몇 번이나 죽이지 않았던 이를 죽일 마음을 품을 수 있을까? 성아, 나는 네 생각처럼 부주의하거나 경솔하지 않다. 나는 그저 너라는 사람을 아주 잘 이해하고 있을 뿐이다."

공기 중에 음울한 바람이 이리저리 맴돌고 있었다. 두 사람의 눈길이 바람 속에서 교차했다. 두 사람의 눈빛 속에 자잘한 불꽃이 계속하여 폭발하고 있었다.

"당신이 나를 잘못 보았을까 봐 무섭지는 않아?"

"나는 너를 믿는다. 그리고 그보다는 나를 더 믿고 있지."

초교는 대답하지 않고 입을 다물었다가, 다시 마른 입술을 혀로 핥으며 천천히 물었다.

"그럼 지금부터 나를 어떻게 할 생각이지?"

제갈월은 당연한 것을 묻는다는 듯 대답했다.

"함께 데리고 갈 거다."

"당신은 나를 통제하지 못할 텐데."

"나는 도전을 좋아하지."

제갈월이 가볍게 웃기 시작했다.

"너를 통제할 수 없다면, 너를 길들여 보아야겠지. 너를 길들이지 못한다면 가둬 둘 것이다. 가둬 두어도 안 된다면, 최후의 수단이 하나 남아 있겠지. 하지만 지금은, 그 최후의 수단까지는 쓸 생각이 없다."

초교는 그의 두 눈을 응시하며 나지막하게 물었다.

"제갈월, 당신이 무엇을 잘못하고 있는지 여전히 모르는 거야?"

제갈월이 눈썹을 치켜세우며 차갑게 웃었다.

"잘못? 겨우 어린 노비 몇 명이었다. 나, 제갈월이 죽이고 싶다면 죽여도 괜찮은 존재들이었어. 대체 나에게 무슨 잘못이 있다는 것이지?"

"내가 이야기하는 잘못은 그게 아니야."

초교는 미간을 가볍게 찌푸리다가, 마침내 무겁게 탄식하며 이야기했다.

"좋아, 인정하겠어. 나는 당신을 죽이고 싶지 않고, 일단은 당신과 적이 될 생각도 없어. 당신과 나 사이에는 원한이 있지만, 당신은 나에게 은혜 역시 베풀어 주었지. 제갈석이 죽은 후 온 성에 지명 수배가 떨어졌을 때, 당신은 내가 어디 있는지 알면서도 고발하지 않았던 것도 나는 영원히 잊지 못할 거야. 하지만 당신도 우리의 지금 상황을 잘 알고 있잖아. 당신은 대하의 귀족이고, 나는 앞장서서 반란을 일으킨 연북의 잔당이야. 대하와 연북의 전쟁은 피할 수 없는 미래고. 당신과 나는 입장도, 신분도 너무 달라. 우리는 조만간 전쟁터에서 만나게 될 거야. 그러니 우리는…… 서로 너무 가까워지지 않는 편이 나아. 지금 나는 당신의 손에 떨어졌고, 당신이 나를 죽이거나 벤다 해도 어쩔 수 없는 일이라고 생각해. 물론 당신이 나를 죽이려 하면 내가 반항하지 않고 온순하게 목을 내밀지는 않겠지. 방문이 열리고 당신의 시위들이 들어오기 전에 나는 분명 당신과 동귀어진 할 거야. 어쨌든, 나는 모든 것을 명백하게 이야기해 두고 싶어. 연북과 대하는 적대적인 관계고, 당신이 나와 가까워지면 당신네 제갈 일맥에게 좋은 점이라고는 전혀 없지. 나는 당신이 가문의 이익을 확실하게 계산한 다음, 나를 풀어 줄 건지 죽일 건지 결론을 내려 주면 좋겠어."

초교의 말을 다 들은 제갈월은 차가운 얼굴로 웃으며 담담하게 답했다.

"성아, 너는 정말이지 계속 내 흥미를 돋우는군."

초교의 얼굴도 차가워졌다. 그녀가 나지막하게 말했다.

"제갈월, 나는 지금까지는 당신에게 단 한 번도 살수를 쓴 적 없어. 그건 내가 계속 그런 마음을 유지하고 있었기 때문이고, 당신이 나의 삶에 위협이 되지 않았기 때문이야. 하지만 지금 당신이 계속 내 발목을 잡으려 한다면, 나는 나와 아무 상관 없는 사내 하나 죽이는 것 정도는 개의치 않을 거야."

제갈월이 냉소했다.

"그럼 한번 시도해 보든가!"

두 사람 모두 몸을 일으켰다. 서로의 차가운 눈빛이 허공에서 부딪쳤다. 그들의 대화는 여기에서 결렬되고 말았다. 그들 모두 깨닫고 말았던 것이다. 이 세상에는 조화를 이룰 수 없는 일들이 많고, 그렇다면 결론은 단 하나라는 사실을.

그러나 바로 이 순간, 문밖에서 갑자기 발걸음 소리가 들려왔다. 초교는 멈칫하며 언제라도 제갈월에게 덤벼들 수 있도록, 동귀어진의 자세를 준비했다.

"도련님!"

문밖에서 월칠이 제갈월을 불렀다.

"전 대인께서 방청에 오셔서 이야기를 나누자고 청하십니다."

제갈월이 미간을 찌푸리며 나지막하게 물었다.

"지금?"

"예."

초교의 비수가 번개와 같이 제갈월의 목으로 향했다.

"가면 안 돼!"

그녀가 경계하며 나지막하게 외쳤다. 농담이 아니었다. 제갈월이 이 방 안에 있어야만 그녀에게 조금이라도 유리한 상황이 되는 것이다. 일단 제갈월이 이 방을 나서면, 그녀는 그저 겹겹이 포위된 상태에 빠질 뿐이다. 그러니 그녀로서는 도저히 그를 이 방 안에서 내보낼 수 없었다.

"내가 가지 않는다면 그들이 의심할 텐데. 전여성 성격이면 분명 무슨 일인지 직접 살피러 오겠지."

초교는 고집을 부렸다.

"어떻게든 핑계를 찾아내!"

제갈월이 냉소하며, 여자 노비를 가둬 둔 옷장을 곁눈질하며 말했다.

"나는 이미 여인과 난잡하게 놀아난다는 핑계로 하루 종일 두문불출했는데, 또 무슨 핑계를 찾으라는 거지?"

"무엇이건!"

초교가 차갑게 말했다.

"당신이 가지 않으면 전여성이 올지 안 올지, 나는 몰라. 내가 아는 것은 당신이 이 방에서 나가면 나는 독 안에 든 쥐 신세가 된다는 것뿐이야. 제갈월, 나는 바보가 아니야."

제갈월이 귀찮다는 듯 눈썹을 치켜세웠다.

"그럼 나와 함께 나가든가."

초교는 당황하여 잠시 얼이 빠지고 말았다. 제갈월이 계속 말했다.

"너와 저 여인은 키가 비슷하지. 변당 여인들처럼 면사를 쓰면 아무도 네 얼굴을 볼 수 없으니 모두 너를 저 여인이라 생각할 거다. 그리고……."

제갈월의 시선이 초교의 가슴을 훑어 내렸다.

"이곳 여인들의 복장은 넉넉하고 소매도 넓으니, 아무도 네 몸매가 저 여인과 너무 차이가 난다는 것도 깨닫지 못할 것이다."

초교는 분노하여 얼굴빛이 달라졌다. 그러나 제갈월은 그런 그녀를 눈치채지 못한 듯 나른하게 허리를 펴며 가볍게 말했다.

"네 무예 실력으로 내 곁에 있으면 너도 안심할 수 있겠지. 어서 화장하고 꾸미도록 해라. 옷도 제대로 된 걸로 갈아입고."

그리하여 초교는 이 시대에 온 후 처음으로 자신을 단장하기 시작했다.

초교가 하는 행동을 보면 다들 여인으로서는 실패한 삶이라고 여길 것이다. 그러나 그녀는 정말로 이 시대의 화장 도구에 대해서는 전혀 아는 바가 없었다. 한참 동안 다른 여인들처럼 머리를 빗어 올리려 했지만, 여전히 엉망진창이었다.

제갈월은 느긋하게 차를 마시며 초교가 두서없이 이것저것 시도하는 모습을 바라보다가, 갑자기 웃음이 터져 나온 듯 박수까지 치며 천천히 다가왔다. 그리고 그녀의 손에 들린 빗을 빼앗고는 투덜거리듯 말했다.

"여인이 맞기는 한 건지."

아무리 냉정하고 지혜로운 여인이라도, 자신의 외모나 겉모습을 전혀 신경 쓰지 않기는 힘든 일이었다. 이것은 한 여인이 미추를 떠나, 제 가슴의 크기를 전혀 신경 쓰지 않기 어려운 것과 마찬가지였다.

초교는 분노한 목소리로 외쳤다.

"그 입 다무는 게 좋을걸!"

그러나 제갈월은 차갑게 코웃음 치며 손에 든 빗에 힘을 주었다. 초교는 가볍게 비명을 지르며 손으로 머리를 감쌌다.

"살살 해!"

"시끄러워! 계속 시끄럽게 굴면 네 머리카락을 다 잡아당겨 주겠다!"

"당신이 감히?"

"흥!"

"악! 당신, 이 망할…… 살살 하라고!"

먹빛 머리카락이 손가락 틈을 지나, 물이 쏟아지듯 제갈월의 손바닥으로 흘러내렸다. 그는 초교의 머리카락을 부풀린 후 둥글게 감아 매듭을 짓고는, 다시 비단 끈을 이용해 뒤쪽에 둥글게 돌려 묶어 주었다.

제갈월이 잠시 화장합을 살피더니, 푸른 난초와 진주를 장식한 비녀를 골라 초교의 머리에 꽂아 주었다. 이제 그녀가 고개를 움직일 때마다 아름다운 난초가 섬세하게 떨리는 것이 보였다. 제갈월은 다시 양쪽으로 고운 술을 달아 준 후, 이마 앞이며 귀밑머리도 섬세하게 정리하고 틀어 올려 주었다. 그리고 이마에 붉은 무늬를 그리고, 눈썹도 가느다란 버들잎처럼 곱게 그려 주었다.

얼굴에 눈처럼 새하얀 분을 바르고, 고운 면사가 초교의 볼을 스쳐 가자 선명하게 붉은 연지가 묻어 볼이 발갛게 물들었다. 초교는 별처럼 반짝이는 눈동자로 거울 속의 자신을 바라보았다. 그녀 스스로도 자신이라 믿을 수 없을 만큼 다른 사람이 되어 있었다.

제갈월이 여전히 나른한 동작으로 옷장을 열었다.

"하나 골라 보지 그래."

초교는 적당히 흰 옷을 하나 골랐다. 그러나 제갈월이 무시하는 표정으로 옷을 빼앗았다.

"항상 흰 옷 아니면 검은 옷이니. 어디 초상이라도 났나?"

그는 옷장 안 다채로운 옷을 손가락으로 하나하나 훑다가, 마침내 호수 빛깔 같은 녹색의 얇은 옷을 골랐다. 가슴에는 복잡한 난새 무늬가 있고, 하늘거리는 치마 아랫단은 비단 끈으로 한 층 한 층 묶어 놓아 마치 번져 가는 구름처럼 보였다. 허리 위로 높이 묶은 허리끈은 초교의 늘씬한 몸매를 돋보이게 하고, 그 위에 다시 난새 무늬가 있는 넉넉한 겉옷을 걸쳤다. 옷을 다 입은 초교가 날렵하게 걸어가니, 마치 꿈처럼 화려하고 아름다웠다.

초교는 거울 속 자신을 보며 조금은 당황하고 있었다. 거울 속 여인은 예쁘고 사랑스러웠다. 눈을 별처럼 빛내며 고운 빛깔을 사방에 흩뿌리면서도, 평소의 날카로움을 잃지 않고 있었다.

그리고 그 순간, 제갈월도 조금은 넋이 나간 것 같았다. 그러나 그는 곧 무시하듯 입술을 비죽이며 담담하게 말했다.

"제대로 꾸미고 나니까, 이제야 겨우 좀 여인 같군."

초교도 지지 않고 그에게 화살을 돌려주었다.

"이런 일에 아주 능숙하시군."

제갈월은 살짝 멈칫했지만, 차갑게 코웃음 치기만 할 뿐 더 이상 반격하지 않았다. 그는 본래 들고 있던 얇은 비단 천을 내던지더니, 다시 한참 동안을 골라 아주 두툼한 천을 찾아냈다. 그것을 초교의 이마 위에 올려놓은 작은 관 위에 걸자, 그녀의 얼굴은 전부 가려지고 말았다.

두툼한 천이 얼굴을 가리니 아무것도 보이지 않았다. 초교의 눈에 보이는 것은 그저 아른거리는 제갈월의 그림자뿐이었다. 초교가 불평하며 말했다.

"왜 이러는 거야? 이건 모래바람을 막을 때 쓰는 천이잖아. 이걸 쓰면 길도 보이지 않는다고."

그러나 제갈월은 면사를 벗으려는 그녀의 손을 떨쳐 내고 아무렇지도 않은 듯 말했다.

"보이지 않으면 나를 따라 걸으면 되지."

초교는 분노했다. 이렇게 두꺼운 비단으로 얼굴을 가릴 거라면, 화장은 왜 그렇게 공들여 한 것이란 말인가?

어쨌든 초교는 조심스럽게 한 걸음 걸어 보았지만, 탁자에 부딪쳐 넘어질 뻔했다.

"바보 같긴!"

제갈월이 앞으로 다가와 그녀의 손을 잡아끌었다.

"나를 따라오라고!"

초교는 있는 힘을 다해 발버둥치기 시작했다.

"나를 놔줘!"

제갈월이 불현듯 고개를 돌리더니 한 손으로 그녀의 턱을 잡았다. 초교는 그가 자신을 공격하려는 것이라 생각해 깜짝 놀랐다. 그녀는 눈 깜빡할 사이에 소매 아래 숨겨 두고 있던 비수를 꺼내 제갈월의 목에 들이댔다. 놀라울 정도로 빠른 동작이었다.

그러나 제갈월은 목에 비수가 닿은 것을 전혀 눈치채지 못한 것처럼 그저 차갑게 초교를 응시하며 음울한 말투로 말했다.

"다시 한 번 그런 말을 하면, 나는 정말 너와 동귀어진 하더라도 개의치 않겠다."

말을 마친 그는 그녀의 턱을 잡았던 손을 내려 그녀의 손을 잡고, 밖을 향해 걸어가기 시작했다.

"방문을 잘 지키도록. 아무도 방에 들어서는 안 된다!"

"예!"

"자, 가자고. 무슨 생각을 하고 있는 거지?"

제갈월이 귀찮은 듯 투덜거리며 초교의 손을 잡고 방문을 나왔다.

월칠이 사람들을 이끌고 제갈월의 뒤를 따르기 시작했다. 방 앞에는 시위 몇 명만이 남아 멍하니 주인의 뒷모습을 바라보고 있었다. 그중 한 시위가 탄식하듯 말했다.

"도련님께서는 정말이지 저 여인에게 푹 빠지셨군. 어디를 가도 데리고 다니시다니."

"이번 일을 끝내고 대하로 돌아가면, 우리 부에 경사가 있을지도 모르겠군. 정부인은 아니더라도 첩으로 들이실 수도 있을 테니. 도련님께서는 이미 예전에 첩을 들이실 나이가 지나지 않으셨나."

그날 밤, 밤바람은 상쾌하고, 사방은 고요했다.

제5장 현양성의 비바람

꽃은 붉고 버들가지는 짙푸른 계절, 온갖 화초가 향기를 내뿜고 있었다. 사람들이 넓은 거리를 오가고, 상인들의 장사도 활기를 띠고 있었다. 거리에 늘어선 가게들은 이 거리가 얼마나 번영 중인지 보여 주고 있었다.

현양성, 다시 현양성이다.

여러 날 쉬지 않고 달려온 일행은 마침내 현양성의 대문에 도착했다. 스무 필이 넘는 전마가 푸른 천으로 감싼 마차 한 대를 호위하며 천천히 현양성 안으로 들어갔다.

현양성은 비록 변성이었지만 상업이 극도로 발달한 곳이었고, 성 내 건축물들의 기세도 웅장했다. 성은 내성과 외성으로 나뉘어 있었다. 내성은 적수 이남의 몽인궁과 적수 동쪽의 낙려궁으로 이루어져 있었는데, 두 궁은 적수의 지류를 사이에 두고, 1리가 넘는 석교로 연결되어 있었다. 두 궁을 연결하는 석교는 마차 스무 대가 나란히 움직일 수 있을 정도로 넓었다. 몽인궁과 낙려궁은 이름만 들으면 궁전 같았지만 진정한 의미의 궁전은 아니고, 호화로운 저택으로 조성되어 있었다.

현양성은 부유할뿐더러 인구가 많기로 천하제일이었다. 회송의 항구나 주요 도시와 비교해도 전혀 손색이 없었다. 현양성은 본래 진황성의 5분의 1에도 미치지 못하던 작은 성이었지만, 대하와 변당, 회송 간에 자유롭게 통상이 시작된 이후 지리적인 우세에 힘입어 서른 해 만에 빠르게 발전했다. 그리하여 지금은 서몽 대륙에서 상업과 무역의 중심지 중 하나로 우뚝 서게 되었다.

현양성이 매년 진황성에 바치는 세금은 대하군이 1년 동안 지출하는 비용의 3분의 1에 달했다. 소문에 따르면 서몽 대륙의 모든 부호들이 현양성으로 몰려들고 있다고도 했다. 돈을 물 쓰듯 하는 부호들이 잇달아 현양 내성의 땅을 사들여 호화로운 저택을 지었고, 멀리서 보면 현양성 안쪽으로 웅장한 건축들이 기세 높게 기복을 이루고 있는 것이 보였다.

외성이 점유하는 땅은 내성의 열 배 이상으로 넓었다. 사람들이 모이는 곳이기도 했다. 외성은 교통이 편리하여 상업이 발달했고, 각종 주점이며 전장*, 전당포, 거마행**, 가게, 객잔,

---

* 고대 중국의 금융 기관으로 공공 기관이 아닌 개인이 운영했다.
** 고대 중국에서 물건을 전달하는 역할을 맡던 운수 조직.

주루 등 모든 것이 다 있었다. 적수 가에 늘어선 전각들에는 미녀들이 가득했고, 대낮에도 여인들의 웃음소리며 달콤한 향기가 흘러 넘쳤다.

일행은 계속 달려 현양성에 들어섰고, 더 이상 신분을 감추려 하지 않았다. 현양성은 상업과 무역의 도시로, 부유한 이들이 많은 곳이었다. 겨우 스물 정도의 시위로는 특별히 눈에 띌 것도 없는 곳이었다.

이 일행은 바로 연북에서 출발한 연순 일행이었다. 푸른 마차 안의 남자는 바로 연북의 독립을 주도한 연북의 세자, 연순이었다. 그의 안색은 조금 창백했지만 눈길은 여전히 날카로웠다. 그는 고민에 잠긴 듯 미간을 찌푸리고 있었다.

"주군, 도착했습니다."

일행은 낙려궁 안 호화로운 저택 안에 멈췄다. 편안한 푸른 옷을 입은 연순이 평온한 표정으로 마차에서 내려 저택 안으로 들어갔다. 모두 열여덟 개의 정원으로 이루어진 이 저택은 진황성 귀족들의 저택에 비할 바는 아니었다. 그러나 현양성은 인구에 비해 땅이 좁아, 고관이나 부호들도 현양성 내에서는 이 정도 크기의 저택에 머물기 마련이었다. 그러니 이 저택 주인의 지위를 짐작할 수 있었다.

연순이 회랑을 따라 걸었다. 그가 가는 길에는 단 한 사람도 보이지 않았고, 아정 등 시위들이 신속하게 흩어져 저택 전체를 통제하기 시작했다. 한참 후, 연순은 시위들의 호위를 받으며 중앙 정원에 도착했다. 청록빛 옷을 입은 남자가 백 명이 넘는 하인들을 거느린 채 바닥에 무릎을 꿇고 엎드려 있다가, 고개조차 들지 않고 낭랑한 목소리로 외쳤다.

"속하가 세자 저하를 뵈옵니다, 세자 천추, 복록과 천수를 누리소서."

연순이 갑자기 웃으며 청록빛 옷의 남자에게 다가가 어깨를 두드려 주었다.

"이 토끼새끼, 어서 일어나거라."

청록빛 옷의 청년은 스물 전후로, 미목이 수려하고 피부는 눈보다 더 희었다. 매우 가느다란 두 눈썹은 은은하게 여성적인 분위기마저 풍기고 있었고, 영리하게 돌아가는 두 눈은 얼핏 보기에도 여우처럼 궁리가 많아 보였다.

"헤헤."

청년은 소리 내어 웃었다.

"세자 저하, 오시느라 고생하셨습니다. 제가 금준미주를 준비해 두었습니다. 일단 안으로 드셔서 쉬시지요."

연순이 고개를 끄덕이고 앞장서 들어가며, 청년의 옷을 잡아끌고 입을 비죽거렸다.

"이 아름다운 비단 좀 보게? 버릇없는 놈, 살림살이가 아주 괜찮은 모양이구나."

"저하."

청년이 괴로운 표정으로 볼을 홀쭉하게 하고 억울하다는 듯 말했다.

"이건 제가 가진 옷 중 가장 허름한 옷입니다. 저하께서 저에게 너무 사치스럽다고 질책하실까 봐 옷장을 샅샅이 뒤져 찾아낸 옷이란 말입니다. 이런 거친 옷을 입으니 몸이 가려울 정도인걸요."

"하하."

연순이 큰 소리로 웃으며 고개를 돌려 아정에게 말했다.

"봤느냐. 코를 내주면 얼굴로 올라온다*는 말이 바로 이런 상황을 보고 만든 말인 모양이다."

아정이 흐흐 소리 내어 웃으며 주먹으로 청년의 어깨를 쳤다.

"제멋대로 날뛰다니. 주군께서 너희 집을 몰수하시지 않도록 조심해라."

그들은 웃으며 방으로 들어갔다. 방 안 탁자 위에 풍성한 음식이 준비되어 있었다. 그들은 탁자에 둘러앉아 식사하며 이곳까지 오는 동안 있었던 소소한 일들을 이야기했다. 오늘 연순은 기분이 꽤 괜찮아 보였다. 아정 등이, 그가 이곳으로 오는 길에 혁련 가문의 아가씨를 구한 일을 언급해도 화를 내지 않았다.

식사를 끝낸 후, 아정 등이 눈치 빠르게 물러났다. 연순과 청년은 함께 서재로 들어가 문을 닫았다. 두 사람의 얼굴에 더 이상 웃음기라고는 없었다. 청년은 옷의 아랫자락을 걷어 올리고 바닥에 엎드린 채, 감동한 얼굴로 속삭였다.

---

* 등비자상검蹬鼻子上臉. 욕망에는 끝이 없다는 의미의 중국 속담. '말을 타면 종을 두고 싶다'는 한국식 속담과 비슷한 의미로 쓰인다.

"세자 저하, 드디어 오셨군요."

연순이 몸을 굽혀 그를 부축해 일으켰다. 연순의 얼굴에는 평소에 보기 힘든 온화한 기색이 어려 있었다. 그가 고요한 눈빛으로 따뜻하게 말했다.

"풍민, 우리가 얼마 만이지?"

이 젊은 청년은 연순의 곁을 지키며 몇 번이나 전갈을 전하러 초교를 찾아오던 서동 풍민이었다. 그날 진황성 밖에서, 연순의 시종 대부분은 살해당했다. 그러나 풍민은 나이가 어렸기에, 비록 중상을 입었지만 생명은 구할 수 있었다.

그 후 연북과 관련된 모든 것들은 대하에 의해 뿌리까지 뽑히고 말았다. 연순은 세력을 잃고, 풍민은 2년 동안 짐승만도 못한 생활을 해야 했다. 3년째 되던 해, 연순이 거액으로 옥졸을 매수하여 어두운 뇌옥에 2년 동안 갇혀 있던 풍민을 구출해 주었다.

풍민은 진황성에 머물 수 없었기에 홀로 남하하여 현양성에 도착했다. 그리고 대동회와 연북 중견파의 도움 아래, 6년 후, 그는 현양성에서 으뜸가는 암흑가의 효웅이 되어 있었다. 그의 세력은 표행, 거마행, 조운, 소금 등 여러 사업에 고루 퍼져 있었다. 또한 기루와 술집, 전당포, 전장 등 그가 운영하는 가게만 여든 곳이 넘었으며, 대하 동남쪽 적수 일대의 나루터 스물 이상을 통제하면서, 장강을 위협하는 물 위의 패왕 조방을 창건했다. 현재, 동남 일대에서 풍민이라는 이름을 아는 이는 없었지만, 조방의 풍 사야라면 세 살 먹은 아이라도 모두 다 그의 행적을 꿰뚫고 있을 정도였다.

"세자 저하, 이미 6년입니다. 노비는 이날만을 기다려 왔습니다."

풍민은 눈물이 그렁그렁한 채, 연순이 손을 잡고 나지막하게 말했다.

"그래, 그동안 너는 이미 어른이 되어 버렸구나."

연순이 웃으며 답했다.

"명성이 드높은 풍 사야가 노비라 자칭하다니, 조금 어색하군. 경왕과 영왕도 모두 네 저택에 자주 들른다 들었다. 작년에 영왕의 아들 조종언이 네 조방에서 은전을 빌렸다지? 그리고 네가 공개적으로 영왕의 선박들을 불 질러 버렸다며. 그래서 영왕이 비단 수천 필을 손해 보고, 하마터면 설에도 오지 못할 뻔했다고 들었다."

풍민이 어색하게 웃었다. 그의 그 표정에는 암흑가의 두목과 같은 모습은 전혀 찾아볼 수가 없었는데, 정확히 말하자면 부끄러움을 타는 어린 소녀 같아 보였다. 풍민이 민망한 듯 말했다.

"사야는 무슨 사야입니까. 다른 이들이 멋대로 부를 뿐인 이름인걸요. 조종언은 제 작위가 대단하다 여겨 저를 핍박하려 했습니다. 저는 당연히 그를 좋게 볼 수 없었고요. 하물며 예전에 진황성에 있을 때, 전하께서 영왕부 때문에 암암리에 괴롭힘을 당하신 것이 또 얼마였습니까. 노비는 진작부터 그들이 마음에 들지 않았습니다."

여기까지 이야기한 풍민이 갑자기 격동적인 얼굴로 말했다.

"풍민은 세자 저하 앞에서는 영원히 노비입니다. 세자 저하께서 계시지 않았다면, 노비에게 오늘 같은 날은 오지 않았을 것입니다. 노비의 목숨은 세자 저하의 것입니다. 노비가 사람이라면 어찌 세자 저하 앞에서 잘난 척할 수 있겠습니까?"

"됐다. 일어나거라."

연순이 웃으며 말했다.

"농담을 한 것뿐인데 왜 그리 진지하게 받아들이느냐?"

연순이 풍민을 일으켜 세웠고, 두 사람은 찻상 앞에 서로를 마주 보고 앉았다. 풍민이 재빠르게 차를 우려냈다. 잠시 후, 맑은 차향이 방 전체에 감돌기 시작했다.

"세자 저하."

풍민이 눈을 빛내며 싱글거렸다.

"아가씨는요? 아가씨는 잘 계신가요? 어째서 함께 오시지 않았습니까? 일전에 들은 바로는 세자 저하와 아가씨께서 진황성에서 한바탕 학살하신 후에, 아가씨께서 수천 인마를 이끌고 여기저기에서 전투를 벌이셨다고 하던데요. 대하의 병사들이 오줌을 지릴 정도로 벌벌 떨었다는 이야기를 듣고 노비는 너무 기쁜 나머지 밤새 잠을 못 이룰 정도였습니다. 정말이지 저도 인마를 이끌고 연북으로 돌아갈 수 없는 것이 한스러워 죽을 지경이었답니다. 그런데 이번에 아가씨는 왜 함께 오시지 않는지요?"

연순이 평온한 안색으로 천천히 말했다.

"나는 그녀와 떨어져 있는 상태다. 조철이 수배령을 내려 아초를 쫓고 있는데, 몰랐느냐?"

"떨어져 계시다고요?"

풍민이 당황하여 말했다.

"하지만 후에 여북에서 득려오 수식으로는, 아가씨께서 이미 돌아오셨다고……!"

"그 소문은 내가 거짓으로 낸 것이다. 그 소문으로 인해 아초의 뒤를 쫓는 추격병들이 좀 덜해지기를 바라는 마음에서 말이다. 그들이 아초가 이미 연북으로 돌아갔다고 생각하게 되면 그렇게 큰 힘을 들여 쫓지는 않을 테니 말이다."

연순은 차를 한 모금 마시고 말을 이었다.

"내가 각 번왕들에게 통보해 놓은 상태긴 하지만, 여전히 그들이 공공연하게는 쫓지 않으면서 뒤에서 몰래 올가미를 치고 있지는 않을까 두려운 나머지 어쩔 수 없이 대비하기 위해 그리한 것이지."

풍민은 고개를 끄덕이며 말했다.

"그렇다면 지금 아가씨께서는 아직 추격을 피하시는 중이라는 이야기군요. 전하께서는 안심하십시오. 노비가 사람들을 시켜 찾아보겠습니다. 아가씨께서 대하 경내에 계시기만 하다면, 육로를 택하시건 물길을 택하시건, 어디건 노비의 사람이 있습니다."

연순이 천천히 고개를 저었다.

"내 생각에 아초는 아마 이미 대하를 나와 변당으로 들어갔을 거다."

"변당이라고요?"

"내 생각이 맞다면, 아초는 분명 변당으로 들어가 당경으로 길을 돌아 남강으로 꺾어져 물을 따라 올라갈 것이다."

"그래서 세자 저하께서 변당으로 오신 것이군요?"

연군이 고개를 끄덕였다.

"그것도 이유 중 하나지."

"그렇다면 제가 바로 명령해 두겠습니다. 변당 경내의 조방에 통지를 내려 아가씨를 찾도록 하겠습니다. 아가씨께서 물 위에 계시다면, 분명 소식이 있을 것입니다."

연순이 슬며시 웃었다.

"그렇게 간단하지는 않을 거다. 아초가 숨기로 결심했다면, 아무도 찾지 못할 정도로 숨어 버릴 테니까. 어쨌든 너희들이 찾는 것을 도와준다면 그건 좋다. 그녀가 혼자 밖에 있으니 계속 안심이 되지 않아."

"예."

"그리고 한 가지 더."

연순이 한참 동안 말없이 생각에 잠겨 있더니, 나지막하게 말했다.

"내가 지난달에 너에게 서신으로 지시했던 일은 어찌 되었지?"

풍민의 안색이 변하더니, 두툼한 종이 뭉치를 꺼내 왔다.

"여기 있습니다. 정확하게 조사를 끝냈습니다."

연순은 종이 뭉치를 받아 들고, 대충 훑어보며 냉소했다.

"확실히 통제가 불가능한 자들이군."

"세자 저하, 대동회는 우리의 맹우고, 오랜 세월 연북을 지지해 왔습니다. 우리가 이리 하는 것은 결국 구실만 주는 셈이 아닐까요?"

연순이 냉소하며 가볍게 손목을 흔들었다 소 위익 배지가 그의 움직임을 따라 소리 내며 흔들렸다. 연순이 담담하게 말했다.

"풍민, 너는 대동회가 100년 전의 그 대동회라 생각하느냐? 지금 대동회에 아름다운 이상을 품고 있는 자는 아마도 오 선생, 그 인물 하나 정도일 것이다. 대동회는 예전에 이미 변질되었어. 현양성에 그리 오래 있었으면서 아직도 모르겠느냐?"

풍민이 한참 침묵하다가 천천히 말했다.

"노비가 이해하기에, 세자 저하께서 하신 말씀은 대동회 내부의 엄중한 문제입니다. 우 아가씨와 오 선생을 필두로 하는 소장파는 정의롭고, 여전히 천하대동의 이상을 마음에 품고 있지요. 하지만 그 늙은 장로들은, 그렇습니다, 저하께서 말씀하신 대로…… 실컷 먹고 마시는 걸로 모자라 여인을 탐하고 도박까지 즐기지요. 아주 꼴이 볼 만합니다. 물론 외부인들은 아직 그런 일을 모르고 있지만…… 그들이 즐기는 기루며 도박장들은 모두 제가 연 것이기에, 그 안에서 벌어지는 일이라면 저도 아주 잘 알고 있습니다."

연순이 풍민의 어깨를 두드리며 웃었다.

"바보 같으니라고. 너는 현양성 같은 번화한 곳에서 그리 오래 지내면서도, 어찌 아직도 그러느냐? 100년 전에야 대동회도 정의로웠겠지. 그러나 지금은 그저 그 무리들의 정치적인 패에 지나지 않게 되었다. 그들이 내건 이상이 아무리 맑아도, 그들의 구호가 아무리 훌륭해도, 대동은 이제 우민의 힘을 모으기 위한 수단이 되어 버렸다. 대동의 늙은이들은 무시무시한 부를 쌓아 올렸고, 정치적인 대표를 하나 뽑아 지지한 후, 뒤에서 더욱 큰 이익을 취하려고 계획하는 이들에 지나지 않는다."

순간 연순이 눈빛을 차갑게 빛내며, 느릿느릿 말을 이었다.

"천하대동이라, 그 얼마나 아름다운 구호인가. 그러나 안타깝게도, 사람이 있는 곳은 본래 다툼이 있기 마련이고, 이익이 있는 곳은 전쟁이 있기 마련이다. 대동? 아무것도 모르는 부녀자와 아이들이나 순수하게 믿겠지. 아, 물론 그 구호가 사람을 끌어들인다는 것은 인정하지 않을 수 없다. 더군다나 대하에 이리도 비바람이 거세게 몰아닥치니, 어리석은 백성들은 모두 대동에 희망을 기탁할 수밖에 없겠지. 상황이 이러하니 우리가 대동회와 협력해도 좋을 것이다. 우리는 병사를 내고 그들은 돈을 내어 각자 원하는 바를 취하면, 하늘이 맺어 준 인연이라 할 수도 있겠지."

풍민이 미간을 찌푸리며 물었다.

"그러시다면 세자 저하께는 무엇 때문에 노비에게 이런 것들을 조사하라 하셨는지요?"

"어떤 조직이건, 우두머리는 있어야 하는 법이지."

연순이 창밖에 흩날리는 버들가지를 바라보며 자신도 모르게 손가락으로 탁자를 가볍게 두드리고 있었다.

"대동회의 세력은 너무 깊어. 대동의 우두머리는 심지어 연북에도 꽤 많은 수하들을 관리로 심어 놓은 상태다. 지금, 연북군은 물론이고 관리들 중에도 대동의 세력이 많다. 이대로 가며 여북에서 우리의 지위는 매우 불안하다. 하지만 여북은 지금 정치적으로 불안한 상태고, 나에게는 아직 사람들을 교체할 능력이 없다. 그래서 산을 흔들어 호랑이를 놀라게 하는 것처럼, 가볍게 위협만 해 둘 생각이야. 대동의 우두머리는 총명한 사람이야. 그도 아마 내 생각에 동의할 거다. 네가 조사한 이자들은 완고한 노당파들이지. 대동의 우두머리 역시 이 늙은이들을 두통거리로 여기고 있을 테니까."

풍민이 갑자기 흥분하기 시작했다. 겉으로 보기에 우아하기 그지없는 풍 사야가 마치 어린아이처럼 헤헤 웃으며 말했다.

"그렇습니다! 이 늙은이들은 예전부터 저도 눈에 거슬렸습니다. 제가 만약 세자 저하의 체면을 생각하여 꾹 참고 있었던 것이 아니라면, 한참 전에 손을 봐주었을 겁니다."

연순이 몸을 일으키며 소리 내어 웃었다.

"준비하도록 해라. 일단 목욕을 하고 좀 쉰 다음, 저녁이 되면 함께 이 대동회의 원로들을 만나러 가자꾸나."

풍민도 웃으며 몸을 일으켰다. 그가 막 문을 나서려다가 갑자기 고개를 돌렸다.

"세자 저하, 저녁에는 어떤 옷을 입으시겠습니까? 평상복을 입으실지, 아니면 대동회의 회복을 입으실 건지요?"

연순이 가볍게 미간을 찌푸리더니 말했다.

"대동의 회복을 입지."

"하지만 회복에는 등급이 있습니다. 소장파가 비록 저하를 주인으로 모시긴 하지만, 대동회 전체에서 지금 저하께서는 낮은 등급의 회원이실 뿐이니, 그들이 저하를 난처하게 만들까 봐 걱정스럽습니다."

"난처하게?"

연순이 눈 끝을 살짝 치켜세우더니 냉랭하게 웃었다.

"내가 언제 다른 이가 나를 힘들게 할까 봐 두려워하더냐?"

밤이 되자 현양성의 적수 가는 더욱 시끌벅적해지기 시작했다. 물가 양쪽에는 상인들이 점포를 크게 열고 성업 중이었다. 기루들도 화려하게 불을 밝히기 시작했다.

연순은 눈을 가늘게 뜨고 눈앞의 거대한 주루를 살펴보았다. 현수막이 나부끼고, 대문에 붉은 등롱이 두 개 걸려 있었다. 전체적으로 단아하고 소박했다. 장엄하고 부유한 기색을 잃지 않으면서도 기녀들이 있는 곳 특유의 번잡함은 전혀 없었다. 대문 위에 질 좋은 녹나무 편액이 걸려 있었는데, 커다랗게 '조석朝夕'이라는 두 글자만이 적혀 있었다. 기루에 걸맞지 않은 우아한 이름이었다.

연순이 편액을 바라보고 있는 것을 눈치챈 풍민이 말했다.

"전하, 이곳은 제 주루입니다. 이름은 재작년에 아가씨께서 오셨을 때 지어 주셨지요."

연순이 고개를 끄덕였다. 풍민이 인물은 인물이지만, 아무 경험도 없이 경영에 뛰어들었다. 그런 그를 아초가 일일이 가르쳤고, 그래서 이렇게까지 발전할 수 있었던 것이다. 이 주루도 아마 아초가 꽤 심혈을 기울였음이 틀림없었다.

여기에 생각이 미친 연순은 자신도 모르게 얼굴을 찌푸리며, 발걸음을 옮겨 주루 안으로 들어갔다.

주루 안에 있던 사장 대로원은 풍민을 맞이하기 위해 문 옆에서 기다리고 있었다. 자색이 출중한 여인들이 그의 뒤를 따라 얼굴 가득 웃음 지으며 허리를 굽혔다.

한 요염한 여자가 앞장서서 연순과 풍민을 맞이하러 왔다. 나이는 약 서른 정도였지만 그보다 훨씬 젊어 보였다. 몸매는 풍만하고, 허리는 유연하며, 눈웃음을 치고 있었다. 그녀가 몸을 배배 꼬며 말했다.

"사야께서 오늘 어인 일로 시간이 나셨는지요. 사야께서 오신다는 것은 정말로 노비들에게 큰 기쁨이라, 어느 발부터 내디뎌 맞이하러 나와야 할지도 몰랐지 뭐예요."

연순이 곁에 있었기 때문에 풍민은 평소와 달리 조금 긴장하고 있었다. 풍민이 서둘러 여인의 말을 끊었다.

"옥 부인, 그들은 어디 있지? 어서 우리를 데려가 주게."

옥 부인은 남녀 간의 일에는 도가 튼 사람이었다. 그녀는 그들이 오늘 여인을 만나러 온 것이 아니라는 것을 알아차리고 재빨리 길을 인도했다. 풍민이 연순의 뒤를 공손하게 따라오는 것을 보고 옥 부인은 당황했지만 한 마디도 하지 않은 채 조심스럽게 앞에서 걷기만 했다.

얼마 지나지 않아, 그들은 긴 회랑을 지나 정교하게 꾸며진 정원에 도착했다. 앞에 있는 대청에서 들려오던 시끌벅적한 소리도 점차 들리지 않게 되고, 밤바람이 불어오자 정원 안 각종 분재에서 그윽한 향이 풍겨 와 사람의 기분을 유쾌하게 했다.

옥 부인은 그들을 독채 앞까지 안내한 후, 여전히 눈웃음을 치며 이야기했다.

"바로 여기랍니다. 노비는 이 이상 들어갈 수 없으니 이만 물러가겠습니다."

말을 마친 이 요염한 여인이 고개를 돌리더니, 보드라운 손을 연순의 팔에 얹고 비위를 맞추듯 말했다.

"이 낯선 공자님은 한눈에도 보통 분이 아니시라는 것을 알겠어요. 이후로도 시간이 나실 때마다 항상 우리 사야의 사업을 도와주세요. 우리 주루도 자주 와 주시고요."

풍민이 경악하며 한마디 하려 했지만, 연순은 얼굴색 하나 변하지 않고 담담하게 웃으며 부드럽게 여인의 손을 밀어냈다.

"그러도록 하지."

옥 부인은 허리를 꼬며 물러갔다.

풍민이 서둘러 변명했다.

"세자 저하……."

"풍민, 그렇게 긴장할 것 없다."

연순이 웃으며 말했다.

"그리고 잠시 동안은 너도 나를 세자라 부르지 말거라. 가자."

연순은 옷자락을 걷어 올리고 계단을 밟기 시작했다.

"어디 들어가 볼까."

넓은 대청 안에 등불이 환하게 밝혀져 있었다. 중앙에 커다란 원탁이 있고, 그 위에 술이며 요리가 차려져 있었다. 모두 여덟아홉 명이 자리에 앉아 있고, 그 뒤에는 각각 시위가 한 명씩 서 있었다.

연순과 풍민이 들어가자 모든 이가 말을 멈추고 그들 두 사람을 바라보았다. 그들의 눈길에는 어느 정도 적의와 무시가 서려 있었다.

풍민과 연순이 바람막이를 벗어 뒤의 아정에게 건넸다. 풍민이 여러 사람과 하나하나 인사를 건네고, 연순과 함께 자리에 앉았다. 그러나 두 사람이 제대로 앉기도 전에, 한 육순 노인이 냉랭한 어조로 말했다.

"풍 사야의 기세가 참 대단하구만. 시간에 늦을 뿐 아니라, 시위를 둘이나 데려오다니. 요즘 조방의 사업이 흥한다고, 사야께서는 이제 우리 늙은이들은 눈에 보이지도 않는 모양이군."

노인의 말에는 적의가 충만해 있었다.

풍민의 눈에 차가운 빛이 서렸다. 그러나 그가 막 입을 열려고 했을 때, 연순이 먼저 말했다.

"이분이 바로 유 장로시겠군. 대동의 동남 소금 운수를 맡고 계신?"

유 장로가 오만하게 눈을 흘기며, 대답조차 하지 않고 차갑게 코웃음 쳤다.

연순은 화를 내지 않고 예를 갖추며 말했다.

"나는……."

"여기서 네 신분에 관심 있는 사람은 없다!"

유 장로는 연순이 입은 낮은 등급의 회복을 보며 조소했다.

"네 신분이 뭔지 제대로 생각하는 것이 좋을 거다. 여기에 네가 끼어들 자리는 없으니까. 풍 사야가 너를 데려왔다 하더라도, 한구석에서 듣기나 하고 입은 다물고 있는 것이 좋아."

풍민의 안색이 변해 갑자기 일어섰다. 그러나 연순이 팔을 뻗어 그를 제지한 다음, 유 장로를 비스듬히 보면서 담담하게 말했다.

"유 장로, 나는 아무래도 그대에게 내 이름을 알려 주어야 할 것 같군. 왜냐하면 아마 그대는 사실 내가 그렇게까지 낯설지 않을 것 같거든. 또한 이후로는 인상이 더욱 깊어질 테니까."

말을 마친 연순이 탁자 위를 손가락으로 가볍게 튕겼다. 그러자 뒤에 서 있던 아정이 눈 깜짝할 사이에 뛰어나와 유 장로의 뺨을 향해 주먹을 뻗었다!

그 순간, 사람들은 코뼈 부러지는 소리를 똑똑히 들을 수 있었다. 동시에 유 장로는 비명을 지르며 뒤로 날아가 버렸다. 아정은 재빠르게 앞으로 달려 나가 유 장로의 옷깃을 잡더니, 그의 얼굴에 피가 흥건할 때까지 몇 번 더 주먹으로 세게 내려쳤다.

유 장로 뒤에 있던 시위가 즉시 허리에 차고 있던 칼을 뽑아 들었지만, 풍민이 재빨리 몸을 날려 상대의 손목을 잡고, 금나수의 수법으로 사납게 힘을 주었다. 뼈가 부러지는 소리가 들리더니, 유 장로의 시위는 비명을 지르며 풍민에게 칼을 빼앗겼다.

여러 해 동안 비단옷을 걸치고 미식을 즐기는 모습만 보여 주던 풍 사야가 재빠르고 명쾌하게 칼을 휘둘렀다. 그저 휙 소리만 들렸을 뿐인데 그 시위의 한쪽 손이 잘려 나가고 말았다!

이 모든 일이 찰나의 순간에 벌어졌고, 모든 이가 얼이 빠지고 말았다. 풍민은 비록 젊지만 일을 처리할 때는 매우 노련했다. 현양성에 있는 대동회의 원로들에게도 항상 예의 바르고 공손하게 대했다. 그런데 오늘은 어찌 저리 건방지게 구는 걸까? 그의 주인이 연북에서 득세했다 해서 대동회를 무시하게 된 것일까? 그리고 풍민의 곁에 있는 저 젊은이는 대체 누구인 걸까?

모든 이가 깜짝 놀라면서 궁금해하느라 복잡한 표정을 지었다.

연순이 천천히 몸을 일으켰다. 그가 입은 낮은 계급의 회복은 마치 상주가 손에 드는 깃발처럼 유난히 희어 보여 기묘한 느낌을 주었다. 연순이 유 장로 앞으로 다가가 천천히 말했다.

"다른 이의 말을 끊는 것이 아주 예의 없는 행동이라는 것을 모르는 모양이지?"

그리고 연순은 모든 이가 경악하며 지켜보는 가운데, 발로 사납게 유 장로의 얼굴을 차 버렸다. 퍽 소리와 함께 선혈이 사방으로 튀었고, 유 장로는 비명 한 번 지르지 못하고 정신을 잃었다. 겉으로 보아서는 그의 생사도 알 수 없을 지경이었다.

"끌어내라."

연순의 동작은 지극히 침착했다. 유 장로의 얼굴을 발로 찰

때 핏방울이 연순의 손에 튀었다. 그는 느긋하게 다시 자리에 앉아 흰 손수건을 꺼내 손을 닦으며 분부했다.

아정이 한 손에 한 사람씩 끌고 가서 문을 열더니, 두 사람을 밖으로 내던져 버렸다.

모든 이가 눈을 휘둥그렇게 뜬 채 아무 말도 하지 않았다. 이곳은 2층이었고, 이 아래는 맑고 투명한 호수라는 것을 모두 알고 있었다.

과연, 잠시 후 무거운 물체가 물에 떨어지는 소리가 두 번 들렸다.

아정이 돌아와 연순 뒤에 섰다. 이제 풍민 역시 앉지 않고, 시중을 드는 모양새로 연순 뒤에 서 있었다.

연순의 얼굴에 살기란 전혀 없었다. 그는 담담하게 웃으며 고개를 들었다. 마치 방금 벌어졌던 일은 그와 아무 상관이 없다는 듯, 그는 평화롭게 말했다.

"여러분께 미안하군. 오는 길이 피곤했기 때문에 방금 내가 조금 충동적으로 군 것 같소."

죽음 같은 적막이 내려앉았다. 평소에는 제멋대로 행동하던 오만한 노인들은 지금 머리도 제대로 돌아가지 않았다. 그들은 그저 멍하니, 정체를 알 수 없는 연순을 바라보았다.

"지금, 여러분의 시위 중 누가 헤엄을 칠 줄 아는지 모르겠군?"

연순이 온화하고 평온한 얼굴로 마치 날씨 이야기라도 하듯 말했다. 그의 이런 표정은 평소라면 사람들에게 봄바람을 맞는 듯한 기분을 느끼게 하지만, 지금 같은 순간에는 이 온화함이 오히려 더 음산하게 느껴질 수밖에 없었다.

"내 생각에 지금 당장 저들을 건져 내지 않는다면, 저들이 정말 익사할 것 같아서 말이오."

연순이 의기에 등을 기댄 채 아주 안타깝다는 듯 머리를 저었다.

"안타깝게도, 우리가 이 방에 들어올 때 아래에 호수가 있다는 걸 주의해서 보지 않았거든."

연순의 말이 떨어지자마자 사람들은 즉시 반응했다. 노인들은 앉아 있던 자리에서 일어나 재빠르게 호수에 들어갈 사람을 찾았고, 방 안은 삽시간에 아수라장이 되었다.

한참을 분주하게 움직인 다음에야, 그들은 겨우 물을 잔뜩 먹어 배가 불룩하게 튀어나온 유 장로를 건져 냈다. 사람들이 이마의 땀을 닦으며 자리로 돌아왔을 때 연순은 이미 느긋하게 식사를 하고 있었다.

"풍 사야, 당신의 이 친우가 대체 누구인지 모르겠구려. 우리 대동회의 형제라면 어찌하여 이렇게 규범을 하나도 지키지 않는 것인지?"

붉은 옷을 입은 노인이 나지막하게 말했다. 이 노인의 성은 류씨로, 현양성 내 대동회의 우두머리나 마찬가지였다. 그는 현양성에서 이미 40여 년을 뿌리내리고 살아왔고, 가문의 사업도 크게 벌이고 있었다. 오도애, 우 등도 그의 안색을 살펴 가며 일을 할 정도였다. 병사들이 싸움을 벌이려면 언제나 돈과 양식이 필요하기 마련이고, 이 류 장로는 대동의 돈과 양식을 총괄하고 있었던 것이다.

연순이 평화로운 어조로, 안색 하나 바꾸지 않고 말했다.

"여러분, 나는 방금 스스로를 소개하려 했었소만, 유 장로가 성격이 급한 나머지 다 그르쳐 버렸지. 내 생각엔 지금 다시 모두에게 나를 소개해야 할 것 같소."

등불이 반짝이고 사죽 소리가 들려왔다. 연순이 눈을 가늘게 뜨고 천천히 말했다.

"내 이름은 연순이오. 막 연북에서 도착했지. 앞으로 여러분의 많은 지도 편달을 바라는 바이오."

"연북왕?"

류 장로가 갑자기 벌떡 일어났다. 어찌나 급작스럽게 일어났는지 앞에 있던 찻주전자까지 뒤엎는 바람에 찻물이 소매를 가득 적실 정도였다. 그러나 그는 전혀 신경 쓰지 않고, 그저 믿을 수 없다는 듯 눈을 휘둥그렇게 뜨고 연순을 바라보았다.

"정확하게 말하자면, 연북은 이미 독립했으되 나는 아직 정식으로 왕을 칭하지는 않았소. 하지만 류 장로가 미리 그렇게 부르고 싶다면 반대하지는 않겠소."

"어떻게?"

한 노인이 놀라서 외쳤다.

"연북 사람이 어떻게 현양성에?"

연순이 웃으며 말했다.

"식 장로, 그대야 당연히 내가 오지 않기를 희망했겠지. 그대들은 곧 재물을 변당으로 옮길 계획인데, 내가 온다면 그대들의 꿈을 이루기 어려워질 테니 말이오?"

이 말이 떨어지자 자리에 있던 모두 깜짝 놀랐다!

사람들은 모두 얼굴이 흙빛으로 질린 채 연순을 바라보았다. 심지어 숨도 제대로 쉬지 못한 정도였다.

연순도 얼굴의 웃음기를 조금씩 거두며 천천히 말했다.

"대하가 사그라진 불씨를 살리기 위해 진황에서 천도했지. 조양이 사방에서 병사들을 내어 기세가 날카로운 데다, 조철은 진황성에서 전국의 병마를 통솔하고 있으니, 연북과 대하의 전쟁은 피할 수 없는 것이지. 대동회는 이제 연북의 전망이 좋지 않다고 보는 거로군. 그래서 그대들은 변당으로 도망쳐 목숨을 부지할 생각이고 말이야?"

"연…… 연 세자 저하."

류 장로가 간신히 입을 열었다.

"이것은 그저 상부의 결정이었습니다. 만일을 대비하기 위해 위에서 안배한 것입니다. 우리 대동회는 오랫동안 연북을 위해 생명의 위험을 무릅썼고, 예전에 이미 연북 정권과 완전히 한편이 되었습니다. 이번에도 전하를 구하기 위해 수많은 회원이 죽었습니다. 지금 이것은, 그저, 그저…… 전략일 뿐입니다. 그저 실력을 보존하기 위한 것이지요."

연순이 냉랭하게 그들을 바라보며 천천히 말했다.

"8년 동안, 대동은 나의 이름으로 연북을 통솔했고, 나를 위해 연북의 민생을 안정시켰지. 크나큰 은혜는 말로 감사하는 법이 아니라지만, 어찌 되었건 그 은혜는 연순이 결코 잊을 수 없겠지! 하지만."

연순의 얼굴이 곧 차가워졌다. 그는 가늘고 긴 눈을 더욱 가늘게 뜨고 나지막하게 말했다.

"그대들은 나의 이름을 빌려 연북의 세금을 긁어모았지. 그리고 백옥관을 열어 서방과 무역을 하면서 거대한 재산을 모았다지. 그리고 내가 연북에 돌아가기 직전에 그대들은, 진황의 관원들이 급사한 틈을 타서 단숨에 10년의 세수를 걷어 버렸지. 연북의 백성들을 그야말로 깡그리 쥐어짜 냈더군. 지금 연북이 대하와 전쟁을 시작하려는데, 그대들이 그렇게 연북을 엉망진창으로 만든 다음 소매를 떨치며 가 버린다면, 연북은 어찌해야 할까?"

여기까지 이야기한 연순이 갑자기 부드럽게 웃으며 담담하게 말했다.

"대동 소장파의 전사들은 전선에서 피투성이가 되어 싸우고 있는데, 여러분은 여기에서 산해진미를 즐기고 있으니, 양심에 걸리지 않나? 풍민에게 자료가 좀 있다고 들었는데, 이걸 공개하면 우가 그대들을 그대로 놔두려 할지 모르겠군?"

모든 이들의 얼굴이 흙빛이 되었다. 지금 대동회의 젊은이들 사이에서 명성이 가장 높은 건 오도애였지만, 수완에 대해 논하자면 우야말로 절대적인 일인자였다. 그녀는 아직 나이가 많지 않지만 손을 쓸 때는 매우 잔혹했다. 특히 백성에게 나쁘게 구는 이들에 대해서는 극단적으로 적대시하고 있었다. 그런데 우가 이 사실을 알게 된다면 어떤 일이 벌어질지, 그들로서는 정말 상상하기조차 싫었다.

"그게, 연 세자 저하, 노부의 생각에 이 일은 오도애와 우, 그들이 알 필요가 없을 것 같습니다만."

"당연하지."

연순이 웃으며 말했다.

"류 장로, 어쨌든 우리는 같은 자리에 서 있지 않나. 우리가 앞으로 갈 길은 아주 멀고 말이야. 계속 싸우다 보면 대하의 성벽도 조금씩 무너질 테지. 어쨌든 우리에겐 강력한 군대가 필요하고, 서로 조화를 이루는 정권도 필요하지. 그러하니 이런 작은 일을 너무 명백하게 세상에 알릴 필요는 없지. 사람들에게 대동을 신뢰하게 하기 위해서라도 말이야."

"그렇고말고요."

"그렇다면, 모두 어떻게 해야 하는지 알겠군."

류 장로가 연순을 떠보려는 듯 물었다.

"그렇다면 우리 모두 안심하고 현양성에서 연북이 승리했다는 소식을 기다리면 되겠습니까?"

"그럴 필요 있을까?"

연순은 고개를 저었다.

"계속 변당으로 재물을 옮겨 두게."

모두 당황하여 믿을 수 없다는 듯 연순을 바라보았다. 연순이 미소 지으며 말했다.

"마침 나도 변당에 갈 일이 있지. 나는 변당에서 남강을 따라 연북으로 돌아갈 생각이야. 그때 내가 재물을 연북으로 가져가면 되겠군."

류 장로를 비롯하여 모두의 얼굴이 순식간에 일그러지기 시작했다. 연순이 몸을 일으키며 담담하게 말했다.

"좋아. 식사도 끝냈고, 할 말도 끝냈으니 이만 가 봐야겠군. 류 장로, 내가 이번에 변당에 갈 때는 그대 조카인 류희의 신분으로 갈 생각이야. 내일 아침까지 그대가 모든 준비를 끝내 놓았으면 좋겠군. 변당 태자가 혼사를 치를 예정이고, 그대는 당당한 현양성 제일의 부호니, 어느 정도는 마음을 표시해야 하겠지."

연순은 꿈이 허사로 돌아가 창백하게 질린 노인들에게 두 손을 맞잡고 인사했다.

"그럼 이만!"

마차가 거리를 달리고 있었다. 이미 늦은 시간이었지만 현양성 거리는 여전히 번화했다.

풍민이 의심스럽다는 듯 물었다.

"저하, 저 늙은이들의 재산이 결코 적지 않습니다. 저하께서 그 물건들을 가지고 변당으로 가시는 것은 너무 위험할 것 같습니다. 어째서 직접 연북으로 가지 않으시는 것입니까?"

"바로 연북으로 가는 것은 위험하지 않을 성싶으냐?"

연순이 담담하게 반문했다.

"지금 대하는 정권이 불안정하지. 그리고 여기서 연북까지는 수많은 성과 군을 지나야 한다. 문제가 생기지 않으리라는 법이 없지."

그는 마차에 기댄 채 희미하게 한숨을 쉬고 눈을 감았다. 그리고 다시 천천히 말하기 시작했다.

"그 재산들이 관부의 수중에 떨어지게 하고 싶지 않을뿐더러, 저 늙은이들이 중간에서 착복하게 할 생각도 없다. 그러하니 변당의 길을 빌리는 수밖에 없지. 변당은 치안도 상당히 좋은 편이고, 내가 현양성의 상인들을 대표하여 변당으로 간다는 기치를 내건다면 변당은 자신들의 경제를 발전시키기 위해서라도 분명 병사들을 보내 나를 호위해 줄 것이다. 이렇게 되면 변당까지 가는 길은 분명 안전하겠지. 변당에 도착하기만 하면 나는 신출귀몰하게 남강으로 들어가 물줄기를 타고 북상하여 연북으로 돌아갈 것이다."

"하지만."

풍민은 여전히 안심이 되지 않는 모양이었다.

"당경에는 지금 너무 많은 권신 귀족들이 모여 있습니다. 그곳에 있는 이들 반수 이상이 저하를 알아볼 텐데요. 류 장로의 조카인 척하는 것만으로 고비를 피해 가실 수 있겠습니까?"

"그 점은 걱정할 필요 없다. 방법이 있으니."

연순이 말했다.

"소식이 새어 나가는 것은 방지해야겠지. 내가 떠난 후, 저 장로들이 영원히 말을 할 수 없도록 만들어야겠지. 풍민, 후환은 아예 제거해 버리도록."

풍민은 깜짝 놀라 대답하지 못했다. 그러나 연순은 여전히 담담한 표정으로 말했다.

"네가 있으니 나는 안심이다. 대동회의 동남쪽 양식과 돈을 관리하는 인물도 바뀔 때가 되었지. 풍민, 너는 비록 젊지만 이미 상당한 경험을 쌓아 온 것으로 안다."

풍민이 서둘러 고개를 숙이며 말했다.

"노비가 명을 받들겠습니다!"

졸음이 밀려오는 듯, 연순의 목소리가 점차 희미해졌다.

"사람의 마음은 탐욕스럽다는 말로도 부족하다. 저 장로들도 젊을 때는 열정에 넘치는 대동회의 회원이었겠지. 어쩌다 보니 많은 재물을 얻게 되고, 재물이 탐욕을 불러 원래 자신의 것이 아닌 것들까지 넘보게 된 것이지. 스스로의 능력조차 가늠할 줄 모르면서 말이다. 그래, 사람이 세상을 살다 보면 야심을 가질 수는 있다. 그러나 탐욕스러워져서는 안 되는 법. 야심은 네가 대업을 성취하도록 도와주지만, 탐욕은 네가 영원히 너그러운 사람이 되지 못하도록 만든다. 풍민, 네 지위가 높아질수록 나의 이 말을 잘 새겨 두도록 해라."

풍민의 얼굴이 점차 창백해졌다. 그는 공손하게 고개를 숙인 채 아무 말도 하지 않았다.

거센 바람이 마차의 휘장을 타고 불어왔다. 마차 양쪽에 달린 등불의 그림자 아래, 연순의 얼굴도 어둠 속에 잠겨 어렴풋하게만 보였다.

풍민은 등줄기가 쭈뼛해 왔다. 갑자기 2년 전, 초교가 떠나면서 했던 말이 떠올랐다.

'너는 충성스럽고, 신중하고 영리하지. 대담하기도 하고. 풍민, 너는 모든 것이 완벽해. 다만 한 가지 단점이 있어. 그건 바로 네가 너무 유능하다는 거야.'

그는 계속 초교의 말을 믿지 않았다. 지금까지는 그녀가 했던 말의 뜻을 자세히 생각하려 했던 적도 없었다. 그러나 지금 이 순간, 풍민은 자신의 주인을 바라보며 갑자기 무엇인가를 깨닫고 말았다.

풍민은 곁에 두었던 바람막이를 조심스럽게 들어 연순의 몸에 덮어 주었다. 연순이 아직 잠들지 않았다는 것을 알면서도, 풍민은 조심스럽게 아무 소리도 내지 않고 움직였다.

마차가 천천히 앞으로 가고 있었다. 거리는 여전히 사람들로 붐비고 있었다. 풍민은 갑자기 넋이 나간 것 같은 기분이 되어 마음속으로 바라고 있었다. 저하의 이번 행차가 순조롭기를, 그리고 어서 빨리 아가씨가 저하의 곁으로 돌아오기를.

이 세상에서, 저하가 유일하게 마음을 놓을 수 있는 상대는 아가씨뿐이니까.

여름의 밤바람이 사람을 취하게 할 것처럼 불어왔다. 이 밤, 연북의 병사들은 전부 현양의 옷으로 바꿔 입었다. 다음 날, 현양성의 양식 대상인 류명준의 호송 아래에, 일행은 현양성을 떠나 수로를 따라 당경으로 향하는 길에 접어들었다.

제6장 폭풍우 속에 한배를 타고

　초교는 이렇게 영문을 알 수 없는 상태로 제갈월 곁에 있게 되었다. 1년 전 누군가가 그녀에게, 언젠가 제갈월과 평화롭게 같은 마차 안에 타게 된다고 말했다면, 그 말을 믿지 않았을 것이다. 그러나 그녀는 지금 부드러운 등받이에 비스듬히 기댄 자세로 유유자적하게 서책을 읽고 있는 남자를 보고 있었다. 심지어 손을 쓰려는 마음도 먹고 있지 않았다.

　그날 밤, 오팽성의 성주가 연 연회에서 그녀는 원래 알고 있던 사람 몇을 보게 되었다. 십사황자 조양, 영남의 공자 목윤, 위씨 문벌의 위청지, 영왕의 세자 조종언, 그 외에도 진황성 출신의 귀족 자제가 몇 명 있었다. 연회는 마치 대하 상무당에서 함께 공부하던 이들의 모임 같았다.

　초교, 대하 최고의 지명 수배범은 이들 틈에 섞여 부단히 그들에게 고개를 끄덕이고 미소를 지어 주었으며, 심지어 자발적으로 차를 따라 주고 물을 건네는 역할까지 맡았다. 정말이지 바늘방석이 따로 없었다.

그리고 지금, 그들이 탄 마차들이 그녀가 타고 있는 마차를 둘러싸고 있었다. 이유인즉, 그들도 제갈의 넷째 도련님과 함께 당경으로 가서 변당 태자의 혼사를 축하한다는 것이었다.

이런 상황이다 보니, 도망치려는 희망은 철저하게 물거품으로 변하고 말았다. 초교는 그저 이렇게 제갈월 곁에서 '반 협박' 하면서, 이 기괴한 여행을 계속할 수밖에 없었다.

그러나 초교에게 협박당하고 있는 당사자는, 자신이 협박당하고 있다는 자각이 별로 없어 보였다.

"차."

제갈월은 그녀를 바라보지도 않고 그저 한마디 내뱉을 뿐이었다. 초교는 사납게 그를 노려보며, 마치 나무토막처럼 미동조차 하지 않았다.

잠시 후, 제갈월은 마침내 이상하다는 것을 깨달은 듯 고개를 들고 기이하다는 눈빛으로 그녀를 훑어보았다. 그의 표정은 마치 이렇게 말하고 있는 것 같았다. 내가 한 말을 듣지 못한 건가?

초교가 더 이상 참지 못하고 분노하여 외쳤다.

"나는 당신의 하인이 아니야."

제갈월은 알았다는 듯 고개를 끄덕였다.

그가 대체 왜 이리 빨리 수긍하는지 초교가 이상하게 여기고 있노라니, 갑자기 그가 큰 소리로 외쳤다.

"월칠!"

마차의 문이 소리 내며 열렸다. 초교는 놀라울 정도로 빠른 속도로, 문이 열리는 것과 동시에 얼굴에 면사를 두르고 재빨리 제갈월 곁으로 옮겨 앉았다. 소매 속의 단도가 사납게 제갈월의 등을 겨누고 있었다. 그가 조금이라도 움직이면 그녀는 사납게 단도를 찔러 넣을 생각이었다.

"차를 따라라."

월칠이 당황한 표정으로 초교를 바라보았다. 그러자 제갈월이 아주 고지식한 말투로 말했다.

"그녀는 내 하인이 아니다."

월칠은 주인이 여인을 이렇게까지 총애하고 있다는 사실에 감격하며 물었다.

"속하가 시녀를 하나 찾아, 도련님과 아가씨를 시중들게 하면 어떻겠습니까?"

제갈월이 고개를 끄덕여 찬성을 표시하더니, 고개를 돌려 진지하게 초교를 보며 물었다.

"다른 의견이 있나?"

그녀는 당연히 다른 의견이 아주 많았다!

초교의 눈이 거의 불타오르는 것 같았다. 그녀의 손에 들린 칼이 위협하듯 그의 등을 누르고 있었다. 제갈월, 대체 뭘 하는 거지? 살고 싶지 않은 건가?

"보아하니 바라지 않는 모양이다."

제갈월이 월칠에게 말했다.

"일단 네가 내게 차를 따라 다오. 시중들 사람이 필요하면 너를 다시 부르지."

월칠이 고개를 끄덕이며 마차 안으로 들어오려 했다. 초교는 어쩔 수 없이 목소리를 낮추고 말했다.

"내가 하는 것이 낫겠어요."

월칠은 눈치 빠르게 웃으며 마차에서 물러나 힘차게 마차 문을 닫았다.

"대체 무슨 수작이지?"

월칠이 나가자마자 초교가 즉시 노발대발했다. 제갈월은 아주 침착하게 작은 화로 위 따뜻한 찻물을 바라보며, 편안하게 대답했다.

"목이 말라서."

"자기는 손이 없나? 스스로 마시면 안 되는 거야?"

제갈월은 두말하지 않고 입을 벌려 월칠을 부르려 했다. 초교가 매우 빠른 동작으로 그의 입을 막고 주위를 살펴보며 인상을 썼다.

정말 대단하군! 초교는 마음속으로 비명을 지르며, 가장 뜨거운 주전자를 들어 차를 따른 후, 쾅 소리가 나도록 찻잔을 그의 곁에 있는 작은 탁자 위에 내려놓고 사납게 말했다.

"어서 마셔! 뜨거워 죽으라지!"

제갈월은 안색 하나 변하지 않고, 품에서 네모난 비단 손수건을 꺼내 찻잔을 받쳐 든 후, 가볍게 입김을 불어 식혔다. 그리고 여유롭게 차를 마시기 시작했다.

제갈월의 이러한 모습을 보니, 초교는 그저 머리가 아파 오기 시작했다.

더 이상 신경 쓰지 말자. 오늘 밤은 어떻게든 도망치는 거다. 설령 신분과 행적이 밝혀지는 한이 있다 해도 여기에 이렇게 계속 있을 수는 없어.

안백군은 변당 동부에서 상업이 발달한 군현으로, 평귀 고원을 등지고, 취미산맥을 이웃하고 있었다. 취미산 아래에 남월강이 있는데, 이곳은 남강 수로라는 이름으로도 불리고 있었다. 남강 수로는 바로 변당에서 뚫은 인공 운하로, 정주에서 직접 연북으로 통하게 되어 있었다. 이 운하가 있었기에 남월강 유역의 각 군현은 모두 상업과 무역이 발달하여 번화한 곳이 되었고, 소, 양, 말 등 가축의 수입은 거의 전국의 절반을 점하고 있었다.

취미산 뒤편은 청해라는 오랑캐의 땅으로, 비록 땅이 황폐하고 인구가 적었지만 상당히 실력이 좋은 대상들이 있는 곳이었다. 그 대상들은 한 번 왕복할 때마다 진귀한 모피며 약재를 가져왔다. 그러한 까닭으로 안백군은 비록 작지만, 매우 번영하고 있었다.

대하의 방탕아들이 다 함께 몰려오니, 이 작은 성은 일시에 수습하기 어려울 정도로 혼란해졌다. 그들이 성에 들어가기도 전에, 맞이하러 나온 관원들이 너른 땅을 점거하고 있었다. 초교가 마차의 창을 열어 보니, 눈이 닿는 곳마다 모두 푸르고 붉은 관모가 가득했고, 이 이상 시끌벅적할 수가 없었다. 그녀는 자기도 모르게 의아해하며 물었다.

"언제부터 당신들이 변당과 이렇게 화목하게 지냈지? 작년만 해도 변경에서 전투가 있었는데?"

제갈월이 슬쩍 고개를 들더니, 눈을 가늘게 뜨고 그녀를 비스듬히 바라보며 담담하게 말했다.

"정치에 절대적인 적이란 것은 없지."

초교는 고개를 돌려 그를 사납게 노려보고는 차갑게 코웃음 쳤다.

"한 언덕에 사는 담비들처럼 한통속이군. 나쁜 이들은 항상 함께 모여 못된 짓을 저지르기 마련이지."

"아니. 이런 상황은, 도리를 지키는 자는 도움을 많이 받는다고 표현하는 것이 맞지."

제갈월은 찻잔을 들고 한 모금 마셨다.

"음모를 꾸미고 배신한 자는 반드시 참담한 결말을 맞이하기 마련이고."

초교가 분노하여 반박하려고 했을 때, 마차 밖에서 가까이 다가오는 발걸음 소리가 들렸다. 그녀는 재빨리 면사를 쓰고, 단정한 자세로 제갈월 곁에 앉아 비수를 들고 인질을 '위협'하기 시작했다.

마차 문이 열렸다. 목윤이었다. 초교는 그를 수년 동안 본 적이 없었다. 목 공자는 구름무늬가 있는 하늘색 비단옷을 입고, 눈처럼 하얀 장화를 신고 있었다. 붉은빛이 섞인 옥으로 만든 요대며 달빛처럼 새하얀 머리띠에, 얼굴은 옥처럼 매끄럽고, 입술은 붉고 이는 희었다. 얼핏 보기에는 남자 같지 않아 보일 정도로 준수한 모습이었다. 그가 제갈월에게 미소 지으며 말했다.

"안백군의 본관까지도 모두 나왔다는데. 우리 생각에, 제대로 접대하지 않으면 저리 환대해 주는 이들에게 실례를 면할 수 없다는 결론이 나왔어. 넷째 도련님 생각은 어때?"

제갈월이 입 끝을 살짝 들어 올리더니, 극히 가벼운 태도로 웃어 보이며 말했다.

"나는 뭐 아무래도 괜찮군. 모두가 결정한 대로 따르겠어."

목윤이 고개를 끄덕였다.

"그럼 더 이상 넷째 도련님의 휴식을 방해하지 않도록 하지. 성에 들어간 다음, 오늘 밤 바로 연회를 열 거야. 넷째 도련님도 오늘은 꽤 마셔야 할걸."

마차의 문이 닫히자마자 초교가 사납게 외쳤다.

"제갈월, 경거망동하지 않는 게 좋을걸!"

제갈월이 냉소했다. 등 뒤에 있는 비수는 전혀 신경 쓰이지 않는다는 태도였다.

"그 말은 내가 너에게 해야 하는 말이겠지."

"내가 모른다고 생각하는 것은 아니겠지?"

초교가 차갑게 말했다.

"당신 성격으로 어떻게 저런 무리들과 계속 동행하는 거지? 또, 성에 들어가면 관리들에게 접대를 한다니, 대체 뭘 하려는 거야? 말해 두겠는데, 당신에게 기회는 없을 거야!"

제갈월이 고개를 들더니, 담담하게 초교를 바라보며 제 가슴을 가리켰다.

"혹시 무서워서 그러는 거라면 그냥 여기를 칼로 찌르도록 해. 그렇게 쓸데없는 말을 늘어놓지 말고."

초교가 눈썹을 치켜세웠다.

"내가 찌를 수 없을 거라 생각해?"

제갈월은 여유롭게 그녀를 바라보며 냉소했다.

"찌를 수 있겠어?"

그때 갑자기 징과 북소리가 요란하게 울리고, 폭죽 소리가 그 뒤를 이었다. 그리고 다시 금이며 생황의 연주 소리가 울려 퍼졌다. 악기는 비록 많았지만 조잡하게 떠들썩한 느낌은 아니었다. 어쨌든 이런 광야에서, 궁정에서나 들을 법한 악곡을 듣게 되니 아무리 봐도 이상했다. 초교와 제갈월이 당황하여 이상하게 여기고 있노라니 창밖에서 월칠의 목소리가 들렸다.

"도련님, 변당의 태자가 막 이곳을 지나갔다고 합니다."

사이에 창이 있기는 했지만, 월칠의 표정은 충분히 상상할 수 있었다. 초교와 제갈월도 방금 전까지의 어색한 분위기를 잊고 서로를 흘깃 바라보았다. 그 태자의 이런 화려한 취향은 정말이지 몸서리가 쳐질 정도였다.

"빈둥거리기나 하는 귀족 자식!"

초교가 중얼거렸다. 제갈월은 마치 듣지 못한 것처럼 방석에 기대어 눈을 감았다. 바깥에서 들려오는 시끄러운 음악 소리가 전혀 들리지 않는 듯한 태도였다.

이런 시끄러운 음악 소리 속에서, 일행은 천천히 성 안으로 들어갔다.

여름 바람은 따사롭고, 징 소리며 북소리는 하늘을 놀라게 할 정도였다. 안백군의 모든 대소 관원들이 영접하러 나왔다. 초교, 대하에게 추격당하고 있는 반란군의 우두머리는 이렇게 당당하게 안백군의 성문 안으로 들어갔다.

수레와 말을 배치하며 인사를 주고받으니 주위가 다시 한 번 시끌벅적해졌다. 초교는 제갈월 곁에서 한 걸음도 떠나지 않고, 변당의 관원들이 차례대로 다가와 환영과 우호의 뜻을 표시하는 것을 보고 있었다.

희미한 등불 아래 사람들이 끊임없이 움직이고 있었다. 거대한 성주의 관저 앞에 수레며 말들이 발 디딜 틈 없이 붐비고 있었다. 각 가문의 시위들은 그 사이를 호위하고 있었다. 시종들은 끊임없이 손님들 사이를 오가며, 상서롭고 건강을 비는 길한 말을 외쳐 댔다.

마침내 희미하던 등불이 갑자기 밝아지더니 음악 소리가 울려 퍼졌다. 무희들이 긴 소매와 가느다란 허리를 흔들 때마다 여인 특유의 그윽한 향기가 풍겨 왔다. 술잔에서 올라오는 좋은 향도 사람들을 유혹하고 있었다.

초교는 제갈월의 뒤를 따르고 있었다. 그녀는 진녹색 비단 옷을 입고, 여전히 두툼한 면사로 얼굴을 가리고 있었다. 머리에는 진주와 비취 장식이 반짝였고, 둥근 옥패들도 계속 달랑

거리는 소리를 냈다. 그녀의 하늘거리는 자태는 얼핏 보기에도 매우 우아했고, 걸음걸이마다 연꽃이 피어나는 것 같았다.

목윤과 조양 등은 이미 도착해 있었다. 사람들은 인사말을 나누며 잇달아 자리에 앉았다.

안백군의 성주는 서른 남짓한 사대부로, 아주 청아하게 생겼으나 언변이 보통이 아니었고, 수단이 좋아 누구에게도 미움을 살 것 같지 않은 자였다. 그가 술잔을 들고 축사를 하자 초교조차도 그에게 호감이 생길 정도였다. 순식간에 자리에 있던 손님들은 유쾌한 기분이 되어 장내의 분위기도 십분 달아올랐다.

조양은 오금색 망포를 입고 제갈월과 초교의 상석에 앉아 있었다. 그는 계속하여 술잔을 기울이고 있었다.

초교에게 있어 조양은 결코 낯선 사람이 아니었다. 비록 진황성 안에서는 몇 번 본 적 없는 사이였지만, 이 두 달 사이 계속 그와 교전을 벌여야 했던 것이다. 지금은 서남도 전체가 이 잘생긴 황자의 관할하에 있었다. 초교를 쫓아 죽이라는 명령은 조철이 내린 것이었지만, 정말로 초교를 쫓고 있는 사람은 바로 눈앞에 있는 조양이었다.

"십사황자님께서는 소년 영웅이시지요. 오늘 노비의 집에서 전하를 뵈올 수 있으니, 크나큰 영광입니다."

성주의 여동생이 사뿐사뿐 다가와 공손하게 조양에게 술을 올렸다. 조양은 웃으면서 몸을 일으켜 예를 되돌렸다. 그녀는 과분한 대접을 받아 놀란 듯 허리를 더욱 굽혔다. 초교가 있는 자리에서는 심지어 그녀의 붉은 가슴가리개까지 슬쩍 보였다.

곁에 있던 이가 말했다.

"회양의 일전은 정말이지 놀라울 정도였습니다. 황자님께서는 젊은 나이에도 이리 책략이 뛰어나시니, 앞날을 헤아릴 수 없을 정도입니다."

그러나 조양은 입 끝을 들어 올리며 차갑게 말했다.

"내가 정말 그대 말만큼 놀라운 재능이라면, 초교가 그렇게 도망가도록 내버려 두지 않았겠지. 모두 칭찬의 대상을 잘못 찾고 있군."

그 말을 들은 사람들이 모두 깜짝 놀랐다. 성주가 서둘러 웃으며 분위기를 수습했다.

"사람은 실수할 수 있습니다. 아무리 뛰어난 장수라도 실수는 하기 마련이지요. 만약 황자님께서 다시 한 번 그 여자를 만나게 되신다면, 아마 그 여자에게 그렇게 대단한 행운은 더 이상 없을 것입니다."

조양은 미소 지으며 더 이상 아무 말도 하지 않고, 그저 가볍게 좌중을 훑어보더니 자리에 앉았다.

성주가 분위기를 바꾸기 위해 여동생에게 춤을 추라고 하였다. 그 여인은 거절하지 않고, 겉옷을 벗어 안에 입은 붉은 능라 옷을 드러내고 나풀나풀 춤을 추기 시작했다. 그리고 춤을 끝내자 직접 조양 곁에 앉아 음식을 권하고 술을 따르는 등, 매우 세심하게 시중을 들었다.

목윤은 제갈월의 아랫자리에 앉아 있었는데, 오늘은 장밋빛 비단 장포를 입고 있었다. 남자들은 거의 입지 않는 색이었지만 그에게는 썩 잘 어울렸고, 그의 얼굴은 더욱 유순하게 빛나고 있었다. 목윤이 싱글거리며 말했다.

"넷째 공자가 이런 장소에 여인을 데려오는 일은 거의 없는데, 보아하니 이 아가씨가 넷째의 총애를 이만저만 받는 게 아닌 모양이야."

곁에 있던 누군가가 맞장구치며 웃었다.

"제갈 넷째 도련님에게 이렇게 총애를 받다니, 분명 절색이겠지."

조양이 곁에 앉아 있다가, 웃는 듯 마는 듯 미소를 띠며 말했다.

"그렇게 절색이라면 두꺼운 면사를 쓰고 있는 것은 낭비 아니겠나? 제갈, 그녀에게 면사를 벗게 해서 우리들의 눈도 즐겁게 해 주지 그래?"

조양은 병사들을 이끌고 초교와 서남대전을 치른 후로 갑자기 명성이 올라간 상태였고, 더 이상 과거의 그 권력 없이 홀대당하는 황자가 아니었다. 그가 말을 하자 다른 이들이 잇달아 소리 지르며 초교의 면사를 벗기라고 외쳤다.

그러나 제갈월이 쌀쌀맞게 말했다.

"아주 못생겼습니다. 면사를 벗으면 다들 놀라실까 두려워 차마 그리 시킬 수 없군요."

목윤 등은 모두 믿을 수 없다고 소리쳤지만, 제갈월은 그저 미소 지으며 아무 말도 하지 않았다. 다른 이들은 마침내 제갈월이 여인의 면사를 벗기고 싶어 하지 않는다는 사실을 눈치채고 더 이상 압박하지 않았다.

밤이 깊었다. 조종언 등은 이미 취해 있었고, 성주가 사람들로 하여금 그들을 부축하여 방으로 돌려보냈다. 초교도 막 몸을 일으키려 했을 때, 갑자기 성주의 여동생이 비명을 지르며 그녀를 향해 넘어졌다. 초교는 재빠르고 교묘하게 그녀를 잡아, 그녀가 제대로 서도록 도와주었다. 성주의 여동생이 얼굴을 붉히며 말했다.

"고마워요."

초교는 고개를 저으며 아래를 내려다보았다. 조양의 발이 여자의 치맛자락을 밟고 있었다. 초교의 시선을 눈치챈 조양은 침착하게 발을 옮기더니, 초교에게 매우 예의 바르게 고개를 끄덕이고 몸을 돌려 먼저 대청을 나갔다.

어쩐지 이상한 기분에 초교가 미간을 가볍게 찌푸리고 있노라니, 제갈월이 물었다.

"가지 않을 건가?"

초교는 고개를 숙이고 서둘러 그를 따랐다.

밤바람이 서늘했다. 마차가 길을 달리고 있었다. 제갈가는 안백군에서도 사업을 벌이고 있었기 때문에, 그들은 성주가 마련해 준 거처에 머물 필요가 없었다.

초교는 마차의 창을 열고, 조용히 어둠에 잠긴 거리를 바라보았다. 곁에서 눈을 감고 있던 제갈월이 갑자기 말했다.

"결국은 나를 떠날 생각인가?"

초교가 나지막하게 말했다.

"당신이 계속 나를 막으려 한다면, 나는 정말 당신과 동귀어진 하게 될 거야."

제갈월은 눈도 뜨지 않고 퉁명스럽게 말했다.

"가려면 빨리 가. 내 잠을 방해하지 않게 창은 잘 닫아 두고."

초교는 멈칫했지만, 제갈월의 말대로 마차의 문을 열고 뛰어내렸다. 월칠 등은 마치 그녀를 보지 못한 것처럼, 그녀가 당당하게 자리를 떠나도록 내버려 두었다.

마차에서 내려 한참을 걸은 후에도 초교는 도저히 믿을 수가 없었다. 제갈월이 뜻밖에도 정말로 자신을 놓아주었다. 자신이 이렇게 쉽게 그 흉악한 제갈월에게서 벗어나다니?

이상해!

초교는 미간을 찌푸렸다. 지금까지는 그녀가 아무리 위협해도, 여러 번 싸움을 벌여도 제갈월은 그녀를 놓아주지 않으려 했고, 그녀는 도저히 도망칠 수 없었다. 그런데 어째서 이렇게 간단하게 놓아주는 거지?

어쨌든 지금은 자세히 생각할 시간이 없었다. 그녀는 재빨리 방향을 살펴보고, 성문을 향해 나는 듯 달리기 시작했다. 그러나 차 반 잔 마실 시간도 지나지 않아 그녀의 뒤에서 고함 소리가 조수가 밀려오듯 들려왔다.

초교는 결국 발걸음을 멈췄다.

갑작스럽게 나타난 적들은 단숨에 거리 전체를 물샐틈없이 포위했다. 월칠이 시위들을 이끌고 제갈월이 탄 마차 앞을 막아서며 큰 소리로 외쳤다.

"너희들은 누구냐? 지금 누구를 막아선 줄 아는 것이냐?"

그들은 월칠의 말에 대답하지 않았다. 대신 그중 한 사람이 가라앉은 목소리로 말했다.

"사람을 내주시오."

제갈월이 마차 문을 열더니 담담하게 말했다.

"시작해라."

휙, 날카로운 소리가 들렸다. 이들은 적지 않은 수의 작은 활들을 지니고 있었다. 화살이 비 오듯 빽빽하게 쏟아졌다. 월칠 등이 적의 앞으로 나서기도 전에 제갈월의 시위들은 화살에 맞아 상처를 입었다. 순식간에 고함 소리가 거리 전체의 고요함을 깨트렸다.

누군가 발로 차서 마차의 문을 열었다. 그러나 그 순간, 마차 안에서 새하얀 검광이 용처럼 빠르게 몰아쳐 나와 마차 문을 연 사람의 머리를 베어 버렸다. 다른 자객들이 깜짝 놀라 떼지어 몰려오기 시작했다. 그때 갑자기 쾅 하는 소리와 함께 마차의 지붕이 부서지며 제갈월이 공중으로 뛰어오르고, 검망이 마치 우산이 펼쳐지듯 아래로 뿌려졌다.

제갈월은 옷자락을 나부끼며 순식간에 아래로 뛰어내렸다. 흰 얼굴에 유난히 붉은 입술, 미간에 튄 두 방울의 선혈까지, 그는 요사하면서도 아름다워 보였다.

"제갈 공자, 무례하게 굴 생각은 없소. 사람만 내어주시면 즉시 떠나겠소."

제갈월은 아무 말도 듣지 못한 것처럼 검을 휘둘러 상대의 손을 꿰뚫었다. 그 사람은 손을 감싸 쥐고 처참한 비명을 질렀다. 상대편 우두머리의 눈이 차가워졌다.

"이렇게 되면, 결국 우리도 실례를 할 수밖에 없군."

갑자기 횃불 여럿이 거리 가득 떠올랐다. 양쪽의 주루며 가게의 지붕 위에 검은 옷의 자객 수십 명이 쇠뇌로 제갈월을 겨눈 채 엎드려 있었다. 그들은 모두 우두머리의 손짓만을 기다리고 있는 듯했다. 그 쇠뇌의 위력은 보통의 쇠뇌보다 훨씬 강한 것이었고, 높은 곳에서 쏘니 더욱 강할 터였다. 월칠 등은 상황이 불리해진 것을 보고 마음속으로 크게 놀랐다.

그러나 바로 이때! 휙, 공기를 가르는 날카로운 소리가 연달아 들려오더니 횃불을 들고 있던 자객들이 잇달아 땅으로 떨어지고 거리는 어둠 속에 파묻히고 말았다. 그와 동시에, 제갈월은 재빠르게 몸을 날려 상대편 우두머리에게 검을 겨눴다. 그러나 그의 얼굴에 즐거운 기색이라고는 전혀 보이지 않았다.

"누가 돌아오라고 했지?"

초교는 힘없이 몸을 엎드렸다. 그녀는 지붕 위로 올라오자마자 자객 하나와 싸움을 시작했다. 아래에 있는 이들에게 자신의 존재를 들키지 않기 위해 그녀는 적시에 살초를 쓰지 못했고, 상대의 칼에 스치고 말았다. 그런데 생각지도 못하게 그 칼에는 독이 발려 있었고, 독이 퍼지는 속도는 상상 이상이었다. 숨 한 번 내쉴 때마다 동작이 조금씩 굳어 가더니, 이제는 손가락을 움직이는 것조차 힘들 지경이었다.

초교의 눈빛에 당황한 기색이 어렸다. 자신에게 다가오는 적들의 모습도, 그들이 휘두르는 칼의 움직임도 확실하게 볼 수 있었지만, 그 날카로운 칼을 피할 수가 없었다. 위협적인 칼날이 그녀의 피부를 베어 오려 하는데도 그녀는 그저 눈을 크게 뜬 채 바라보기만 할 뿐, 몸을 움직일 수 없었다.

휙 소리와 함께 갑자기 장검 하나가 날아와 자객의 심장을 꿰뚫었다. 동시에 쓰러지는 초교의 몸을 제갈월이 받아 주었다.

"독에 당한 건가?"

초교의 목에서 비린내가 올라왔다. 그녀는 단숨에 선혈을 토해 냈다. 제갈월이 미간을 찌푸리더니 재빨리 판단을 내렸다.

"월칠! 뒤를 끊어라!"

월칠의 검이 용처럼 꿈틀거리기 시작했다. 그는 시위들을 이끌고 자객들에게 돌진하며 외쳤다.

"예! 도련님께서는 먼저 가십시오!"

제갈월이 초교를 안아 들고 말 위로 뛰어올랐다. 말은 말발굽을 치켜들고 나는 듯이 달리기 시작했다.

"도망치게 두지 마라, 어서 쫓아!"

흑의인들이 밀물처럼 쏟아져 나왔다.

제갈월은 두 다리로 말을 제어하며, 한 팔로 초교를 끌어안고 다른 팔로 검을 휘두르며 적을 상대했다. 그때 갑자기 벽력 같은 소리가 들리더니 폭우가 순식간에 쏟아지기 시작했다. 비가 어찌나 거세게 내리는지, 사람을 분간하지 못할 정도였다.

자객들은 어둠 속에서 활을 제대로 맞힐 수 없어 지붕 위에서 잇달아 뛰어내렸다.

앞을 가로막는 적들이 점점 더 많아졌다. 제갈월은 초교를 말 등에 내려놓은 채 말 위에서 뛰어내렸다. 그리고 검 한 자루에 의지해 앞으로 달려 나가기 시작했다. 그는 죽음을 각오한 기세로 앞을 가로막는 이들의 포위를 뚫었고, 초교를 태운 말은 그 뒤를 따랐다. 그리고 말은 곧 그림자조차 보이지 않을 정도가 되었다.

"어서 쫓아라! 그녀가 도망치…… 악!"

누군가가 외침을 끝내지도 못하고 제갈월의 검에 목숨을 잃었다. 폭우가 쏟아지는 가운데 서로 죽고 죽이는 일이 계속되고 있었다.

제갈월은 사당의 문을 발로 차서 열었다. 사당 안 구석에 있던 남루한 거지들이 깜짝 놀라 그를 바라보았다. 제갈월은 그중 하나를 잡고 가라앉은 목소리로 물었다.

"녹색 옷을 입은 여자가 들어오는 걸 보지 못했나?"

그의 모습은 말이 아니었다. 거지는 온몸에 피를 뒤집어쓴 모습에 놀라 말도 제대로 하지 못하고 그저 고개만 주억거렸다. 제갈월이 거지의 눈길을 따라 고개를 돌렸으나, 다른 거지들은 모두 대경실색하여 도망친 후였다.

사당 밖에는 천둥번개가 치고, 폭우가 쏟아지고 있었다. 열린 문틈으로 차가운 바람이 불어와 구석에 있던 마른풀을 말아 올렸다. 마른풀이 공중에 떠다니는 모습은 꼭 칠월 보름에 태우는 지전 같았다.

제갈월은 미간을 찌푸렸다. 그의 태양혈이 불룩하게 뛰어나와 있었다. 그는 온 힘을 다해 여기까지 왔고, 이미 힘이 거의 빠진 상태였다. 머리도 어지럽고 눈앞도 캄캄했다. 서 있는 것조차 힘들 지경이었고, 두 귀에 이명도 심하게 울리고 있었다. 여전히 저 억수같이 쏟아지는 빗속을 뛰고 있는 것처럼, 사방에서 물 흐르는 소리가 들리는 것 같았다.

그는 검을 휘둘러 구석에 있는 풀을 들춰 보며 초교의 그림자를 찾았으나 아무 수확도 없었다. 바로 그때, 다시 한 무리의 자객들이 월칠의 포위를 뚫고 추격해 왔다. 제갈월은 검을 잡고 뛰어올라, 질풍처럼 빠르게 적들과 격투를 벌이기 시작했다.

그의 검은 극히 빨라 그저 흰 검광이 물안개를 깨트리고 선명하게 붉은 피의 꽃을 피워 내는 것만이 보일 뿐이었다. 제갈월은 몸을 솟구쳐 자객의 어깨를 밟고 지붕 위로 뛰어올랐다. 그리고 몇 번 오르락내리락하며 동쪽으로 향했다.

비는 점점 더 거세게 내리고 있었다. 거의 눈을 뜰 수 없을 지경이었다. 넓은 길은 온통 진흙탕이었다. 제갈월은 검을 들고 미친 듯이 달렸다. 그가 입은 화려한 옷은 이미 본래의 색조차 알아볼 수 없을 지경이었다. 그의 얼굴은 창백하게 질려 있었고, 입술도 파랗게 변해 있었다. 미간에 묻은 채 굳어 버린 두 방울 핏물은 마치 눈 위에 찍어 놓은 붉은 모래처럼 보였다.

그는 이미 한 시진 가깝게 달리고 있었지만 초교의 흔적은 보이지 않았다. 마음속에 불길한 생각이 계속 떠오르고 있었다. 울적하여 견디기 어려운 나머지 그는 미간을 찌푸린 채 낡은 집에 매달린 깃대를 검으로 베었다. 깃대가 쿵 소리를 내며 진창에 쓰러졌고, 사방으로 진흙이 튀었다.

그는 집으로 걸어가 꽉 닫힌 문을 열었다. 집 안은 칠흑같이 어두운 데다 거미줄투성이인 것이 버려진 지 오래된 것 같았다. 그가 연 문을 통해 바람이 집 안으로 들어가 바닥 가득한 두툼한 먼지를 흩날렸다.

"여기 없는 건가?"

제갈월이 큰 소리로 외쳤다. 그러나 천둥소리 외에는 그저 단조로운 빗소리만이 들릴 뿐이었다. 뒤채로도 달려가 보았지만, 사람의 그림자는 여전히 보이지 않았다. 그는 문을 나와 계속 동쪽으로 향했다.

그때였다. 갑자기 말 울음소리가 들렸다. 그가 고개를 돌려보니 대춧빛 준마가 집 뒤 논에 서 있었다. 말의 목은 핏자국으로 얼룩덜룩했다.

제갈월이 눈을 빛내며 몇 걸음 달려 나갔다. 비가 너무 많이 내려 부근의 논은 모두 물에 잠겨 있었다. 논 안의 물은 상당히 깊어 그의 다리도 꽤 많이 잠길 정도였다. 그는 힘겹게 진흙과 벼를 헤치며 말이 있는 방향으로 뛰었다. 한 걸음 걸을 때마다 온 힘을 다해야 했다. 폭우가 쏟아져 그의 얼굴을 타고 흘러내렸다. 그는 얼굴 위의 빗물을 끊임없이 훔치며 온 힘을 다해 초교의 그림자를 찾고 있었다.

없다. 없어. 어디에도 없다.

그가 말 가까이 갔을 때, 발아래에 갑자기 부드러운 무엇인가가 걸렸다. 제갈월이 살짝 멈칫하고는, 바로 몸을 굽혀 두 손으로 물 아래를 더듬어 보았다.

얼마 지나지 않아, 사람 하나를 물 위로 끌어올릴 수 있었다. 바로 초교였다. 그녀의 얼굴은 보랏빛으로 질려 있었고, 두 눈은 감고 있었다. 코와 입이 모두 진흙탕으로 가득 차 있었을 뿐 아니라, 손과 발도 얼음처럼 차가워 마치 죽은 것처럼 보였다.

재갈월은 그녀를 안아 들고 비틀거리며 논을 빠져나와 진창이 된 길 위에 내려놓았다. 그리고 재빨리 그녀의 코와 입에 가득 찬 진흙탕을 제거하고, 있는 힘을 다해 배와 가슴을 두드렸다.

"깨어나!"

그는 이를 악물고 사납게 외치며, 주먹을 쥐고 그녀의 불룩해진 배를 누르기 시작했다.

"죽게 하지 않겠다, 깨어나!"

초교의 안색이 파랗게 질렸다. 그녀의 온몸은 얼음처럼 차가웠고, 몸은 그가 누르는 것에 따라 이리저리 움직이고 있었다.

제갈월은 미간을 찌푸리며 손으로 그녀의 코를 쥐고, 그녀의 입에 자신의 입술을 가져갔다. 그리고 한 번, 또 한 번 숨을 불어넣어 주었다. 그러나 그녀는 여전히 생기가 없었다. 제갈월의 심장이 격렬하게 뛰기 시작했다. 그의 마음속은 이 음울한 날씨처럼 혼란하고 어두웠다. 빛이라고는 한 점도 보이지 않는 것 같았다. 이유 모를 분노가 한 번, 또 한 번 용솟음쳤다. 그는 눈앞에 누워 있는, 언제나 그에게 맞서던 초교를 바라보며 큰 소리로 외쳤다.

"죽는 걸 허락한 적 없다! 들리지 않는 거냐? 내가 깨어나라고 하고 있잖아!"

그는 그녀를 안아 들고, 그녀를 자신의 가슴에 기대게 했다. 그는 두 손으로 힘차게 그녀의 등을 두드렸다. 하늘에는 벼락이 마치 꿈틀거리는 용처럼 번쩍이고, 천둥소리도 계속 울리고 있었다. 사방은 온통 칠흑 같은 어둠뿐, 그저 벼락이 칠 때마다 새하얀 빛이 번쩍이며 이 천지간의 모든 것을 창백하게 비출 뿐이었다.

"일어나, 일어나라고, 깨어나란 말이다!"

"쿨럭……."

마침내 가벼운 기침 소리가 들렸다. 제갈월이 온몸을 떨며 한 팔로 초교의 어깨를 잡아 그녀를 부축하고, 그녀를 뚫어지게 바라보며 계속 외쳤다.

"깨어난 건가? 깨어난 거야?"

처음에는 매우 작았던 초교의 기침이 점차 격렬해지기 시작했다. 그녀의 코와 입에서 검은 흙탕물이 쏟아져 나왔다. 그녀의 볼도 붉게 달아오르기 시작했다. 그녀는 제갈월의 품에 기댄 채 아무 말 없이 그저 기침만 계속했다.

기침 소리에 불과했지만, 이 순간 제갈월에게는 천상의 노랫소리처럼 들렸다. 칼과 같은 차가운 바람이 스쳐 가고, 폭우가 쏟아지고 있었다. 제갈월의 온몸에서 그를 얽매던 무엇인가가 단숨에 빠져나갔다. 초교가 죽음에 가까이 갔던 이날 밤, 제갈월은 더 이상 자신의 마음을 배반하지도, 그 무엇도 가리지 않겠다고 결심했다. 거대한 들판에서, 그는 두 팔을 벌려 품 안의 여자를 격렬하게 끌어안았다.

"당신의…… 가족이…… 당신을 처리하려 할 거야."

그의 품 속에서 가느다란 목소리가 들려왔다. 그 목소리는 너무나 가늘어, 이 광야에 부는 바람 속에 단숨에 부서지고 말았다.

"대하…… 조양…… 조철, 모두 당신을 그냥 두지 않을 거야."

여전히 내리는 비가 두 사람 몸에 묻어 있는 선혈과 진흙을 씻어 냈다. 머리 위에서 번개가 번쩍였고, 두 사람은 서로의 창백한 얼굴을 뚜렷하게 볼 수 있었다.

"당신은 죽을 거야! 죽게 될 거라고! 그걸 모르는 거야?"

그녀의 목소리는 쉬어 있었다. 아니, 이미 울먹이는 것 같았다. 지금 이 순간 초교가, 제갈월이 자신을 지켜 준 의미를 모를 수는 없었다. 또한 초교는 알고 있었다. 조양 일행이 공공연하게 제갈월에게 무력을 행사했다. 대하로 돌아가면 어떤 결과가 기다리고 있을지, 제갈월은 모르는 것일까?

"당신은 당신이 누구라고 생각해?"

초교는 이를 악물고 사납게 제갈월을 노려보았다.

"당신은 내 가족을 죽였어. 나와 연순을 괴롭게 했어. 나는 단칼에 당신을 죽일 수 없는 것이 한스러울 뿐이야. 당신과 내 사이의 원한은 바다와 같고, 우리는 결코 같은 하늘 아래 살아갈 수 없어. ……그런데 어째서 나를 구해 주는 거야?"

제갈월도 말없이, 그저 가만히 초교를 바라보았다. 그녀의 마음속 가득한 괴로움이 결국은 그의 고요한 눈길 속에 철저히 무너져 내리고 있었다. 초교가 계속 힘써 싸웠던 것이, 몇 번이나 도망쳤던 것이, 그녀가 마음속에 높이 쌓아 올렸던 담장이, 이 폭우가 쏟아지는 밤에 그 무게를 이기지 못하고 모순된 감정에 붕괴하고 말았다.

"제갈월, 당신에게 내가 이렇게 빚을 많이 지고 말았는데…… 당신은 나를 어쩔 작정이지?"

초교는 붉게 부어오른 두 눈을 감았다. 눈물이 얼굴을 타고 흘러내렸다.

두 사람이 걸어온 길은 곧았다. 그리고 다시 앞을 향해 곧게 뻗어 있었다. 비가 억수같이 내리는 가운데, 용처럼 꿈틀거리는 번개가 어두운 밤을 대낮처럼 밝혀 주었다.

제7장 동행

안백군의 가장 번화한 거리에서 장장 한 시진에 이르는 격전이 있었으나 관병은 단 한 명도 오지 않았다. 이것만 보아도 이 암살의 주모자가 누구인지 짐작할 수 있었다.

조양은 다른 황자들과 달랐다. 그는 어린 시절부터 궁에서 괴롭힘이라면 물리도록 겪었고, 독한 성격으로 자라났다. 비록 제갈월에게는 감히 살수를 쓰지 못했지만, 어쨌든 위험한 인물이었다. 제갈월은 어쩔 수 없이, 중상을 입은 초교를 데리고 잠행하기로 결심하고는 월칠 등에게도 연락하지 않았다.

제갈월과 초교는 당경으로 가는 대상의 무리에 보통 사람의 신분으로 끼어들기로 하고 은자를 건넸다.

숙소로 돌아와 방문을 닫은 후, 제갈월이 초교에게 말했다.

"이 대상의 주인이 류희라고 하던데, 들은 적 있나?"

초교가 살며시 미간을 찌푸리더니 나지막하게 말했다.

"분명 만난 적이 있어."

"그렇다면 그 무리에 끼지 않는 편이 낫겠군."

제갈월이 단호하게 말했다.

"잠시만!"

초교가 서둘러 외쳤다.

"나는 그와 멀리서 얼굴을 한번 보았을 뿐이고, 그나마도 슬쩍 스쳤을 뿐이야. 말을 주고받은 적도 없어. 꽤 여러 해 전의 일이기도 하고."

제갈월이 미간을 찌푸렸다. 초교는 그가 무엇을 근심하는지 알고 있었다.

"다른 사람들은 그저 우리를 보통 백성이라 생각할 거야. 아예 만날 기회도 없을 거고. 내가 조심하기만 하면 아무 일 없을 거야."

"그가 류명준의 조카인가?"

"응."

제갈월은 한참 동안 깊이 생각하더니 천천히 말했다.

"류씨 가문은 현양에서 대부호에 들지. 그날 우리가 현양성에 들어갈 때 우리를 맞이한 이들 중에 그가 있었을지도 모르겠군."

초교는 살짝 이마를 찡그렸다. 제갈월이 계속 말했다.

"역시 조심하는 편이 낫겠어. 내일 아침 내가 시장에 가서 말을 사 오지. 그 다음에 우리끼리만 말을 타고 당경으로 가자."

초교는 고개를 끄덕였다. 지금 그녀의 입장은 약간 어색했다. 류희는 류명준의 조카니, 아마 대동회의 일원일 것이다. 초교에게는 같은 편이나 마찬가지니, 그들이 초교가 여기 있다는 것을 알기만 하면 당연히 적절한 조처를 취해 주고, 연북으로 돌아갈 방법도 마련해 줄 것이다. 그러나 지금 제갈월의 곁에 시위도 없는데, 만약 류희가 나쁜 마음을 먹는다면……

"일단 쉬도록 해."

제갈월이 초교를 침상에 눕히며 말했다.

"음식을 가져오라고 할게. 뭘 먹고 싶지?"

초교는 고개를 저었다.

"아무거나 괜찮아."

제갈월이 몸을 돌려 걸어가며 말했다.

"하긴, 괜찮지 않을 수도 없지. 이렇게 궁벽한 지역에 먹을 만한 것이 뭐가 있겠어."

제갈월의 그림자가 문가에서 사라진 후, 초교는 약간 얼떨떨해하다가 입가를 들어 올리며 희미하게 웃기 시작했다.

눈이 있는 자라면 제갈가의 세력이 어떠한지 모를 수가 없었다. 제갈가는 대하 제국의 명맥을 장악하고 있는 세가 중 하나로서, 아마 서몽 대륙 전체에 세력이 퍼져 있을 것이다. 이 하늘 아래 존재하는 것들 중 얼마나 많은 수가 제갈가에 속해 있을까? 또 얼마나 많은 수가 위씨 문벌의 손 위에 있는 것일까? 또 대하의 조씨는? 변당의 이씨는? 회송의 납란씨는? 그 누구도 분명하게 정의 내릴 수 없을 것이다.

모든 세가의 뒤에는 오랜 세월에 걸쳐 분투한 역사가 있는 법이다. 대하 황제 조정덕이 목합씨를 뿌리 뽑았다지만, 목합씨가 100년에 걸쳐 쌓아 온 기반이 정말로 모래성처럼 모두 무너져 내렸을까?

대하 내에서 제갈가가 지닌 세력은, 연순이 연북 고원에서 지닌 세력에 비해 떨어지지 않았다. 아니, 그들은 제국의 정통 세가로서, 연북이 결코 얻을 수 없는 정치적인 지위를 갖고 있었다.

제갈가의 수만에 달하는 병사들, 그 뒤에 숨어 있는 것은 제갈가가 오랜 세월에 걸쳐 감화시킨 제국의 청년들이었다. 관리들 중에도 제갈이라는 성을 가진 이들이 아주 많았고, 금전을 이용해 닦아 놓은 길이며 권세로 사 놓은 사람의 마음이 있었다. 또한 이익으로 결박해 놓은 세력과 꼬투리를 잡아 얽어매어 둔 무리가 있었다.

연북은 공개적으로 반란을 일으켰기에 연북 전체가 제국과 대립하는 입장이 되었다. 그런데 만약 어느 날, 제갈가가 반란을 일으킨다면, 충분히 계획을 세우고 준비하여 반기를 든다면 대하의 조씨에게는 이쪽이 좀 더 치명적인 재난이 아닐까? 조씨는 그런 재난에 어떻게 대적할까!

아무튼 제갈가의 세력이며 제갈월의 지위를 생각하면, 그 어디서건 제갈월이 손을 한 번 흔드는 것만으로도 수많은 이들이 모여들어 심복이 되기를 자처할 것이다. 그러나 지금 제갈월에게는 그럴 생각이 전혀 없어 보였다. 그는 신분을 조심스럽게 숨기고, 직접 초교의 음식이며 잠자리를 보살펴 주었다. 또한 가문이나 자신을 기다리고 있을 월칠 등에게 연락하려 하지도 않았다.

아마 가문 내에서 제갈월과 대립하고 있는 이가 내 신분을 드러내어 제갈월의 지위를 위협할 구실로 삼을까 두려워서겠지.

여기까지 생각한 초교는 냉소했다. 나는 이런 극단적인 생각으로, 나 자신을 속이려 하고 있구나. 사실 이 모든 일이 어떤 연유에서 비롯된 것인지 알고 있으면서도.

초교는 스스로를 비웃으며 생각했다. 그녀는 그저 그 연유를 인정하고 직시하고 싶지 않다고. 그래서 그녀는 그저 눈을 감고, 조용히 시간이 흐르기를 바라고 있을 뿐이었다.

그는, 번잡하지 않은 환경에서 나와 함께 있고 싶은 것뿐이겠지.

세속의 보통 사람들처럼. 제갈가의 주군이 아닌 그 자신으로, 연순의 수하가 아닌 초교와 시간을 보내고 싶은 것일 게다. 서로 대립하지 않고, 원한을 내려놓고, 결코 해결할 수 없는 갈등을 지운 채, 그리고 그들이 속한 현실과 도저히 버릴 수 없는 책임에서 벗어나서.

그들이 살아가는 동안, 이런 기회는 아마 이번 단 한 번뿐일 테니까.

초교는 천천히 눈을 감았다. 어서 잠들고 싶었다. 어떤 일들은 떠올리는 것만으로도 너무 괴로웠다. 그녀는 모든 것을 이해할 수 있었지만, 그에게 어떤 대답도 해 줄 수가 없었다.

그들은 이 세상에 살고 있었다. 그들 각자에게는 원하는 길이 있었다. 그들은 처음부터 자신만의 출발점에 서 있었고, 8년에 걸쳐 서로에게서 점점 더 멀어져 갔다. 그들은 점점 더 냉정하고 이성적인 사람들이 되어 갔다.

초교는 천천히 잠에 빠지면서 자조하듯 웃었다. 이런 생각들이 다 무슨 소용 있을까. 어쨌든 지금은, 그녀로서는 그에게 선을 그을 방법조차 없었다.

제갈월이 돌아왔을 때 초교는 깊이 잠들어 있었다. 방 안에는 그녀의 얕은 호흡 소리와 여인 특유의 향기가 가득했다. 제갈월은 커다란 쟁반을 들고 있었는데, 그 위에는 접시 여럿과 술이 한 병 있었다.

그는 음식을 차려 놓은 뒤, 탁자 옆에 앉아 술을 한 잔 따랐다. 음식을 사 온 가게는 크지 않았지만 맛은 꽤 괜찮은 듯했다. 접시 위에 덮개를 씌워 놓았지만 계속해서 맛있는 냄새가 코를 자극했다. 술도 아주 진하고 향기로워, 한 모금 마시니 온몸이 따뜻해졌다.

석양이 불처럼 붉은 빛을 방 안에 뿌려 그의 몸을 비추면서 바닥에 긴 그림자를 하나 남겼다.

그는 천천히 술을 마시며 계속 앉아 있었다. 해가 서서히 산 아래로 지고, 거리에는 등불이 밝아지고, 사람들이 오가는 소리로 시끌벅적했다. 그러나 다시 시간이 흐르자 마침내 고요해졌다. 칠흑 같은 어둠 속에서 모든 이가 꿈에 빠져들었다. 오로지 그만이 등불도 켜지 않고 말없이 어둠 속에 조각상처럼 앉아 있었다. 그저 간간이 손을 움직여 술병과 술잔 사이를 움직일 뿐이었다.

초교는 깊은 밤에야 잠에서 깨어났다. 누군가가 머리를 수많은 못으로 내려치는 것처럼 아팠다. 그녀는 몽롱한 눈으로 물을 찾다가 어둠 속에 있는 그 그림자를 발견했다.

그녀는 바로 다리에 있는 비수를 어루만졌다. 몸이 이렇게 허약해져 있는 상태에서도, 그녀는 민첩한 표범처럼 순간적으로 튀어 올랐다. 그러나 그녀는 곧 상대가 누구인지 알아채고, 비수를 내려놓으며 어둠 속의 남자에게 말을 걸었다.

"제갈월?"

"그래."

그는 상당히 술을 많이 마신 것 같았다. 방에는 술 냄새가 가득 배어 있었다.

"물 마실래?"

초교가 고개를 끄덕였다. 그리고 그가 자신을 보지 못할 거라는 생각이 들어 다시 입을 열려고 했을 때, 입가에 잔이 다가왔다.

그녀는 잔을 받았다. 아주 따뜻해서 심지어 손을 델 것 같았다. 잔은 아주 작았지만, 초교는 두 손으로 잡고 한 모금 마셨다. 그리고 마른 입술을 축이면서, 막 잠에서 일어난 가라앉은 목소리로 물었다.

"왜 불을 켜지 않고?"

방 안은 아주 고요했다. 심지어 독주가 제갈월의 목을 타고 넘어가는 소리까지 들릴 정도였다. 한참 후, 그가 담담하게 말했다.

"어두울 것이 좋아."

초교가 진지하게 물었다.

"제갈월, 언제쯤 나를 초교라 부를 거지?"

남자는 차갑게 코웃음 쳤다.

"꿈도 꾸지 마."

"당신이라는 사람은, 너무 고집스러워."

그러나 말을 마친 그녀는 갑자기 자조하듯 웃기 시작했다.

"그런데 사실 나도 당신과 같아. 나도 아주 고집스럽지. 그러니까 내가 한번 결정한 일을 번복하는 일은 결코 없어."

제갈월은 대답하지 않았다. 초교는 어쩐지 기분이 아주 좋았다. 그녀는 아주 작은 목소리로 속삭이기 시작했다.

"사실 당신은 나쁜 사람은 아니지. 성격이 좀 괴팍하긴 하지만. 좀 잔인하긴 하지만. 동정심도 좀 없는 편이지만. 그리고 음, 교활하게 굴 때면 사람을 좀 괴롭게 만들지만. 그거 말고는 괜찮은 사람이지. 어차피 이 세상에 잔인하지 않은 사람이 있을까? 이 세상이 이런데, 대체 누가 손에 피를 묻히지 않고 살수 있겠어? 당신이 다른 사람을 먹어 치우지 않으면 다른 사람이 당신을 먹어 치우겠지. 나는 지금까지 대체 몇 명의 목숨을 빼앗았는지도 기억하지 못해. 제갈월, 당신은 기억해?"

초교는 그의 답을 기다리지 않고 자문자답했다.

"당신은 기억하겠지. 당신은 신분이 높으니 직접 죽인 사람이라고 해 봤자 그저 잘못을 저지른 하인들 몇몇뿐일 테니까. 하지만 나는 기억하지 못해. 이 반년 동안, 내 손에 죽어 나간 사람의 수는 일생 동안 내가 대화를 나눈 사람의 수보다 많아. 내가 매번 손을 들어 칼을 내려칠 때마다, 머리 하나가 사라져. 그들의 피는 항상 뜨겁게 내 얼굴에 튀어 오르고, 그때마다 벌겋게 타오르는 숯에 데는 느낌이야. 서북 일대에서 나를 부르는 별명이 있어. 무슨 혈나찰이라던가. 요성의 총령대인은…… 제씨 성을 가진 사람인데, 내 석상까지 만들어서 성문 앞에 세워 놓았다더군. 그리고 성에 들어오는 사람마다 내 석상에 침을 뱉으라고 명령했어. 만약 침을 뱉지 않으면 성에 들어가지 못한다나. 최근 나는 도망을 치면서 관부의 추격병들 외에도 그런 백성들을 조심스럽게 피해 다녀야 했어. 진황성에서 도망쳐 나온 후, 한 번은 내가 꽤 큰 상처를 입었지. 그때 한 노부부가 나를 구해 주었어. 이미 팔순이 넘은 분들이었는데, 아주 자상하고 상냥한 분들이었지. 그분들은 내 상처를 치료해 주고, 집에 있던 유일한 늙은 암탉을 잡아 나에게 탕을 끓여 주었어. 그리고 그분들은 내 내력을 묻지 않았어. 그분들은 그저 내가 강도를 당했다고 생각하신 거야. 관에 고하러 가라고 계속 그러시더군. 다음 날, 그 노인이 나를 위해 약을 사러 시장에 다녀왔지. 그분이 돌아왔을 때 안색이 크게 변해 있었어. 하지만 그때 나는 무슨 일이 벌어졌는지 몰랐지. 그날 밤, 그들은 낫을 들고 내 방으로 들어왔어. 그리고 미친 듯이 침상 위를 난도질

하더군. 그때야 알게 되었는데, 아들이 오래전 대하 황제에게 징집당했다고 하더군. 몽 장군의 연북 토벌군에 말이야. 그리고 연북 고원에서 죽었다고 했어."

추교의 얼굴이 점차 차가워지더니, 마침내 냉소하기 시작했다.

"나는 그들을 죽여 버렸어. 그들이 너무 격동적이라 도저히 그냥 빠져나올 수가 없어서, 결국은 그들을 죽이고 말았어."

"네 인의는 가짜였군."

차가운 목소리가 갑자기 울려 퍼졌다. 제갈월은 여전히 탁자 앞에 앉은 채 조소하듯 말했다.

"네 솜씨라면, 나이 먹은 노인 둘을 제압하는 거야 식은 죽 먹기였을 텐데. 단지 그들이 관아에 달려가는 것이 무서웠던 거겠지. 그리고 스스로를 위해 이런 혐오스러운 핑계를 찾는 거고."

"나는 핑계를 찾는 것이 아니야."

초교도 화를 내지 않고 그저 조용히 반박했다.

"그때 나는 중상을 입은 상태였어. 화살 한 대가 내 허벅지를 관통한 상태였거든. 그때 나에게 선택은 두 가지밖에 없었어. 그들을 죽이든가, 아니면 내가 그들에게 죽어 주든가."

제갈월은 그렇게 여기지 않는다는 듯 가볍게 웃었다.

"성아, 그렇다면 네가 그리한 것이 나와 어떤 차이가 있지?"

"그래, 처음에는 나도 그렇게 생각했어."

초교가 가라앉은 목소리로 말했다.

"하지만 나중에는 그렇게 생각하지 않게 되었어. 당초 몽 장군이 연북과 전쟁을 시작했을 때, 그건 침략이고 학살이었어. 대하는 인간의 도리를 저버리고 연북을 짓밟았지. 그 노부부의 아들은 군대에 들어가 결국은 다른 이의 고향을 침범한 거야. 침략을 당한 이들이 어떻게 반항하지 않을 수 있겠어? 그 전쟁에서 연북의 사상자는 셀 수 없이 많았어. 연북군도, 백성들도⋯⋯. 연북의 모든 세력이 참혹하게 학살당했지. 연북은 대하보다 훨씬 큰 손상을 입었어. 그러니 나는 그들에게 미안할 이유가 없는 거야. 나는 그들의 집에서 상처를 치료했고, 보답을 하려 했지. 하지만 그들은 나를 죽이려 했어. 내 잘못이 아닌 것에 대한 원한을 품고. 그렇다면 나는 앉은 채로 죽음을 기다려야 했던 걸까? 그들에게 가만히 머리를 내밀어 주었어야 했을까? 나는 사람들을 죽였지만, 함부로 죽인 적은 없어. 나는 백성들을 연민하지만, 그렇다고 해서 성인도 아니야."

초교의 목소리가 점차 단호해졌다.

"연북과 대하의 전쟁은 피할 수 없을 거야. 그리고 상당히 오래 끌게 되겠지. 하지만 이 전쟁에서 사람들이 죽는다 해도 아무 가치가 없는 것은 아니야. 그들은 정의와 자유를 위해 싸울 테니까. 언젠가는, 홍천에 새로운 나라가 생겨날 거야. 그 나라에서는 모두가 자유와 평등을 얻게 될 거고, 법과 안녕을 얻게 되겠지. 더 이상 지금처럼 인간의 도리라는 것이 사라진 세상이 아니게 될 거야. 그날을 위해서라면, 내가 하는 모든 일은 가치가 있어."

제갈월이 갑자기 냉소했다.

"성아, 나는 계속 너를 높이 평가해 왔는데, 이렇게 황당한 말을 할 거라고는 상상도 못했군. 자유와 평등? 법과 안녕? 너도 혹시 대동의 신도가 된 것이냐? 너도 그 허무맹랑한 대동의 밍싱을 끼기 시파한 꼬야이기?"

"아니, 아니야. 나는 정신이 아주 맑은 상태야. 이 세상에 이익이라는 것이 존재하는 한, 진정한 평등이 영원히 오지 않는다는 것도 알아. 하지만 우리는 모든 것을 좋은 방향으로 이끌 수 있어. 천천히 앞으로 나갈 수 있을 거야."

초교는 가라앉은 목소리로 말했다.

"최소한, 예전에 제갈부에서 있었던 모든 일들, 잔인한 살인, 하대, 사람을 짐승 취급하는 그런 일들은 더 이상 없게 될 거야!"

"너는 정말 연순이 그런 일들을 할 수 있다고 믿는 건가?"

제갈월이 가볍게 눈썹을 치켜세우며 무시하듯 웃었다.

"아니면 대동회의 그 늙은이들이, 그들이 외치는 구호대로 정말 그렇게 공평무사하리라고 믿는 건가? 한번 권력의 맛을 본 인간은, 결코 그것을 버리려 하지 않아. 연순이 대하를 전복하고 제위에 오르는 일이 생기더라도, 왕조가 바뀌는 것일 뿐, 한 시대의 종결은 아닐 것이다. 성아, 네가 만약 연순이 천하를 쟁패하겠다는 야심을 품었다는 사실을 받아들일 수 없어 그렇게 이야기하는 거라면, 차라리 그가 원한을 풀고 싶어 한다고 생각하는 것이 나을 것이다. 그리고 그렇게 이야기하면 내가 듣기에도 조금은 괜찮겠지. 그렇게 겉으로만 번지르르한 구호를 그에게 덮어씌우지는 말아라. 정말이지 혐오스러우니까."

초교의 안색이 살짝 변했다. 한참 후, 그녀는 여전히 확고하게 말했다.

"나는 그를 믿어."

제갈월이 미간을 찌푸리며 뚫어져라 그녀를 바라보았다.

"나는 그가 나를 실망시키지 않을 거라 믿어."

초교는 담담하게 웃었다.

"나는 그의 곁에서 그를 도울 거야. 그의 손으로 그 위업을 완성하는 것을 보고 말 거야. 제갈월, 당신도 지켜보도록 해."

그 순간, 어둠 속에 등불이 하나 켜진 것만 같았다. 그 빛은 제갈월의 눈을 찌를 것처럼 너무나 밝았다. 그리고 문득 깨닫고 말았다. 그의 눈앞에 있는 여자는 사실 아주 연약하고 아주 바보 같은 사람이었다. 그러나 그는 더 이상 그녀의 고집을 비웃고 싶지 않았다.

제갈월은 그저 묻고 싶었다. 만약 언젠가 연순이 정말 너를 실망시킨다면, 너는 어떻게 할 작정이지?

그러나 제갈월은 묻지 않았다. 그렇게 묻는 것은 조금 잔인할 것 같았다. 그렇다. 아주 잔인했다.

성아는 아직 열일곱도 되지 않은 나이였다. 그의 가문의 여동생들은 지금 무엇을 하고 있을까? 진황성의 그 귀한 가문 아가씨들은 지금 무엇을 하고 있지? 연지와 분을 바르고, 꽃을 감상하고, 각 가문 젊은이들에 대해 이야기하고, 혹은 사람들 몰래 사치스러운 침상 위에서 몰래 사귀는 남자와 함께 사랑을 나누고 있다거나…….

그리고 성아는 그런 달콤한 생활과는 거리가 멀었다. 그녀는 오랜 세월 피비린내 나는 비바람을 겪어 냈다. 단지 신념 하나를 위해서. 그녀는 권력도 없고, 의지할 친지 하나 없는 외로운 신세였다. 성아에게 신념이란 이미도 그녀가 살아가기 위해 움켜쥘 수밖에 없었던 마지막 희망이었을 것이다.

좋다. 성아, 내가 지켜보겠다. 네가 기대하는 그 남자가 마지막 순간까지 네가 바라는 대로 할 것인지. 만약 정말 그런 날이 온다면, 나, 제갈월은 가문의 모든 재물을 쓰는 한이 있다 해도, 백만 개의 불꽃을 터뜨려 네 소원이 이루어진 것을 축하해 주마!

"연북."

제갈월은 고개를 젖혀 독주를 한 잔 마셨다. 목을 타고 내려가는 술이 마치 칼처럼 아프게 속을 긁어 왔다.

그는 다시 한 번 담담하게 중얼거렸다.

"지켜보겠다."

다음 날 아침, 충분히 일찍 나갔음에도 불구하고, 그리고 아무리 많은 금이라도 내놓을 각오가 되어 있었음에도 불구하고 제갈월은 단 한 필의 말도, 한 량의 수레도 구하지 못했다. 말 시장에 있는 말 전체가, 심지어 말을 파는 이들이 타는 말조차도 밤사이에 누군가에게 전부 약탈당했다는 것이다.

제갈월은 너무 화가 난 상태로 다른 가축이라도 사려고 했다. 예를 들자면 나귀, 노새 등등. 그는 심지어 눈을 낮출 만큼 낮추어 소라도 구해 보려 했다. 그러나 결과는 모두 같았다.

이때, 초교는 객잔 2층의 방 안에 앉아 있었다. 표국의 인마가 계속 오가는 것을 지켜보던 그녀가 미간을 가볍게 찌푸렸다. 좋지 않은 낌새를 알아차렸던 것이다.

제갈월이 돌아왔을 때, 두 사람은 시선을 교환하고 아무 말도 하지 않았다.

류희의 대오가 성을 나갈 때, 그들의 일행은 더 이상 예전의 4, 5백 명이 아니었다. 대오의 앞이 성을 나갈 때, 뒤쪽에 있는 이들은 아직 말에 오르지도 못할 정도로 사람이 많았다. 족히 2천은 넘어 보였다. 양식, 건초, 금은보화를 실은 마차만 300량이 넘었다. 대오에는 수많은 부녀자와 아이들도 섞여 있었는데, 대부분 비싸 보이는 옷을 입고, 수많은 마차들에게 둘러싸여 있었다. 이 모습만으로도 극히 장관이었다.

초교와 제갈월은 대오의 가장 끄트머리 자리에 배정되었다. 두 사람은 낡은 마차에 올라탔다. 이 마차는 급히 새로 사 온 것 같았는데, 안에서는 참기 힘든 악취도 났다.

그들의 걱정은 아무 필요 없는 것으로 판명 나고 있었다. 현재 그들의 입장으로는 류가의 도련님 근처에 갈 기회조차 없었으니까.

아침 무렵, 초교는 짐을 옮기는 하인 몇몇 뒤를 따라가다가 멀리 남색 비단옷을 입은 남자가 시위들에게 둘러싸인 채 마차에 오르는 것을 보았다. 안백의 날씨는 이미 매우 더웠지만, 남자는 폭이 넓은 바람막이를 걸치고 있었다. 남자는 모자로 얼굴을 반쯤 가리고 있는 데다 아침 안개 때문에 모습을 제대로 볼 수 없었다. 그러나 그 남자의 모습을 본 순간, 갑자기 초교의 심장이 덜컹 내려앉았다. 그녀는 자신도 모르게 발걸음을 멈추고, 남자가 웅장하고 화려한 마차 위에 오르는 것을 비껴 보며 오래도록 움직이지 않았다.

"왜 그러는 거야?"

제갈월이 그녀에게 다가와 물었다.

"아, 아무것도 아니야."

초교가 자조하듯 웃으며 고개를 저었다. 자신의 머릿속에 떠오른 생각을 얼른 지우려는 듯이.

"가자."

마차가 천천히 안백성을 떠났다. 초교는 창가에 엎드린 채 휘장의 끄트머리를 걷어 올리고, 얼굴에 쓴 얇은 면사 너머로 밖을 바라보았다.

"아, 맞아."

그녀는 갑자기 생각이 났다는 듯 작은 보따리를 제갈월에게 내밀었다.

"아침에 객잔 사람을 시켜 사 오게 했어."

제갈월이 보따리를 받아 열어 보니, 모래먼지를 막기 위한 모자가 들어 있었다. 비록 모자를 쓰고 다니기엔 부적합한 계절이지만, 이것은 아주 얇은 천으로 만들어져, 쓴다 해도 그렇게 덥지는 않을 것 같았다.

"조심해서 나쁠 것은 없으니까."

초교는 작은 소리로 말하며 담담하게 웃었다.

"그걸 쓸 기회도 없을 것 같지만 말이야."

2천이 넘는 인마, 수백 량의 마차가 길을 끊임없이 가득 채우고 있었다. 초교가 있는 뒷자리에서는 대오의 앞쪽은 아예 보이지도 않았다.

제갈월이 모자를 옆에 내려놓고, 손은 계속 모자 위에 둔 채 말했다.

"현양의 상인들이 도망치는 중이군."

초교가 희미하게 웃으며 말했다.

"당신도 알아봤군."

"연북과 대하의 전쟁이 임박했으니, 늙은 여우들이 바로 변당으로 몸을 피하려는 거겠지. 감히 대규모로 현양을 떠나지는 못하고, 분산해서 떠나온 거겠지. 그리고 안백에 도착한 후 서로 함께 모여, 이제부터 계속 당경까지 함께 갈 생각이겠지. 마차며 수레들 안에는 아마 저들이 평생 모은 재산이 실려 있을 것 같군."

"그래, 그들은 휘말리고 싶지 않은 거겠지."

초교는 담담하게 고개를 끄덕이며 중얼거렸다. 하지만 겉보기와 달리 그녀는 마음속으로 당황하고 있었다. 그녀는 그들이 어떻게 가문을 일으켰는지 너무나 잘 알고 있었다. 그런데 지금, 그들이 도망치고 있었다.

아침 안개 속 남자의 그림자를 떠올리자 마음속에 갑자기 커다란 불이 난 것 같았다. 초교는 마차에서 뛰어내리고 싶었다. 그 남자를 찾아 확인하고 싶었다. 그러나 그녀는 어쩔 수 없다는 듯 고개를 젓고 흔들리는 마차에 기댔다.

아마 내가 너무 피곤하기 때문이겠지. 진황에서부터 계속 무리하며 버티다 보니, 이렇게 한산까지 보게 된 것은 아닐까?

그리고 연순, 그들이 도망치고 있어. 바로 내 앞에서. 나는 대체 어떻게 해야 하는 걸까? 내가 어떻게 하면 저들을 막을 수 있지? 내가 대체 어떻게 해야 하지?

이미 한여름이었기에 낮은 아주 길었다. 일행은 계속 길을 가다가, 태양이 서쪽으로 저물기 시작할 무렵 한 산골짜기에 행장을 풀고 불을 피워 밥을 지었다.

초교와 제갈월은 작은 막사 하나를 받았다. 앉아 있어도 머리가 부딪칠 만큼 낮고 작은 막사였다.

그들은 하인들 틈에 머물게 되었다. 하인들에게 물어보니 이 대오는 현양의 류씨뿐 아니라 왕씨, 가씨, 구양씨 등도 함께 하고 있다고 했다.

하루 종일 마차 안에서 흔들렸기 때문에 초교의 몸 상태는 더욱 나빠져 있었다. 막사 안의 공기가 좋지 않았기 때문에, 제갈월은 그녀를 부축해 낮은 나무 그루터기에 기대게 했다. 그리고 자신은 토끼를 한 마리 사 와 불을 피웠다. 얼마 지나지 않아 맛있는 고기 냄새가 공기 중에 떠돌기 시작했다.

제갈월이 구워진 고기 조각을 뜯어 초교의 입가에 가져다 댔다. 그녀가 입을 벌려 바로 한입 물려고 하자, 제갈월이 그녀의 이마에 딱밤을 튕겼다.

"뜨겁다고! 입을 데겠어!"

"아."

초교는 미소 지으며 제 뺨을 가볍게 두어 번 두드린 후, 손으로 고기를 받아 들었다. 고기는 아주 신선하고 맛있었다. 그녀는 자신도 모르게 엄지손가락을 쳐들며 칭찬했다.

"당신에게 이런 재주가 있을 줄은 상상도 못했는데."

"산에서 몇 년 있으면서 배운 거지."

제갈월은 비수를 사용하여 고기를 한입 크기로 잘라 한 조각 한 조각 초교에게 건넸다.

이미 밤이 되어 있었다. 햇빛은 친친히 어둠 속에 묻히고 별이 찬란하게 떠오르고 있었다. 매미 우는 소리에 더해, 간간이 종달새며 두견새의 울음소리가 들렸다. 산골짜기는 조용했고, 먼 곳에 시위들이 바삐 오가는 것만 보였다. 초교의 마음속이 평온한 아늑함으로 가득 찼다.

초교는 풀숲의 공기를 깊이 들이마시고, 도취된 듯 미소 지었다. 그러더니 어린아이처럼 갑자기 소리쳤다.

"그리웠어!"

제갈월이 물었다.

"무엇이 그리웠지?"

"이 감각이 그리웠어."

초교는 나무 그루터기에 기대 평화롭게 미소 지으며 조용히 말했다.

"길게 자란 풀, 푸른 나무, 광야에 막사를 치고 모두 함께 모여 불을 피우고 밥을 짓는 거. 그리고 모닥불을 둘러앉아 함께 이야기하고, 술을 조금 마시고, 또 잡아 온 산토끼를 먹고. 내 익을 위해, 생존을 위해 전투를 벌이고 거정한 핀요 없는 나날들이 그리웠어."

제갈월이 조용히 그녀를 바라보며 물었다.

"그런 나날들을 지내 본 적 있나?"

"당연하지."

초교가 고개를 들고 차분하게 웃으며 말했다.

"아주 예전 일이지만. 나와 친구 세 사람이 이런 산골짜기에 함께 있었지. 그때도 이렇게 구운 토끼 구이를 먹었어. 아, 하지만 우리 요리 솜씨가 당신보다 좋았어. 향신료도 당신보다 많이 갖고 있었고."

"흥!"

제갈월은 무시하듯 코웃음 치며 머리를 돌렸다.

"소시는 프랑스의 유명 주방장에게 직접 요리를 배웠으니까 솜씨가 일류였지. 그중에서도 고기를 굽는 데 정통했거든."

제갈월이 눈썹 끝을 치켜세우며 나지막하게 물었다.

"프랑스? 주루 이름인가?"

"응?"

초교가 웃으며 고개를 끄덕였다.

"응, 주루 이름이야."

제갈월이 무시하듯 입술을 비죽였다.

"이름도 들어 본 적 없는 곳인데? 아무리 봐도 유명한 주루는 아닐 것 같군."

먼 곳에서 거대한 모닥불이 타오르는 것이 보였다. 화르륵 불타는 소리와 함께 시끌벅적해졌다.

"계속 말해 봐."

"응?"

초교가 당황하여 반문했다.

"계속 이야기해 보라고. 우린 어차피 빈둥거리는 중이니까."

제갈월이 토끼 고기를 썰면서 말했다.

"네 친구들 이야기 말이야."

"아."

초교가 고개를 끄덕였다. 왜인지 모르게, 오늘 밤 그녀는 살짝 우울했다. 아마도 대동회 장로들의 행동 때문에 마음이 상한 것 같았다. 마침 그녀도 다른 일을 떠올려 기분을 전환하고 싶던 차였다.

풀들이 흔들리고, 밤하늘이 낮게 내려앉았다. 초교가 평온한 어조로 이야기하기 시작했다.

"그녀들은 나보다 무술이 뛰어났어."

제갈월이 눈 끝을 치켜세웠다.

"모두 여자였다고?"

"그럼."

초교는 그를 살짝 흘기며 말했다.

"여자라고 무시하지 말라고."

제갈월은 대답하지 않았다. 그러나 초교는 신경 쓰지 않고 계속 이야기했다.

"하지만 그건 그때 이야기고, 만약 지금 겨룬다면 아마 별로 치이 나지 않을 거야. 소항은 사격에 능했고, 아, 그러니까 활 쏘기 말이야. 소시는 근접전에서 가장 뛰어났어. 혼자서 무술이 뛰어난 사내 열일곱을 쓰러뜨린 적도 있으니까. 묘아는 무예 자체는 그들 두 사람에 미치지 못했지만, 살인의 기교에 있어서는 가장 뛰어났지."

제갈월이 살짝 눈썹을 치켜세웠다.

"그럼 너는?"

"나?"

초교가 하하 소리 내어 웃었다.

"나는 전부 다 뛰어났지."

제갈월이 견딜 수 없다는 듯 그녀를 흘겼다.

"허풍을 떨기는."

초교는 화내지 않고 고개를 돌려 물었다.

"제갈월, 혹시 소원이 있어?"

제갈월은 그녀를 보며 미간을 찌푸리더니, 한참 후에 냉랭하게 코웃음 치며 말했다.

"네가 다시는 내 앞에 나타나지 않는 것. 가장 좋은 건 네가 어디 연북 산골짜기에 둥지를 틀고 평생 나오지 않는 거지."

"이룰 수 없는 소원이네."

초교는 마치 매우 일상적인 일을 이야기하고 있는 것처럼 해맑게 웃었다.

"당신들이 연북을 치러 오지 않는다 해도, 우리가 치러 갈 테니까."

"그렇다면 소원을 바꾸지. 연순이 지위도 명예도 잃고, 연북은 파도합 가문에 합병당하고, 너는 사방을 유랑하다가 결국은 우리 가문 문 앞에 와서 밥을 빌어먹는 것을 희망해 보지."

초교가 제갈월을 노려보았다.

"정말이지 악독한 남자야. 하지만 이것도 이룰 수 없는 소원이지."

그러더니 그녀는 가볍게 웃기 시작했다.

"만약 정말로 그런 날이 온다면 그때 나는 아마 이미 전사해 있을 테니까. 내가 당신 집에 밥을 빌러 가는 일은 결코 벌어지지 않을 거야."

제갈월은 갑자기 할 말을 잃은 듯 멍하니 그녀를 바라보며 아무 말도 하지 않았다.

"그때 우리 네 사람도 서로의 소원에 대해 이야기했었지."

초교의 눈빛이 먼 곳, 허공을 바라보고 있었다. 그녀는 자신의 머릿속에만 존재하는 과거를 조용히 회상하고 있었다. 그녀는 두 손으로 뺨을 괴고 속삭이기 시작했다.

"소시는 겉으로 보기에는 아주 차가워 보였지만, 사실 우리 중에서 가장 다정한 사람이었어. 그 애는 인형을 모으는 것을 좋아했어. 왜 그, 아주 비싼 인형 말이야. 그래서 항상 돈이 쪼들리곤 했지. 음, 그리고 소시의 가장 큰 소망은 조직을 떠난 후에, 퇴직금을 목돈으로 받아서 아주 보통의, 하지만 착한 남자에게 시집가는 거였어. 그 애는 항상 좋은 아내가 되고 싶다고 했지. 그 애에게는 어린 시절부터 함께 자란 남자 친구가 있있는데, 만약 그⋯⋯ 일이 없었다면 아마 그 애는 그 소원은 이룰 수 있었을 거야.”

초교의 웃는 얼굴에 갑자기 슬픔이 서렸다. 그녀는 가볍게 입술을 비죽이며 말했다.

“소황은 아주 떠들썩한 성격이었고, 집안 조건도 좋은 편이었지. 모험 정신이 아주 강했고. 그 애는 그때 높은 산을 오르려고 준비하고 있었어. 그 애의 소원은 세상에서 가장 높은 산꼭대기에 자신의 이름을 새기는 거였거든.”

초교는 잠시 멈췄다가 계속 말했다.

“묘아의 소망은 언제나 아주 간단했어. 바로 돈이었지.”

여기까지 이야기한 초교는 갑자기 작은 소리로 웃었다.

“묘아는 정말 돈을 탐했지. 성격이 대담하기도 했고. 묘아에게 조직에 대한 충성 같은 건 없었지만, 돈을 위해, 임무라면 뭐든 받아서 했어. 묘아는 그래야만 가족들을 가까스로 부양할 수 있다고 했어.”

제갈월이 가볍게 눈썹을 치켜세웠다.

“그럼 너는?”

“나?”

초교가 살짝 멈칫하더니, 아주 한참 후에야 천천히 말하기 시작했다.

"모르겠어. 그때 나는 임무 하나를 계획하고 있었어. 그때 내 소원은 그저 일이 순리대로 풀려서, 빠르게 임무를 완성하는 거였지."

제갈월은 자못 무시하듯 코웃음을 쳤다. 그러자 초교가 고개를 돌리더니 미소 지으며 말했다.

"사실 나는 항상 이랬어. 별다른 소원도 없고, 사람됨도 너무 맹목적이고, 융통성도 없고. 그저 나 자신의 믿음이 정확하기만을 바랄 뿐이야. 내가 이 목표를 평생 지니고 갈 가치가 있기를, 평생 이 목표를 위해 분투하고 노력할 가치가 있기를. 예를 들자면……"

초교는 잠시 말없이 생각하다가 입을 열었다.

"당신이 나에게 빚을 지면 내가 그만큼 받아 올 거고, 내가 당신에게 빚을 지면 나는 당신에게 그만큼 돌려줄 거야."

"나는 그 묘아라는 친구가 상당히 마음에 드는군."

제갈월이 담담하게 말했다.

"네가 이야기한 조직은 대동회겠지. 언제 기회가 되면 묘아라는 친구를 나에게 좀 소개해 주면 좋겠군."

초교는 말없이 고개를 흔들며 쓰게 웃었다.

"기분이 정말 이상하네. 당신과 이런 이야기를 하고 있다니."

제갈월이 코웃음 쳤다.

"내가 이야기하라고 핍박한 것은 아니지."

이때였다. 갑자기 조심스러운 발걸음 소리가 들려왔다. 제갈월과 초교가 예민한 감각으로 바로 고개를 들었다.

발걸음 소리의 주인은 대여섯 살로 보이는 어린 소녀였다. 붉은 옷을 입고, 머리를 양 갈래로 땋아 내리고, 작은 얼굴은 통통했다. 소녀는 손가락을 입에 물고 제갈월의 손에 들린 토끼 고기를 눈이 빠지도록 바라보고 있었다.

이 일행들 중에는 대부호 출신의 주인을 따르는 노비들도 아주 많았다. 그리고 가노들 역시 자신의 가족을 데리고 이동하는 중이었다. 이 아이도 아마 어느 하인의 자식일 것이다.

제갈월은 미간을 찌푸렸지만, 초교는 손을 흔들며 아이에게 말했다.

"이리 오렴!"

아이는 갑자기 즐거운 듯 두 손을 활짝 펼치고 뛰어왔다. 초교는 꼬마의 포도알 같은 눈을 바라보며 생긋 웃었다.

"몇 살이지?"

아이는 약간 겁이 나는 듯 제갈월을 힐끔거리며 대답했다.

"여섯 살이에요."

"이름이 뭐지?"

아이는 초교를 매우 친근하게 느끼는 듯, 입 안의 손가락을 빼고 말했다.

"전 성성星星이에요."

아이의 말이 떨어지자마자 두 사람은 살짝 당황했다. 제갈월이 그 아이를 흘깃 보더니 가라앉은 목소리로 말했다.

"돌아가 네 부모에게 말해라. 이후로는 그 이름을 쓰는 것을 허락하지 않겠다고!"

아이는 제갈월의 그런 태도에 깜짝 놀란 듯했다. 입술을 비죽이며 눈을 깜박거리는 것이 곧 울 것 같았다.

"대체 왜 애를 놀라게 하는 거야!"

초교가 제갈월에게 인상을 쓰더니, 아이를 잡아끌어 작은 소리로 이야기하기 시작했다. 한참 노력한 끝에야 그녀는 겨우 아이를 다시 웃기는 데 성공했다.

제갈월은 초교가 아이와 깔깔거리는 모습을 지켜보았다. 이상했다. 그가 아는 초교라면 결코 이런 모습을 보일 리가 없었다. 그녀는 냉정하고, 조용하며, 심상치 않은 상황에서도 언제나 태연자약하게 굴었고, 지혜로운 동시에 교활했다. 보통의 여인이라면 갖고 있을 따스한 감정은 아예 가져 본 적이 없는 것 같았다.

초교와 함께 동행하기 시작한 후로 그는 그녀에게서 점점 더 많은 부분을 발견하고 있었다. 어쩌면…….

제갈월은 자조하듯 웃고 말았다.

예전의 그녀는 정말 계속하여 연기를 하고 있었던 것은 아닐까. 예전의 그녀에게 그는 적이었고, 그래서 단 한 순간도 진심이었던 적이 없었는지도 모른다. 어쩌면 초교는 지금도 온전하게 자신의 진면목을 내보이고 있지 않은지도 모른다. 그녀는 지금 중상을 입은 상황에서도, 여전히 무기를 몸에서 떼지 않고 조심스럽게 경계하고 있었다.

그녀와 그 사이에는 신뢰라고 말할 만한 것이 존재하지 않았다. 아니, 그녀는 스스로 말한 것처럼 자신에게 그저 빚진 것을 돌려주고 있는 중인지도 모른다.

제갈월의 눈길이 우울해졌다. 그의 입가에 냉소가 떠올랐다.

하지만, 제기랄.

왜인지 모르지만 제갈월은 지금 초교의 이 모습에, 지금의 이 느낌에 어쩐지 미련을 느끼고 있었다.

이때, 아이가 제갈월에게 다가오더니 매우 뻔뻔스럽게 그의 소매를 잡아당겼다. 그리고 그가 손에 들고만 있던 토끼 고기를 가리키며 물었다.

"계속 먹을 거예요?"

제갈월은 귀찮은 나머지 고기를 아이에게 줘 버리고 말았다. 아이는 활짝 웃으며 그에게 말했다.

"좋은 사람이야!"

그러더니 초교 곁으로 돌아가 통통한 두 다리를 쭉 펴고, 땅 위에 털썩 주저앉아 거침없이 그녀와 고기를 나눠 먹기 시작했다.

잠시 후, 누군가가 아이의 이름을 부르는 소리가 들렸다. 아이가 제자리에서 일어나더니 자신을 부르는 사람을 향해 달려가며, 고개를 돌려 초교와 제갈월에게 인사했다. 아이의 해맑은 웃음소리는 계속 어두운 밤의 미풍을 타고 메아리쳤다…….

바로 이 평온하기 그지없는 순간, 갑자기 사람들의 비명 소리가 들려왔다. 그 비명 소리가 어찌나 참혹한지, 사람들의 귓가에 천둥이 울리고 있는 것만 같았다. 그리고 이날 밤, 초교와 제갈월이 있던 산골짜기뿐 아니라 현양성에서도, 하늘마저 놀라게 만들 고함 소리가 울려 퍼지기 시작했다.

제8장 차가운 밤의 온정

어두운 금빛 장포를 걸친 준수한 남자가 긴 침상에 비스듬히 앉아 있었다. 무희 두 명이 그의 품 안에서, 옥과 같은 손가락으로 윤기 나는 포도알을 집어 남자의 입에 넣어 주고 있었다. 두 무희 모두 매력적인 눈매에 뱀처럼 유연한 몸매가 돋보이는 미녀들이었다.

"사야!"

얼굴이 붉게 달아오른 시위가 문밖에서 외쳤다. 검은 옷을 입고 있었기에 겉으로 보기에는 아무렇지 않았지만, 시위가 방 안으로 들어오는 순간 혐오스러운 피비린내가 훅 끼쳐 왔다. 시위가 무릎을 꿇고 낭랑하게 외쳤다.

"일을 모두 처리했습니다."

현양성의 명성 높은 풍 사야는 가볍게 눈가를 치켜세우며 말했다.

"다 끝냈으면, 모두 돌아가 쉬도록 해라."

이날 밤, 현양성에 남아 있던 부호들은 거대한 재난을 맞이했다. 양은 헤아릴 수 없는 선혈이 적수로 흘러 들어가다 귀에 들리느니 모두 비명 소리라 현양성의 백성들은 밤새 잠을 이루지 못했다. 그러나 현양성 아문을 지키는 병사들은 마치 아무것도 보이지 않고 들리지 않는 양, 아문의 대문 앞에 무릎 꿇고 있는 피투성이가 된 사람들을 모른 척했다.

사람들은 점점 더 많이 아문으로 몰려들었고, 아문은 어쩔 수 없이 '지방 보호 세력'에게 연락했다. 풍 사야는 대담하게도, 청렴하다고 자부하는 성주의 잠을 깨웠다. 성주는 즉시 수하들을 풀어, 피투성이가 된 사람들에게 '도리'를 잘 설명해 돌려보내도록 했다.

다음 날 아침, 태양이 긴 어둠을 헤치고 떠올랐다. 밤새 잠을 이루지 못했던 현양성의 백성들이 집 밖으로 나왔을 때는 아무것도 변한 것이 없어 보였다. 거리는 평소처럼 시끌벅적했고, 이웃의 장삼은 여전히 보호비를 요구하며 투닥거리고 있었다. 거리의 이사는 또 여전히 예닐곱 명의 첩을 거느린 채 거리를 산보하고, 오기의 만두집 앞에는 여전히 만두를 사려는 이들이 줄을 서고⋯⋯.

아무것도 변한 것이 없었다. 백성들은 즉시 깨달을 수 있었다. 전날 밤의 시끄러운 사정은 백성들과는 아무 상관 없다는 것을. 그들은 평소와 똑같이 지내면 되는 것이다.

물론 세심한 사람이라면 평소와 다른 것들을 발견할 수 있었다. 예를 들자면, 류원외의 몇몇 가게는 계산하는 사람이 바뀌었다. 어린 하인들을 제외하면, 회계를 맡던 선생도 보이지 않았다.

가 사장의 소금 창고는 어제 불이 났다. 화재를 적시에 진압하기는 했지만, 오늘 파는 소금에서는 훈연한 듯한 향이 났다.

구양의 간판을 내건 전장은 평소보다 한 시진 늦게 문을 열었다. 또한 전장에서 금고를 지키던 이도 보이지 않았다. 전날 밤 갑자기 병이 났다고 했다……

정오가 되었을 때, 풍 사야는 수하를 통해 전갈을 하나 받았다. 그는 그것을 읽은 후 서탁 앞에 앉아 한참 동안 고민하다가, 마침내 몇 마디를 적었다.

젊은 풍 사야는 서신을 밀봉한 후 가장 신임하는 부하에게 건네며, 평소와는 달리 진중한 표정으로 말했다.

"주군께 직접 전해야 한다. 절대로 착오가 있어서는 안 된다."

동풍이 유유히 불어오고, 꽃이 피고 있었다. 1년 중 가장 좋은 계절이 시작되었다.

이때, 고요한 산골짜기에는 모락모락 밥 짓는 연기가 피어오르고 있었다. 대규모의 살육 이후 대오는 아주 많이 줄어들어, 남은 이는 7백이 채 안 되는 것 같았다. 다른 이들은 모두 학살 중에 목숨을 잃었다.

제갈월이 흰죽을 한 그릇 들고 초교에게 다가갔다. 그의 안색도 좋지는 않았지만, 그는 이미 냉정을 되찾고 있었다. 그는 제대로 설 수도 없는 좁은 막사 안으로 들어가 쭈그리고 앉아, 초교를 부축해 일으켰다.

"좀 머어 봐."

초교의 얼굴은 창백했고, 몸은 더욱 허약해 보였다. 그녀가 가라앉은 목소리로 물었다.

"바깥 상황은 어때?"

"어떨 것 같아?"

제갈월은 무시하듯 담담하게 말했다.

"죽어야 할 자들은 모두 죽었고, 죽지 말아야 할 자들도 함께 죽었지. 류가는 식은 죽 먹기로 이 부유한 자들의 재산을 모두 독점했어. 아주 저속하고 뻔한 이야기지."

초교가 살며시 미간을 찌푸리며 물었다.

"류희가, 다른 부호들의 재산을 독점하기 위해 이런 일을 벌였다고? 류희는 죽은 이들의 본가에서 보복할 것이 두렵지 않은 걸까?"

제갈월이 고개를 저었다.

"죽은 이들의 본가 사람들도 아마 이미 이 세상 사람들이 아니겠지."

"당신의 말뜻은……."

"그래."

제갈월이 고개를 끄덕이며 나지막하게 말했다.

"내가 류희라면, 기왕 일을 벌일 거라면 한 번 고생으로 뒤탈을 없애는 쪽을 택할 거야. 구양씨, 가씨, 왕씨의 힘이 각각은 류씨보다 못하지만, 그들이 연합하면 절대 류씨 혼자의 힘으로는 대항할 수 없을 테지. 류희가 이 재물들을 빼앗기로 결심했다면, 그 가문들을 일망타진해 버릴 수밖에 없어. 어젯밤 현양성도 분명 안녕하지만은 못했을 것 같군."

초교가 미간을 찌푸렸다.

"류명준은 류희의 이런 행동에 동의했을까? 현양성에서 류가가 쌓아 온 기반을 철저하게 무너뜨리는 셈일 텐데."

"류명준이 이 일을 지시했을 거라 생각하는 거야?"

제갈월이 가볍게 웃었다.

"성아, 너는 머리도 좋고, 무예도 강하고, 반응도 빠르지. 하지만 너는 사람의 마음이라는 것을 이해하지 못하고 있어. 류희는 반란을 일으킨 거야. 내 추측이 틀리지 않다면, 어제 저녁제일 처음 염라대왕을 만난 것은 바로 류명준이었을 거야."

"류희가 반란을 일으킨 거라고?"

초교는 살짝 당황했다. 그녀는 머릿속으로 현양성에서 만났던 그 젊은이를 떠올렸다. 웃으면 새하얀 이가 드러나던 청년이었다. 꾸준히 연습하여 기마에 자신이 있다며 뛰어난 승마술을 선보이고 있었다. 류명준은 초교에게 조카를 소개하며 큰소리로 웃었다. 그때 류명준은 자랑스러운 표정으로 류희는 아들이나 다름없다고 말했다……

"류희가 무엇 때문에 반란을 일으켰을까? 아마 류희는 일개부호에서 멈추고 싶지 않았겠지. 벼슬길에 나가고 싶은 야심이 있었을 거다. 하지만 대하 정권은 외세를 배척하고, 칠대문벌이 주도적인 지위를 점하고 있으니 대하 조정에서는 기반을 닦기 어려웠겠지. 아무리 노력한다 해도 수십 년 안으로는 류가의 인물이 대하에서 높은 지위에 올라가기는 힘들어. 그러니 류희는 승부수를 던지려 했겠지. 현양성 부유한 이들의 재물을 그러모은 후, 그것을 발판으로 삼아 변당의 상류층으로 들어가는 것으로 말이야. 이 정도 재물이라면, 이번에 변당에 모이는 귀족들 중에서도 류희를 쉽게 무시할 수 있는 사람은 없을 것 같군."

제갈월이 상황을 하나하나 분석해 주었다. 그러나 그의 말들은 초교의 귓가를 바늘처럼 찔러 왔다. 그녀는 제갈월처럼 이렇게 간단하게 결론 내릴 수 없었다. 왜냐하면 그녀는 죽은 이들의 신분을 알고 있었기 때문이다.

류희는 사실 대하의 사람인 것이 아닐까? 그리고 대하의 명을 받아, 대동회가 현양성에 오랫동안 만들어 놓은 기반을 뿌리 뽑기 위해 이런 일을 벌인 것은 아닐까? 겸사겸사 대동회가 오랜 세월 쌓아 온 부도 점거하고 말이다. 물론 류희가 무엇 때문에 변당으로 향하고 있는지는, 초교로서는 짐작도 할 수 없었다.

어쨌든 제갈월은 지극히 총명한 사람이었고, 이 순간, 척후들을 통해 간밤의 학살극을 전해 들은 변당의 관원들도 제갈월과 같은 결론을 내리고 있었다. 류희는 다른 세력들을 깨끗이 제거한 후, 재물을 합쳐 변당으로 향하고 있으며, 그의 목적은 변당에 귀순하여 관직을 사려는 것이라고.

그러나 변당의 관원, 제갈월, 그리고 초교 모두 모르는 사실이 하나 있었다. 바로 지금 사람들이 두려워하고 있는 류희는 이미 며칠 전, 마대 자루에 들어가 바윗덩이와 함께 적수 아래로 가라앉았다는 사실이다.

어찌 되었건 이 학살의 결과에 대해, 누군가는 서둘러 발을 빼려 했고, 누군가는 도무지 진상을 파악하지 못했으며, 누군가는 차가운 눈으로 방관했다. 우둔한 자들은 강도의 짓이라여겨 원수를 갚기 위해 쫓으려 했고, 제갈월이나 이책처럼 총명한 부류는 이 일의 원인을 나름대로 통찰하고 있었다.

그리고 누군가는 이 학살과 관련한 모든 것을 완벽하게 상악하고 있었다. 그 누군가만이, 이 첩첩이 쌓인 관계들을 깨끗하게 정리할 능력이 있었다. 그러나 그는 이 사건의 진상을 지금 밝힐 생각은 없었다. 그는 이 학살극의 진상이 스스로 드러날 때까지, 당분간 감춰 둘 생각이었다.

───➤

산골짜기의 커다란 막사 안, 흰 옷을 입은 남자가 침상에 앉아 있었다. 막사 밖에는 시위들이 단정한 자세로 지키고 있었다.

가죽 갑옷을 입은 청년이 들어와 무릎을 꿇고 낭랑한 어조로 외쳤다.

"세자 저하."

연순은 온몸에 순백의 모피를 걸치고 따뜻한 침상에 앉아 있었다. 이마에 슬며시 땀이 흐르고 있었지만 안색은 여전히 창백했다. 그는 눈조차 뜨지 않고, 그저 가벼운 신음으로 자신이 듣고 있음을 표시했다.

"재물의 점검을 끝냈습니다. 다른 가문의 주인들과 하인들도 모두 깨끗하게 처리했습니다. 뒷산에 구덩이를 파고 이미 매장을 끝냈습니다."

연순은 여전히 아무 말도 하지 않았다. 마치 잠든 것같이 보이기도 했다. 젊은이는 살짝 혀로 입술을 핥은 후 계속 말했다.

"다만, 다만…… 구양가의 소공자만은 지금 찾지 못한 상태입니다."

연순은 살짝 미간을 찌푸리며, 여전히 눈은 뜨지 않은 상태로 담담하게 말했다.

"그럼 가서 잡아 오너라."

"예, 예!"

젊은 시위가 서둘러 변명하듯 말했다.

"그 아이는 겨우 네 살입니다. 바깥은 숭산의 준령이고, 전부 숲이니, 아마 멀리 도망치지 못했을 것입니다."

"잠시만."

연순이 마침내 날카롭게 빛나는 눈을 뜨고 평온한 어조로 말했다.

"대하가 어째서 오늘 이 지경에 이르렀는지 모르느냐?"

청년은 당황한 나머지 입만 벌린 채 아무 말도 하지 못했다.

"대하가 우리 가문을 몰살할 때, 과감하게 나라는 화근을 제거하지 못했기 때문이다. 이해하겠느냐?"

청년은 즉시 답했다.

"속하는 이해하였습니다."

"좋다. 그럼 가서 일을 보도록."

연순이 가볍게 손을 내저었다.

청년이 조심스럽게 몸을 일으켜 막사를 나가려 했을 때, 연순이 다시 담담하게 말했다.

"일을 끝낸 후에 군법을 받는 것을 기억하도록. 네가 지금의 내 신분을 기억하려면 상당한 조치가 필요할 것 같군."

"예, 속하 기억하겠습니다. 도련님."

막사 안은 다시 조용해졌다. 젊은 연순은 두툼한 모피에 거의 파묻히다시피 하여 침상에 기댄 채, 천천히 미간을 찌푸리며 넌더리가 난다는 듯 중얼거렸다.

"빌어먹을 남쪽 오랑캐들……."

다음 날도, 대오는 움직일 계획이 전혀 없어 보였다. 제갈월은 막사를 나와 한 바퀴 둘러보았다. 류가의 하인들을 제외하면, 다른 가문을 따라왔던 이들은 모두 보이지 않았다. 제갈월은 조급한 마음이 들었지만, 지금 초교의 몸 상태를 생각하면 쉽게 이곳을 떠날 결정을 내리기도 어려웠다.

제갈월은 마차에서 마른 식량을 집어 들어 다시 막사로 향했다. 막사로 돌아오는 길에, 성성이라는 작은 여자아이를 다시 보게 되었다. 겁을 먹은 듯 막사 뒤에 몸을 숨기고 작은 머리만 내밀고 있었다. 아이는 더러워진 얼굴로 계속 제갈월을 흘깃거리며 주위를 둘러보았다. 아무래도 자신에게 상냥하게 굴던 초교를 찾고 있는 것 같았다.

제갈월과 눈이 마주치자, 아이는 호감을 사려는 듯 바보같이 웃어 보였다. 그러나 제갈월은 즉시 얼굴을 돌리고는 다시 막사를 향해 걷기 시작했다.

두 걸음이나 걸었을까. 뒤에서 자박거리는 발걸음 소리가 들렸다. 제갈월이 고개를 돌려 보니 아이가 조심스럽게 그를 따라오고 있었다.

왜 따라오는 거지? 또 고기가 먹고 싶은 건가? 제갈월은 미간을 찌푸리며 나지막하게 말했다.

"계속 따라오면, 다리를 부러뜨려 버리겠다!"

"앙!"

아이는 갑자기 놀랄 정도로 큰 소리로 울기 시작했다. 그 울음소리가 어찌나 큰지 제갈월이 도리어 놀라 펄쩍 뛸 정도였다. 아이는 입을 크게 벌리고 울면서 지금까지 오던 방향과 반대로 달려갔고, 주변에 있던 다른 하인들은 괴이쩍은 눈으로 제갈월을 바라보았다. 하인들의 눈빛은 이렇게 말하고 있는 것 같았다. 이것 보게, 아주 시답잖은 놈 아닌가, 어린애를 데리고 뭐 하는 짓인지.

제갈월은 그저 아이에게 겁을 주어 쫓으려는 생각이었지, 울릴 생각까지는 아니었기에 조금 의기소침해져서 막사로 돌아왔다.

막사에 돌아와 보니 초교는 여전히 잠에 빠져 있었다. 최근 그녀는 잠이 아주 많아졌다. 심지어 이야기를 나누다가도 자신도 모르게 잠에 빠지기도 했다. 제갈월은 그런 그녀가 걱정스러웠지만, 깨어 있을 때는 걷기도 하는 것을 보고 마음을 어느 정도는 놓았다.

이 환난을 겪으면서 그녀도 조금은 그를 믿게 된 것 같았다. 예를 들자면 지금, 그가 잠든 그녀 곁에 앉아도 갑자기 튀어 올라 비수를 그의 목에 들이대거나 하지는 않았다.

하늘이 점차 어두워졌고, 제갈월은 울적한 마음에 한숨을 쉬었다. 범도 평지에 내려오면 개들의 업신여김을 받는 법이다. 지금 자신은 이 주둔지에서 나갈 엄두조차 내지 못하고 있었다.

"응……."

나른한 신음 소리가 희미하게 들려왔다. 초교가 천천히 눈을 뜨더니 제갈월이 앉아 있는 것을 발견하고 살짝 당황했다. 그녀는 자신도 모르게 재빨리 머리를 매만지고, 목소리에 비음마저 섞은 채 어색하게 물었다.

"지금 시간이……? 내가 이렇게 오래 잘 줄은 몰랐어."

제갈월은 말없이 그녀에게 물주머니를 건넸다.

초교는 물주머니를 받아 한 모금 마시다가, 제갈월이 계속 자신을 쳐다보는 것을 깨닫고 당황하여 그만 사레가 들리고 말았다.

"쿨럭……."

"바보 같긴."

제갈월이 흰 눈을 하며 가볍게 그녀의 등을 두드려 주었다.

한참 기침을 하고 나니 오히려 정신이 맑아졌다. 초교는 사납게 제갈월을 흘기면서 물주머니를 들어 꿀꺽꿀꺽 물을 마시고는 거드름을 피우듯 말했다.

"배가 고파."

제갈월은 방금 음식을 구하러 다녀온 참이었지만, 그녀가 이런 식으로 말하자 어쩐지 음식을 주고 싶지 않아져, 차갑게 코웃음 치며 물었다.

"내가 네 노비인 줄 아나 보지?"

"노비?"

초교가 그를 한번 훑어보았다.

"당신이, 노비 일을 할 수나 있고? 당신을 노비 시장에 내다 팔면, 금 한 냥도 못 받을 것 같은데."

제갈월도 그녀를 가볍게 노려보며 물었다.

"너는?"

"어쨌든 당신보다야 비싸겠지."

두 사람은 항상 하던 대로 입씨름을 하고 있었다. 그런데 갑자기 밖에서 발걸음 소리가 들렸다. 두 사람은 멈칫했고, 제갈월이 즉시 비수를 꺼냈다.

그가 문밖으로 나가려 했을 때, 갑자기 쿵 소리와 함께 작은 아이 둘이 갑자기 막사 안으로 들어왔다. 어찌나 갑작스러웠는지, 하마터면 막사의 발까지 떨어뜨릴 뻔했다.

초교와 제갈월은 당황하여 서로를 바라보았다. 마침내 초교가 먼저 작은 소리로 물었다.

"꼬마야, 무슨 일이니?"

성성의 얼굴은 새까맣고, 눈은 붉게 부어 있었다. 성성은 자기보다 작은 아이의 손을 잡고 있었는데, 초교의 목소리를 듣자 입술을 비죽이며 구슬 같은 눈물을 뚝뚝 흘리기 시작했다.

제갈월의 표정은 극히 좋지 않았다. 그는 석탄 더미에서라도 구르다 온 것 같은 두 아이를 바라보며 말했다.

"누가 너희보고 들어와도 좋다 했지? 어서 나가라."

"흐흑……"

네다섯 살밖에 되어 보이지 않는 작은 아이가 갑자기 고개를 들었다. 얼굴은 더러워진 상태였지만 두 눈은 아주 크고 둥글었다. 흑백이 또렷한 눈이 가련하게 제갈월을 바라보았다. 아이는 입술을 떨며 작은 짐승 같은 울음소리를 내더니, 통통한 작은 손으로 땅을 짚고 제갈월에게 기어왔다.

제갈월은 오랫동안 겁을 내 본 적이 없었다. 그러나 이 순간, 그는 조금 허둥지둥하고 있었다. 그는 마치 전쟁터에 있는 것처럼 전략을 짜다가, 결국은 손가락으로 아이를 가리키며 큰 소리로 외쳤다.

"너, 멈춰! 오지 마라. 어서 나가라!"

"와앙!"

하늘도 놀라게 할 만큼 비장한 울음소리가 울려 퍼졌다. 아이는 굶주린 개가 음식에 덤벼들 듯 한 팔로 제갈월의 다리를 안더니, 눈물이며 콧물을 모두 그의 옷에 비비기 시작했다.

"아버지!"

삽시간에, 제갈월의 얼굴이 불타오르기 시작했다. 그는 그야말로 놀라서 어쩔 줄 모르고 있었다. 초교는 눈을 크게 뜨고 제갈월을 바라보았다. 그녀의 눈길을 눈치챈 제갈월이 재빨리 외쳤다.

"누가 네 아버지란 말이냐? 어서 놓아라! 아니면 흠씬 때려 줄 테다!"

"아버지!"

꼬마는 제갈월의 허벅지에도 미치지 못할 정도로 작았지만, 힘만은 아주 셌다. 아이는 울먹이면서도 온 힘을 다해 그를 끌어안고 매달렸다.

"아버지, 아버지."

제갈월은 아이를 발로 차 버리고 싶었지만 아이가 너무 작아, 힘을 줘서 차면 죽어 버릴 것 같았다. 결국 그는 아이를 때리지도 밀어 버리지도 못하고 초교에게로 고개를 돌려, 억울하다는 듯 항변했다.

"나는 진짜로 이 아이의 아버지가 아니야."

스스로도 자신이 왜 변명하고 있는지는 몰랐다. 다만 초교가 놀란 얼굴에 고소하다는 듯한 눈빛을 띄우는 것을 보니, 제갈월의 마음속에 분노가 일고 있었다.

초교는 그런 제갈월을 보고 웃으면서도 상황이 이상하다 싶어, 성성에게 시선을 돌려 물었다.

"성성, 이 아이는 누구니? 이게 어찌 된 일이야?"

성성은 대답하지 않았다. 대신 혼이 나간 듯 울고 있던 아이가 갑자기 고개를 돌리더니, 이제야 막사 안에 있던 초교를 발견한 모양이었다. 아이는 입술을 비죽거리면서 초교를 향해 손을 내밀고 흐느끼기 시작했다.

"어머니……."

"구양가의 아이가 맞느냐?"

막사가 좁았기 때문에 네 사람은 몰려 앉아 있을 수밖에 없었다. 제갈월이 아이가 입은 화려한 비단옷을 위아래로 훑어본 후 가라앉은 소리로 물었다.

아이는 마치 작은 토끼처럼 깜짝 놀라 고개를 움츠리더니, 겁먹은 눈으로 제갈월을 훔쳐보았다. 그러더니 다시 결심한 듯 작은 손을 내밀어 제갈월의 소매를 끌어당기고, 가련한 목소리로 불렀다.

"아버지……."

"나는 네 아버지가 아니다!"

철썩, 제갈월이 아이의 작은 손을 쳐 냈다. 아이가 입술을 비죽였다. 울고 싶은 것을 억지로 참는 듯한 모습이었다.

초교가 미간을 찌푸리며 성성에게 엄격한 목소리로 물었다.

"성성, 네가 데려온 거니?"

성성은 나이는 많지 않아도 매우 영리했다. 아이는 슬며시 초교의 표정을 살피더니 고개를 숙이고 아무 말도 하지 않았다.

"말하지 않으면, 너희 둘 다 바로 내쫓아 버릴 거야."

초교의 말에 성성이 바로 고개를 들더니, 눈을 깜빡거리며 의아하다는 말투로 물었다.

"그럼 내가 말하면, 나만 내쫓을 거예요?"

이 말을 들은 초교가 잠시 멈칫했다. 잠시 후 초교는 표정을 가라앉히고, 평온한 어조로 물었다.

"성성, 저 애를 데리고 있으면 성가신 일이 생길 거라는 걸 모르니?"

"아…… 알아요."

성성은 입술을 비죽이며 작은 미간을 찌푸리더니, 어쩔 수 없다는 듯 말했다.

"어쨌든 저 애를 우리 집 막사로 데려갈 수는 없었어요. 아버지가 임 집사한테 고해바칠 테니까."

"그래서 저 애를 나에게 데려온 거고?"

성성은 의기소침하게 고개를 끄덕였다.

"네."

"너희 서로 아는 사이니?"

"우린 친구예요!"

성성이 고개를 들었다. 마냥 어려 보이던 얼굴이 이 순간만큼은 매우 진지해 보였다. 성성은 작은 가슴을 쭉 펴고, 마치 맹세하듯 엄숙하게 말했다.

"우리는 오는 내내 계속 같이 놀았는걸요!"

"아버지……."

곁에 있던 작은 아이가 다시 제갈월의 옷소매를 잡아끌며 입술을 비죽였다.

"묵아는 배가 너무 고파요."

그러나 제갈월이 한번 노려보자, 작은 아이는 다시 구조를 청하듯 성성을 바라보았다. 작은 아이의 눈길 속에는 견딜 수 없는 배고픔이며 제갈월에게 무시당한 것에 대한 당혹감이 가득했고, 그 어디에도 '친구'라는 단어에 대한 인식은 없어 보였다.

"조금만 더 기다려!"

성성이 맑은 눈길로 아이의 어깨를 두드렸다.

제갈월과 초교는 갑자기 무어라 표현할 수 없는 기분이 들었다. 이 어린 소녀는, 그저 오는 길에 함께 놀았다는 것만으로도 커다란 위험을 무릅쓰고 제 친구를 구하려 하고 있었다. 성성의 입에서 '친구'라는 단어가 나온 후, 그 단어는 아주 견고하게 제갈월과 초교를 얽어매고 있었다. 두 사람은 숙연한 기분이 들어 한 마디도 반박할 수 없었다. 자신의 안전을 돌아보지 않고 정의를 추구하는 마음은, 어른의 세계에서는 이미 예전에 사라져 버린 것이다.

초교가 상냥한 얼굴로 물었다.

"네 친구를 어디서 찾은 거야? 하루 종일 어디 숨어 있었고?"

초교의 표정이 부드러워진 것을 보고 성성은 상당히 대담해진 듯, 의기양양하게 답했다.

"어젯밤에 그렇게 많은 병사들이 왔었잖아요. 무서웠어요.

그래서 뒤에 있는 풀숲에 숨어 있었어요. 그러다가 아저씨를 봤는데, 그러니까 그 아저씨가 제가 아는 아저씨거든요. 묵아네 아저씨였어요. 등에 커다란 새가 그려져 있는 것을 본 적 있잖아요. 아저씨는 온통 피투성이고 풀숲에 쓰러져 있었는데, 품에 묵아를 안고 있지 뭐예요. 아저씨는 이미 숨을 쉬지 않고 있는데도 계속 묵아를 안고 놓으려 하지 않았어요. 묵아는 놀라서 울지도 못하고 얼굴이 새하얗게 질려 있었고요. 제가 묵아를 아저씨 품에서 끄집어내서, 병사들이 간 다음에 집으로 데려갔어요."

"집으로? 부모님이 계신 막사에?"

초교가 눈썹 끝을 들어 올렸다.

"응, 하지만 어머니는 우리를 들여 주지 않았어요. 아버지는 묵아를 보더니 당황해서 보고하러 가려 했고요. 만약 그 병사들이 알게 되면 묵아도 그 아저씨처럼 죽을 거라는 생각이 들었어요. 그래서 제가 묵아를 잡아끌고 도망쳤어요. 그리고 오늘 하루 종일 뒤쪽 풀숲에 숨어 있었어요."

묵아는 고개를 움츠리고 앉아 입술을 비죽였다. 아주 풀이 죽은 모습이었다. 지금 다른 이들이 자신에 대해 이야기하고 있다는 것도 모르는 것 같았다. 아이는 너무 지쳐 있었다. 오랫동안 사람들에게 쫓기면서 여기저기로 숨어 다녀야 했고, 배도 고프고 목도 말랐다. 게다가 눈앞에 있는 '아버지'는 너무 무서워 보였다. 아이는 흥미 없다는 듯 사람들이 대화하는 것을 바라보다가 까무룩 잠이 들었다.

"저 애를 왜 여기로 데려온 거니?"

"저는…… 저는……."

성성은 미간을 찌푸리고 한참을 고민하다가 겨우 용기를 내어 조그맣게 말했다.

"언니는 다정하니까, 이…… 이 아저씨는 아주 무섭고 또 아주 사납지만……."

"아저씨?"

제갈월이 갑자기 눈을 부라리며 성성의 머리에 딱밤을 튕겼다.

"이 녀석, 함부로 부르지 마라!"

전날 밤 왕씨, 가씨, 구양씨 등은 전부 목숨을 잃었나. 요행히 살아남은 것은 이 어린아이뿐이었다. 아무래도 구양가의 하인들이 목숨을 걸고 아이를 구해 내 도망치다가, 주둔지를 채 빠져나가지 못하고 길에서 죽은 모양이었다. 그러다가 때마침 이 작은 소녀가 발견하고 아이를 숨겨 준 모양이었다.

류가의 사람들은 아마 이 아이가 구출되었다 여겨 주둔지 밖을 추격하고 있을 것이다. 아이가 이렇게 대담하게 하인들의 막사 틈에 숨어 있으리라고는 생각지 못하고 있겠지. 성성의 부모는 자신들의 딸이 휘말릴까 두려워 감히 위에 알리지 못했을 것이다.

초교가 한숨을 쉬며 말했다.

"성성, 이렇게 하면 얼마나 위험한지 알고 있니?"

"알고 있어요."

성성이 울적한 얼굴로 답했다. 그러나 아이의 작은 머리는 자신의 부유한 친구가 무슨 일로 이 지경에 이르렀는지 이해하지 못하는 것 같았다. 성성은 그저 머리를 긁으며 말했다.

"하지만 또 어쩌겠어요?"

그렇다. 또 어쩌겠는가? 성성에게 친구를 팔아넘기라고 이야기할 것인가?

"그래서 너는 저 애를 데리고 우리를 찾아왔고, 우리를 아버지와 어머니라 부르라고 한 거구나. 동정을 사려고 말이야?"

성성의 머리가 점점 더 아래로 수그러들었다. 자신의 행동이 그렇게까지 떳떳한 것은 아니라는 것을 아는 모양이었다. 초교는 길게 한숨을 내쉬며 성성을 품에 안아 주었다.

"정말 착한 애구나."

이때 갑자기 소년의 머리가 기울어지더니, 쿵 소리를 내며 제갈월의 품으로 쓰러져 그대로 잠들어 버렸다. 소년은 제갈월의 다리를 벤 채 계속 침을 흘렸다. 조그만 배는 계속 오르락내리락하고, 심지어 가볍게 코도 골고 있었다.

"일어나라! 여기가 어디라고 잠이 드는 거야? 일어나……."

아이는 간신히 눈을 뜨더니, 다시 제갈월의 분노한 얼굴을 보고 억울하다는 듯 눈을 비비며 작은 소리로 말했다.

"배고파……."

바로 이때, 바깥에서 갑자기 한바탕 시끄러운 발소리가 들렸다. 두 아이는 깜짝 놀라 펄쩍 뛰어올랐다. 성성은 마치 암탉이라도 된 것처럼, 덜덜 떨고 있는 묵아를 끌어안고 주변을 한

바퀴 훑어보았다. 그러나 막사 안에는 달리 숨을 곳이 없었다. 결국 성성은 묵아를 데리고 초교 뒤로 달려오더니, 그녀의 옷자락을 잡고 쪼그려 앉았다.

아이들이 자신의 옷을 잡아당겼을 뿐이지만, 초교는 충분히 아이들의 공포심을 느낄 수 있었다. 다행히도 발걸음 소리는 멈추지 않고 막사를 지나갔다. 아무래도 그들을 찾는 이들은 아닌 것 같았다.

"언니, 저는 가 볼게요."

성성이 겁이 나는 듯 말했다.

"아버지가 아무 말이나 했을까 봐 걱정되거든요. 돌아가 봐야겠어요."

초교는 성성을 보았다. 그리고 다시 고개를 숙여, 눈을 크게 뜨고 자신을 빤히 바라보는 구양가의 소공자를 보았다. 초교는 마침내 결정을 내리고 묵아에게 말했다.

"뭔가를 먹고 싶으면, 저 아저씨에게 부탁해 보려무나."

묵아는 멈칫하더니, 두려운 표정으로 제갈월을 바라보았다. 그의 눈빛은 냉랭하고 무서워 보였다. 묵아는 움츠리면서 제갈월에게 두어 걸음 걸어가, 쿵 소리가 나도록 꿇어앉아 울기 시작했다. 아이의 말은 제대로 이어지지 않아 무슨 말을 하는지 알아듣기 어려웠다. 묵아는 그저 한 번, 또 한 번, 바닥에 머리를 부딪쳤다.

"부탁이에요, 부탁해요……."

겨우 네 살 먹은 아이였지만 자신이 어떤 처지에 직면했는지 깨달은 모양이었다. 가문이 망하고 가까운 이들이 죽었다. 그 후로 계속 쫓겨 다녔으니, 아무리 어리다 해도 자신의 미래가 심상치 않다는 것을 알 수밖에 없을 것이다.

처음에는 제갈월도 계속 미간을 찌푸리고 상대하기 않으려 했다. 그러나 결국 그의 표정도 풀리고 말았다. 그는 우악스럽게 묵아를 잡아 일으키고, 계속 분노한 것처럼 아이를 쳐다보았다.

묵아는 깜짝 놀라, 입술을 비죽이며 불렀다.

"아버지……."

"나를 아버지라 부르지 마라!"

제갈월이 분노하여 외쳤다. 그러자 묵아는 또 울 것 같은 표정이 되었다. 제갈월이 결국 한숨을 내쉬며 어쩔 수 없다는 듯 말했다.

"그렇게 부르지 않으면…… 남아 있게 해 주겠다."

초교가 기뻐하며 서둘러 말했다.

"묵아, 아저씨라 불러. 아저씨라 부르면 여기 있을 수 있어!"

"아…… 아저씨……."

아이는 아저씨라는 말이 무슨 뜻인지 모르는 것 같았다. 초교의 말을 따라 두어 번 불러 보더니, 제갈월의 안색이 풀리는 것을 보자 갑자기 그의 목을 끌어안고 소리 내어 울기 시작했다.

"아저씨, 어른이…… 죽였어요……. 아버지와 어머니를…… 불을 지르고…… 묵아를 죽이려고…… 피랑…… 흑…… 사람이 죽고……."

아저씨라는 호칭 하나로 묶이는 제갈월을 친척이라 여기게 된 것 같았다. 아이는 울면서 그간 억울했던 사정을 한바탕 일러바치기 시작했다. 그러나 그 목소리에 뼈에 아로새긴 원한 같은 것은 느껴지지 않았다. 아마 아직 원한이 무엇인지 이해하지 못하기 때문이리라. 묵아는 그저 단순히 무섭고, 마음이 아프며, 지금의 상황이 싫을 뿐이었다.

그러나 지금 보기에는 담담해 보이는 이런 감정들이 언젠가는 변하고 말 것이다. 원한의 씨앗이 싹을 틔우고, 뿌리를 내리고, 결국은 무성한 잎을 가진 커다란 나무가 되어, 복수의 과실을 잔뜩 맺게 될 것이다. 마치 지금의 연순처럼.

지금 묵아가 기억하는 원수는 그저 어른 몇 명뿐이었다. 그 자들의 신분도, 배경도, 지위도, 심지어 성씨도 알지 못했다. 묵아가 아는 것은 그저 부모를 죽인 이들이 아이가 아니라 어른들이라는 것뿐이었고, 지금 그 어른들이 그 역시 쫓고 있었으며, 묵아는 밥을 먹지도, 잠을 자지도, 집에 돌아가지도 못하고 있었다.

이번에는 제갈월도 아이를 밀어내지 않았다. 아이는 작은 몸을 계속 떨면서 울다가 제갈월의 목을 힘차게 끌어안았다. 마치 가족처럼.

성성이 눈시울을 붉히며 말했다.

"언니, 저는 이만 가 볼게요. 내일 다시 오겠어요."

초교는 막사를 나가려는 성성에게 작은 비수를 쥐어 준 후 진지하게 말했다.

"성성, 조심해야 한다. 만약 무슨 일이 생기면 바로 언니를 찾아와."

성성은 활짝 웃으며 묵아에게 손을 흔든 후, 조심스럽게 제갈월이 눈치를 보고는 바으로 나갔다.

바깥의 바람은 아주 차가웠다. 초교는 몸을 일으켜 문 앞까지 가서 성성이 멀어지는 것을 지켜보았다. 아이는 고개를 돌리고 초교에게 손을 흔드는 것을 잊지 않았다. 어두워진 후였기 때문에 초교는 더 이상 성성의 얼굴을 볼 수 없었지만, 아이가 자신에게 무슨 말인가 하고 있다는 것은 알 수 있었다. 바람이 너무 세서 제대로 알아들을 수는 없었지만.

모든 것이 반복되고 있는 것 같았다. 멀어지는 성성은 마치 그녀 자신 같았다. 마음속 무엇인가가 무너지고 있었다. 광야에서 불어오는 바람은 너무나 차가웠다.

"익숙한 장면인가?"

제갈월이 담담하게 말했다. 고개를 돌려 보니 묵아는 제갈월의 품 안에서 여전히 작은 어깨를 떨며 울고 있었다. 제갈월은 가만히 초교를 응시했다. 두 사람의 시선이 교차하는 가운데, 지난 세월이 빠르게 스쳐 갔다. 모든 것이 다시 원점으로 돌아가 버린 것만 같았다. 그때의 그들도 이렇게 어렸다. 그리고 참 많은 것을 짊어지고 있었다.

초교가 미소 지었다.

"정말이지 굳센 아이야."

바람이 일어나 누런 흙을 말아 올렸다. 광야는 조용하고, 하늘에는 새 한 마리조차 보이지 않았다. 그저 멀리, 검은 구름이 흘러가는 것이 아득하게 보일 뿐이었다.

"아저씨, 배가 고파요."

묵아는 울다 지친 모양이었다. 더러워진 얼굴에 눈물 자국이 희게 나 있어 매우 우스워 보였다. 아이는 막사 안의 평온함을 주저 없이 깨트리고 손가락을 빨면서, 아주 자연스럽게, 이제 막 알게 된 친척에게 칭얼거렸다.

"묵아, 배고파 죽을 거 같아요."

좋다, 잠시 그 서러운 감정들이며 과거의 이야기는 묻어 두자. 제갈월은 자신의 허리에도 미치지 못하는 꼬마를 바라보며 미간을 찌푸렸다.

"배가 고프다……. 그래, 뭘 먹고 싶으냐?"

"응……."

아이는 미간을 찌푸리고 한참 생각한 후에 물었다.

"전복탕 있어요?"

제갈월이 인상을 썼다.

"없다!"

없다고? 묵아는 계속 물었다.

"황금빛으로 구운 비둘기 요리는?"

제갈월의 표정이 점차 일그러지기 시작했다.

"없다."

"맑게 쪄 낸 상어 지느러미는?"

"없다……."

"그것도 없다고요?"

묵아는 불만스럽게 미간을 찌푸리며, 막 알게 된 이 친척을 의심스러운 눈길로 바라보았다. 아무래도 제갈월의 경제 능력을 의심하고 있는 모양이었다.

"그럼…… 새끼 돼지 구이 정도는 있겠죠. 아저씨, 묵아는 야채를 좋아하지 않아요."

제갈월의 얼굴이 어두워졌다. 묵아도 눈치는 볼 줄 아는지, 즉시 한숨을 쉬더니 간신히 말했다.

"그…… 그럼…… 수육을 좀 먹으면 될 것 같아요. 그냥…… 그냥 사슴 고기 정도면. 저는 돼지고기 수육은 좋아하지 않아요. 쇠고기도 그다지……."

제갈월은 결국 화를 내며 묵아를 잡고 노기등등하게 말했다.

"이 자식이! 지금 나를 놀리는 거냐?"

"앙……."

묵아는 바로 울음을 터뜨리고 말았다. 그리고 계속 눈물을 흘리며 억울한 듯 말했다.

"알았어요, 돼지고기도 괜찮아요. 아저씨, 정말 가난하구나!"

아마 묵아는 이 세상에서 제갈월에게 가난하다고 말한 첫 번째 사람일 것이다. 그 모습을 보던 초교는 갑자기 기분이 좋아졌다. 그녀는 웃으며 머리를 굽혀 안으로 들어온 뒤 발을 내렸다. 그리고 흰죽을 들고 말했다.

"하루 종일 아무것도 먹지 않았으니, 일단 죽을 좀 먹어 속을 달래자."

묵아는 억울한 듯 그릇을 받아 들고, 마치 죽이 독이라도 되는 듯 작은 혀를 내밀어 살며시 핥아 보았다. 그러나 한 모금 넘기자마자 갑자기 멈칫하더니, 그릇을 들고 꿀꺽꿀꺽 먹기 시작했다.

"누나, 이 죽 진짜 맛있어요!"

묵아가 기쁜 듯 싱글거렸다. 초교는 속으로 한탄했다. 맛있을 리가. 그 죽은 바로 제갈월이 끓인 거란 말이다. 그런데 어떻게 맛있을 수 있겠어. 그저 네가 배가 너무 고픈 것뿐이겠지.

"이봐, 꼬마! 누나라고 부르지 마라."

곁에 있던 제갈월이 어두운 얼굴로 나지막하게 말했다.

"응?"

묵아는 제갈월을 흘깃 보더니, 신경 쓰지 않고 계속 죽을 먹었다.

"누나, 진짜 맛있어."

"내가 누나라고 부르지 말라고 말했다."

묵아는 미간을 찌푸리고, 자신의 식사를 방해한 남자에게 반감을 느낀 것처럼 물었다.

"그럼 뭐라 불러요? 어머니라고 해요?"

"어머니는 무슨 어머니!"

제갈월은 살짝 화가 나서, 네 살 먹은 어린아이에게 진심으로 괴팍하게 굴고 있었다.

"아무튼 부르지 말라면 부르지 마라!"

"그럼 뭐라 부르냐고요?"

"성…… 성아라고 불러라."

"성성?"

"성아…….."

"안 되겠어요."

묵아는 과감하게 고개를 흔들더니 꽤나 강단 있게 말했다.

"묵아는 기억하기 힘들 것 같아요. 헷갈리는걸요."

"이 자식이!"

이 아이는 정말이지 아주 영리했다. 초교와 제갈월은 자신들이 놀림받는 것은 아닌지 의심하고 있었다.

밖에 있다 보니 상황이 좋지만은 않았다. 어쩔 수 없이 임기응변에 따라야 하는 일도 많았다.

밤이 되자, 땅 위에 깔개를 깔고 초교가 한편에 누웠고, 제갈월이 다른 한편에 누웠다. 그러자 묵아가 바로 중간에 누우며 아주 만족스러운 듯 웃었다.

"아버지는 밤이 되면 어머니와 할 일이 있으셔서, 이미 예전부터 묵아가 함께 자게 해 주시지 않았는데, 진짜 좋네. 아저씨랑 누나는 아무 일도 하지 않아서."

"쿨럭!"

마침 물을 마시고 있던 제갈월은 갑자기 사레가 들려 큰 소리로 기침을 해 댔다. 초교도 얼굴이 새빨갛게 변해서, 묵아의 머리를 가볍게 한 대 치며 말했다.

"무슨 말이 그리 많담. 어서 잠이나 자자."

묵아는 초교가 화가 나지 않은 것을 알고는 헤헤 웃으며 이불 속으로 파고들었다. 밤바람이 매우 거세게 불어와 막사 안까지 바람 소리가 들렸다. 초교는 영 잠을 이루지 못하고 있었다. 쫓기고 있는 꼬마 하나가 갑자기 동행하게 된 셈이니, 대책을 궁리해야만 했다.

그때 아이가 이불을 차 냈다. 초교는 아이에게 이불을 덮어 주기 위해 손을 뻗었다. 그 순간 그녀의 손가락은, 역시 아이의 이불을 덮어 주기 위해 뻗어 나온 다른 긴 손가락과 부딪쳤다. 찌릿하게 손가락이 저려 와 초교는 재빨리 손을 거두고 말았다. 손가락 끝은 얼음처럼 차가운데, 얼굴은 뜨겁게 달아올랐다.

제갈월도 멈칫한 모양이었지만 곧 침착하게 아이에게 이불을 덮어 주었다. 막사 안의 분위기는 약간 기묘하게 변했다. 누구도 말을 하지 않았다. 막사 안에는 그저 가벼운 숨소리만이 낮게 깔리고, 때때로 묵아가 옹알거리는 소리만이 들렸다.

"아직 자지 않는 건가?"

제갈월의 목소리는 약간 가라앉아 있었다. 그러나 아주 또렷한 것이, 그도 계속 잠을 자지 않은 것 같았다.

"응. 약간 걱정이 되어서."

초교가 고개를 끄덕이며 속삭였다.

바람이 다시 커졌다. 휘잉거리는 소리가 마치 야수의 울부짖음 같았다. 초교는 멍하니, 내일 혹시 비가 내리는 것은 아닐까 걱정하기 시작했다.

"자도록 해."

제갈월이 천천히 말했다. 그러더니 몸을 돌리고 더 이상 말을 하지 않았다. 초교는 그가 잠이 들었다 생각했다. 그러나 잠시 후, 다시 한 번 그의 마지막한 목소리가 들려왔다. 다정하고 온화한, 그러나 매우 굳센, 초교가 안심하도록 만들어 주는 목소리였다.

"내가 있으니까."

바깥바람이 저리 거친데 좁은 막사 안은 따뜻하게만 느껴졌다. 이 안에만 있으면 아무리 거센 바람이 불어온다 해도 바람을 느끼지 못할 것 같아, 초교는 어렴풋한 가운데서도 미소 지었다.

제9장 핏빛 가을바람

밤늦게, 말 한 마리가 신속하게 주둔지로 달려왔다. 풍민이 보낸 소식을 가져온 수하였다.

그때, 연순은 침상에 누워 있었지만 계속 악몽을 꾸고 있었다. 결국 말이 주둔지에 들어설 때쯤 그는 사납게 몸부림치며 꿈에서 깨어났다. 이마에서는 차가운 땀이 줄줄 흐르고 있었다.

연순은 꿈속에서 구양가의 아이를 만났다. 현양성을 떠나 이곳까지 오는 동안, 그는 이미 그 통통한 어린애를 여러 번 본 적이 있었다. 아이는 늘 싱글거리며, 몇 번이나 호기심에 가득 차서 그에게 가까이 다가오곤 했다.

꿈속의 아이는 온몸이 피에 젖어 있었다. 아이는 연순을 바라보며 손에 든 칼을 사납게 들어 올렸다. 그러나 아이의 칼이 향한 상대는 그가 아니었다. 아이는 있는 힘을 다해 연순 곁에 있던 초교의 심장에 칼을 찔러 넣었다. 아이는 얼굴 가득 초교의 피를 묻히고는 지옥에서 올라온 악귀처럼 웃으며 외쳤다.

"네 모든 것을 부수고 말겠다. 너를 부숴 버릴 거야!"

"으그!"

연순의 얼굴은 땀투성이였다. 그가 입은 흰 장삼도 땀에 흠뻑 젖어 있었고, 그는 숨조차 고르게 쉬지 못하고 있었다. 머릿속에서는 계속 방금 꾼 악몽이 떠오르고 있었다.

"뿌리를 뽑아야 해, 완전히……."

연순은 여전히 악몽을 꾸고 있는 것처럼 계속 중얼거리더니 갑자기 고개를 들고 큰 소리로 외쳤다.

"여봐라!"

"도련님!"

"어서 그 구양가의 아이를 찾아와라. 어떤 대가를 치르더라도 좋다. 내일 아침이 밝기 전에 아이의 목을 가져와라!"

하인이 살짝 멈칫했으나, 곧바로 얼음처럼 냉정한 목소리로 말했다.

"속하가 명을 따르겠습니다!"

"도련님!"

바로 이때, 다른 시종이 달려와 무릎을 꿇었다.

"풍 사야가 보낸 사람이 왔습니다."

"풍민이?"

연순이 천천히 미간을 찌푸리더니 나지막하게 말했다.

"올 것이 왔군."

그는 성큼 침상 아래로 내려와 장포를 걸쳤다. 그의 표정은 이미 완벽하게 변해 있었다. 그는 이제 다시 냉정하고 지혜로운 연북의 왕이 되어 있었다.

"현양성에서 어떤 기쁜 소식을 보내왔는지 봐야겠군."

날이 밝기도 전에 갑자기 비가 내리기 시작했다. 검은 구름이 내리누르는 가운데 거센 폭우가 쏟아지고, 벼락 치는 소리가 끊임없이 들렸다. 산골짜기 양편의 숲이 폭우로 인해 격렬하게 흔들리고 있었다. 땅 위의 황토는 진흙이 되었고, 온 세상이 희끗했다.

초교가 눈을 떠 보니, 누군가의 손이 그녀의 입을 막고 있었다. 제갈월이었다. 그는 음울한 표정으로 반쯤 무릎을 꿇고 앉은 채 장검을 들고 바깥을 향해 귀를 기울이고 있었다.

폭우가 쏟아지는 소리 사이로 말발굽 소리가 들려왔다. 수많은 이들이 이 작은 막사를 향해 다가오고 있었다.

"누군가가 왔어."

제갈월이 나지막하게 말하며 재빨리 금과 음식을 챙겼다.

"몸은 어때? 걸을 수 있겠어?"

초교가 고개를 끄덕였다.

"응."

제갈월은 비수를 뽑아 들어 이불을 몇 조각으로 잘랐다. 그

232

리고 아직 잠들어 있는 묵아를 안아 등에 업은 후, 이불 조각을 이용해 몇 번이고 자신의 몸에 단단히 묶었다.

묵아가 깨어나 작은 손으로 눈을 비비며 중얼거렸다.

"아저씨, 우리 어디 가는 기가?"

"꼬마, 널 잡으려는 사람들이 왔다."

제갈월은 안색 하나 변하지 않고 평온한 어조로 말했다.

"아?"

묵아는 깜짝 놀라 재빨리 제갈월의 목을 끌어안았다.

폭우가 쏟아지는 가운데, 말발굽 소리가 광풍이 밀려오듯 다가왔다. 묵아는 제갈월의 등에 엎드린 채 가볍게 떨고 있었다. 두려운 마음을 최대한 억제하고 있는 것 같았다.

"꼬마야, 무서우냐?"

묵아는 놀라서 얼굴이 하얗게 질려 있었지만, 이를 악물고 큰 소리로 외쳤다.

"무섭지 않아요!"

제갈월이 냉랭하게 웃었다. 그의 웃음소리 속에는 특유의 자부심과 긍지가 서려 있었다.

"좋아. 기억해 둬라. 바깥에 있는 저자들은 우리를 무섭게 만들 것을 아무것도 갖고 있지 않다는 걸."

어둠 속에서, 누군가가 솔 기름을 태워 횃불을 밝혔다. 횃불은 비바람 속에서도 꺼지지 않고 타올랐다. 횃불을 든 이가 거친 목소리로 외쳤다.

"아이를 내놓으면 목숨만은 살려 주겠다!"

어둠 속에서 제갈월이 고개를 돌렸다. 비스듬히 위로 향한 눈썹 아래, 그의 눈빛은 그렇게나 밝았다. 그의 조각 같은 얼굴은 평온했다.

"성아, 괜찮겠어?"

그들 사이에 맴돌던 시간이 빛처럼 빠르게 과거로 달려갔다. 초교는 아주 오래전 상원절 밤, 제갈월이 말 위에 앉은 채 자신에게 같은 질문을 하던 순간을 떠올렸다.

'괜찮겠느냐?'

그들 사이의 길은 험하고 칼날로 가득 차 있었다. 그들은 서로를 향해 검을 뽑았고, 몇 번이나 칼끝을 부딪쳤으며, 하마터면 서로의 칼날에 목숨을 잃을 뻔했다. 생사를 가름하는 순간마다 붉은 선혈이 그들의 두 눈을 가렸다. 그러나 그들은 지금까지도 여전히 최후의 살수를 쓰지 못하고 머뭇거리고 있었다. 또한 그들은 그런 자신 때문에 괴로워하고, 밤마다 스스로에게 대답할 수 없는 질문을 던지곤 했다. 그리고 지금 이 순간, 그들은 결국 이 밤에 어깨를 나란히 하고 전투에 임하게 되었다.

앞날은 묻지 말자. 과거도 이야기하지 말자. 우리 사이의 갈등도 생각하지 말자.

남은 길은 하나뿐이었다. 어쨌든 죽을 수는 없었다. 죽음 앞에서 피아를 나누는 일은 무의미했다. 초교는 미소 지으며 단도를 뽑았다.

"당신이 죽으면, 내가 폭죽을 백 발 쏠 거야. 당신에게 진 빚을 더 이상 기억하지 않아도 된다는 사실을 축하하면서."

제갈월이 활짝 웃었다. 초교는 그가 그렇게 웃는 것을 처음 보았다. 따뜻했다. 평온했다. 지금 이 순간 그의 웃는 얼굴에는 항상 배어 있던 조소의 빛도, 차가운 느낌도 없었다. 그에게서 항상 풍기던 씁쓸함도 없었다.

"너에게 폭죽을 살 기회가 없을 것 같은데."

제갈월의 눈빛은 무엇인가를 숨기고 있는 것처럼 묵직했다. 저렇게나 깊게, 저렇게나 깊은, 너무나 깊은 나머지 초교는 차마 그 무엇을 건드릴 엄두조차 낼 수 없었다.

제갈월이 갑자기 두 팔을 벌려 초교의 어깨를 끌어안고 속삭였다.

"내 뒤에 붙어 있도록 해."

코가 갑자기 시큰해졌다. 초교는 고개를 끄덕이며 속삭였다.

"조심해."

날카로운 쇳소리가 들려오자 제갈월은 미간을 찌푸리며 바로 몸을 일으켰다. 그의 등에 업혀 있던 묵아는 그 바람에 막사의 기둥에 머리를 부딪치고는 두 손으로 제 머리를 감쌌다.

휘익, 격렬한 바람이 갑자기 불어왔고, 초교의 머리카락은 마치 칠흑 빛깔 나비가 춤을 추듯 나부꼈다. 묵아는 놀란 눈으로 그들이 있던 막사가 상대편의 갈고리에 의해 제거된 것을 바라보았다. 어느새 세 사람은 넓은 들판에 서 있었고, 서른 필이 넘는 기병들이 그들을 포위하고 있었다. 기병들은 모두 갈색의 편안한 무복을 입고 있었는데, 흉악해 보이지 않는 자가 없었다.

"쓸데없이 저항하지 말고 아이를 내려놓아라."

우두머리가 손에 표창을 쥐고 냉랭하게 초교 일행을 노려보았다. 아마 초교와 제갈월을 쉬운 상대로 여기고 있는 것 같았다.

제갈월은 차가운 검으로 대답을 대신했다. 폭우가 쏟아지는 가운데 날카로운 소리가 울려 퍼졌다. 상대는 상당히 민첩하게 몸을 피했지만, 안타깝게도 상대가 타고 있던 말은 주인처럼 훌륭하지 않았다. 말이 겁을 먹고 사납게 다리를 들어 올렸을 때, 예리한 비수가 말의 목에 사납게 꽂혔고, 말은 미친 듯이 울부짖으며 선혈을 사방으로 흩뿌렸다!

남자는 즉시 말 위에서 땅으로 굴러떨어졌다. 그리고 그가 다시 몸을 일으키기도 전에, 놀라서 날뛰던 말이 남자의 목을 밟았다. 삽시간에, 참혹한 비명 소리가 천지를 갈랐다. 그의 부하들이 그를 구할 틈도 없이, 말은 더욱 슬프게 울부짖으며 남자의 몸을 짓밟았다.

폭우 속에서도 뼈가 부서지는 소리는 똑똑하게 들렸다. 사람들은 말 아래 밟히는 남자가 어떤 참상을 겪고 있는지 충분히 상상할 수 있었지만, 길게 생각할 여유는 없었다. 어느새 제갈월이 사나운 표범처럼 그들을 순식간에 덮쳤기 때문이었다. 검집을 빠져나온 검이 마치 용의 신음처럼 울부짖고 있었다.

번개가 하늘을 가르고, 거대한 우렛소리가 그 뒤를 따랐다. 붉은 선혈이 온 대지를 적시고 있었다. 사방에서 칼이 차가운 빛을 흩뿌리며 공격해 왔다. 그러나 제갈월은 무시하듯 코웃음치며 호기롭게 위로 뛰어올랐다. 그의 기세는 맹렬하고, 초식은 사나웠다.

초교는 걷기조차 힘든 상태였지만, 생사가 오가는 상황에서 물러나 있을 수만은 없었다. 그녀는 본래 류희가 대동회에서 함께 향을 사르며 맹세한 것을 기억하고 있으리라 여겼지만, 지금 바라옥 익으키고 다른 가문 사람들을 살해한 것을 보니, 그녀의 신분이 드러나면 더 참혹한 살육이 덮쳐 올지도 모르겠다는 생각이 들었다. 때문에 초교는 필사의 각오로 대항하는 수밖에 없었다. 그녀는 정신을 집중하고 사람들을 향해 돌진해 갔다.

한바탕 무기가 부딪치는 소리가 났다. 제갈월이 검을 한 번 휘둘러 시위 세 명을 물러나게 했지만, 양쪽 모두 피를 보고 말았다. 상대방은 한 명이 죽고 두 명이 부상을 입었고, 제갈월 역시 가슴에 칼이 스쳐 선혈이 흐르고 있었다.

"아저씨!"

묵아가 겁에 질려 외쳤다.

"피가 나요!"

이 말을 들은 초교가 검을 휘둘러 시위 하나를 제치고 나는 듯 달려왔다. 그리고 몸을 기울여 다른 시위의 가슴을 발로 찼다. 그녀의 발에 차인 자는 비틀거리다가 쿵 소리를 내며 땅에 주저앉고 말았다.

"괜찮아?"

초교가 제갈월을 부축했다.

상대방이 제갈월의 무예에 놀란 나머지, 방금까지 대부분의 공격은 그에게 집중되었다. 그 결과 지금 제갈월의 가슴, 팔, 다리, 도합 세 곳에 상처가 생겨 있었다.

제갈월이 피가 섞인 침을 뱉더니 고개를 저었다. 그의 눈빛은 음울하고 안색은 얼음처럼 차가웠다. 본래 새빨간 입술은 더욱 요염한 느낌을 주었다. 그는 혀를 내밀어 입술 위의 핏방울을 핥더니 나지막하게 말했다.

"괜찮아."

갑자기 무기가 바람을 가르는 소리가 등 뒤에서 들렸다. 제갈월은 검을 뒤로 움직여 단숨에 상대방의 칼을 내리쳤다.

비가 억수같이 내리고 있어 눈을 떠도 앞이 잘 보이지 않았다. 초교는 재빨리 몸을 회전하여, 제갈월의 팔 밑으로 빠져나가 단숨에 상대의 심장을 찌르고 그었다.

천둥소리가 끊임없이 들려왔다. 시위들은 제갈월과 초교가 이렇게 상대하기 어려울 줄은 예상하지 못했기에 처음에는 소수의 인원만이 왔었다. 그런데 단숨에 열 명이 넘게 죽으니 모두 깜짝 놀라 고함쳤고, 먼 곳에서 수많은 인마가 다가오기 시작했다. 그리고 주둔지 바깥쪽에서 더 많은 시위들과 병사들이 도망칠 길을 봉쇄하고 있었다.

"성아, 도망치기 어렵겠다."

초교가 살짝 눈을 치켜세웠다. 그녀의 입가에는 뜻밖에도 웃음기가 서려 있었다.

"그럼 어쩌지? 투항할까?"

"하하!"

제갈월이 큰 소리로 웃으며 몸을 이리저리 날렸다. 언제라도 그와 초교에게 달려들 준비를 하고 있던 이들 모두 깜짝 놀랐다. 제갈월과 초교는 아무래도 이미 두려움이라는 감정을 잊은 것 같았다.

"그럼 어떻게 할까?"

두 사람은 동시에 고개를 돌려 눈을 반짝이며 어둠 속 거대한 막사를 바라보았다. 그것은 바로 영지 정중앙에 있는 류가의 막사였다. 저 막사 안에 이 학살극을 벌인 류가의 새로운 주인 류희가 있을 것이다.

적을 칠 때는 우두머리부터 잡아야 하는 법, 그들은 마치 묵계라도 주고받은 듯 같은 생각을 하고 있었다.

제갈월의 등에 업혀 있는 묵아도 두려움을 잊은 것 같았다. 아이는 전날 밤의 피비린내 나는 학살을 떠올리고 있었다. 눈앞에서 부모가 죽고, 평소에 자신에게 친절하게 미소 지어 주던 이들도 죽고. 그들은 모두 얼음처럼 차가운 시신으로 변해 버렸다. 자신을 업고 죽음을 각오하고 포위를 뚫던 맹 아저씨도 결국 수많은 칼에 베이고 말았다. 묵아는 맹 아저씨의 선혈이 튀어 오르던 장면을 똑똑하게 기억하고 있었다.

묵아는 이를 악물고 눈에 핏발을 세운 채, 작은 손가락으로 상대편을 가리켰다. 아이의 목소리에는 짙은 원한이 배어 있었다.

"아저씨, 저들이에요!"

묵아가 한 글자, 한 글자, 단호하게 말했다.

"저들이 묵아의 부모님을 죽였어요. 묵아의 누이를 죽였어요. 저들이에요!"

제갈월이 품에 손을 넣더니, 정교하게 만든 작은 폭죽을 하나 꺼내 고리를 잡아당겼다. 칠흑 같은 밤하늘에 금빛 찬란한 불꽃을 피어났다.

상대편은 모두 깜짝 놀랐다. 제갈월이 지원병을 부른다고 생각했기 때문이었다.

제갈월이 고개를 돌려 초교를 바라보며 말했다.

"설령 우리가 오늘 여기서 죽더라도, 우리를 위해 복수해 줄 사람이 있겠지."

초교는 머리를 흔들며 웃었다.

"우리는 여기서 죽지 않을 거야."

제갈월이 멈칫하더니 곧 웃으며 낭랑한 목소리로 말했다.

"좋아, 그럼 우리 함께 살아 나가자! 성아! 말을 빼앗아!"

두 사람은 순식간에 방어 태세에서 공격 태세로 바꾸고, 포위하고 있는 자들을 죽이며 나아가 재빨리 말을 빼앗고는 그 위로 뛰어올랐다.

두 필의 말이 길게 울부짖었다. 제갈월의 보검이 한 사람의 목을 찌르는 순간, 곁에 있던 다른 사람이 그 기회를 틈타 제갈월에게 업혀 있는 아이를 공격해 왔다. 제갈월이 차갑게 코웃음 치며 외쳤다.

"비열한 자식!"

그는 재빨리 다른 손으로 검집을 휘둘러, 상대방의 머리를 포학하게 때렸다. 곧 두개골 깨지는 소리가 들렸다. 제갈월이 다시 한 번 뒤로 따라붙은 병사를 발로 차 버리고는 높은 소리로 외쳤다.

"성아, 따라와라!"

그가 말의 엉덩이를 사납게 차자, 말은 마치 피를 탐하는 호랑이처럼 순식간에 포위를 뚫기 시작했다. 그러나 병사들은 제편의 시신들을 밟아 가며 포위망을 좁혀 왔다.

제갈월의 날카로운 검 아래 상대편 병사들은 무력하게 무너졌다. 제갈월이 말을 달려가는 곳마다 참혹한 살육이 벌어졌다. 거센 바람이 잔혹하게 춤추는 가운데, 천지는 온통 어두웠고, 온 세상에 하늘도 놀랄 만한 비명이 가득했다!

"막사를 지켜라!"

다급한 고함이 동시에 울려 퍼지고, 병사들이 대경실색하여 중앙의 막사를 지키기 위해 달렸다.

"도련님을 보호하라!"

"저들의 목표는 도련님이다. 죽여 버려! 저자가 탄 말을 죽여라!"

"궁수! 궁수들 준비하라!"

도처에 고함 소리였고, 도처에 공포에 질린 비명 소리였다. 모르는 이가 보았다면 이곳이 대군에게 기습이라도 받았다고 생각할 것 같았다.

폭우가 몰아치는 가운데 선혈이 미친 듯이 솟아올랐다. 초교는 제갈월의 뒤를 따르며 그의 등에 업혀 있는 아이를 지켰다. 초교는 활기차게 무기를 휘둘렀다. 그들에게 가해지는 공격의 반 이상은 제갈월이 앞에서 막아 냈기에, 지금 그녀는 별다른 부상을 입지 않은 상태였다.

이 밤은 유난히도 길었다. 밤이 끝날 기색은 전혀 보이지 않았고, 그저 바람만이 미친 듯이 울부짖을 뿐이었다.

제갈월과 초교는 침묵 중인 막사로 다가갔다. 밤바람에 막사 앞을 막아 놓은 휘장이 펄럭여, 초교는 그 아래로 막사 안흰 모피 깔개를 볼 수 있었다. 그리고 사치스럽고 사람을 나른하게 만드는 금시향을 피워 놓은 것도 느낄 수 있었다.

썩둑! 초교의 칼이 다가오는 병사의 팔을 베었다. 초교는 두려운 빛이라곤 전혀 없이 앞을 향해 달려 나갔다. 그때였다.

쾅! 갑자기 땅에서 무엇인가 폭발하는 듯한 굉음이 들렸다. 온몸의 털이 곤두설 만큼 거대한 굉음이었다. 솔 기름 냄새가 훅 끼쳐 오더니, 어둠 속에서 횃불이 잔뜩 떠올랐다.

바로 이 순간, 제갈월의 등에 조용히 업혀 있던 묵아가 갑자기 고함을 질렀다. 그것을 들은 초교가 천천히 고개를 들었다.

갑자기 얼음 호수에 빠지면 이런 기분일까. 온몸이 차가워졌다. 입 밖으로 단 한 마디도 낼 수 없었다. 초교는 그저 손에 쥐고 있던 칼을 세게, 점점 더 세게 잡을 뿐이었다.

묵아는 쉰 목소리로 울부짖고, 있는 힘을 다해 제갈월의 등을 두드렸다. 이미 제정신이 아닌 듯했다. 그는 마침내 아이 특유의 천진난만함을 완전히 잃어버리고 말았다. 묵아는 궁지에 몰린 작은 짐승이 되어, 붉게 충혈된 눈으로 절망하여 소리쳤다.

"성성! 성성!"

아이는 눈물 흘리며 있는 힘을 다해 소리쳤다. 그 목소리는 마치 어미에게서 버림받은 작은 이리의 울부짖음 같았다. 묵아는 땅에 누워 있는 작은 여자아이를 향해 손을 뻗었다. 그리고 헐떡이며 숨을 쉬었다.

억수같이 쏟아지는 비가 아이의 얼굴을, 아이의 눈을, 아이의 몸을, 그 모든 것을 붉은빛으로 물들이고 있었다. 흐르는 선혈은 땅에 모여 붉은 웅덩이를 이루다가, 큰비에 씻겨 내려갔다. 피비린내는 공기 중에 맴돌며 차가운 바람 속으로 퍼져 나갔다.

초교는 손에 칼을 꽉 쥔 채 멍하니 하늘에 번개가 한 번, 또 한 번 치는 것을 보고 있었다. 숨을 깊이 들이마셨지만 몸이 떨리는 것을 억제할 수 없었다. 얼굴도 창백하게 질리고, 입술의 핏기마저 모두 사라져 있었다. 초교는 그저 어둠 속에서 새까만 눈을 빛내며, 성성을 마지막으로 본 순간을 떠올렸다.

아이는 조금 겁을 먹고 있었고, 또 그 웃음 속에는 묵아를 위해 초교에게 잘 보이고 싶어 하는 기색도 어려 있었다. 그 애가 나를 언니라 불렀던가. 먼저 가겠다고 하면서 또 무슨 말을 했었는데⋯⋯. 아, 맞아. 내일 다시 오겠다고 했었지.

'내일 다시 오겠어요⋯⋯. 내일 다시 오겠어요⋯⋯. 내일 다시 오겠어요⋯⋯.'

가슴 가득 비통함이 치밀어 올랐다. 초교는 천천히 고개를 들었다. 그녀는 말 등에서 뛰어내려 칼집을 아예 던져 버리고, 칼을 머리 위로 높이 들었다. 그리고 칼을 잡은 두 손에 힘을 주고, 눈을 얼음처럼 차갑게 빛내며 중앙의 노란 막사를 노려보았다.

"나쁜 사람! 나쁜 사람!"

묵아는 여전히 울부짖고 있었다. 제갈월이 초교를 따라 말에서 뛰어내린 후, 침착하게 등에 업힌 묵아를 살짝 두드려 주었다.

"꼬마, 힘을 아껴 둬라. 원수에게 눈물을 보이는 건 겁쟁이나 하는 행동이다."

구양묵은 작은 손을 뻗어 얼굴의 눈물을 닦았다. 이제 묵아의 눈빛 속에서는 아이의 단순함이나 천진함은 전혀 보이지 않았다.

어린 성성의 시체는 막사 앞 도랑에 아무렇게나 버려져 있었다. 칼에 찔린 상처가 치명상이 된 듯했는데, 상처는 이미 빗물에 하얗게 부어올라 있었다. 아이는 눈을 크게 뜨고 있었는데, 그 안에 원한 같은 것은 보이지 않았다. 그저 당황한 듯, 무서운 듯, 공포에 질린 눈빛이었다. 성성의 몸은 너무나 작았다. 치마 아래로 신발조차 신지 않은, 핏기 없이 새하얀 작은 발이 드러나 있었다. 보는 것만으로도 마음이 아픈 모습이었다. 성성의 곁에는 중년의 남녀가 누워 있었는데, 아마도 성성의 부모인 듯했다.

초교는 성성의 손에 비수가 한 자루 들려 있는 것을 발견했다. 헤어질 때 초교가 성성에게 건넸던 바로 그 비수였다.

차가운 바람이 불어와 초교가 입은 녹색 옷을 펄럭였다. 옷은 이미 젖어서 그녀의 몸에 달라붙어 있었다. 초교는 고개를 들고 깊이 숨을 들이마셨다. 그리고 갑자기 앞으로 한 걸음 나아갔다. 그녀의 눈에 머뭇거림이나 슬픔은 전혀 보이지 않았다.

그저 예전과는 다른 용기와 집착 서린 눈길로 앞을 바라보았다.

찰나의 순간, 눈처럼 새하얀 검광이 빛났다. 무서운 살기가 순식간에 온 천지를 뒤덮어 버렸다. 초교는 몸을 날려 어둠 속에서 새하얀 검광을 맹렬하게 그었다. 그녀의 칼이 닿는 곳마다, 모두 경악에 찬 눈빛으로 생을 마감했다.

"악!"

날카로운 울부짖음이 비 오는 밤의 침묵을 깨트리고 있었다. 부상 입은 병사들이 야수처럼 비명을 질렀다.

초교는 여성의 연약함은 모두 벗어던졌다. 이 순간 그녀는 전사였고, 냉혈한이었으며, 두려움을 모르는 살인 기기였다. 그녀는 자신을 막는 병사들을 모두 베어 버리면서 앞으로 질주했다.

"저들을 포위하라! 주인님을 보호하라!"

혼란 속에서 누군가가 소리쳤다. 병사들의 눈이 일순간에 불타올랐다. 지금 초교와 제갈월은 독 안에 갇힌 쥐나 마찬가지의 상황이었다. 병사들 입장에서는 초교와 제갈월을 베기만 한다면 큰 공을 세우게 될 것이다.

그러나 병사들의 눈빛이 불타오른 것도 그저 한순간뿐이었다. 다음 순간, 병사들은 공포에 젖어 자신들이 얼마나 가소로운 존재인지 깨달았다. 그들이 진을 펼치는 동안, 상대는 이미 무섭게 학살을 자행하고 있었다. 초교와 제갈월은 시종일관, 도망칠 생각일랑 하지 않았다!

화려한 검광이 허공을 가르고, 초교 앞을 가로막던 병사 두 명이 동시에 참혹한 비명을 지르며 물러났다. 그중 한 명은 다리를 잘려 피가 이리저리 튀었다. 누군가가 뒤에서 기습하자, 초교는 고개조차 돌리지 않고 칼을 뒤로 날려 그자의 심장을 사납게 찌른 후 마치 시간이 멈춘 것처럼 잠시 폭우를 맞으며 서 있었다.

마침내 다시 칼을 뽑아내자, 병사의 심장에서 피 기둥이 솟아올라 그녀의 몸을 적셨다. 그러나 그녀는 얼굴 한번 찡그리지 않고 날카로운 매처럼 사방을 둘러보았다. 그녀의 눈길이 닿는 곳마다 모두 공포에 질려 창백해졌다. 초교는 천천히 몸을 세우고, 칼을 겨누며 천천히 앞으로 걸어갔다.

"저 여자를 잡아라!"

상대편 병사들 중 우두머리로 보이는 자가 큰 소리로 외쳤다.

제갈월이 차갑게 코웃음 쳤다. 허공을 가르는 소리가 들렸다. 파월검이 울음소리를 내며 날아가, 한 병사의 배를 꿰뚫어 버렸다.

"아저씨, 저들을 죽여 버려요!"

묵아도 이제 겁이라곤 없이 큰 소리로 외쳤다.

잔인한 학살이 한 어린아이에게서 선량한 마음을 빼앗고 말았다. 묵아는 작은 주먹을 휘두르며 큰 소리로 울부짖었다. 그 기세는 마치 오랜 세월 전장을 누빈 전쟁광 같아 보였다.

"도련님께서 명을 내리셨다. 저 세 사람의 목을 가져오는 자는 상금 천 냥을 받는다!"

막사에서 나온 시종이 무리들에게 외쳤다. 그러나 그가 말을 끝내기도 전에, 초교와 제갈월이 순식간에 무리 속으로 돌진했다. 수많은 인마가 사방팔방에서 밀려왔고, 수많은 검들이 그들을 향해 달려드는 가운데, 경천동지할 비명 소리가 계속 울려 퍼졌다. 칼에 베이고 잘려 나간 몸은 피를 뿌리며 쓰러졌고, 사람들은 더 이상 첩 냥을 받는다는 생각조차 하지 못하고 사방으로 도망치고 있었다. 심지어 도망치는 중 서로 걸려 넘어지고 엎어지기도 했다.

이제 초교와 제갈월이 있는 공간은 텅 비어 버렸다. 두 사람은 어깨를 나란히 하고 서서는 도망치는 인파를 무시하는 눈빛으로 바라보았다. 몸은 피로 흠뻑 젖어 있었지만 제갈월의 목소리는 평온했다.

"아직 살아 있나?"

"죽을 수야 없으니까."

초교는 얼음처럼 차가운 눈으로 앞에 있는 무리들을 바라보며 단호하게 말했다.

"이들을 견제해 줘. 나는 막사 안으로 들어가 볼 테니까."

제갈월이 미간을 찌푸리며 말리려 했지만, 초교의 몸은 마치 활시위를 떠난 화살처럼 앞으로 달려 나가고 있었다. 그리고 다시 한 번 처참한 전투가 시작되었다. 제갈월은 낮게 욕설을 내뱉으면서도 결국 앞으로 달려 나가 초교를 위해 앞을 쓸어버리기 시작했다.

거대한 막사 안, 연순은 미간을 찌푸린 채 침상에 기대앉아 있었다. 그 곁에서 아정이 칼을 쥔 채 바깥의 동정에 귀를 기울이고 있다가, 나지막하게 말했다.

"주인님, 연북의 시위들을 내보내시지요. 저 두 사람의 무예가 아주 고강합니다."

연순은 손으로 가볍게 태양혈을 누르며 냉담하게 말했다.

"그럴 필요 없다. 류가가 부리던 이들을 이참에 해결하는 것도 나쁜 선택은 아니고."

"하지만."

아정이 미간을 찌푸렸다.

"류가가 부리던 이들 중 단 한 명도 데려가지 않는다면, 우리가 변당에 가서 행세하기가 아주 어려울 것 같습니다만."

그러나 연순은 손을 내저으며 담담하게 말했다.

"좀 더 기다려라."

이때, 초교는 이미 막사 앞까지 달려와 있었다. 그녀를 가로막는 것은 이제 류가의 시위 다섯뿐이었다. 초교는 냉랭한 눈길로 그들을 흘깃 바라보며, 혀를 내밀어 볼에 묻은 선혈을 핥았다. 그 무엇도 신경 쓰지 않는 듯한 그녀의 거만한 태도를 보자, 류가 시위들의 자신감은 완전히 무너져 내렸다.

초교는 다시 칼을 들었다. 그녀는 그들의 사정을 봐줄 생각이 없었다. 그녀는 냉병기 시대의 가장 완벽한 살인 기기였다.

막사 안에 죽음과 같은 적막이 내려앉았다. 밖에서 계속 비명이 들려왔고, 아정의 이마에서는 땀이 배어 나오고 있었다. 마침내 참지 못한 아정이 다시 입을 열었다.

"도련님……."

연순은 미간을 찌푸렸다. 그 자신도 이유를 알 수 없었지만, 마음 깊은 곳에 번민이 웅크리고 있었다. 자신이 무엇인가를 잊고 있는 것만 같았다. 마음속에서 목소리 하나가 아우성치고 있었지만, 그는 그 목소리가 무엇을 이야기하는지 알아들을 수 없었다. 막사 밖에서 들려오는 고함은 너무 컸고, 그것은 그에게 더 이상 떠올리고 싶지 않은 수많은 기억들을 떠올리게 했다.

마침내 연순이 가볍게 손을 흔들었다.

"가거라."

아정이 긴 숨을 내쉬며 무슨 말인가 하려는 듯 입을 열었다. 그러나 바로 이때, 맑고 차가운 목소리가 외치는 소리가 들려왔다. 장검 한 자루가 순식간에 칠흑같이 어두운 밤을 가르며 천지에 무섭고 예리한 빛을 펼쳐 내고 있었다!

"류희! 썩 나오지 못해!"

진황을 떠나던 그날, 칠흑같이 광활한 하늘 아래 연순은 자신에게 맹세했다. 더 이상 어떤 사람도 무서워하지 않겠다고, 어떤 일도 두려워하지 않겠노라고. 그는 자신을 가로막는 모든 세력을 무정하게 모두 무너뜨릴 예정이었다. 그는 칼과 주먹을 사용하여 온 세상에 제 힘을 보여 주었다. 이 세상 모두를 향해 선포했다. 연북의 왕이 돌아왔다. 연북의 왕은, 자신에게 가해 졌던 모든 죄악과 굴욕을 배로 갚아 주리라.

그러나 이 순간, 연순은 두려워하고 있었다. 그는 심지어 신발조차 신지 못한 채 비틀거리며 침상에서 일어났다. 그리고 아무것도 돌아보지 않고, 마치 미친 사람처럼 문가로 다가갔다.

"도련님!"

막사 안에 있던 시위들이 대경실색하여 앞으로 달려 나왔고, 아정도 연순을 제지했다. 아정은 그 목소리를 제대로 듣지 못했기 때문에, 연순이 화가 난 나머지 충동적으로 적에게 맞서기 위해 나가는 것이라 여겼다.

"주인님! 충동적으로 구시면 안 됩니다! 저런 자에게 주인께서 손을 쓰실 이유가 없습니다!"

그때, 초교의 외침이 다시 한 번 귀에 들려왔다.

"류희! 썩 나와라!"

그러자 아정마저 그 자리에 굳어 버리고 말았다.

거센 바람이 춤을 추는 가운데, 한바탕 무엇인가 무너지는 소리가 갑자기 들려왔다. 막사를 가리고 있던 휘장이 누군가의 칼에 뜯겨 나가고, 번개가 치는 하늘을 배경으로 한 여자가 문가에 서 있는 것이 보였다. 세상이 온통 새하얀데, 초교는 피투성이가 되어 당당한 자세로 서 있었다.

그녀의 얼굴에는 경멸이 서려 있었다. 그녀는 오만한 자세로 천천히, 칼끝을 연순에게로 향하며 차가운 목소리로 말했다.

"류희, 내가 올 줄은 상상도 하지 못했겠지."

그렇다. 상상도 하지 못했다. 어떻게 상상할 수 있었겠는가?

막사 안의 등불이며 촛불은 모두 바깥에서 들어온 비바람에 꺼진 상태였다. 희미한 빛이 여자의 창백한 얼굴을 비추고 있었다. 연순은 마치 나무토막이라도 된 것처럼 그 자리에 서 있었다. 입을 열어 무슨 말이건 하려 했지만, 대체 무슨 말을 해야 할지도 알 수 없었다. 이 순간, 언어를 사용해서는 연순의 심정을 표현할 길이 없었다. 그래서 그는 그저 미간을 찌푸린 채 그녀를 응시할 수밖에 없었다.

초교는 냉랭하게 연순을 바라보며, 흔들리지도 주저하지도 않는 목소리로 말했다.

"연북을 배반하고, 대동을 배반했으며, 동족을 학살했다. 이 어찌 죽을죄가 아니겠는가."

이때, 막사 밖에 숨어 있던 연북의 시위들이 출동하기 시작했다. 수많은 전투를 겪어 온 병사들은 류희의 친위대와는 비할 바가 아니었다. 검은 옷을 입은 그들은 연순의 막사 옆에 있는 막사 두 곳에서 날카로운 무기를 들고 나와 제갈월과 초교를 포위했다. 궁수들은 침착하게 화살을 활에 메겼다. 그러나 그들이 마침내 활을 들어 초교를 겨누었을 때, 모두 깜짝 놀라며 차마 활을 당기지 못했다.

제갈월과 초교는 연북의 시위들을 보지 못했다. 그들은 류가의 시위들은 이미 모두 물러섰다고 생각하며, 죽음 같은 적막에 싸인 막사 안을 응시하고 있었다.

"성아!"

제갈월이 한 걸음 앞으로 걸어 나가 그녀의 앞을 가로막았다. 초교가 충동적으로 막사 안으로 달려 들어가 목숨을 내던지는 결과가 생길까 봐 무서웠던 것이다.

초교는 어둠 속의 '류희'를 바라보며 단호하게 말했다.

"류희, 대동회를 대표하여 네 생명을 취하겠다. 설령 오늘 내가 너를 죽이지 못한다 해도, 언젠가 연순이 나를 위해 복수할 것이다! 배반자에게는 죽음만이 있을 뿐, 네가 살아남을 길은 없다!"

쾅, 하늘에 번개가 내리쳤다. 막사 안, 흰 옷을 입은 남자가 갑자기 미소 지었다. 연순은 고개를 들어, 쏟아지는 폭우 속 혼잡하고 어수선한 그림자들을 바라보았다. 어두운 하늘 아래, 그의 웃음에는 자조와 쓰디쓴 고통의 빛이 서려 있었다.

기뻐해야 할 일일까? 초교는 무사하게 자신 앞에 서 있었다. 그리고 그녀는 여전히 연순을 온전하게 신뢰하고 있었다. 하지만 대체 눈앞의 이 상황을 어떻게 타개해야 하는 것일까? 정말이지 하늘은 그에게 단 한 번도 너그러운 적이 없었다.

초교의 표정이 살짝 굳어 가고 있었다. 이상했다. 상대가 서 있는 자세며 움직임이 너무나 익숙했다. 그러나 살육을 계속해 왔기 때문인지 그녀의 머릿속은 살짝 굳어 있어 제대로 생각하기 어려운 상태였다. 또한 이 세상에는 그녀로서는 도저히 상상할 수도, 의심할 수도 없는 일이 있는 법이었다.

초교는 그저 미간을 찌푸리고 어둠 속 남자를 바라보며 천천히 걸음을 옮겼다. 휙 소리와 함께 연북의 시위들이 앞으로 나왔다. 바로 이때, 남자가 갑자기 손을 뻗어 좌우로 가볍게 흔들었다. 순간, 모든 이들이 대경실색했다. 남자의 손짓은 제갈월과 초교를 놓아주라는 의미였다!

"도련님!"

류가의 집사가 당황하여 외쳤다.

"어떻게……."

연순의 눈길이 갑자기 얼음처럼 차갑게 빛나며, 냉랭하게 집사를 노려보았다. 그의 눈에는 분노와 혐오, 그리고 도저히 제어할 수 없는 살의가 담겨 있었다.

임 집사는 등줄기가 쭈뼛해 왔다. 그는 서둘러 연순의 명을 따라 초교와 제갈월에게 외쳤다.

"도련님께서 너희들을 놓아주시겠다고 하셨다."

초교와 제갈월은 당황했다. 그들은 기뻐하지도 않고, 마치 괴물이라도 보는 듯한 눈빛으로 '류희'를 바라보았다.

임 집사가 귀찮다는 듯 소리쳤다.

"어서 꺼져라! 우리가 너희를 문 앞까지 배웅이라도 해 주어야 하는 것이냐?"

"성아, 가자."

제갈월이 그녀의 팔을 잡아끌며 나지막하게 말했다. 그러나 초교는 미간을 찌푸리며, 여전히 이해할 수 없다는 듯 칠흑같이 어두운 막사 안을 바라보았다.

"나와 가자니까!"

중앙의 이 막사를 공격하려 했던 것은 그저 우두머리를 잡아 이곳을 벗어나려는 전술의 일환이었을 뿐이다. 지금 그들이 자신들을 놓아주기로 했으니, 그 이유가 무엇이건 더 이상 여기서 머뭇거릴 이유가 없었다.

제갈월과 초교가 말에 올라탔다. 제갈월은 고개를 돌려 어둠에 싸인 막사를 바라보며 외쳤다.

"류희, 언젠가 네가 내 손에 떨어지는 날이 오면, 나도 너를 한 번은 살려 주겠다."

어둠 속에서는 아무 대답도 들려오지 않았다. 초교가 마침내 말을 채찍질해 그 자리를 떠나려 했을 때, 한숨 소리가 들려왔다. 너무나 피곤하고, 어쩔 수 없는 듯한, 마치 온몸의 힘을 몸 밖으로 내보내는 듯한 소리였다. 그리고 어둠 속의 남자가 속삭였다.

"조심하도록 해."

그 목소리가 그렇게나 작은데도, 그렇게나 약한데도, 그래도 초교는 들을 수 있었다. 그녀는 순간 몸을 떨며 재빨리 몸을 돌렸다. 그러나 그녀와 어둠 속의 남자 사이에는 수많은 병사들이 있어 그녀는 남자의 그림자조차 볼 수 없었다.

차가운 바람이 불어와 초교의 젖은 머리카락을 흩날렸다. 그녀의 머리카락에는 짙은 피비린내가 배어 있었다. 너무나도 자극적이고 괴로운 냄새였다.

"이랴!"

제갈월이 차갑게 외치며 말을 달리기 시작했다. 초교는 괴로운 얼굴로 고개를 돌려 마침내 그 뒤를 따르기 시작했다. 두 마리의 말은 더러운 진흙탕을 밟고 주둔지 밖으로 나는 듯이 달려갔다.

비바람은 더욱 거세지고, 도처에 무거운 호흡 소리만이 가득했다. 병사들은 서로를 힐끗거렸다. 초교와 제갈월이 이렇게 떠나는 것을 보니 당황스러웠던 것이다.

"주군!"

아정도 조급하게 외쳤다.

"아가씨잖습니까? 어째서 아가씨가 제갈월과 가도록 놔두시는 건가요?"

"놔두지 않으면 어쩌라는 것이냐?"

연순이 고개를 돌리며 쓰게 웃었다.

"이 가면을 벗고, 아초에게 이 모든 일을 내가 저질렀다고 말해야 할까?"

칠흑과 같이 어두운 구름 아래, 비는 계속 내리고 있었다. 이 길고 적막한 밤도 분명 지나갈 터였다.

세 사람은 마른 장작을 모아 불을 피웠다. 동굴 안이 따뜻해지기 시작했다. 세 사람은 젖은 외투를 벗고 불을 쬐이기 시작했다.

그들 모두 피로가 극에 달해 있었다. 심지어 묵아마저 조용히 무릎을 끌어안고 한 마디도 하지 않았다.

초교의 안색은 아주 평온했다. 무슨 생각을 하고 있는 것 같기도 하고, 아무 생각도 하고 있지 않은 것 같기도 했다. 그녀는 그저 그렇게 차가운 돌에 머리를 기대고 앉아 있었다.

제갈월은 이렇게 말없는, 어색하고 울적한 분위기를 견디기 힘든 듯 미간을 찌푸리며 몸을 일으켰다.

"장작이 곧 떨어질 것 같군. 가서 좀 주워 올게."

그러고는 밖으로 향했다.

"제갈월!"

초교가 갑자기 놀란 것처럼 큰 소리로 외쳤다. 제갈월이 발걸음을 멈추고 고개를 돌려 이상하다는 듯 그녀를 바라보며 말했다.

"무슨 일이지?"

"아…… 아니야."

초교는 약간 허둥거리는 표정으로 계속 고개를 저었다.

"아무것도 아니야."

제갈월이 살짝 눈썹 끝을 치켜세우며 재차 물었다.

"괜찮은 건가? 상처라도 입은 건 아니고?"

초교는 어쩐지 연약해 보이는 미소를 지으며 말했다.

"정말 아무 일도 아니야."

제갈월은 고개를 끄덕였다.

"여기서 기다려."

그리고 몸을 돌리다가 다시 한 번 당부했다.

"꼬마를 보고 있어. 절대…… 절대 제멋대로 다른 곳에 가지 말고."

"응!"

초교가 고개를 끄덕이며 웃었다.

"다녀와."

제갈월이 밖으로 걸어 나갔다. 그러나 그가 동굴 밖으로 두어 걸음 나갔을 때 초교가 다시 그를 불렀다.

"잠시만."

제갈월이 멈춰 섰다. 초교가 몇 걸음 앞으로 나와 그의 부상이 심하지 않은 것을 확인한 후 눈을 빛내며 속삭였다.

"조심하도록 해."

제갈월은 잠시 당황한 얼굴로 초교를 바라보더니 곧 고개를 끄덕였다. 그리고 무표정한 얼굴로 동굴 밖으로 나왔다. 그러나 동굴을 나오자마자 그의 입가에 웃음기가 어리기 시작했다. 마치 더 이상 참을 수 없는 것 같았다. 그는 아이처럼 코를 문질렀다. 눈빛도 점차 부드러워졌다.

초교는 제갈월이 멀리 가 버릴 때까지 그 자리에 서 있었다. 그녀의 표정은 복잡했다. 무엇인가에 아주 지친 것 같기도 하고, 또 매우 미안한 것 같기도 했다. 그녀는 모닥불 옆에 앉아 묵아의 머리를 쓰다듬으며 작은 소리로 물었다.

"이름이 묵아 맞지?"

묵아는 고개를 끄덕였지만 소리 내어 대답하지는 않았다.

"아주 괴롭지?"

아이는 여전히 대답하지 않았다. 초교는 작게 한숨을 쉬고, 작은 몸을 안아 주며 말했다.

"나는 알아. 네가 얼마나 괴로운지."

갑자기 눈물 한 방울이 그녀의 손등 위로 떨어졌다. 묵아는 흐느끼며 계속 중얼거렸다.

"성성……. 성성……."

초교의 마음도 너무나 슬펐다. 그 찬란하게 웃던 어린 소녀의 모습이, 한 자루 칼이 되어 그녀의 심장을 베어 내는 것 같았다.

"묵아, 그 사람들을 원망하고 있니?"

아이는 아마 아직 원망한다는 말의 진정한 의미를 이해하지 못할 것이다. 그러나 묵아는 갑자기 작은 주먹을 꽉 쥐더니 사납게 외쳤다.

"나는 아주 빨리 자랄 거야. 그래서 아저씨처럼 무술을 익힐 거야. 그리고 그 나쁜 사람들을 모조리 죽여 버리겠어."

초교는 무슨 말을 해야 할지 알 수 없었다. 그녀가 무슨 말을 할 수 있을까? 복수는 복수만을 낳을 뿐이라는 말을 할까? 아니면 무력으로는 모든 것을 해결할 수 없다고 말해 줄까? 초교는 심지어 묵아의 눈조차 제대로 볼 수 없었다.

그녀의 손은 계속 떨리고 있었다. 가슴속이 너무나, 너무나 괴로웠다. 그녀는 그저 묵아의 떨리는 등을 두드리며, 목멘 소리로 간신히 말을 이었다.

"그래, 열심히 해야 한다. ……적을 죽이지 못하더라도, 너 스스로를 지킬 수 있을 테니까."

"나는 반드시 그들을 죽일 거야!"

묵아는 주먹을 쥔 채 천진한 눈길로 초교를 바라보며 물었다.

"누나가 묵아에게 무술을 가르쳐 줄 수 있어?"

초교는 쓸쓸하게 웃었다.

"아저씨를 잘 따르도록 해. 아저씨 말을 잘 듣고 착한 아이가 되어야 한다. 아저씨가 너를 돌봐 주고, 무술도 가르쳐 줄 거야."

묵아는 눈을 깜빡거리며 정곡을 찔러 왔다.

"그럼 누나는?"

초교는 잠시 멈칫했지만, 곧 깊이 숨을 들이마시고 일부러 아무렇지도 않은 듯 말했다.

"기회가 있으면, 누나도 묵아를 가르쳐 줄게."

그러나 아이는 아주 영리하고 예민했다. 묵아는 초교의 소매를 잡고 큰 소리로 물었다.

"떠나려는 거야?"

초교는 고개를 저으며 묵아의 작은 몸을 끌어안았다. 그리고 마치 아이에게 이야기하듯, 또한 스스로에게 이야기하듯 속삭이기 시작했다.

"묵아, 너는 아주 불행하지만, 또 동시에 운이 아주 좋기도 하단다. 네 부모가 다른 이의 손에 죽었고, 네 원수의 세력은 아주 크지. 너희 가족에게는 근본적으로 대항할 방법이 없었을 거야. ……원래대로라면 너도 죽었을 텐데, 너를 지켜 주고 싶어 했던 사람이 있었지. 네 가족은 이제 이 세상에 없지만, 이후로 누군가가 너를 돌봐 주고 지켜 줄 거야. 그러니까 어찌 생각하면 너는 상당히 운이 좋은 편이야. ……이 세상에, 너보다 더 불행한 일을 겪은 사람들도 있거든……. 그는…… 그의 원한은 너보다 더 깊고, 그의 가문을 무너뜨린 세력은 네 가족을 죽인 세력보다 더욱 컸지. 그리고 그는 굴욕을 받으며 아주 오랜 세월을 견뎌 내야 했어. 세상에 그를 도와주려는 사람은 아무도 없었기에, 그는 스스로 노력하는 수밖에 없었어. 그러는 동안에도 다른 이들에게 괴롭힘을 당하고 모욕을 당했지. 그래, 그의 마음속 원한은 너보다 크단다……."

초교는 조용히 미소 지으며 아이의 머리를 쓰다듬었다. 그녀의 웃는 얼굴은 상냥하고, 심지어 조금 자비로워 보이기도 했다. 그녀가 다시 속삭였다.

"그러니까…… 장래에 네가 무슨 일을 하건 누나는 너를 용서할 거야. 왜냐하면 누나는 네가 무엇을 겪었는지 알고 있으니까. 네가 오늘 왜 이런 모습으로 변했는지 알고 있으니까. 하지만 네가 잘못을 저지를 때면, 누나는 방법을 생각해서 너를 막을 거야."

"누나. 묵아는 잘못을 저지르지 않을 거야. 무슨 말이건 누나 말을 들을게."

묵아가 큰 소리로 말했다.

"착한 아이구나."

초교는 묵아를 끌어안고 나지막하게 한숨을 내쉬었다.

"네가 장래에도 지금 한 말을 기억할 수 있으면 좋겠구나."

모닥불이 소리 내며 타올랐다. 묵아는 조금 졸린 것 같았다. 초교는 마른 풀을 모아 아이를 눕혔다. 얼마 지나지 않아 아이가 가볍게 코를 골기 시작했다.

초교의 얼굴이 점차 가라앉았다. 그녀는 조용히 아이가 자는 모습을 보고 있었다. 한순간 그녀는 아주 오래전으로 돌아간 것만 같았다. 그 죽음들 이후, 그 비가 새는 낡은 방 안, 그래, 소년의 창백한 얼굴, 꽉 찌푸리고 있던 그의 미간. 그들은 목소리를 낮춘 채 외쳤다.

'살아남아야 해. 개처럼 비굴하게 굴면서라도 살아남아야 하

는 거야.'

그리고 눈 깜짝할 사이에 이리도 긴 시간이 흘러가 버렸다.

그녀는 나뭇가지를 하나 들어 땅 위에 몇 글자를 적었다. 나뭇가지가 지나가는 곳마다 땅이 깊이 파였다. 초교는 온 심혈을 다해 이 글자들을 적고 있었다.

마침내 그녀는 마지막으로 이 동굴을 한번 둘러보고, 묵아를 한 번 더 바라보았다. 그리고 깊이 숨을 들이마신 후 동굴을 빠져나왔다. 곧 동굴 밖에서 한바탕 말 울음소리가 들려오고, 그 뒤를 이어 폭우가 쏟아지기 시작했다.

제갈월은 토끼 한 마리를 잡아 웃는 얼굴로 돌아왔다. 그러나 동굴 안으로 들어왔을 때, 그의 얼굴은 그대로 굳어 버리고 말았다.

"꼬마! 꼬마야!"

그는 황급하게 묵아를 깨웠다. 아이는 눈을 비비며 졸린 눈으로 몽롱하게 그를 바라보았다.

"아저씨."

제갈월이 얼굴이 파랗게 질린 채 말했다.

"성아는? 성아는 어디 있는 거지?"

"누나?"

묵아는 미간을 찌푸리며 방금 초교가 앉아 있던 방향을 가리켰다.

"누나는 저기 있는데. 어? 누나가 어디 갔지?"

제갈월은 아이를 밀치고 동굴 밖으로 몇 걸음 뛰어나갔다.

역시, 말 한 필도 사라져 있었다.

"아저씨! 여기 글자가 있어!"

제갈월은 묵아의 외침을 듣고 다시 동굴 안으로 뛰어 들어 갔다. 불더미 곁에 수려한 글씨체로 몇 줄 적혀 있었다. 깊이 파인 그 흔적은, 글을 쓰던 이의 심정이 얼마나 복잡했는지 보여 주는 것 같았다.

나는 가야 해. 나를 찾지 마. 나는 복수하러 돌아갈 수 없어. 묵아를 잘 돌봐 줘.

이 글자들 아래, 어지러워 보이는 글자가 한 줄 더 있었다.

제갈월, 고마워.

고맙다니, 뭐가 고맙다는 거지? 죽이지 않은 것이 고마운 건가? 아니면 함께한 여정 내내 서로 도왔던 것이 고마운 걸까? 그것도 아니면 혹시 이 아이를 돌봐 주어 고맙다는 걸까?

제갈월은 갑자기 분노하여 소리쳤다. 간신히 일으킨 불더미를 발로 찼다. 묵아는 당황하여 곁에서 움츠린 채, 감히 앞으로 나서지 못했다.

마침내 제갈월이 성큼성큼 앞으로 걸어 나가 동굴을 빠져나가려 했다.

"아저씨!"

묵아는 그가 자신을 버릴까 봐 두려운 나머지 큰 소리로 외쳤다.

"어디 가시는 거예요?"

그렇다. 나는 어디로 가는 걸까? 성아를 쫓아가야 하는 걸까? 하지만 나에게 무슨 자격이 있어서?

제갈월이 갑자기 냉소했다. 그리고 손에 들고 있던 토끼를 던져 버리고, 텅 빈 동굴 안에 선 채 고개를 들었다. 나지막한 호흡 사이로 비웃음이 섞이기 시작했다.

"제갈월, 이 미련한 놈!"

폭우가 쏟아지고 있었다. 이만한 비라면 적수 강변에는 다시 한 번 홍수가 일 것이다.

초교는 말을 달려 차가운 빗속을 뚫고 갔다. 머릿속은 텅 비어 있었다. 마침내 모든 일이 하나하나 이어지고 있었다. 그녀는 속으로 스스로를 저주했다. 내가 이렇게나 아둔하다니!

하지만 그녀는 직접 자신의 눈으로 보기 전에는 모든 것을 납득할 수 없었다.

초교의 피는 뜨거웠다. 그녀의 눈은 밝게 빛나고, 숨결 역시 거칠었다. 그녀는 계속 그런 상태로 나는 듯이 말을 달렸다.

어둑어둑한 하늘은 얼음처럼 차가웠다. 얼마나 달렸을까, 초교는 마침내 그 산골짜기에 도착했다. 몸에서 순간적으로 모든 기운이 빠져나갔다. 그녀는 말 위에 앉은 채 멍하니 텅 빈 산골짜기를 바라보았다. 뜨겁게 끓어오르던 피가 조금씩 얼어

붙고 있었다.

초교는 말에서 내려 비틀거리며 진흙탕 속을 걸어갔다. 그녀는 다시 한 번 성성의 작은 시체와 만나게 되었다.

두 시진 후, 산골짜기 옆 숲에 무덤이 하나 생겨났다. 그 무덤 아래에는 무고한 생명 셋이 매장되어 있었다. 초교는 무덤 앞에 서서 칼을 그 옆에 꽂고, 땅이 더러운 것도 신경 쓰지 않고 무릎을 꿇었다.

"성성, 미안해."

그녀는 나지막하게 말했다. 그 목소리에 무력한 슬픔이 배어 있었다.

"하지만 언니는 네 복수를 해 줄 수가 없어."

초교는 무덤 앞에 머리를 부딪쳤다. 사방으로 진흙탕이 튀었다.

마음속에는 하고 싶은 말이 많았지만, 지금은 무슨 이야기를 하더라도 모두 조롱이 되어 버릴 것이다. 초교는 조용히 무릎을 꿇은 채 있는 힘을 다해 땅에 자란 풀을 쥐어뜯고 있었다. 그녀의 눈빛은 단단했지만, 눈물을 참을 수는 없었다.

나는 성성의 죽음 때문에 상심해서 눈물을 흘리는 것일까. 아니면 다른 무엇 때문에 이리 우는 것일까.

"미안해! 나는 할 수 없어!"

초교는 흐느끼며 몸을 일으켜 말 위에 올라탔다. 그리고 당경이 있는 방향으로 빠르게 달리기 시작했다.

오후였지만 하늘은 어두웠다. 칠흑같이 어두운 구름이 하늘을 답답하게 억눌러, 사람이 숨도 쉬기 어려울 정도였다. 바람이 소리 내며 불어오고, 숲에 있는 모든 것이 멀어져 가는 초교의 뒷모습을 바라보고 있었다. 새로 생겨난 작은 무덤도 그녀를 바라보고 있었다.

비바람이 슬프게 불어와 나뭇잎이 잇달아 떨어졌다. 얼음처럼 차갑게 젖은 날이었다. 날씨는 언제나 맑아질 수 있을까?

이때, 100리 밖 당경성 문이 큰 소리를 내며 열리고 화려한 마차가 바람처럼 질주해 나왔다. 마차를 모는 이는 스물이 채 안 된 청년으로, 괴로운 듯 얼굴을 찡그리며 마차 안의 사람에게 외쳤다.

"전하, 이 이상 빠를 수는 없습니다. 말들이 숨이 끊어질 지경입니다!"

"어서! 더 빨리!"

마차 안의 사람이 큰 소리로 재촉했다. 그러더니 창밖으로 요물 같은 얼굴이 하나 불쑥 나왔다. 그가 입은 화려한 붉은 비단옷은 혼례라도 치르러 가는 차림 같았고, 봉황 같은 눈매는 살짝 위로 올라가 있었다. 그가 큰 소리로 외쳤다.

"이번에도 잡히면, 네 누이 둘을 모두 궁으로 들여 시침을 들게 할 것이다."

마차를 몰던 청년은 즉시 정신을 다잡고 있는 힘을 다해 말의 엉덩이에 채찍을 휘둘렀다. 말은 길게 울부짖으며, 미친 듯이 질주하기 시작했다.

제10장 변당에 꽃이 피어

옥병산 꼭대기, 백남 호반.

폭우 후로 연못의 연꽃은 모두 지고 말았다. 남아 있는 것은 물 위에 뒤엉켜 있는 검은 줄기뿐이었다.

때때로 새들이 가볍게 수면을 스쳐 가며 잔잔한 물결을 일으켰다. 호수 위에는 차가운 바람이 소슬하게 불어오고, 나무판을 새끼줄로 이어 만든 긴 나무다리는 거칠어 보였지만 동시에 자연스러워 자못 시흥을 불러일으켰다.

맑은 바람이 유유히 불어오고, 꽃들은 화려하게 피어 있었다. 호숫가에는 새하얀 꽃송이들이 보이고, 호수에는 물고기들이 호기심에 가득 차 가볍게 꼬리를 휘두르며 물 위의 모든 것을 가늠해 보고 있었다. 큰비가 지나가 하늘은 구름 한 점 없이 짙푸르고, 태양은 눈부시게 빛나고 있었다. 이미 황혼 무렵이었지만, 여전히 밝은 느낌이었다.

구불구불한 나무다리를 따라가면 호수 중앙에 정자가 하나 우뚝 서 있고, 그 안에 붉은 옷을 입은 청년이 홀로 서 있었다. 옷소매는 가볍게 나부끼고, 바람이 느릿느릿 불어와 그의 새까만 머리카락과 붉은 옷자락을 흩날렸다. 붉은 옷에는 커다란 붉은 장미가 송이송이 수놓여 있어, 마치 바람 속에서 활짝 피어나고 있는 것 같았다.

남자의 얼굴은 마치 그림에서 빠져나온 것 같았다. 높은 콧날에 살짝 치켜 올라간 눈꼬리, 그야말로 절색이었다. 그는 길고 가느다란 눈으로 냉담하게 정자 밖의 사람들을 훑어보고 있었는데, 그 모습이 우아하고 고귀하면서도 냉정해 보이는 동시에, 도무지 그 깊이를 헤아릴 수 없는 느낌이 들었다.

"모두 비켜라! 아니면 너희에게 내가 죽는 모습을 보여 주겠다!"

그러나 날카로운 동시에 비할 데 없이 요란한 목소리가 이 그윽한 산 속의 풍경을 철저하게 부수고 말았다. 붉은 옷의 남자는 손에 무거운 칼을 들고, 낑낑거리며 자신의 목을 그으려 했다. 그러나 유감스럽게도 그에게는 그만한 실력이 없어, 두 손을 한참 덜덜 떨기만 하고 칼은 들지 못했다.

"전하, 우리는 지금 전하의 사활을 챙길 마음의 여유가 없습니다. 어쨌든 황상께서 살아 있건 죽어 있건 반드시 전하를 모셔 오라고 명을 내리셨으니까요. 전하께서 우리와 함께 돌아가시지 않으면, 우리는 어차피 염라대왕 앞으로 가게 될 텐데요."

정자 밖 기둥에 기댄 젊은 시위가 건들거리며 정자 안 남자에게 말했다.

붉은 옷의 남자가 그 젊은 시위를 보며 원망스럽다는 듯 말했다.

"너, 육윤계 이 자식, 내가 평소에 너에게 잘 대해 주었건만, 오늘 이렇게 나오다니. 내가 당경에 돌아가면 반드시 네 누이들을 잡아들여 내 시침을 들게 하겠다."

"아, 전하."

육윤계가 의기소침하게 말했다.

"정말 서글프게도 말입니다, 제가 이 임무를 맡았다는 소식을 듣자 제 큰누이가, 아직 시집을 가지 않은 세 여동생을 데리고 연안암이라는 암자로 들어가 버렸답니다. 전하께서 살아서 당경성에 들어가신다면, 바로 삭발을 하고 출가하겠다고 하더군요. 머리를 깎을 칼도 이미 아주 잘 갈아 두었답니다."

"뭐라고?"

남자가 잠시 멍한 표정을 짓더니, 곧 얼굴에 분노의 기색이 어렸다.

"차라리 출가를 할지언정 본 왕과 함께하지 않으려 한다는 말이냐! 어찌 이럴 수가!"

말을 마친 남자는 바로 고개를 돌려 갈색 옷을 입은 사내에게 물었다.

"철유, 너도 본 왕과 적이 될 생각이냐?"

"전하."

몸집이 큰 철유는 맥이 풀린 듯 나무다리 위에 웅크리고 앉아 있었다. 고개를 푹 숙인 것이 영 기운이 없어 보였다. 그는 느릿한 목소리로 말했다.

"저는 누이가 없습니다."

"안다!"

남자는 사납게 외쳤다.

"하지만 딸이 있지!"

철유는 다시 한숨을 내쉬고, 초점 없는 눈으로 물끄러미 남자를 바라보았다.

"전하, 제 딸은 어제로 태어난 지 딱 한 달이 되었습니다. 전하께서 저를 위협하고 싶다 하셔도, 너무 이른 것은 아닐는지요?"

말을 마친 철유는 머리를 흔들며 울적하게 말했다.

"우리 귀염둥이가 태어난 지 한 달이 되었는데 축하주도 마시지 못하고, 전하나 잡으러 다녀야 하다니."

"좋아, 너희 모두 나를 배신할 생각이군!"

남자는 격분한 나머지 사방을 두리번거리더니, 얼굴이 출중한 청년 하나를 발견하고 자못 진지한 표정으로 물었다.

"손체, 너도 나에게 맞설 생각이냐?"

손체가 미소 지었다. 그의 웃는 표정은 일견 사악해 보일 정도로 유난히도 매력적이었다. 손체는 눈을 밝게 빛내며 남자에게 말했다.

"전하, 비록 저에게 누이는 없지만, 모친께서 저를 위해 첩들을 들여놓으셨지요. 저는 전하께서 그녀들을 모두 궁으로 데리고 가시는 날을 즐거운 마음으로 기다리고 있겠습니다. 미천한 신에게 있어 인생 최대의 영광일 것입니다."

"전하."

피곤한 듯한 목소리가 들렸다. 열일곱 정도 되어 보이는, 온몸에 근육이 울퉁불퉁한 청년이 곁에서 하품하며 물었다.

"적당히 끝나셨습니까? 지금 하산한다면, 성문이 닫히기 전에 돌아갈 수 있습니다. 그럼 오늘 저녁에 옥화루에 아직 자리가 남아 있을걸요."

"옥화루는 무슨 옥화루?"

남자가 분노하여 외쳤다.

"잘 들어라. 이번에 꼭 도망을 치겠다는 내 마음은 확고하다."

모두 어쩔 수 없다는 듯 그를 바라보았다. 그들의 눈에는 조소가 어려 있었다. 그들의 눈빛을 본다면 대하의 황제라도 부끄러워 연세성의 무덤 앞에 가서 머리를 조아릴 것이다. 그들의 눈빛은 명확하게 다음과 같이 말하고 있었다. 전하께서 언제는 확고하지 않은 적이 있으셨습니까?

그러나 남자는 여전히 조금도 부끄러운 빛 없이, 제법 정의로운 듯 외쳤다.

"나는 결코 부황의 권력에 굴복하지 않을 것이다!"

철유가 한숨을 쉬며, 연장자다운 태도로 달래기 시작했다.

"전하, 혼례가 얼마 남지 않았습니다. 각국의 사자도 잇달아 도착하고 있고요. 지금 도망을 치시면 대하의 황제가 알게 되고, 아마 대로할 텐데요."

"원래 사람은 누울 자리를 보고 다리를 뻗는 법입니다. 별일도 아니잖습니까. 공주를 아내로 맞이하고 돌아오셔서, 내버려 두고 보지 않으면 그만 아닙니까."

"그렇습니다. 잠시만 참으시면 평온한 나날이 계속되고, 한 걸음만 물러서면 자유로워지실 텐데요. 전하, 너무 고집부리지 마시지요."

"닥쳐라!"

남자가 큰 소리로 외쳤다. 그러더니 하늘을 향해 슬프게 외쳤다.

"나에게는 이미 마음에 둔 사람이 있으니, 반드시 내 비의 자리를 비워 두고 기다릴 것이다."

다른 이들은 모두 무시하듯 입술을 비죽거렸다. 마음에 둔 사람이 있다고? 그야말로 대하가 스스로 변당에게 신하를 자청할 것 같은 수준의 말도 안 되는 이야기였다.

육윤계가 해를 바라보며 한숨을 쉬었다.

"전하, 시간이 꽤 늦었습니다. 시간을 낭비하지 않는 것이 좋겠습니다."

붉은 옷을 입은 남자가 신중하게 한 걸음 뒤로 물러났다.

"뭘 하려는 게냐? 말해 두겠는데, 나도 한다면 하는 성격이다. 나를 지나치게 업신여기지 말란 말이다."

철유가 손뼉을 몇 번 치며 몸을 일으켰다. 그러더니 나른한 태도로 남자에게 다가가며 다른 이들에게 말했다.

"자, 자, 일을 하자고. 일을 빨리 끝내야 집에 가서 밥을 먹지."

손체가 긴 포승을 하나 꺼내더니 어쩔 수 없다는 듯 고개를 저었다.

"보아하니 이걸 쓸 수밖에 없겠군요."

"대체 뭘 하려는 거냐? 너희들, 당초에 너희들을 거둔 것이 누군지 잊은 것은 아니겠지? 육윤계, 네가 도박장에서 돈을 모두 잃었을 때 내가 널 봐줬던 것을 잊지 마라. 그래, 비록 내가 너에게 속임수를 좀 쓰기는 했다만, 그래도 내가 진짜 사람을 불러 네 손을 하나 베지는 않았잖아! 그리고 손체, 네가 네 모친에게 쫓겨났던 때를 기억하고 있나? 기원마다 외상이 있어 온 성의 아가씨가 모두 너를 무시하던 때 아니냐. 그때 내가 아니었다면 너는 아직도 이홍루 지하실에 갇혀 있을걸…… 아, 물론 네 모친이 너를 내쫓았던 이유가 내가 너를 핍박해, 추도의 뱃속에 있는 아이가 네 아이라고 인정하게 만들었기 때문이긴 하지만, 그래도 너는 꽤 이득을 봤지 않느냐고. 추도는 미인이고, 지금은 네 첩이 되어 있으니……."

한바탕 처참한 비명 소리가 갑자기 들려왔다. 그 소리가 어찌나 공포스러운지, 사방 20리 내의 동물들은 모두 겁을 먹고 도망칠 정도였다. 변당에서 가장 존귀한 몸인 태자 이책은, 옥병산에서 비참하게 비명을 내지르며 수하들을 꾸짖었다.

"배은망덕한 개새끼들! 평소에 내가 너희를 진심으로 대했건만, 이렇게 중요한 시기에 나를 배신하다니. 기다려라, 조만간 너희 집안의 여자들 모두 내 시침을 들게 할 테니까!"

소리치는 태자를 제압하여 꽁꽁 묶고 난 후, 모든 이들이 길게 한숨을 내쉬었다. 그때, 산 아래에서 말 한 필이 산길을 따라 올라오는 소리가 들렸다. 말은 그들을 발견하고 발걸음을 멈추더니 경계하듯 지켜보았다. 아주 호기심에 가득 찬 눈이었다. 그러나 사람들에게 중요한 것은 그 말이 등에 한 사람을 싣고 있다는 것이었다.

그 사람은 여자였다. 비록 꼴은 엉망이었지만, 여자가 입고 있는 옷은 원래 매우 화려했을 거라는 사실을 모두 알아볼 수 있었다. 호수의 빛깔 같은 녹색 옷에, 겹겹이 두른 치맛자락에는 푸른 꽃이 수놓여 있었다. 아주 정교하면서 결코 요란하지 않은 옷이었다. 윤기 나는 새까만 머리카락은 등 뒤로 풀어헤쳐져 엉망이었지만, 긴 다리며 날씬한 허리 등을 보면 한눈에도 몸매가 매우 늘씬한 미인임에 분명해 보였다.

다만 이 미인의 상태는 아주 좋지 않아 보였다. 그녀는 말 위에 엎드린 채 혼수상태에 빠져 있는 것 같았다.

"응? 잠을 자고 있는 아가씨 같은데."

꽁꽁 묶인 상태에서도, 한눈에 중요한 것을 발견한 이책이 즉시 곁에 있는 이들에게 눈짓했다.

"여인이 있잖아. 내 체면을 생각해서라도 빨리, 어서 풀어 줘."

철유가 이책에게 눈썹을 치켜세우며 말했다.

"어림도 없습니다."

바로 이때였다. 한바탕 바람이 불어오더니, 여자의 긴 머리를 흩날렸다. 이책이 예리하게 살펴보다가 잠시 멈칫했다. 그러더니 곧 입을 열고 큰 소리로 외쳤다.

"여협! 교교! 어서 와서 나를 구해 줘! 나 이책이라고!"

그가 갑자기 소리쳤기 때문에 모두 깜짝 놀랐다. 특히 초교를 태운 말은 산에서 한참을 노닐면서 사람을 보지 못했던 상태였기 때문에, 그가 외치자 이리라도 왔다고 생각한 듯 깜짝 놀라 말발굽을 들어 올리며 날카롭게 울었다.

순간, 말 등에 엎드려 있던 여인이 쿵 소리와 함께 땅에 떨어져 굴렀고, 그 무정한 말은 이미 도망쳐 버렸다!

"악!"

이책이 깜짝 놀라 외쳤다.

"대체 다들 뭘 하고 있는 거야? 어서 교교를 구하지 못해?"

변당 황실의 마차가 바람처럼 달려 옥병산을 빠져나갔다. 숲에서 나무꾼 차림을 한 중년 남자 몇 명이 나왔다. 그중 하나가 다른 이에게 말했다.

"낙왕洛王께 말씀드리게. 태자가 여섯 번째로 도망쳤다고. 정말 제멋대로 굴고, 소문보다 더 심하게 황당한 자라고 말이다. 무서워할 필요 없이, 모든 것은 원래 계획대로 하면 된다고."

"예!"

나무꾼 복장을 한 남자가 그렇게 대답하고 즉시 호루라기를 불었다. 얼마 지나지 않아 새까만 말이 빠르게 달려왔고, 남자는 말 위에 올라 사라졌다.

이때, 산길 양쪽의 나무들에서는 초록이 방울져 떨어질 것만 같았다. 큰비가 내린 후 만물은 새롭고 신선해 보였다.

본래 당경으로 가서 연순을 찾으려던 초교는 독이 발작하여 정신을 잃은 후, 이런 방식으로 온 대륙 상업의 중심지로 가게 되었다.

　유난히 더운 여름이었다. 푸른 연이 무성하게 피어나고 맑은 바람이 불어왔다. 호수 가득한 푸른 연의 향기가 물가의 누각 안으로 들어왔다.

　두 시녀가 바닥에 반쯤 무릎을 꿇은 채 부채를 부치고 있었다. 누각의 사방에 있는 상자 안에 들어 있는 얼음이 더위를 몰아내고 시원한 기운을 내뿜고 있었다. 침상 앞에는 투명한 주렴이 걸려 있고, 흰 얼굴의 여자가 담황색의 얇은 옷을 입고 엎드려 있었다. 그녀의 검은 머리카락은 자연스럽게 흩어져 있고, 속눈썹은 유난히 길고 길었다. 여자는 얼굴을 살짝 찡그리고 있었는데, 안색이 약간 창백했지만 그렇다고 그녀의 미모가 덜해지는 것은 아니었다. 여자의 가슴까지 아주 얇은 비단 이불이 덮여 있었는데, 이불 위에는 장미 문양이 송이송이 수놓여 있었다. 장미 자수는 은사가 섞인 흰 실로 놓았는데, 저녁 해를 받아 장미 위로 따뜻한 빛이 물처럼 흐르는 것같이 보였다.

　여자가 미간을 살며시 찌푸리더니, 길고 하얀 손을 천천히 움직이기 시작했다. 속눈썹이 나비의 날개처럼 두어 번 떨리더니, 여자가 마침내 가을 물처럼 그윽한 두 눈을 떴다. 그녀는 바로 초교였다. 삽시간에 정신을 차린 그녀는 얼떨떨해하며 사방을 둘러보았다. 자신이 어디 있는지 도저히 알 수가 없었다.

"오! 일어나셨군요!"

시녀는 열서너 살 정도로 보였다. 그녀는 초교가 깨어나 매우 즐거운 듯, 바로 초교에게 달려오며 밖을 향해 소리쳤다.

"깨어나셨어, 깨어나셨다고!"

"부인, 일단 누워 계세요. 태의가 진맥하러 올 거여요."

다른 시녀가 침상 위의 끈을 풀어 두툼한 발을 내려 주며 말했다.

초교의 몸 아래에는 시원한 돗자리가 깔려 있었지만, 옷과 머리카락은 땀으로 흠뻑 젖어 있었다. 초교는 미간을 찌푸리며 시녀를 바라보았다.

"부인이라니, 누가요?"

"부인이 부인이시죠!"

시녀는 의심스럽다는 듯 말했다.

초교는 사방을 자세히 둘러보고 나지막하게 물었다.

"여기는 어디죠? 당신은 누구고요? 제가 왜 여기 있는 건가요?"

어린 시녀는 깜짝 놀란 듯 한참 입을 오물거리다가 간신히 속삭였다.

"여기는 황궁이고요, 노…… 노비는 추수라고 해요. 전하께서 부인을 모셔 오셨어요."

"황궁?"

초교는 눈썹을 치켜세웠다. 갑자기 조금 전까지 꾸고 있던 꿈이 기억났다. 꿈속에서 그 흠씬 패 주고 싶은 얼굴이 싱글거리고 있었는데. 대체…….

그녀는 침상에서 뛰어내려 발을 젖혀 올리고 밖을 향해 뛰어나갔다.

"부인! 부인, 신발도 신지 않으셨어요!"

어린 시녀가 급한 나머지 눈물까지 흘리며 재빨리 뒤를 따라왔다. 불처럼 붉은 노을에 푸른 물이 유유히 흘러가고 있었다. 초교는 치맛자락을 들고 맨발로, 수수하면서도 고풍스러운 회랑을 달려갔다.

멀리 푸른 호수 중앙, 연잎이 가득한 곳에 우아하고 고풍스러운 건축물이 하나 보였다. 칠을 하지 않은 나무로 지어 나뭇결은 물론이고, 어슴푸레하게 에두른 나이테도 보였다. 누각에는 울타리가 없어 사방으로 바람이 통하고 있었다. 누각 위에 겹겹이 걸어 둔 푸른 휘장이 마치 나비가 날갯짓하듯 펄럭이고 있었다.

누각의 정중앙에, 한 청년이 기둥에 비스듬히 기댄 채 앉아 있었다. 그의 손에는 은으로 만든 정교한 술병이 들려 있었지만 술잔은 보이지 않았다. 막 발라 놓은 듯한 연밥 몇 알이 마치 진주처럼 바닥에 흐트러져 있었다. 그는 푸른 통소를 들고 있었지만 불지는 않고 그저 손가락 사이에 끼운 채 굴리고만 있었는데, 그 움직임이 빠르고도 아름다워 마치 춤을 추는 것처럼 보였다. 수면 위에 어렴풋하게 물안개가 피어올라 남자의 얼굴을 가리고 있어, 초교는 그의 붉은 옷자락이 바람에 가볍게 나부끼는 것만 볼 수 있었는데, 그 모습은 마치 날개를 펼친 나비가 날아오르는 것 같았다.

"부인! 부인……."

열이 넘는 소녀들이 초교의 뒤를 따라왔다. 그녀들의 손에는 신발이며 붉은 비녀, 바람막이 등이 들려 있었고, 소녀들의 목소리며 말투 모두 나긋나긋 사랑스러웠다.

초교가 가까이 가자 남자가 갑자기 가볍게 웃었다. 그의 웃는 얼굴이며 살며시 올라간 눈썹 끝, 버들 같은 눈빛은 마치 잘 그린 그림 속 귀공자 같아 보였다. 그는 퉁소를 놓고 두 팔을 벌린 채 웃으며 말했다.

"어서 와, 교교! 상봉했으니 뜨겁게 포옹해 다오!"

퍽! 남자의 가슴으로 주먹이 날아갔고, 삽시간에 돼지 멱을 따는 듯한 비명 소리가 들렸다. 초교는 남자의 옷깃을 잡고 노한 소리로 외쳤다.

"이책! 이게 대체 무슨 꿍꿍이지?"

"악! 전하를 보호하라!"

"자객이다! 전하를 지켜라!"

비명 소리가 울려 퍼졌다. 이책은 기침하면서도 주변 사람들에게 손을 저어 보였다.

"아냐, 별일 아니라고. 모두 당황하지 말고 물러가라!"

주위 사람들이 모두 의심스러운 눈빛으로 물러난 후에야 이책은 겨우 얼굴을 찌푸리고, 초교를 바라보며 가련하게 말했다.

"교교, 매번 만날 때마다 굳이 이런 방식으로 나에 대한 감정을 표현해야 하는 거야? 너무 아픈데."

"무슨 의도냐고요? 왜 나를 여기로 데려온 거죠?"

이책은 한숨을 쉬며 눈을 휘둥그렇게 떴다.

"교교, 생명의 은인에게 겨우 그런 식으로 말할 수밖에 없는 거야?"

초교는 꿈쩍도 하지 않고 외쳤다.

"어서 사실을 말해요!"

"사실을 말하고 있는 건데."

이책은 다시 한숨을 내쉬었다.

"내가 혼사에서 도망치던 길에, 중독되어 정신을 잃고 있는 너를 우연히 만났어. 너를 구하기 위해서가 아니었다면, 나도 부황에게 꽁꽁 묶여 여기로 끌려오지 않았을 텐데. 교교, 나는 너를 위해 그렇게 희생했는데 너는 이런 식으로 나를 대하는구나. 나는 정말 마음이 아파."

초교는 의혹이 서린 눈초리로 그를 바라보았지만, 표정은 조금 풀어졌다.

"정말인가요?"

이책은 즉시 선서하듯 손을 들고 외쳤다.

"정말이라고!"

초교는 미간을 찌푸리고 잠시 생각하다가 천천히 손의 힘을 풀고 나지막하게 말했다.

"미안해요."

"괜찮아."

이책은 싱글거리며 거리낌 없이 말했다.

"나는 미녀들에게 얻어맞는 일에 익숙하니까."

말을 마치자마자 이책은 갑자기 원숭이처럼 뛰어 오르더니, 초교를 누각 기둥 뒤편으로 밀어 넣었다. 그리고 다시 조금 전의 자세를 취하고는 우울한 표정을 지으며 말했다.

"거기서 나오지 말고 있어. 잠시면 되니까."

맑은 바람이 유유히 불어오고 푸른 호수가 흔들렸다. 이책은 넓은 옷소매를 떨치고 퉁소를 입가로 가져가 입을 살짝 열었다.

초교는 그가 퉁소를 불려는 모양이라고 생각했다. 그러나 듣기 싫은 후후, 공기 빠지는 소리만 몇 번 날 뿐이었다. 그리고 갑자기 그녀 뒤에서 퉁소 소리가 들려오기 시작했다. 듣고 있으면 저절로 기분이 후련해질 정도로 훌륭한 연주였다.

초교가 뒤를 돌아보니 백발의 노인이 바닥에 쭈그리고 앉아, 극히 우아하지 못한 자세로 퉁소를 불고 있었다. 그녀가 도무지 영문을 몰라 하고 있을 때, 멀리서 재잘거리는 웃음소리가 갑자기 들려왔다. 초교가 고개를 들어 보니, 버들 그늘 아래 화려하게 치장한 소녀들이 팔짱을 끼고 걸어오는 것이 보였다. 소녀들은 퉁소 소리를 듣자마자 이책을 가리키며 눈을 반짝였다. 아마도 그의 풍채에 반한 것 같았다.

이책은 움직이지 않고 계속 담담하게 퉁소 부는 자세를 취하고 있었다. 그의 눈빛은 먼 곳을 향하고 있었고, 바람을 따라 흔들리는 휘장 덕에 그의 모습은 더욱 현실감이 없어 마치 세상에 유배 온 신선 같은 분위기를 풍겼다.

차를 반 잔 마실 시간이 지나자, 그 소녀들이 꿈지럭거리며 멀어졌다. 멀리 있던 여자가 붉은 깃발을 들어 올려 몇 번 흔들자, 이책은 길게 한숨을 내쉬며 기둥 뒤의 노인에게 말했다.

"됐다, 됐어. 그만 불어라."

노인은 계속 그곳에 쭈그리고 있었기 때문에 다리가 저린 나머지 비틀거리며 간신히 일어나 이마의 땀을 닦았다.

"태자 전하……."

"됐네, 우 선생. 이만 가 보게. 당신 아들이 남강 변경으로 가지 않아도 되도록 힘써 줄 테니. 그저…… 바꾸면…… 그래, 당신의 오랜 적수인 육 선생의 아들을 대신 보내면 되겠지. 누가 육 선생에게 통소도 못 불고 금도 못 타라고 했나? 딸을 낳아도 그리 못생기게 낳고 말이지."

"예, 예, 태자 전하의 도움에 감사드립니다."

노인은 서둘러 감사의 인사를 끝낸 후, 하인의 부축을 받으며 물러갔다.

초교는 기괴한 눈빛으로 이책을 바라보며 물었다.

"뭘 하고 계셨던 거죠?"

"방금 보지 않았어?"

이책이 갑자기 두 눈을 빛내며 즐거운 듯 말했다.

"방금 지나간 여자들 중에 말이야, 녹색 옷을 입은 여자. 보지 못했어?"

초교는 미간을 찌푸리며 말했다.

"저는 전하께서 무슨 장난을 치시는지만 보고 있었는데요. 어떻게 녹색 옷을 입은 여자에게까지 신경을 쓸 수 있었겠어요?"

"참 안타깝군."

이책은 머리를 흔들며 말했다.

"그녀는 얼마 전에 당경으로 돌아온 호부시랑 하 대인의 딸이지. 통소를 아주 잘 부는 데다, 생긴 것도 아주 예쁘다고. 문제는, 내가 그녀를 두 번이나 만났는데, 나를 똑바로 쳐다보지도 않더라고."

"전하를 똑바로 쳐다보지 않는 것이 아주 희귀한 일이기라도 한가요?"

"그야 당연하지!"

이책이 아주 당당하게 말했다.

"아무튼 됐어. 이런 이야기를 할 필요는 없지. 어떤 이유건 네가 변당에 오는 건 쉬운 일은 아니니, 내가 극진하게 손님 대접을 해야 마땅하겠지. 나가자. 내가 너를 데리고 나가 놀아 줄 테니까."

초교는 순간 당황하여 바보처럼 되묻고 말았다.

"놀러 간다고요?"

이책이 손을 뻗어 그녀의 어깨를 감싸며 미소 지었다.

"교교, 그렇게 고루하게 굴지 마. 복수니 대동이니, 싸우고 죽이고 하는 것 외에도 인생에는 즐거운 일이 아주 많다고."

가벼운 바람이 불어와 푸른 물결이 일렁였다. 오목교 위의 남녀는 실랑이를 벌이고 있었다.

"안 돼요. 전 일이 있어 어서 가 봐야 해요!"

이책이 귀찮아하며 설명했다.

"네 상처가 가볍지 않아. 며칠 쉰다고 나을 것이 아냐. 다 낫기 전에는 넌 어디도 갈 수 없어!"

초교가 미간을 찌푸리고 마지막하게 말했다.

"전하께서 내 일에 신경 쓰실 필요는 없어요."

"교교, 왜 이리 모진 거야? 나는 너를 구하기 위해 도망치려던 계획까지 포기하고, 이 무서운 정치적 혼인을 결국은 하게 되었는데. 그에 대한 보상으로 내 인생의 마지막 자유로운 시간을 함께 보내 줘야겠다는 생각은 들지 않아?"

"전하, 저는 사람을 찾고 싶어요. 도와주실 수 있나요?"

이책이 가볍게 코웃음 쳤다.

"남자, 아니면 여자?"

"남자……."

"도와주지 않을 거야."

"그렇게 빨리 거절할 필요는 없잖아요!"

"하지만 이건 더 생각할 필요도 없는 문제라고! 나는 내 곁에 있는 여인이 다른 사내를 생각하는 것을 허락할 수 없으니까."

"농담이시겠지요. 저와 전하가 대체 무슨 관계라고 그러시는 거죠?"

"어떤 관계건, 네가 그러는 것은 내 남성적 매력에 대한 일종의 모욕이라고."

초교는 무력하게 신음 소리를 냈다.

"전하, 여인이나 전하의 남성적 매력을 제외하고, 다른 일도 좀 생각하실 수는 없나요?"

이책이 갑자기 엄숙하게 말했다.

"가능하지. 나도 국가의 대사와 학술상의 문제에 관심이 있다고. 예를 들자면, 우리 변당 여성의 인구수와 평균 소양, 그리고 여성의 몸의 구조라든지. 그리고 나는 우리 변당 여성의 사회적 지위를 높이기 위해 노력하기로 뜻을 세웠어."

마지막 구절이 그를 흠씬 패 주고 싶은 충동을 억누르게 해주었다. 초교는 이를 악물고 물었다.

"오? 전하께서는 어떻게 변당 여인들의 사회적 지위를 높이려고 준비하고 계신 건가요?"

"그거야, 이렇게 생각 중이지."

이책은 매우 비열한 눈초리로 사방을 둘러보더니 속삭였다.

"천하의 모든 여인이 황실의 친척이 된다면, 여성의 지위는 자연스럽게 현격하게 높아지겠지."

"황실의 친척이 된다고요?"

"그래. 예를 들어 자기가 황실에 들어와 시침을 든다든지, 혹은 자신의 딸이 들어와 시침을 든다든지. 그도 아니면 자매가 들어올 수도 있고. 아니면 자신이 중매를 서서 아름다운 여인을 황실에 들여보내 시침을 들게 하면, 혹은…… 악! 교교! 여기는 내 궁인데, 어떻게 이렇게 바로 때리는 거야?"

밤이 되자 휘황한 등불이 올라가고, 번화한 당경이 한층 더 시끌벅적해졌다.

가느다란 달이 떠올랐다. 투명한 달빛이 수은처럼 흘러내려, 금오궁은 더욱 웅장하고 아름다워 보였다.

　이책은 마치 아이처럼, 초교를 끌고 달빛에 싸인 궁전 안을 달리고 있었다. 거친 밤바람이 초교의 긴 머리를 등 뒤로 나부꼈다.

　물처럼 맑은 달빛, 화려하면서도 고풍스러운 붉은 담벼락, 그리고 우아한 푸른 기와는 찬란한 별빛 아래 흔들리는 푸른 물결 같았다. 이책의 붉은 옷은 바람을 맞아 연처럼 춤을 추었다. 그들이 가는 내내 마주치는 궁녀들이며 시종들, 관원들은 모두 당황하여 길 양쪽에 무릎을 꿇고 두 사람이 달리도록 길을 내주었다. 그리고 그들 뒤에는 수많은 궁녀들과 시종들이 마치 바람을 쫓는 나비 떼처럼 쫓아오고 있었다.

　"자, 잠시만요……."

　초교는 중독되어 체력이 약해진 상태였다. 또한 며칠 동안이나 곡기를 제대로 먹지 않아 몇 걸음 뛰는 것만으로도 숨이 차올랐다.

　"잠시만 멈춰요."

　가까스로 멈추자 옆구리가 결려 왔다. 초교는 한 손으로는 허리를 누르고, 다른 한 손으로는 이책을 가리키며 헐떡거렸다.

　"역시 제정신이 아냐. 대체 뭘 하려는 거죠?"

　격렬하게 뛰었기 때문에 그녀의 창백한 얼굴에도 약간 홍조가 돌았다. 때때로 바람이 불어와 등 뒤에 흐트러진 머리카락을 말아 올릴 때마다 그윽한 향이 풍겼다.

이책은 허리를 굽혀 물끄러미 초교를 바라보았다. 그리고 눈을 빛내더니, 갑자기 몸을 일으켜 사방을 둘러보고는 손뼉을 치며 웃었다. 그러더니 뒤에 따라오던 궁녀에게로 다가가 그녀의 머리 위에 꽂혀 있던 머리장식을 하나 뽑았다.

궁녀들이 평소에 쓰는 평범한 나비 비녀였지만, 보랏빛 옥을 꽤 정교하게 조각한 물건이었다. 이책은 손이 가는 대로 허리춤에서 옥패를 하나 풀었는데, 얼핏 보기에도 가치를 따지기 어려운 귀한 물건처럼 보였다. 이책은 옥패를 궁녀에게 건네며 싱글거렸다.

"이거랑 바꾸자꾸나."

어린 궁녀는 깜짝 놀라 쿵 소리가 나도록 땅에 무릎을 꿇고 말했다.

"감히 그럴 수 없습니다."

이책은 화를 내지 않고 그저 옥패를 궁녀에게 던지며 말했다.

"바꾸지 않겠다고? 그래서야 안 될 말이지. 난 이게 좋단 말이다."

그러더니 몸을 돌려 초교에게 다가오며 비녀 위의 나비 두 마리를 떼어 냈다. 비녀가 제법 잘 만들어져 나비 한 마리가 생각처럼 잘 떼어지지 않자, 이책은 입을 벌려 이로 사납게 물어뜯은 뒤, 후 소리가 나도록 숨을 토해 내고 궁녀에게 말했다.

"앞으로는 말리 향을 쓰지 말거라. 내가 좋아하지 않으니까."

정원 양쪽으로 목련꽃이 막 피어 있었다. 꽃잎이 반쯤 벌어진 것이 매우 우아해 보였다. 막 큰비가 내렸기 때문에 화단 안에는 진흙탕이 가득한 상태였다. 이책이 신고 있는 신발이 더러워지건 말건 성큼성큼 화단 안으로 들어가자, 뒤에 있던 환관과 궁녀들은 또 한바탕 비명을 질렀다.

이책은 세심하게 살핀 후 막 피어나고 있는 자목련 가지를 하나 꺾었다. 그리고 긴 손가락으로 재빨리 목련의 꽃대를 비녀 위에 꽂더니, 눈앞에 들어 자세하게 가늠해 본 후 흰 이를 드러내며 즐거운 듯 싱글거렸다.

"전하……."

"태자 전하……."

초교는 무릎을 꿇고 황공하여 몸 둘 바를 몰라 하고 있는 궁인들을 바라보았다. 그러나 이책은 그런 그들을 못 본 것처럼, 그저 그 목련만을 바라보며 싱글거릴 뿐이었다. 그의 눈은 가느다랗게 한 줄로 변했는데, 마치…… 그래, 마치 기분 좋은 여우처럼 보였다.

"예쁘다!"

이책이 다가와 초교의 머리를 비녀로 느슨하게 말아 올린 후, 목련을 귓가에 꽂아 주었다. 그녀의 머리카락 사이에서 목련의 맑은 향기가 은은하게 퍼지기 시작했다.

초교가 당황하는 가운데, 궁인들이 아첨하듯 탄성을 질렀다.

"전하, 뭐 하시는 건가요?"

초교는 약간 당혹스러웠다. 그녀는 평생 다른 이들에게 이런 시선을 받아 본 적이 없었다. 그래서 그녀는 손을 뻗어 그 목련꽃을 떼어 버리려 했다.

"뭐 하는 거야?"

이책이 초교의 손을 잡으며, 미간을 찌푸리고 진지하게 말했다.

"교교, 너는 여자라고. 좀 더 여자답게 굴 수는 없어?"

초교는 멈칫했다. 이책의 말이 굉장히 익숙하게 느껴졌다. 문득 오팽성 전 성주의 관저에서 제갈월이 그녀에게 화장을 해 주고 머리를 손질해 준 후 했던 말이 떠올랐다.

'항상 흰 옷 아니면 검은 옷이니. 어디 초상이라도 났나?'

초교는 갑자기 얼굴을 붉히며 살짝 넋이 나간 듯한 표정을 지었다. 이책이 그녀의 귓가에 대고 웃으며 말했다.

"가자. 나가서 놀자."

말을 마치자마자 그는 매우 엄숙한 태도로 고개를 돌려 나지막하게 말했다.

"누구도 따라오지 마라. 남자가 따라오면 내가 바로 강에 뛰어들 거고, 여인이 따라오면, 평생 내 시침을 들 기회는 없을 거다."

이런 상식적이지 않은 위협을 듣자 초교는 그만 얼이 빠지고 말았다. 그러나 다른 이들은 곧 안색이 크게 변하여 땅에 무릎을 꿇은 채 더 이상 따라올 엄두를 내지 못했다. 뒤에 있던 몇몇 사람은 소식을 전하러 가는 모양이었다.

"가자!"

이책은 초교의 귓가에 대고 헤헤 웃은 후, 그녀를 잡아끌고 성문 앞으로 뛰어가 말 위에 올랐다. 그는 초교를 자신의 앞에 태운 후 즐겁게 외쳤다.

"교교, 어서! 저들에게 따라잡히면 안 돼!"

초교는 그제야 이책이 말을 잘 타지 못한다는 사실을 기억해 냈다. 그녀가 말고삐를 잡고 낭랑한 목소리로 호령하자, 말이 푸른 돌이 깔린 길 위를 나는 듯이 달리기 시작했다.

"와아!"

이책이 두 팔을 벌리고 즐겁게 소리쳤다. 밤바람은 약간 거친 편이었고, 옷자락이 날려 몸에 달라붙고 있었다. 그는 큰 소리로 외쳤다.

"교교! 어서!"

"이랴!"

초교가 말고삐를 흔드는 것만으로도 말은 나는 듯이 태청로를 달리기 시작했다. 거대한 전각들 사이로 병사들이 나란히, 양쪽에 무릎을 꿇고 있었다. 등불은 반짝이고 밤바람은 서늘했다. 은은하게 연꽃 향기가 풍겨 오는 가운데 말발굽 소리가 광장 위에 메아리쳤다.

우울하던 초교의 심정도 순식간에 명랑해졌다. 머리를 장식한 꽃이 때때로 그녀의 귀를 간지럽혔다. 그녀는 어깨를 으쓱하며 숨을 깊이 들이마셨다. 이 며칠 동안의 피곤함이 전부 다 사라지는 것 같았다. 몸도 상당히 편안하고 상쾌했다.

말은 빠르게 달려 점차 내성을 벗어났다. 초교가 멀리 살펴보니 뒤쪽에 등불이 빛나는 것이 보이고, 누군가가 쫓아오는 듯 말발굽 소리도 들렸다. 그러나 이책은 전혀 아무렇지 않은 듯, 이미 이런 일을 오래 겪어 온 고수처럼 손짓 발짓으로 초교에게 도망갈 길을 지시했다. 두 사람은 이 골목 저 골목을 돌아다녔고, 얼마 지나지 않아 뒤에 쫓아오는 이들을 떼어 버릴 수 있었다.

앞에 맑은 호수가 보였다. 호수 위 저 멀리로 꽃배가 보이고, 부드러운 음악 소리가 들려왔다. 초교는 말에서 뛰어내린 후 고삐를 나무에 묶었다.

"교교, 나를 잡아 줘. 교교."

그녀를 부르는 이책의 목소리는 아주 경쾌했다. 초교가 손을 잡아 주자 그는 어설픈 동작으로 뛰어내린 후 호숫가로 달려가 손으로 물을 한 움큼 뜨며 웃었다.

"아주 차가워!"

초교도 호숫가로 다가가 쭈그리고 앉아 손가락으로 수면을 건드려 보았다. 호숫가는 시끌벅적했다. 이야기를 하는 사람, 묘기를 보여 주는 사람, 노래를 파는 사람, 각종 자잘한 물건을 파는 소상인들도 있었고, 따뜻한 빛깔의 간판을 내건 주루도 있었다. 아가씨들의 연지며 지분 향기가 호수 위로 풍겨 오고, 노랫소리가 밤바람 속에 들려왔다.

초교는 갑자기 입을 다물고 아무 말도 하지 않았다. 그녀는 이런 곳에 올 때면 항상 말이 궁했다. 수년 동안, 이런 삶은 그녀에게서 아주 멀리 떨어져 있었다. 더 이상은 잡아 볼 수 없을 것처럼, 아주 멀리.

이책이 초교를 바라보며 입 끝을 들어 올리더니, 갑자기 몸을 일으켜 그녀의 손을 잡아끌었다.

"따라와 봐, 어서. 내가 좋은 곳에 데려가 줄 테니!"

이곳은 번화가가 아니어서 상업 시설이며 건물이 그렇게까지 화려하지는 않았다. 그러나 소박한 멋이 풍겼다. 이책은 이곳을 아주 잘 아는 듯 초교의 손을 잡고, 사람들을 헤치고 거리를 뚫고 갔다. 지나가는 촌사람들이 그의 옷을 더럽히는 것도 전혀 개의치 않았다.

두 사람이 입은 옷이 화려하고 얼굴도 준수했기 때문에 얼마 지나지 않아 꽤 많은 이들의 주목을 받았다. 상인들이 다가와 비녀며 지분 같은 것을 보여 주며 이책에게 그의 아름다운 아가씨를 위해 연지를 사라고 권했다.

쭉 걸어가니 거대한 느릅나무 한 그루가 보였다. 그 아래에는 젊은 여자가 하는 작은 노점이 있었다. 그녀는 썩 미인은 아니었지만 피부가 희고 물기가 어린 눈은 꽤 컸다. 여자의 곁에는 그녀와 비슷한 나이의 젊은 청년이 있었다.

"주인장!"

도착하기도 전에 이책이 큰 소리로 외쳤다. 여자가 고개를 들고 웃으며 말했다.

"대공자님, 또 오셨네요?"

"그럼!"

이책이 초교를 끌고 구석 자리에 앉아서 말했다.

"오늘은 친구를 데려왔지. 국수 두 그릇이랑 쇠고기 한 접시, 그리고 새우만두 반 접시 줘요. 식초를 많이 넣어 주고."

"그래요."

젊은 여인은 생글거리며 답했다. 그녀 곁의 청년은 초교와 이책을 향해 어색하게 미소만 지을 뿐 아무 말도 하지 않았다.

"친구를 데려오신 건 처음이네요."

초교는 이상하다는 듯 이책을 보며 미간을 찌푸렸다.

"이곳 주인과 잘 아나 보죠?"

"그럼."

이책이 웃으며 말했다.

"어릴 때부터 자주 왔었거든. 그때는 항상 몰래 궁을 빠져나왔는데, 한 번은 시위들에게 쫓기다가 거의 따라잡히게 되었지. 그래서 옷을 벗어 지나가는 아이에게 주고는, 그 애에게 나 대신 시위들의 이목을 끌어 달라고 했지. 옷에 전대가 있다는 사실조차 잊고 말이야. 하루 종일 놀다가 배가 고파졌을 때, 이 집의 주인을 우연히 마주쳤지. 그때는 주인도 나이가 많지 않았고, 부모님을 도와 여기서 노점을 하고 있었어. 여사장은 내가 배가 고파 쩔쩔매는 것을 보더니 국수를 주더군. 그 후로 자주 오게 되었지."

"그렇군요!"

초교는 고개를 끄덕였다.

"교교, 아주 감동적인 이야기 아니야? 내가 겉보기에 화려할 뿐 아니라, 마음속도 아름다운 사람이라는 생각이 들지 않아?"

초교는 흰 눈을 하고는 두 손으로 턱을 받친 채 대답도 하지 않았다.

갑자기 좋은 냄새가 풍겨 왔다. 젊은 남자가 국수를 들고 와서 먹으라는 듯한 몸동작을 해 보였다. 아무래도 남자는 말을 하지 못하는 것 같았다.

젊은 여주인은 뒤에서 약간 이상한 눈빛으로 이쪽을 바라보고 있었다. 초교가 멈칫하며 여주인을 응시했고, 여주인은 그녀가 자신을 보고 있다는 것을 눈치챈 듯 미소 지었다.

"아가씨가 제대로 봤어요. 내 눈은 멀어서 아무것도 보이지 않아요."

탁자 위에 국수가 놓이자, 이책은 고개를 파묻고 먹기 시작했다.

초교는 순간 민망한 기분에 미안한 기색으로 말했다.

"미안해요."

"괜찮아요."

여인의 웃는 얼굴은 아주 평화로웠다.

"어릴 때부터 눈이 멀었기 때문에 아무렇지도 않아요. 평소에 거리에 나가 물건을 사 올 때나 약간 불편할 뿐이죠."

초교는 국수를 두어 입 먹어 보았다. 아주 맛있었다. 그러다가 퍼뜩 든 생각에 고개를 들어 물었다.

"앞을 보지 못하는데, 내가 아가씨라는 것은 어떻게 안 건가요?"

"그야 몸에서 목련 향이 나기 때문이죠. 향이 아주 좋은 걸 보면 막 따 온 꽃송이 같은걸요."

"아."

초교는 고개를 끄덕였다.

"후각이 아주 예민하시네요."

"눈이 보이지 않으니, 다른 부분이 좀 더 쓸 만해요."

여인이 웃었다.

이때, 풍악 소리가 들려왔다. 앞쪽 모퉁이에 그림자극을 하는 극단이 탁상을 늘어놓고 있었다. 배우가 목을 가다듬기 시작하자 아이들이 개미떼처럼 몰려들어 순식간에 극단 주위를 물샐틈없이 둘러쌌다.

노점 젊은 부부의 아이도 소리를 듣자 뽀르르 달려 나갔다. 초교가 아이의 모습을 제대로 확인하기도 전에, 아이는 이미 다른 아이들 틈으로 비집고 들어갔다. 그러나 예닐곱 살밖에 되지 않은 아이는 몸집이 작아, 안타깝게도 몇 번이나 밀려 나와 바닥에 넘어졌다. 결국 아이는 입을 벌리고 소리 내어 울기 시작했다.

여주인은 아이의 울음소리를 듣자마자 바로 바쁘게 일하던 남편을 가볍게 두드렸다. 남편은 즉시 몇 걸음 달려가 아이를 안아 올리고 소매로 눈물을 닦아 준 후, 손에 과자를 쥐어 주었다. 그리고 다시 아이를 의자 위에 앉힌 후 일을 하러 갔다.

아이의 까만 눈에서 계속 눈물이 흘러나왔다. 세상에서 가장 억울한 표정이라, 보기에 가련하기 짝이 없었다. 초교는 아이를 잠시 바라보다가 말했다.

"전하, 아이가 있으신가요?"

"있지."

이책이 음식을 먹으며 말했다.

"늘 강가에서 거니는데, 신발이 젖지 않을 도리가 있겠어?"

초교는 그의 말을 듣지 못한 것처럼 가냘픈 목소리로 중얼거렸다.

"어린아이는 정말 좋아요. 즐거우면 웃고, 즐겁지 않으면 울고. 희로애락에 이렇게나 솔직할 수 있다니."

"너도 그럴 수 있어."

이책이 국물을 마시더니 고개를 들었다.

"이봐, 교교, 밥을 먹을 때는 일단 잘 먹어야 해. 그렇게 감정에 빠져 있지 말고. 네 말을 듣고 있으면 나마저도 다 목이 멜 것 같단 말이야."

초교는 그를 한번 노려보고는 고개를 숙여 국수를 먹기 시작했다. 마침내 연극이 시작된 듯 극단의 노랫소리가 들려왔다. 곡도 좋고 배우의 목소리도 아주 좋았지만, 변당의 방언을 쓰고 있어 초교로서는 도무지 알아들을 수가 없었다. 이책은 귀를 기울이며 듣고 있었으나, 한 단락이 끝나기도 전에 갑자기 입에 있던 찻물을 뿜어냈다!

초교는 재빨리 피했지만, 그녀 뒤에 앉아 있던 아이는 봉변을 당했다. 아이는 얼굴 가득 찻물을 뒤집어쓰고, 우는 것조차 잊고 멍하니 이책을 쳐다보았다.

이책이 서둘러 아이의 얼굴을 닦아 주며 말했다.

"네 어머니를 보면 알 수 있지만, 너는 아무리 어려도 미인이야. 내가 잘못했다, 내가 미인에게 실수했어."

초교는 상황이 이해가 가지 않아 물었다.

"뭐 하시는 거예요?"

이책이 웃으며 손을 내저었다.

"아냐, 아무것도."

아이는 초교 곁으로 살며시 다가와 앉더니, 새하얀 작은 손을 내밀었다.

"돈을 줘요."

초교가 당황하여 물었다.

"돈?"

아이가 고개를 끄덕였다.

"저 아저씨가 내 옷을 더럽혔잖아요. 옷을 빨아야 하니까, 동전 두 개만 주세요."

이책이 흥미로운 듯 웃으며 말했다.

"그 돈으로 뭘 하려고?"

아이가 진지하게 대답했다.

"연극을 보러 갈 거예요."

"천아, 제멋대로 굴지 마라!"

여주인이 엄숙한 얼굴로 말했다.

"어서 이리 와. 손님들이 식사하시는 데 방해하지 말고."

"괜찮아."

이책이 손을 내저었다.

"어쨌든 교교도 배가 고픈 것 같지 않으니까."

초교는 이미 오랫동안 제대로 식사를 하지 못한 상태였기 때문에, 이책의 말과 달리 당연히 배가 고팠다. 그녀는 젓가락을 잡고 다시 국수를 먹기 시작했다.

아이는 초교에게 호감이 생긴 듯, 턱을 받친 채 옆에 앉아 그녀에게 물었다.

"언니는 연극에 나오는 노래 부를 줄 알아?"

초교는 고개를 저었다.

"아니. 너는 할 줄 알아?"

아이는 풀이 죽어 말했다.

"나도 못해."

"들으면 이해할 수 있어?"

"당연히 이해할 수 있지."

아이는 의심스럽다는 듯 초교를 바라보았다.

"이해 못하는 거야?"

초교는 고개를 끄덕였다. 아이는 갑자기 재미를 느낀 모양이었다.

"그럼 내가 언니에게 이야기해 줄게."

아이는 말을 마치자마자 초교가 듣고 싶은지 아닌지 대답도 듣지 않고, 아주 흥미진진하게 눈을 빛내며 이야기하기 시작했다.

"이 연극은, 왕자랑 미인의 이야기야."

이책이 입을 실쭉거렸다.

"왕자는 진짜지만, 미인인지는 확신할 수 없지."

"아저씨는 진짜 아무것도 몰라!"

아이가 말했다.

"왕자 곁에 있으면 당연히 미인이지. 미인이 아니면 어떻게 왕자의 눈에 들겠어? 우리 황궁 안에 있는 태자 전하처럼 말이야. 태자 전하의 궁전에는 미인만 있다던데. 나도 커서 미인이 되면 태자 전하의 궁전에 가서 살 거야."

이 말을 들은 이책이 웃으며 엄지손가락을 세워 보였다.

"확실히 네가 나보다 잘 아는구나. 계속 노력하도록 해라. 내 생각에 너는 전망이 아주 밝거든."

초교는 이책을 노려보았다.

아이가 계속 말했다.

"어느 날, 왕자의 나라가 망해 버렸어. 아버지랑 어머니랑, 또 형제자매들 모두 누군가에게 죽임을 당했어. 왕자는 거리를 헤매게 되는데, 우연히 예쁜 미인을 만나. 미인이 왕자를 구해 줘서, 응, 그들은 서로를 사랑하게 되거든."

아이는 초교를 응시하며 열심히 말했다.

"왕자는 미인을 사랑하고, 미인도 왕자를 아주 사랑해. 그들은 영원히 함께 있자고 했어. 영원히 서로를 배반하지 않고, 서로를 버리지 않기로."

아이의 눈길은 진지하다 못해 신성한 느낌마저 담고 있었다. 아이의 눈빛을 들여다보던 초교는 갑자기 가슴이 바늘에 찔린 것처럼 희미하게 아파 왔다.

극단에서 들려오는 곡조가 낮고 어두워졌다. 마치 살얼음이 언 물이 흐르는 느낌이 들었다. 듣고 있노라면 이유 없이 답답해지는 음악이었다.

아이가 계속 말했다.

"하지만 왕자는 여전히 즐겁지 않았어. 복수를 하지 못했으니까. 그래서 미인은 왕자를 도와 나라를 되찾기로 결심해."

이책이 말했다.

"미인은 일개 여인일 뿐인데, 돈도 병사도 없이 어떻게 나라를 되찾지?"

"아주 예쁜 미인이니까."

아이가 귀찮다는 듯 답했다.

"예쁜 건 곧 돈이야. 예쁜 건 무기도 되고. 예쁜 것은 곧 천군만마야. 아저씨는 어른인데 이것도 몰라?"

이책은 하하 소리 내어 웃었다. 연극의 음악 소리가 갑자기 격앙되기 시작했다. 배우의 목소리가 마치 지평선을 뚫고 점차 떠오르는 태양처럼 점점 더 밝아졌다.

"그래서, 미인은 어떤 장군을 만나. 장군은 바로 왕자의 적이야. 그런데 장군이 미인을 사랑하게 되거든. 미인이 괴로워하니까 장군도 괴로워. 그때, 다른 나라 왕자도 미인을 만나. 그리고 다른 나라 왕자도 미인을 아주 좋아해. 하지만 미인은 다른 나라 왕자를 좋아하지 않아."

아이는 열심히 말하면서, 손가락에 찻물을 묻혀 탁자 위에 작은 사람을 넷 그렸다.

"나중에 왕자가 사람을 매복시켜 놓고, 미인에게 가서 장군과 담판을 지으라고 해. 미인은 몰랐지만 장군은 무슨 일이 벌어질지 알고 있었어. 그런데, 응, 그래도 장군은 왔고, 왕자는 장군을 죽여."

"아!"

초교는 눈가를 치켜세웠다. 심장이 갑자기 차갑게 굳어 버리는 것 같았다.

아이는 탁자 위 사람 하나를 지운 후 계속 말했다.

"왕자는 나라를 얻어서 황제가 돼. 미인은 아주 마음이 아파서 황제를 떠나. 다른 나라 왕자가 미인을 데려가고, 황제는 아주 화가 나서 병사들을 이끌고 다른 나라 왕자를 공격해. 다른 나라 왕자는 결국 황제에게 죽게 돼."

아이는 다시 탁자 위에 그려 놓은 사람 하나를 지워 죽었다는 표시를 했다.

"미인은 상심해서, 가고 또 가다가 병이 나지. 그래서 미인도 죽어."

미인도 지워지고, 탁자 위에는 단 한 사람만이 남았다.

아이가 말했다.

"그래서, 이 세상엔 황제 한 사람만이 남았어."

이책이 킬킬거리며 아이를 바라보았다.

"끝이냐?"

아이가 평온하게 고개를 끄덕였다.

"끝이야."

"무슨 연극의 끝이 그렇담?"

아이가 답했다.

"비극이야."

초교는 이책과 아이가 입씨름을 벌이는 것을 무심하게 바라보다가, 다시 탁자 위에 남아 있는 한 사람을 바라보았다. 그녀는 어쩐지 조금 우울해지고 말았다.

밤바람이 불어오고, 극단의 연극도 끝났다. 극단 사람이 쟁반을 들고 관중들 사이를 돌고 있었다. 그러나 연극을 보던 이들 대부분은 아이들이었으니, 돈이 있을 리 만무했다. 아이들은 모두 흩어졌고, 텅 빈 무대만이 남았다.

그림자극의 막 위에 작은 사람 모양의 그림자가 외롭게 서 있는 것이 보였다. 작은 칼을 들고 어금니를 드러낸 기세가 아주 대단했다. 그러나 시야를 넓혀 보면, 탁자 위에는 아무것도 없었다. 마지막 남은 이가 싸우려 해도 싸울 상대조차 없었다.

식사를 끝낸 후, 초교와 이책은 계속 거리를 돌아다녔다. 아이에게서 들은 이야기가 초교의 마음을 우울하게 했다. 그러나 그녀도 자신이 왜 우울한 것인지 알 수 없었다. 그저 마음이 아팠는데, 무엇 때문에 아픈지도 알 수 없었다.

길에는 사람이 아주 많았고, 사당도 많았다. 변당은 개방적인 나라였기에 각종 교파가 모두 있었다. 상냥한 표정을 짓고 있는 통통한 부처, 아름다움으로 사람을 홀리는 물의 신, 그리고 이마에 부적과 주문을 그리고 있는 무당까지. 다행히도 이곳 사람들은 순박하여, 나는 낙수의 여신을 믿는데 네가 여래불을 믿는다는 이유로 다투거나 하는 일은 없었다. 초교는 길을 걷는 내내 적지 않은 신도들에게서 현대의 전단지나 다름없는 목패를 받았다.

길가에 해당화가 피어 있었다. 붉은빛이 아주 고운 해당화였다. 초교와 이책이 그 옆을 지나갈 때 마침 바람이 불어와 꽃송이가 비처럼 흩날렸고, 한 송이 한 송이 두 사람의 옷에 떨어졌다. 그 모습은 마치 연지를 찍어 놓은 것 같았다.

이책이 즐거운 듯 해당화를 가리키며 말했다.

"이 나무가 마음에 든다. 돌아가면 사람을 시켜 옮겨 오라 해야겠어."

주변의 행인들이 그의 목소리를 듣고 조심스럽게 그들을 살펴보았다. 젊은 이책이 너무 호탕하게 이야기하니 이상하게들 여기는 모양이었다.

"저기 봐, 앞에 묘기를 부린다!"

이책이 갑자기 흥분해 외치며 초교를 끌고 뛰기 시작했다. 그러나 묘기를 부리는 이들 주위로 사람들이 겹겹이 몰려 있어, 두 사람으로서는 도저히 비집고 들어갈 수가 없었다.

이책이 눈을 굴리더니, 은표를 한 뭉치 꺼내 노점에서 동전 한 더미로 바꿔 옷자락 가득 담았다. 그러더니 묘기를 부리는 무대 근처 계단 위로 간신히 올라가, 높은 소리로 외쳤다.

"돈이다! 어서 가져가라!"

이책은 동전을 한 움큼씩 쥐어 아래로 흩뿌렸다.

사람들은 처음에는 얼이 빠져 있다가, 한참 후 웬 바보가 정말로 돈을 버리고 있다는 것을 깨닫고 즉시 줍기 시작했다. 사람들이 서로 밀치며 돈을 줍느라, 더할 나위 없이 시끌벅적해졌다.

이책은 옷소매를 휘둘러 돈을 전부 내던지고, 초교를 이끌고 사람들 틈으로 비집고 들어갔다. 그러나 사람들이 몰려 있던 중앙까지 간 후, 두 사람 모두 눈을 크게 뜨고 말았다. 묘기를 부리던 예인들마저 모두 돈을 주우러 갔기 때문에, 중앙 자리에는 그들만이 바보처럼 서 있었다.

"전하, 변당은 정말 좋아요."

사람들은 모두 허리를 굽혀 돈을 주우면서도 다투지는 않았다. 초교는 그런 사람들을 멍하니 바라보다가 갑자기 말했다.

이책이 웃으며 고개를 흔들었다.

"그럭저럭 괜찮지. 어쨌든 너는 좋은 것만 본 셈이기도 하고. 하지만 어디를 봐도 대하보다는 낫긴 할걸."

두 사람은 묘기를 보지 못하고, 대신 잡담을 나누며 거리를 한가로이 거닐었다. 이책은 간식을 좀 샀다. 벌꿀과자와 대추, 계화떡, 그리고 밤을 주머니 두 개에 나눠 넣었다. 두 사람은 먹으면서 걷기 시작했다.

초교는 기분이 점점 편해졌다. 오랫동안에 걸쳐 쌓인 피로감도 사라지는 것 같았다. 그녀가 이책에게 물었다.

"전하, 알고 계세요? 대하는 저를 쫓고 있어요. 저는 이미 천하에서 가장 유명한 수배범이에요."

"수배범?"

이책이 멈칫하더니 소리 내어 웃었다.

"그거 아주 재미있는 이야기인데."

"저를 대하에 넘기지 않으실 건가요?"

이책이 이상하다는 듯 미간을 찌푸리며 물었다.

"대하에 넘긴다고? 그런들 무슨 좋은 점이 있어서? 상금? 흥, 상금 좀 받는 거야 너를 내 곁에 두느니만 못하지."

"하지만."

초교는 고개를 저었다.

"저는 곧 연북으로 돌아갈 거예요."

"아, 교교, 일부러 내 마음을 상하게 하려고 그러는 거야?"

이책이 머리를 흔들며 말했다.

"어쨌든 됐어. 나도 네가 나를 만나고 싶어 변당에 온 건 아니라는 걸 알고 있으니까."

초교는 한참을 생각하다가, 마침내 약간 쑥스러워하며 물었다.

"전하, 대하와 화친을 맺으시면, 연북과는 적이 되실 건가요?"

이책이 그녀를 위아래로 훑어보더니, 답답한 듯 한숨을 쉬었다.

"교교, 오늘 같은 밤에는 연북을 잠깐 잊으면 안 돼? 연북을 내려놓고 잠시라도 편하게 지낼 수는 없는 거야?"

초교가 대답하지 않자 이책이 계속 말했다.

"연북과 대하의 전쟁은 너희들의 일이야. 대체 내가 무엇 때문에 만 리 밖까지 가서 연순을 귀찮게 만들겠어? 게다가 연순은 성격이 그렇게나 흉포하잖아. 만약 연순이 나를 치면 어떡하라고? 게다가 나는 연북 고원이 아주 춥다는 이야기도 들었다고. 바람도 아주 세고, 그곳 여인들의 피부는 바람 때문에 다 붉고 거칠다고 하던데. 연북을 얻은들 나에게 좋은 일이라고는 하나도 없어 보이는데, 당연히 그런 일에 연루되고 싶지 않다고."

바람이 얇은 옷소매를 말아 올려 나비의 날개처럼 살며시 흔들며 지나갔다. 초교는 미소 지으며 이책을 바라보았다.

"전하, 제가 전하를 완전히 꿰뚫어 볼 수는 없지만, 어쨌든 나쁜 사람 같지는 않아요."

이책은 차갑게 코웃음 치더니 턱을 치켜세우고 말했다.

"본 태자의 신분은 높고, 밖에서 보이는 화려한 모습 외에도 비단결처럼 아름다운 마음까지 간직하고 있는데, 네가 나라는 사람을 쉽게 간파할 수 있다면 내 체면이 서지 않는데?"

말을 마치자마자 그는 앞으로 걸어 나오며 싱글거렸다.

"교교, 너에게 나를 꿰뚫어 볼 기회를 줄까 하는데, 언제?"

초교는 입을 비죽거렸다.

"역시 사양하겠어요."

"아아."

이책이 탄식하며 외쳤다.

"초교, 사랑을 모르는 여인이여."

그들이 물고기를 파는 노점을 지나갈 때, 초교가 살짝 발을 멈추고 호기심에 두 눈을 반짝거렸다. 커다란 어항 안에는 꼬리가 저녁노을처럼 붉은 금붕어가 잔뜩 있었는데, 몹시 귀엽고 사랑스러웠다.

초교는 사실 금붕어를 키우는 일에 익숙했다. 그녀는 본래 작은 동물을 좋아했고, 예전에는 늘 개를 키우고 싶어 했다. 그러나 군대에 속해 있는 몸이다 보니 개를 돌봐 줄 시간이 없는 데다 숙소에서도 허락하지 않았기 때문에, 그녀는 몰래 열대어 몇 마리를 들여와 키웠었다. 후에 열대어 키우는 것을 들키기는 했지만 별다른 조처 없이 넘어갔고, 그녀는 계속 열대어를 키울 수 있었다. 그러나 이곳에 온 후로는 오랜 세월 동안 간신히 생존하는 데 주력하다 보니, 무엇인가를 키울 여유는 없었다.

이책은 초교가 좋아하는 것을 보고 갑자기 돈을 꺼냈다. 노점상은 호탕한 고객을 보자 그들에게 금붕어를 담을 자기 항아리도 주었다.

이미 늦은 시간이었다. 초교는 부상에서 아직 회복되지 않았기 때문에 몹시 피로했다. 두 사람은 황궁으로 돌아가기로 결정했다.

호숫가로 돌아와 보니 말은 여전히 한가로이 풀을 뜯고 있었고, 어린아이 몇이 그 옆에 쭈그리고 앉아 있었다. 몇 번이나 고삐를 잡으려 하는 것을 보니, 말을 훔쳐 타고 싶지만, 말이 자기들을 발로 찰까 봐 무서워서 머뭇거리고 있는 모양이었다. 주인인 이책과 초교가 나타나니 아이들은 곧 도망쳤다.

초교와 이책은 말에 올라탔다. 금붕어가 든 항아리가 생겼기 때문에 초교는 일부러 천천히 말을 몰았다. 그렇게 느른하게 길을 가다 보니 갑자기 이상하다는 생각이 들었다. 대하에서 이책과 처음 만나, 적인지 친우인지 구분하기 어려웠던 그 나날들이 마치 전생의 일처럼 느껴졌다. 초교는 연순이 했던 말을 떠올렸다. 진황성은 거대한 우리라는 말을, 죽음의 기운이 넘실거려 그 어떤 반짝이는 것도 진황성 안에서는 더러운 기운에 파묻히기 마련이라는 말을.

연순은 지금 어디 있을까? 그는 류희인 척하며 대동히가 현양에 쌓아 둔 재물을 얻었다. 아마 그는 남강으로 향하는 길을 통해 재물을 연북으로 가져가려 할 것이다. 지금 연순이 변장한 류희 일행은 대하에 반하고 변당에 투신한다는 기치를 내세우고 있으니, 그는 분명 변당으로 올 것이다. 다만 그가 어떤 원인과 목적으로 그런 일을 벌였는지, 지금 초교로서는 알 수 없었다.

시간을 알리는 북소리가 가까이서 들려왔다. 그녀의 몸에서 힘이 점점 더 빠져나갔다. 자객의 독에 당한 후로 그녀는 졸음이 많아졌다. 그녀는 말에 탄 채로, 이마를 이책의 몸에 기대고 서서히 잠에 빠져들었다.

앞에 앉아 있던 이책이 등에 와 닿는 감촉에 당황하여 뒤를 돌아보니, 초교가 자신의 어깨에 이마를 묻고 얕은 숨을 내쉬며 잠들어 있었다. 밤바람이 불어왔다. 초교의 머리카락에 꽂힌 목련에서 그윽한 향이 풍겨 왔다. 이책의 얼굴에는 평소처럼 세상을 쉽게 여기는 표정이 더 이상 떠올라 있지 않았다. 그는 그저 조용히 초교를 바라보며, 고삐도 쥐지 않고 말이 가는 대로 내버려 두고 있었다.

변당은 꽃의 나라였다. 길 양쪽으로는 꽃나무가 가득하고, 미풍이 불어올 때면 꽃잎이 춤을 추며 떨어졌다. 초교가 입은 노랑 비단옷이 꽃잎 가득한 바람 속에 펄럭이자, 그녀는 마치 꽃의 정령처럼 보였다.

말이 가볍게 흔들리자 초교의 몸이 살짝 기울어지며 뒤로 넘어가려 했다. 이책이 재빠르게 한 손으로 그녀의 허리를 감싸 안았다. 그리고 무예를 할 줄 모른다던 그가 갑자기 몸을 돌려, 다른 손으로 안장을 짚고 솟구쳐 올랐다.

다음 순간, 본래 말 앞에 앉아 있던 이책이 초교의 뒤로 옮겨 가 있었다. 그는 이제 제 앞에 앉은 채로 잠들어 있는 초교의 허리를 두 손으로 잡고, 품에 기대게 했다.

밤바람이 불어오자, 꽃나무 위에 맺혀 있던 빗방울도 수많은 꽃잎과 함께 떨어져 내렸다.

"변당도 머지않아 태평하지 못하게 될 거다."

이책이 길게 한숨을 내쉰 후 가볍게 미소 지었다. 그러나 그 얼굴은 전혀 유쾌해 보이지 않았다. 그의 미소는 습관에 불과했다. 사람들이 의식하지 못하고 내뱉는 말버릇과 같은 습관.

"네 몸이 나으면, 너를 네 오랜 지기에게 보내 주는 편이 낫겠지. 이 세상 어디에 낙원이 있겠느냐, 이 바보야."

달빛이 서리처럼, 안개처럼 깔리는 밤이었다. 거대한 금오궁이 서서히 눈앞에 모습을 드러냈다.

제11장 차가운 호수, 밤, 이야기

깨어나 보니 이미 늦은 시각이었다. 자신을 추수라고 소개했던 시녀가 곁에 앉아 초교가 깨어나기를 기다리고 있다가, 즐거운 듯 미소 지으며 서둘러 차를 가져왔다.

"깨셨군요. 차를 드시겠어요?"

초교가 고개를 저었다. 시녀는 아랑곳하지 않고 계속 말을 이었다.

"태의께서 밖에서 진맥하려고 기다리고 계세요. 태자 전하께서 분부를 내리셨거든요. 아가씨께서 깨어나시면 바로 진맥을 받으시라고요."

초교는 간단하게 씻은 후, 자신의 머리를 손질해 주겠다는 시녀의 호의를 거절하고 되는 대로 말아 올렸다. 그녀는 본래 부유하지 않았고, 호화로운 나날을 보낸 적도 없었다. 그랬기에 단지 세수를 하려는 그녀 앞에 열 명이 넘는 시녀들이 둘러싸고 있는 상황에 조금은 얼이 빠질 수밖에 없었다. 그녀는 본능적으로 그들을 물렸지만, 다시 스물이 넘는 태의들이 줄줄이 들어와 돌아가며 그녀를 진맥했다.

시녀들이 커다란 탁자 가득 음식들을 펼쳐 놓았다. 각종 요리며 탕, 그리고 온갖 달콤한 것들까지, 서른 가지는 훌쩍 넘는 음식들이었다. 또 시녀 하나가 탁자 옆에 무릎을 꿇고 앉더니, 태의들이 진맥하는 동안 초교에게 음식을 먹여 주었다. 초교는 아예 손가락 하나 움직일 필요가 없었다. 시녀가 젓가락으로 음식을 집어 초교에게 보여 주고는, 초교가 고개를 끄덕이면 입가로 가져왔고, 고개를 저으면 다른 음식으로 바꿔 잡았다. 초교는 미안한 마음에 고개를 젓지 못했고, 계속 주는 대로 음식을 먹다 보니 배가 불러 괴로울 지경이었다.

가까스로 문진이 끝나고, 스물이 넘는 태의들은 병을 치료할 방안을 의논하기 위해 물러 나갔다. 이때, 갑자기 밖에서 뚝딱거리는 소리가 들려왔다.

"밖에서 무엇을 하고 있는 거지?"

시녀들 중 우두머리로 보이는 추수가 초교의 질문에 낭랑하게 대답했다.

"연못을 보수하고 있어요."

그 연못은 바로 초교의 창 밖에 있는 것이었다. 그녀는 의아한 생각이 들어 물었다.

"연못을 보수한다고? 원래 있던 연못은 어쩌고?"

"원래 있던 연못은 너무 얕아서요. 전하께서 이곳에 무자위*를 만들어 물을 대고, 물이 흐르는 깊은 연못을 만들라고 분부하셨어요. 아가씨께서 가져오신 금붕어를 키울 수 있도록요."

초교는 당황하여 서둘러 창가로 달려갔다. 밖에서 스물이 넘는 장정들이 비 오듯 땀을 쏟으며 일을 하고 있었다. 그들은 소음을 최소화하기 위해 대부분의 물건들을 다른 곳에서 조립해 온 후, 조심스럽게 이곳에 설치하고 있었다. 이렇게 많은 사람들이 힘들여 일하는 이유가 비싸지도 않은 금붕어 몇 마리를 키우기 위해서라니, 초교는 얼이 빠질 수밖에 없었다. 변당이 부유하다는 이야기를 예전부터 듣긴 했지만, 황실이 이 정도까지 사치스럽게 굴 줄은 몰랐다.

이곳에 오래 있지도 못할 텐데, 이책은 이렇게 초교를 민망하게 만들고 있었다. 그녀가 몸을 돌려 물었다.

"태자 전하는 어디에 계시지?"

"아침 조회에 가신 후로 돌아오지 않으셨어요."

초교는 고개를 끄덕였다. 전날 밤 어떻게 돌아왔는지조차 기억이 나지 않았다. 아무래도 자신의 몸에 정말 큰 문제가 생기긴 한 것 같았다. 어쨌든 변당에서 연순을 찾아야 하니, 이곳에서 잠시 휴양을 하는 것도 나쁘지 않을 것 같았다. 초교는 이렇게 생각하며 천천히 대나무로 만든 침상 위에 앉았다.

"아가씨, 혹시 대하 분이세요?"

---

* 물을 높은 곳으로 퍼 올리는 기계. 고대에는 인력이나 가축의 힘을 사용했다.

초교가 고개를 들었다.

"누구에게서 들었지?"

"철 통령께 들었어요. 그날, 철 통령이 전하와 함께 아가씨를 궁으로 모셔왔거든요. 그분이 아가씨는 대하의 귀족이니 우리가 시중을 잘 들어야 한다고 했어요."

"오."

"저는 처음에는, 아가씨가 또 새로 오신 부인인 줄 알았어요! 하지만 어젯밤 전하께서 아가씨는 친우라고 당부하고 가셨어요. 그러니까, 아가씨는 전하께 있어 첫 여성 친우예요."

시녀는 자신의 이야기를 초교가 좋아할 거라고 굳게 믿는 듯, 가볍게 부채질을 해 주며 계속 말했다.

"전하께서는 아가씨께 정말 잘 대해 주고 계세요. 이제까지 어떤 부인께도 그렇게 잘해 주신 적이 없어요."

"전하께 부인이 많은 모양이지?"

추수가 답했다.

"그럼요. 추화전 전체랑 장청전, 추수각에 모두, 그러니까 대강…… 아, 노비가 정확하게는 모르겠어요. 아무튼 아주아주 많아요."

"그래."

초교는 고개를 끄덕였다.

"소문이 틀린 것은 아니었군."

시녀는 생글거리며 말했다.

"전하께서는 사랑이 많으신 분이죠. 우리 모두 전하를 좋아

한답니다. 전하께서는 태자시지만, 우리 같은 궁녀들에게도 다정하게 대해 주시고, 결코 거만하게 구시지 않거든요."

그때, 밖에서 한 시녀의 목소리가 들렸다.

"아가씨, 홍란 부인께서 오셔서 기다리고 계십니다. 아가씨를 뵙고 싶어 하세요."

초교가 멈칫하자 추수가 서둘러 말했다.

"홍란 부인은 태자 전하께서 새로 맞으신 부인이세요. 회송에서 보내온 무희였지요."

초교는 고개를 끄덕였다. 홍란이 무엇 때문에 자신을 찾아왔는지 알 것 같아, 그녀는 추수에게 나지막하게 물었다.

"내가 그분을 만나지 않아도 괜찮을까?"

"당연하지요. 태자 전하께서 가실 때, 아가씨께서 원하지 않으시면 누구도 아가씨를 방해하지 못하게 하라고 당부하셨으니까요."

"그래. 그럼 홍란 부인께 내가 중병에 걸려 손님을 맞이하기 힘들다고, 와 주셔서 감사하다고 전해 드리거라."

추수가 밖으로 나갔다.

반나절도 지나지 않아, 10여 명의 부인이 잇따라 초교를 만나러 왔다. 그중에는 세가 출신의 신분이 높은 여인도 있었다. 아무래도 이책에 관한 소문은 거짓이 아닌 모양이었다. 이렇게 많은 여인들이라니. 이책이 과연 그녀들의 이름을 다 외우기나 할지 궁금할 정도였다.

오후가 되자 날은 더욱 더워졌고, 초교는 졸음이 밀려왔다.

추수가 그릇 가득 간 얼음을 담고, 그 위에 앵두며 밀과를 얹어 가져와 초교에게 내밀었다. 바로 그때, 누군가가 달려와 당국 부인이 초교를 보려 한다고 말했다. 초교가 이번에도 거절하려 했을 때, 추수가 놀란 나머지 더듬거리며 말했다.

"아가씨, 당국 부인은 바로 황후 마마세요."

황후의 거처는 봉원전이었다. 초교는 편전에 앉아 반 시진을 기다렸으나 황후를 만날 수 없었다. 초교는 졸려서 눈도 뜨기 힘들 지경이었다. 어떻게든 똑바로 앉아 있기 위해 애쓰면서 그녀는 점차 암담한 기분에 젖어들었다. 독약이 지금은 치명적인 것 같지는 않지만, 정신이 점점 나빠지는 것 같았다. 과연 이책이 치료해 줄 수 있을는지.

다시 얼마를 기다렸을까. 환관 하나가 나오더니 황후가 오늘 몸이 좋지 않아 만날 수 없으니 일단 거처로 돌아가라고 말했다. 초교는 마음속으로 화가 났지만, 분별 있게 예를 행하고 무거운 발걸음을 옮겼다. 황후는 분명 내실에 숨어 그녀를 관찰하고 있었을 것이다. 어쨌든 초교는 지금 몸이 좋지 않은 데다 변당에 있었다. 황후와는 결코 충돌할 수 없었다.

문을 나서는 순간, 바로 하품이 나왔다. 눈앞도 어두침침했다. 그때 갑자기 문 앞에 앉아 있던 한 사람이 불쑥 일어났고, 정신을 놓고 있던 초교는 깜짝 놀랐다. 자세히 보니 역시 잠에 취해 눈이 가물가물한 이책이었다.

초교는 놀란 나머지 졸음을 잊고 물었다.

"문 앞에서 왜 쭈그려 앉아 계신 거예요?"

이책이 하품하며 말했다.

"네가 모후께 불려 왔다는 이야기를 듣고, 나도 상황을 보러 왔지."

초교가 당황했다.

"들어오셨어도 되잖아요?"

"안은 더우니까."

이책이 말도 안 되는 핑계를 대더니 눈썹을 치켜세웠다.

"나는 너와 모후가 이야기를 나누는 중에 서로 치고 박고 싸우기라도 할까 봐 무서웠을 뿐이야. 여기 있으면 적시에 들어가서 말릴 수 있을 테니까."

초교가 미간을 찌푸렸다.

"황후 마마께서 성격이 그렇게 좋지 않으신가요?"

"나이가 많은 여인들은 다소 괴벽이 있기 마련이지."

이책이 건들건들하며 말했다.

"게다가 모후는 본래 나를 눈에 들어 하지 않으시니까. 네게 손을 쓰지 않는다고는 보장할 수 없지."

초교도 더 이상 쓸데없는 이야기를 하고 싶지 않아 화제를 돌렸다.

"전하, 저 너무 졸려요. 가서 자야겠어요."

이책도 되는 대로 맞장구쳤다.

"좋군. 나도 졸리니까 우리 같이 가서 자자."

초교는 주먹을 휘둘러 보였다.

"죽는 게 무섭지 않다면 와 보시든가요."

이책이 소리 내어 웃었다.

"내 평생 제일 무서워하지 않는 것이 바로 여인의 위협이다."

그때 한 젊은 시위가 갑자기 뛰어와 이책에게 외쳤다.

"태자 전하, 하 대인의 딸이 궁에 들어왔습니다! 사공주 마마를 뵈러 갔다고 합니다."

이책은 즉시 잠이 달아난 듯, 초교에게 작별하며 외쳤다.

"교교, 나는 일이 있어서 일단 먼저 가 봐야겠어!"

그러더니 바로 그 시위를 쫓아 총총히 사라졌다.

일이 있다고? 초교는 실소했다. 어쨌든 이런 것도 나쁘지 않았다. 이책 같은 사람과 함께 지내다 보면, 도저히 풀기 어려운 감정을 적게 떠올릴 수 있는 장점이 있었다.

초교는 가마에 올라, 자리에 앉자마자 바로 잠들어 버렸다.

깊은 밤, 갑자기 울음소리가 들려오는 바람에 초교는 잠에서 깨어났다. 깨어 보니 자신은 침상에 엎드려 있었고, 흰 면으로 만든 옷을 입고 있었다.

초교는 추수를 불렀다. 그녀는 아직 잠을 자고 있지 않던 듯, 바로 방 안으로 뛰어 들어와 말했다.

"아가씨, 깨셨군요. 아무 일도 아닙니다. 홍란 부인께서 밖에 계신데, 노비가 이미 부인께 물러가시라고 했어요."

초교는 조금 이상한 느낌이 들어 물었다.

"대체 무슨 일이기에?"

"오후에 아가씨께서 돌아오실 적에, 홍란 부인과 부인의 동생인 구화 부인이 길에서 아가씨의 가마와 마주쳤다고 합니다. 구화 부인이 고의로 수하를 시켜 가마를 밀어 버리라고 했고, 아가씨의 가마가 하마터면 호수에 빠질 뻔했어요. 다행히도 철 시위가 그걸 보고 전하께 말씀드렸고, 전하께서는 구화 부인을 가두라 하셨어요. 홍란 부인은 지금 울면서 아가씨께 용서를 빌러 온 것이고요. 하지만 이 일은 아가씨로서는 어차피 해결할 수 없는 일이고, 또 일부러 이런 일에 연루되실 필요도 없지요. 그래서 노비가 물러가시라고 했어요."

보아하니 이곳의 여인들은 초교를 적으로 여기고 있는 듯했다. 초교는 여인들끼리 총애를 다투며 벌어지는 뻔한 이야기에 더 이상은 관심이 없었다. 그러나 누군가가 자신이 타고 있는 가마를 미는 것도 눈치채지 못하고 계속 자고 있었다니, 이것은 큰일이었다. 몸 안에 퍼진 독이 아무래도 점점 더 심해지는 것 같았다.

다음 날 아침 깨어나 보니, 연못은 이미 완성되어 금붕어 몇 마리가 그 안에서 헤엄치고 있었다. 초교는 창가에 앉아 손을 내밀어 가볍게 물 항아리 속의 물을 건드려 보았다. 그때 정원에서 시녀들이 이야기하는 소리가 들려왔다. 초교의 청력은 좋은 편이었기 때문에, 추수와 자선이라는 이름의 다른 시녀가 대화하는 소리를 들을 수 있었다.

추수가 말했다.

"일의 경중을 모르는구나. 이 궁에 부인이 대체 몇 명인데. 그런 사람은 지금이야 큰일이 나지 않더라도, 어차피 조만간 죽게 될 거야."

자선이 한숨을 쉬었다.

"그녀는 전하를 속이기 쉽다고 여겼던 모양이지! 아무튼 이번엔 잘됐어. 회송에서 보내온 무희들이 지금 궁에 하나도 남아 있지 않게 되었으니."

"여관이 하신 말씀을 듣지 못했니? 태자 전하께서는 곧 대하와 혼인을 맺으실 거야. 그러려면 회송을 배제해야만 하지. 회송의 무희 몇 명이야 별것 아냐. 그리고…… 지금 다 들어맞고 있어."

"응? 우리가 회송과 전쟁을 할 거라는 말이야?"

"모르지. 하지만 지난번에 노호산에서 또 싸움이 있지 않았어? 비록 작은 전투였지만, 꽤 많은 사람들이 죽었다고 들었어. 낙왕 전하도 군대를 철수하자마자 바로 당경으로 돌아오셨잖아."

"어쨌든 전하께서 이번에 화내신 걸 보면, 아, 나는 전하께서 이렇게까지 화내시는 걸 본 적이 없어! 홍란 부인도 이번에는 화를 피할 수 없을걸. 아무튼 전하께서 이 아가씨를 얼마나 마음에 두고 계신지는 누구라도 알 수 있지. 그 아가씨만 모르고 말이야."

변당이 회송과 전투를 벌였다고? 초교는 살짝 미간을 찌푸렸다. 그랬던 거군. 변당이 이 시기에 대하와의 화친을 선택한 이유가 있었다. 이책은 겉보기에는 온화하면서도 제멋대로 구는 사람이었지만, 어쨌든 일국의 태자였다. 역시 그를 너무 가볍게 볼 수는 없었다.

하늘에 달이 걸렸다. 투명하고 맑은 달빛이 수은처럼 쏟아져 내려 창문의 격자 틈을 통해 부드럽게 침상 위로 내려앉았다. 초교는 진주 빛 옷을 입고, 검은 머리를 침상 위에 흐트러트린 채 누워 있었다. 그녀가 천천히 눈을 떠 보니, 창밖 연못의 물길이 온유한 달빛을 반사하는 것이 보였다. 낮에 많이 잤기 때문에 밤이 되니 오히려 졸리지 않았다.

초교는 몸을 일으켰다. 그리고 밖에 있는 시녀를 깨우지 않고, 창가로 다가가 살짝 창문을 열었다. 창 앞에 노을처럼 붉은 해당화가 풍성하게 피어 있었다. 꽃가지가 살짝 기울어진 채 적막한 밤바람 속에 가볍게 흔들리고 있었는데, 손을 뻗어 가볍게 건드려 보니 붉은 꽃잎이 떨어져 넓은 소맷자락 안으로 들어왔다.

멀지 않은 푸른 연못 위에, 궁인들이 띄워 놓은 배가 가볍게 흔들리는 것이 보였다. 그윽한 산골짜기에 피리 소리가 들려오는 것 같았다. 초교는 갑자기 선계에 들어선 개구쟁이가 된 기분이었다. 오늘 밤은 대체 어떤 밤인 걸까?

초교는 시녀들을 깨우지 않기 위해 치맛자락을 살짝 움켜쥐고, 진주를 박고 자수를 놓은 신발을 신은 후 높은 나뭇가지 위로 올라갔다. 그녀는 경쾌하게 공중제비를 돌아 막 지은 무자위의 2층으로 올라간 뒤 아래로 뛰어내려 안정적으로 착지했다.

해당화가 피어 있는 곳의 흙은 새로 덮은 것이었다. 다른 곳에서 막 옮겨 온 것인 듯했다. 문득 거리에서 보았던 해당화가 생각났다. 이책이 웃으며 해당화를 궁으로 옮겨 오겠다고 했었지. 그가 정말로 그리할 줄이야.

왜인지 모르게, 초교의 마음 깊은 곳이 조금 흔들리고 있었다. 그녀는 해당화에서 고개를 돌렸다. 마음속에 일어나고 있는 잔잔한 물결이 놀랄까 봐 두려웠다.

지금은 늦여름이었다. 밤은 낮처럼은 덥지 않고, 심지어 살짝 서늘하게 느껴지기도 했다. 초교는 치맛자락을 들고, 발에 잘 맞지 않는 자수 신발을 신은 채 천천히 연못 주위의 오목교를 걸었다. 맑은 바람이 유유히 불어올 때면 그녀의 치맛자락이 사락사락 소리를 냈다. 하늘은 광활한데 별은 보이지 않고, 구름 틈으로 초승달이 희미하게 전각 위를 스쳐 가고 있었다. 달빛의 그림자가 땅에 자욱한 것이, 마치 얼음이 깨진 후 솟아나는 맑은 물 같아 보였다.

아주 오랫동안, 정말 오랫동안 이렇게 편안한 기분이었던 적이 없었다. 밤바람이 초교의 얼굴 위로 불어오고, 그녀는 마치 환상의 세계에 빠져 있는 것만 같았다. 그녀의 발걸음 소리에 놀란 비단잉어가 갑자기 튀어 올라 물보라를 일으키고, 잔잔하게 흘러가는 물결은 더욱 고요해 보였다.

사방은 조용했다. 초교는 다리 위에 앉아 손으로 난간을 붙잡은 채 호수 위로 퍼져 가는 얕은 파문을 바라보았다. 그녀의 눈길이 점차 원목 위에 있는 나이테로 내려앉았다.

이런 평온함을 마지막으로 느껴 본 적이 언제였더라. 기억

나지 않았다. 변당에 도착한 후, 초교는 몸에 쌓인 모든 난폭한 기운과 피로를 씻어 내린 것만 같았다. 이 그윽한 산수, 정원에 가득 피어난 꽃들, 부드러운 곡선을 그리는 처마, 눈에 보이는 모든 것마다 강남의 독특한 우아함이 엿보였다.

초교는 길게 한숨을 쉬며 자기 자신에게 속삭였다. 여기는 진황이 아니야, 대하도 아니고. 살육에서 멀리 떨어진 곳, 추격 과는 상관이 없는 곳이야……. 초교는 잠시나마 이곳에서 안심 하고 숨을 돌릴 수 있었다.

8년이었다. 그녀가 입으로는 말하지 않고 계속 견뎌 왔다 해 도, 결국 8년 동안 피로가 계속 누적되었던 것이다.

연북의 바람은 어떨까. 그곳도 이곳처럼 따뜻할까?

연북을 상상하던 초교가 갑자기 웃음을 터뜨렸다. 그럴 리 없지 않은가. 연북은 언제나 눈이 쌓여 있고, 차가운 바람이 맹 렬하게 불어온다고 했다. 회회산 일대에만 산골짜기에 푸른 풀 이 돋아나 말을 내달릴 수 있다고 했던가.

연순의 말에 따르면, 민서산 위에는 연북의 선녀가 살고 있 는데, 바로 연북의 백성들을 지켜 주는 여신이라고 했다. 그녀 는 언제나 가장 추운 산 정상 위에서, 두려움이 없는 눈빛으로 하계의 억조창생들을 굽어보고 있노라고. 그리고 항상 하늘과 싸워 햇빛을 얻어 내 그녀의 백성들에게 나눠 준다고 하였다.

연북, 연북.

연북은 신마저도 자애로운 어머니인 동시에 투사여야 하는 곳이었다. 연북의 땅 한 뼘마다 백성들의 피눈물이 서려 있었다. 연북인은 백골 아래 다시 태어난 민족이었고, 연북에 피어난 꽃 한 송이 한 송이 모두 나라를 지키다 죽은 전사들의 뼈와 피를 그 뿌리에 머금고 있었다. 맑은 바람에는 언제나 자유를 위해 생명을 바친 영혼이 서려 있다고 했다. 그게 바로 연북이었다. 고난으로 가득 찬 땅, 그러나 결코 굴복하지 않았던 대지.

그녀는 아직 그 초원을 본 적이 없었다. 그저 연순이 몇 번이고 반복해 이야기하는 것을 들었을 뿐이다. 그 어둡고 괴로운, 짐승만도 못한 대접을 받던 나날 속에서도 연북을 이야기할 때면, 연북의 설산과 초원을 이야기할 때면 그들은 한없이 즐거웠다. 그들은 어두운 구석에 웅크린 채로도 마음껏 상상의 나래를 펴곤 했다. 떼를 지어 달려가는 야생마들, 빠른 속도로 흐르는 긴 강줄기, 그 상상 속 풍경들은 얼음처럼 차가운 겨울밤에도 결코 잃지 않을 거대한 희망이었다. 그리고 그들은 그런 경험을 통해 서로에게 의지하게 되었다.

질식할 것만 같았던, 언제나 구역질이 나던, 언제라도 정신을 놓아 버릴 수밖에 없을 것 같았던 그 황성 안에서, 그들 두 사람은 털도 채 나지 않은 새끼 이리들이었다. 그들은 서로의 등을 지고 전혀 위협적이지 않은 발톱을 세우고 있었다. 그들 주변에는 기댈 만한 담장도, 몸을 데울 숯불 하나 없었다. 그들은 그저 서로에게 의지하여, 서로의 눈길과 체온에서 용기를 찾는 수밖에 없었다.

그들은 결코 갈라질 수 없는 전우였다. 어떤 틈새도 없는 단단한 동맹이었고, 결코 서로를 떠날 수 없는 가족이었다. 이 복잡한 감정은 예전에 이미 단순한 남녀 간의 애정을 넘어서 버렸다. 그들은 서로에게 피고 살이었다. 그들은 서로에게 서로의 일부분이 되어 있었다.

오랫동안, 그녀는 여인으로서의 삶에 대해서는 생각할 시간이 없었다. 그녀는 이곳에 온 후 짧은 일생 동안 계속 달려야 했고, 언제나 전투 중이었으며, 마음속으로는 항상 계책을 짜내고 있어야 했다. 그랬기 때문에 그녀는 아주 많은 것을 그대로 묻어 두고 있었다.

초교는 언제나 이지적인 사람이었다. 그녀는 자신이 무엇을 원하는지 알고 있었고, 자신이 무엇에 물들어서는 안 되는지도, 또 미래의 무엇을 기다려야 하는지도 알고 있었다. 그래서 그녀는 이 모든 것을 품은 채 진지하게 걸어가고 있었다. 아마 다른 이들이 보기에 초교의 이런 성격은 매우 재미없어 보일 것이다. 아니면 아주 음울해 보일지도 모른다. 그러나 그녀는 이런 사람이었다.

초교는 천천히 눈을 감고 깊이 숨을 들이마셨다. 그가 올 것이다. 그녀는 이미 먼 곳에서 불어오는 바람의 냄새를 맡았다. 그녀는 알고 있었다. 이 바람은 연순이 초교를 생각하고 있다는 의미였다.

"대체 혼자서 여기 왜 이리 오래 앉아 있는 거야?"

갑자기 들려온 목소리에 초교가 깜짝 놀라 재빨리 고개를 들어 보니, 이책이 녹색 옷을 입고 서 있었다. 요대는 느슨하게 메고, 옷깃은 살짝 풀어헤쳐 가슴을 절반쯤 드러내고 있었다. 머리카락은 등 뒤로 늘어뜨려 주단으로 가볍게 묶고 있었는데, 양쪽으로 귀밑머리가 가볍게 흩날리고 있었다. 마치 삼월의 버들가지처럼 가늘게 뜨고 있는 눈은 꼭 졸린 여우처럼 보였다. 그는 싱글거리며 손을 뻗어 가볍게 하품을 했다.

초교가 살짝 미간을 찌푸렸다.

"여기 얼마나 서 계셨던 거예요?"

"조금."

이책이 비틀거리며 걸어와 그녀 곁에 털썩 주저앉더니, 은빛 술병을 내밀었다.

"마실래?"

초교는 고개를 저었다.

"저는 술을 마시지 않아요."

이책이 어깨를 으쓱했다.

"정말 재미없게 사는군."

"전하께서, 저를 비웃기 위해 이 밤중에 주무시지 않고 계시는 것은 아니겠지요?"

이책이 술을 한 모금 마셨다. 그의 주량도 그렇게 세지는 않은 듯, 몇 모금 마시더니 얼굴이 곧 붉어지기 시작했다. 그가 초교를 흘깃 보더니, 호수 중앙의 작은 섬을 가리키며 말했다.

"저 나무가 몇 년이나 된 건지 알아?"

초교는 당황했다. 그가 이런 이야기를 할 줄은 생각도 못했기 때문이었다.

이책은 자문자답하듯 말했다.

"이미 400년이 넘었어. 아마 생각지도 못했겠지. 저 나무가 대하의 역사보다도 오래되었다는 것을 말이야."

그러더니 오목교 가장자리에 핀 작은 꽃을 가리켰다.

"무슨 꽃인지 알아?"

그 꽃은 연보랏빛으로, 꽃받침이 아주 작고, 바람 속에서 한들거리는 모습이 언제라도 날려 갈 것만 같았다.

"저 꽃 이름은 유안이라고 해. 한밤중에 피어나고, 새벽이 되면 시들어 버리지. 저 꽃은 평생 단 한 번 피어나. 아주 짧은 몇 시진 동안을 위해 1년의 세월을 견디는 거지."

은빛 술병 위에는 작은 꽃송이들이 각인되어 있었는데, 유안이라는 꽃과 아주 비슷해 보였다. 이책은 머리를 젖히고 술을 한 모금 마시더니 초교에게 미소 지었다.

"교교, 인생은 본래 쓰고 짧은 거야. 아침 이슬에 꽃으로 피어나도, 눈 깜빡할 사이에 백발이 되어 버리지. 기쁨을 누릴 수 있을 때는 모름지기 누려야만 하는 거야. 좋은 시절을 헛되이 보내 버리지 마."

초교는 천천히 고개를 흔들고 나지막하게 말했다.

"저는 저 유안처럼 잠시 피었다 사라질지언정, 늙은 나무처럼 평범한 삶을 살고 싶지는 않아요."

"하하."

이책이 웃으며 말했다.

"만물은 자기만의 생존 방식이 있지. 유안은 고목의 삶이 평범하고 아름답지 않다고 웃겠지만, 또 동시에 알지 못하는 거지. 오랜 시간 동안 한곳에 존재한다는 것 또한 지극히 아름답다는 사실을. 비바람을 버티며 세월에 무너지지 않는 것도 일종의 아름다움이야. 시간을 견디며 쌓아 가는 그 진귀한 아름다움을, 하루살이가 어찌 이해할 수 있겠어?"

초교는 이책을 바라보았다. 그의 눈길은 유난히도 밝았다. 초교는 자신도 모르게 의심스러운 눈빛으로, 대범하게 웃고 있는 이책을 바라보며 물었다.

"그럼 전하는요? 하루의 화려함을 원하시나요, 아니면 오랜 세월에 걸쳐 아름다움을 쌓아 가고 싶으신가요?"

"나?"

이책은 고개를 돌리더니 찬란하게 웃기 시작했다.

"나는 야심이 꽤 크지. 고목처럼 세월을 버티며 오래도록 존재하되, 언제나 유안처럼 화려하고 아름답기를 바라고 있어. 하하."

초교는 살짝 고개를 저으며 담담하게 시구를 읊었다.

"인생에 뜻을 얻었다면 마땅히 즐거움을 누려야 하리. 그대 손의 금잔을 비운 채 달을 바라보지 말게나.*"

"좋은 시로군!"

이책이 웃으며 고개를 젖혀 술을 마시고는 놀리듯 말했다.

"교교에게 이런 재능이 있는 줄은 몰랐는데."

초교는 미소 지으며 아무 반박도 하지 않았다.

---

* 당나라 시인 이백의 《장진주》의 한 구절.

"교교, 하고 싶은 말이 있는데, 해도 될지 모르겠어."

초교가 담담하게 웃으며 말했다.

"전하께서 저를 친우로 여기신다면, 무슨 말씀이건 하셔도 무방해요."

지금의 이책은 평소와는 전혀 다른 사람 같았다. 비록 말하는 사이사이 장난기가 묻어 나왔지만 달빛 아래 고요하고 평온하게 앉아 있는 그의 모습이며, 평소의 황당무계한 느낌이 사라진 목소리와 말투는 마치 밝게 빛나는 달처럼 청아한 느낌이었다. 미풍이 불어와 두 사람의 옷자락이 펄럭였고, 진주빛 치맛자락과 녹색 옷자락이 부드럽게 뒤엉켰다.

초교는 손을 뻗어 바람에 흩날린 머리카락을 정리했다. 이책은 그런 그녀를 진지한 눈빛으로 바라보았다.

"대하는 지금 각 지방의 제후들이 난동을 부리고, 난민들도 사방에서 일어나니 일견 어지러워 보이지만, 대하라는 나무는 뿌리가 깊고 거대해. 그들에게는 백년대계가 있고, 그들이 타고 있는 배는 견고하지. 한순간 풍랑이 온다 해도, 일단 배의 키를 제대로 잡기만 하면 손바닥을 뒤집는 것처럼 쉽게 본래의 모습으로 돌아올 거야. 연북은 보기에는 대하가 천도할 수밖에 없게 만들 정도의 실력을 지니고 있는 것처럼 보이지만, 실제로 연북 내부는 안정되어 있지 않고 권력도 번잡하게 나뉘어 있지. 게다가 북쪽에서는 견융이 노리고 있고, 남쪽에서는 대하가 호시탐탐 기회를 엿보고 있는 데다, 다른 나라들에게 승인받은 바도 없으니, 실제로는 배가 물을 거슬러 가는 것처럼 어려운 상황이지. 조금이라도 실수하면 배는 가라앉고, 그 배에 탄 사람들은 죽을 것이다."

말을 끝낸 이책이 갑자기 웃으며 유안을 한 송이 꺾었다.

"연북과 대하는 각각 유안과 고목이다. 어두운 밤은 잠시일 뿐이야. 대낮이 되면 높고 낮음이 한순간에 드러나고, 승부도 끝날 거야."

한바탕 바람이 불어와 보랏빛 작은 꽃이 바람을 따라 흩어져 푸른 연못 위로 떨어졌다. 초교는 이책을 바라보았다. 갑자기 눈앞이 흐릿해졌다. 아무것도 제대로 보이지 않았다.

훗날, 초교는 이책의 이 말을 연순에게 전했다. 그때 연순은 말 위에 앉아 있었다. 연북의 바람이 맹렬하게 그의 얼굴로 불어왔다. 이책의 말을 전해 들은 연순은, 초교가 이책의 말을 처음 들었을 때 느낀 것 같은 당혹감은 전혀 느끼지 않는 것 같았다. 그는 그저 조용히 아무 말도 하지 않다가, 한참의 시간이 흐른 후에야 천천히 말했다.

"만약 그렇다면, 이 어두운 밤이 영원히 사라지지 않도록 하면 되는 것이다."

초교는 연순의 말을 이해할 수 없었다. 초교는 그저 이책이 연순이라는 사람을 이해하지 못한 것이라 생각했다. 대하는 천년의 고목이고, 홍천 고원 전체에 깊이 뿌리내리고 있었다. 그러나 고목에게는 고목의 장점 외에도 가지와 잎이 너무 많다는 특징이 있었다. 수많은 가지와 잎은 영양분과 물, 그리고 햇빛을 필요로 했다. 그리고 마치 흡혈귀처럼 고목의 뿌리를 빨아들이고 있었다.

연북은 약하지만, 유안처럼 완강한 생명력을 가지고 있었다. 단 한 뼘의 땅만 있어도 자라날 수 있는 강인한 생명력을. 추운 겨울이건 더운 여름이건, 유안은 조용히 침착한 채 기회를 기다리는 인내가 있었다.

그리고 연순은, 날이 밝아 와 스스로를 무너뜨리는 것을 그저 좌시하고 있을 사람이 결코 아니었다.

그러나 이런 일들은 오랜 세월이 흐른 후의 일이었다. 지금 초교는 차가운 달 아래 조용히 이책을 바라보고 있었다.

나는 이책을 제대로 꿰뚫어 보지 못하고 있었던 것이 아닐까?

언제나 싱글거리는 그의 얼굴 아래, 너무나 많은 것이 숨어 있었다. 너무 깊었다. 마치 천 길 깊은 못처럼, 그 물빛이 너무 어두워 도무지 갈피를 잡을 수 없었다. 그러나 한 가지만은 확신할 수 있었다. 방금, 이책의 마음의 문이 살짝 열렸고, 그는 그녀를 자신의 안으로 들였다.

초교가 작은 소리로 물었다.

"전하, 전하는 제 벗이신가요?"

이책은 미소 지으며 대답했다.

"나는 변당의 태자다."

초교는 전혀 움찔하지 않고 계속 물었다.

"우리를 도와 대하를 공격해 주실 수 있나요?"

이책은 고개를 저으며 작은 소리로 대답했다.

"할 수 없다."

"그렇다면 대하를 도와 우리를 공격하실 수 있나요?"

이책은 잠시 당황했지만 곧 웃으며 말했다.

"대하의 선조인 배라진황이 변당에게서 홍천 18주를 빼앗아 갔다. 그 후로도 우리와 대하의 분쟁은 끊이지 않았다. 내가 아무리 수치를 모르고 제멋대로인 인간이라 해도, 가문과 나라의 죄인이 될 수는 없겠지."

초교는 눈썹을 치켜세웠다.

"그 말씀은……?"

"대하와 연북이 싸운다면, 변당은 둘 중 누구도 돕지 않을 것이다. 조정덕이 딸을 나에게 시집보내지 않느냐는 이야기는 할 필요 없어. 제 어미를 나에게 보낸다 해도 소용없을 테니까. 하하!"

이책은 갑자기 큰 소리로 웃기 시작했다. 초교도 입 끝을 들어 올렸다.

"그러시다면, 전하는 저의 벗이에요."

초교는 천천히 손을 내밀었다. 그녀의 눈은 밝게 빛나고, 입가에는 웃음이 서려 있었다.

이책은 웃다 말고 그녀의 그런 모습을 보고 잠시 멍한 표정을 지었다. 그러나 곧 가볍게 미소 지으며, 초교를 따라 천천히 손을 내밀어 그녀의 손을 꽉 잡았다!

초교도 반짝이는 눈으로 이책을 바라보았다. 이책의 눈에 비친 초교의 웃는 얼굴은 눈부시게 찬란했다. 그녀가 살짝 고개를 들자, 달빛이 상급의 주단처럼 얼굴에 쏟아져 내렸고, 그녀의 피부는 눈이 아찔할 정도로 투명해 보였다.

초교가 웃으며 말했다.

"전하, 연북은 유안이 아니고, 우리는 하루살이도 아니에요. 대하라는 나무는 비록 아주 크지만, 뿌리가 이미 썩기 시작했어요. 뜻이 있는 황자 몇이 있다 해도, 그것만으로 버틸 수는 없을 거예요. 혹시 이런 말을 들은 적 있으신가요? 민심을 얻는 자가 천하를 얻는다고."

이책은 살짝 미간을 찌푸리며 중얼거렸다.

"민심을 얻는 자가 천하를 얻는다?"

초교는 살며시 웃기 시작했다. 지금 자신이 있는 이 시대는, 이런 말이 상식이 될 수 있는 시대가 아닌 것이다. 초교는 고개를 끄덕이며 천천히 말하기 시작했다.

"군주가 사람들을 통치한다지만, 사람들의 힘이란 것은 무한한 법이에요. 군대, 무장, 금은, 양식, 그 모든 것이 귀족들이 무시하고 경멸하는 노예와 백성들에게서 나오죠. 그들은 이 세상에서 가장 관대한 이들이에요. 그저 한 끼의 밥, 한 뙈기 땅만 있다면 그들은 기꺼이 대부분의 양식을 내어 다른 이들을 먹이죠. 하지만 만약 그들이 살아갈 수 없을 때는 어떨까요?"

초교가 이책을 응시하며 나지막하게 말했다.

"눈을 뜨고 죽음을 기다리고 싶은 사람은 아무도 없어요. 전하, 만약 온 천하 사람들이 모두 전하를 반대한다면, 아무리 전하라 하더라도 이 천하에 편안히 마음을 놓을 곳이 있을까요?"

이책이 당황하여 미간을 찌푸리고 말했다.

"그런 일이 벌어질 리 없지 않은가?"

초교가 웃었다.

"어째서 불가능하죠? 벌어진 적 없는 일이라 해서 발생할 수 없는 것은 아니잖아요? 300년 전 변당 사람들이 관외의 이민족이 일어날 거라고 상상할 수 있었을까요? 그들이 음산을 돌파하고, 홍천의 18주를 할거하여 스스로를 왕이라 칭한 후 변당과 맞서게 되리라고 상상이나 했을까요? 납란씨 가문의 영수가 제국을 배신하고 독립하여 회송을 세운 것은요?"

이책은 입을 다물고 계속 얼굴을 찡그렸다. 초교는 가볍게 웃었다. 지금의 제국들은 아마도 중국 역사상의 하나라쯤에 해당할 것이다. 백성들이 권력에 대해 의문을 품는 상황을 겪어 보지 못했기에, 자신의 권위가 신에 의해 부여받았다고 믿는, 천한 백성들은 영원히 이렇게 복종하고 견딜 것이라고 믿는 그런 나라.

"전하, 보세요. 모든 것은 이미 변하고 있어요. 과거의 휘황찬란함을 붙들고 있으면 앞으로 나갈 수 없어요. 전하도 조만간 보시게 될 거예요. 분노한 창생이 얼마나 거대한 힘을 지니고 있는지. 그 힘은 산을 무너뜨리고 바다를 메울 만한, 비바람을 불러올 만한, 결국 이 세상을 전복할 만한 힘일 거예요. 대하, 연북, 변당, 회송, 그리고 관외의 이민족인 견융까지, 이런 힘 앞에서는 모두 한 마리 개미처럼 연약한 존재가 될 거고요. 이러한 국면에 순응하는 자만이 최후의 승리자가 될 수 있어요."

이책의 얼굴에 더 이상 웃음기는 떠오르지 않았다. 그는 초교를 응시하며 단 한 마디도 하지 않았다.

초교는 미소 지으며 그에게 속삭였다.

"전하, 전하는 제 벗이에요. 그래서 저는 거대한 파도가 밀려오는 그날 전하께서 제일 처음으로 파도에 휩쓸리는 사람이 되지 않기를 바라고 있어요."

차가운 바람이 불어왔다. 이책의 눈빛에 칼날처럼 날카로운 빛이 스쳐 갔다. 그는 계속 초교를 응시하며 아무 말도 하지 않았다. 바람이 그들 사이로 불어오고, 이 밤은 얼음처럼 차갑고 쓸쓸했다. 한참 후, 이책의 표정이 온화해지더니, 가볍게 미소 지으며 말했다.

"교교, 네가 한 이야기들은 처음 들어 보는 것이지만, 어쨌든 흥미롭다. 내가 한번 생각해 보도록 하지."

초교는 알 수 있었다. 이책은 방금 살의를 품었다. 그러나 그는 결국 손을 쓰지는 않았다. 그들은 각자 다른 권력을, 다른 입장을 대표하고 있지만, 초교가 말한 것처럼 그들은 벗이니까.

혹은, 초교와 이책 모두 정확하게 말할 수 없는 다른 이유 때문에.

그리고 그 순간 초교는 오랫동안 그녀가 이해할 수 없었던 것을 하나 이해할 수 있었다. 그것은 바로 대하 황제 조정덕이 무엇 때문에 수많은 번왕들 중 연북부터 손을 썼는가 하는 일이었다. 연세성은 다른 누구보다 충성스러운 신하였다. 조정덕이 삭번을 진행하고 싶었다면, 당연히 다른 번왕들부터 시작하는 것이 자연스러웠다. 예를 들자면 영왕이나 경왕처럼 사납고 고집스러운 자들부터 말이다.

초교는 이제야 깨달을 수 있었다. 조정덕이 연북부터 처리한 이유는 아주 간단했다. 바로 연북이 대동회에 가입했기 때문이었다. 연세성이 새로운 사상을 받아들였기 때문에, 그 추운 연북 고원에 예전과는 다른 꽃을 피우고 다른 결실을 맺으려 했기 때문에. 사실상 연북은 이미 제국과 등을 지고 달리기 시작했던 것이다. 이것은 자본주의 국가에서 갑자기 어떤 정당이 모든 재산을 함께 생산하고 누리겠다는 구호를 소리 높여 외친 것과 비슷한 일이었다. 조정덕의 입장에서는 절대로 받아들일 수 없는 일이었을 것이다. 연세성은 공공연하게 조정덕에게 적대하고, 용서받을 수 없는 배신을 한 셈이었다.

물론, 연세성은 그러한 결과를 예상하지 못했을 것이다. 그리고 마지막 순간까지도 자신이 무엇을 잘못했는지 알지 못했을 것이다.

초교는 가볍게 한숨을 내쉬었다. 그녀의 한숨 소리는 부드럽게 적막한 바람 속으로 흩어졌다.

그녀는 알 수 없었지만, 이날 밤 초교와 이책의 대화는 수많은 이들의 운명을 바꿔 놓았다. 초교는 마치 농부처럼, 스스로도 의식하지 못하는 사이에 씨앗을 뿌리고 있었던 것이다. 이 씨앗들은 얼음 아래 숨어 조용히 시기를 기다릴 것이다. 따뜻한 봄이 와서 꽃이 피는 그 순간을.

"교교."

이책이 한참 동안 심사숙고하더니 갑자기 물었다.

"나에게 말해 줄 수 있어? 어째서 그렇게까지 확신할 수 있는 건지? 너는 다른…… 세뇌당한 대동회 회원들과는 달라. 그런데 어째서 이렇게 진지하게 믿고 있는 거지? 역시…… 연순 때문인가?"

"아니에요."

초교는 고개를 저으며 미소 짓고 말했다.

"내 눈으로 직접 보았기 때문이에요."

이책이 갑자기 멈칫했다.

"무엇을?"

"전하는 이해하지 못하실 거예요."

초교는 따뜻한 눈빛으로 호수를 바라보다가 입 끝을 들어 올리고 갑자기 웃기 시작했다. 이 세상 아무도 이해할 수 없을 것이다. 그렇다. 그녀는 직접 본 적이 있었다. 그녀는 이 세상이 어떤 방식으로 발전해 나갈지 알고 있었다. 낡은 제도는 죽을 것이고, 새로운 제도가 반드시 태어날 것이다. 그리고 그러기 위해서는 안내자가 필요했다.

"전하, 이것은 저의 신앙이에요. 그리고 제가 존재하는 의미예요."

제12장 오동나무 깊숙이

황혼 무렵, 비가 추적추적 내리기 시작했다. 버들가지 끝으로 여인의 눈썹같이 가느다란 달이 떠올라 옅은 구름 사이로 들어갔다.

태의들이 밀하거의 문을 나섰다. 그들은 푸른 우산을 든 채 폭이 넓은 푸른 조복을 땅에 끌며 걷고 있었다. 그들이 신고 있는 푸른 신발이 물이 고인 곳을 밟을 때마다 자잘한 물보라가 튀었다. 심부름하는 아이는 등에 커다란 약 상자를 지고 옆에서 걷고 있었는데, 아이의 연푸른 옷이 마치 빗속에 흩날리는 파초처럼 보였다.

연못에 남아 있던 연꽃이 마침내 비에 흩어지고 말았다. 머리카락이 젖은 시녀가 살금살금 뛰어 들어왔다. 추수가 작은 소리로 그녀를 불렀고, 두 소녀는 낭하에 모여 귀엣말을 주고

받기 시작했다. 그녀들의 목소리는 아주 작았지만, 내실까지 들려왔다.

"연꽃이 모두 흩어졌어. 하 여관이, 태자 전하께서 연을 제일 좋아하시니, 우리 모두 여에게 우산을 받쳐 주라고 하셨어."

추수가 어른스럽게 탄식했다.

"우산을 씌운들 무슨 소용 있다고. 이별할 때가 오면 이별해야 하는 것을. 금슬궁, 그쪽 사람들은 너무 아첨하는 것 같아."

"그러니까. 지금은 구월이라고. 벌써 입추인데."

시녀들이 소곤거리는 소리가 점차 멀어져 들리지 않게 되었다. 창밖으로 저녁 햇빛이 나무 끝을 따사롭게 비추고 있었다. 차가운 달빛이 점차 은빛으로 사방을 물들이고, 온 대지는 소리 없이 고요했다. 간혹 새가 날아가며 울부짖는 소리만 멀리서 들려올 뿐이었다.

이 방은 이미 아주 오랫동안 사람이 살지 않았던 곳이었다. 방은 아주 크고 훤히 트여 있었다. 단목으로 만든 거대한 침상이 북쪽을 향해 있고, 침상에는 금빛 난새 자수가 있는 푸른 휘장이 층층이 걸려 있었는데, 바람이 한번 불어오면 마치 커다란 연잎처럼 흔들거렸다.

남쪽으로 향한 창이 크게 열려 있었다. 창밖으로는 연못 가득 푸른 연이 보였다. 갑자기 내리친 비바람에 연잎은 바람을 따라 이리저리 흔들리며 사라지고 있었다. 노비들이 주인의 환심을 사기 위해 배에 올라탄 채 우산을 받쳐 들고 차가운 빗속 푸른 연들을 지키고 있었다.

이책은 의자에 앉아 손가락으로 가볍게 의자의 손잡이를 어루만지고 있었다. 각종 길한 문양을 옻칠한 의자의 손잡이는 이미 얼룩덜룩했다. 하인들이 다급하게 이 방을 치웠지만, 아마 새로 칠을 할 여유까지는 없었던 모양이다. 손가락으로 누를 때마다 의자의 표면은 울퉁불퉁하게 일어났지만, 이책은 신경 쓰지 않았다. 그의 눈은 감은 듯 뜬 듯, 아주 가늘어져 있었다. 이책은 침상 위에 누워 있는 여자를 응시하는 중이었다.

초교의 병세가 점점 더 심해지고 있었다. 태의는 방금까지도 고개를 흔들며, 엄청난 양의 의학 이론을 늘어놓았다. 이책은 안 그래도 답답하던 차에 그런 이야기까지 듣고 있자니 기분을 제어할 수 없어, 그 태의를 발로 차 버리고 말았다. 그러자 다른 이들이 아주 간단하게 초교의 병세를 설명해 주었다.

초교는 최근 계속 요양을 했기 때문에, 그녀가 중독된 독이 열이라면 예닐곱은 이미 해독이 된 상태였고, 증상도 상당히 좋아졌다. 초교가 지금 여전히 병상에서 일어나지 못하고 있는 것은 수년에 걸친 고생 때문이라는 의견이 있었다. 몸이 허약해진 상태에서 계속 방치해 두었기 때문에 오장육부가 모두 쇠약해진 상태였고, 시간을 두고 천천히 회복하는 수밖에 없다는 이야기였다. 그러나 그녀에게 지금 가장 부족한 것이 바로 시간이었다.

초교는 안으로 흰 견을 덧댄 푸른 옷을 입고 있었다. 옷에는 연회색 국화 자수가 송이송이 아리땁게 피어 있어, 초교의 아름다움을 은은하게 드러내 주고 있었다. 그러나 그녀의 안색은 매우 창백했고, 가련하게 몸을 웅크리고 있었다.

태의들이 떠나기 전 이책을 안심시키기 위한 말을 천 번이고 만 번이고 되풀이했지만, 공기 속에는 여전히 긴장감이 흐르고 있었다.

거대한 대전은 달빛이 쏟아져 내려 더욱 광활해 보였다. 이곳에는 별다른 가구도 장식도 없이, 그저 커다란 침상 하나와 의자 하나만이 있을 뿐이었다. 검은 나무로 깔아 놓은 바닥은 밟을 때마다 평온한 기분이 들었다. 그리고 이렇게 텅 비어 있었기에, 말을 하면 사방에서 메아리쳐 더 적막하고 공허해 보였다.

이곳은 이책이 거주하는 태자전에서 가장 가까운 곳이었다. 이책은 이곳, 밀하거에서 자랐다. 과거의 밀하거는 아주 근사한 곳이었지만, 초교가 옮겨 오기 전까지 이곳은 겹겹이 닫혀 있었다. 황가의 권위를 상징하는 장미 문양을 찍은 주홍빛 종이로 문을 봉한 이후, 오랫동안 열리지 않았다.

이미 6년도 더 전의 이야기였다.

미풍이 불어오니 조금 추운 듯, 초교가 몸을 살짝 움직였다. 이책이 약간 습기가 찬 바닥을 밟고 창가로 다가가 창문을 닫았다. 그리고 다시 침상 곁으로 돌아와 긴 손을 내밀어, 한 겹 한 겹 푸른 휘장을 걷어 올렸다. 침상에 누운 초교의 얼굴이 점차 분명하게 보이기 시작했다. 긴 속눈썹, 아름다운 콧날, 붉은 입술, 예쁘장한 귀, 긴 목…….

그는 초교가 덮고 있는 이불을 들어 올리려는 듯 손을 내밀었다. 그때 밖에서 비바람이 갑자기 거세게 불어오며 창을 때리는 소리가 들렸다. 어두운 밤, 희미한 달빛이 초교의 얼굴을 비추었다. 그녀의 얼굴은 연약한 동시에 냉담해 보였다.

이책의 손이 초교의 몸 바로 앞에서 멈추더니 마침내 그 자세 그대로 굳어 버리고 말았다. 적막한 달빛이 그의 몸 아래로 길고 어두운, 외로운 그림자를 만들어 냈다.

시간을 알리는 소리가 들려왔다. 당경은 시간을 알리는 소리조차 금을 연주해 알렸다. 그 맑은 연주는 마치 담담한 바람 소리 같았다.

시간이 얼마나 흘렀을까. 높이 걸려 있던 달이 다시 저물기 시작하고, 빗소리도 점차 줄어들었다. 이책은 굳어 있던 눈길을 거둬들이고 천천히 궁문을 나섰다.

문을 열어 보니, 손체가 팔짱을 낀 채 낭하의 기둥에 기대 기다리고 있었다. 손체가 그를 보고 미소 지었으나, 이책은 마치 그를 보지 못한 것처럼 그저 걸어갈 뿐이었다.

"전하, 옥상관의 옥서 부인이 두 번이나 오셨습니다. 전하께서 비를 맞으셨다는 이야기를 듣고 놀라셔서, 특별히 인삼탕을 준비해서 궁에서 기다리고 계십니다."

이책은 마치 아무것도 듣지 못한 것처럼 대답하지 않고 계속 앞으로 걸어갔다. 그러나 손체의 목소리는 점점 더 경쾌해졌다.

"유부관의 무희 류류가 특별히 귀한 약들을 보내왔습니다. 초 아가씨께서 상처를 치료하는 데 쓰셨으면 한다고요. 당염궁의 백 부인도 남불사에 가서 전하와 초 아가씨를 위해 기원을 올린다 하셨고요. 다른 궁의 부인들도 그 말을 듣고 모두 함께 가셨습니다. 지금 남불사에는 승려들이 발 디딜 틈조차 남아 있지 않을 지경이라고 하더군요. 부인들께서 갑자기 한마음 한뜻으로 불심이 깊어지셨으니, 정말이지 아름다운 풍경이지요! 그리고……."

비는 이미 멈춘 후였다. 두 사람 뒤에 수많은 시위들과 궁녀들이 따르고 있었지만 모두 먼 곳에서 따를 뿐, 감히 가까이 다가오지는 못했다.

손체가 갑자기 무엇인가를 떠올린 것처럼 "그렇지."라고 중얼거리더니 말했다.

"하 대인의 딸이 오후에 궁에 들어왔습니다. 궁 안의 일을 듣더니 의연하게도 사공주님의 침전에 머문다고 했다더군요. 전하께서 시간이 되시면 문안을 올리러 오고 싶다고 합니다."

"대체 무슨 이야기를 하고 싶은 것이냐?"

이책이 나지막하게 말했다. 그의 목소리에는 평소의 나른함이나 장난기는 전혀 찾아볼 수 없었다.

손체는 잠시 멈칫했지만, 곧 다시 싱글거리며 말했다.

"속하는 그저, 세상에는 이렇게 재미있는 일이 많다고 이야기하는 것뿐입니다. 전하께서는 이런 일들을 구경하고 싶지 않으신지요?"

이책은 아무 말도 하지 않았다. 손체가 눈을 살짝 들어 올리며 말했다.

"전하, 전하답지 않으십니다."

"나?"

이책이 킬킬거렸다. 기쁜 느낌이라고는 전혀 없는 웃음소리였다.

"나 스스로도 내가 어떤 모습인지 기억하지 못하게 될 것 같구나."

손체가 소리 내어 웃었다. 마치 하늘 아래 가장 우스운 이야기를 들었다는 태도였다.

"그렇게 의기소침한 말씀은, 전하께는 어울리지 않습니다. 손으로는 수많은 등을 어루만지고, 혀로는 사방의 입술을 맛보나니, 우리 태자 전하시어, 언제부터 이리 아련한 감정에 마음을 잃는 분이셨던가요? 언제 이리 넋을 잃은 적 있으셨는지요?"

맑은 바람이 불어왔다. 길 양쪽으로 비에 씻긴 해당화가 피어 있었다. 이책은 아련한 눈길로 해당화를 바라보았다. 그는 갈등하고 있는 것 같기도 했고, 또 평온해 보이기도 했다.

마침내 이책이 몸을 돌렸다. 그리고 그는 다시 풍류를 즐기는 변당 태자가 되어 있었다. 그가 소리 내어 웃으며 낭랑한 목소리로 말했다.

"네 말이 맞다. 인생에 뜻을 얻었다면 마땅히 즐거움을 누려야 하리. 그대 손의 금잔을 비운 채 달을 바라보지 말게나. 손체, 모든 부인과 무희들에게 일러라. 다 함께 태자전에 시침을 들러 오라고 말이다. 염불을 외우러 간 무리도 불러들이고. 나중에 그 불당을 아예 부수고 새로 하나 지어서…… 그래, 지어서 환희불을 공양하도록 하지. 하하!"

"인생에 뜻을 얻었다면 마땅히 즐거움을 누려야 하리. 그대 손의 금잔을 비운 채 달을 바라보지 말게나."

손채기 잠시 생각하더니 웃으며 말했다.

"전하, 훌륭한 시입니다!"

이책은 거드름을 피우며 즐거워했다. 다른 이의 성과를 자신의 것인 척하는 것이 조금도 부끄럽지 않은 태도였다.

얼마 지나지 않아, 태자전 방향에서 즐거운 가무 소리가 들려왔다. 사치가 극에 달해, 술 냄새가 가볍게 공기 중에 떠돌고 있었다. 여인들의 치맛자락은 흔들리고 허리는 부드럽게 휘었다. 가지 끝에 꽃이 피어나고 황금 술잔에 술이 비지 않으니, 다시 한 번 태평성세의 밤이었다.

밀하거의 작은 누각 아래, 나이 든 태의 두 사람이 당직을 서고 있었다. 그중 하나가 창가에 서서 멀리 태자전을 바라보며 탄식했다.

"태자 전하께서 밀하거를 다시 여시고, 모든 태의들을 불러 모으시는 것을 보고 이 초씨 성을 가진 여인을 매우 신경 쓰시는구나 했는데. 지금 보니 그저 지나가는 일에 불과했군!"

이미 입추였다. 밤이 되니 살짝 쌀쌀했기 때문에, 다른 태의는 옷을 두툼하게 걸치고 작은 화로를 하나 곁에 둔 채 눈을 살짝 감고 있었다. 그는 고개도 들지 않고 그저 담담하게 말했다.

"아직도 하늘에서 붉은 비가 내릴지 모른다는 기대를 하고 있나? 망상은 말게. 부羙 공주께서 가신 이후로는……."

창가에 서 있던 태의는 그 말의 의미를 이해하는 것 같았지만, 어쩔 수 없다는 듯 탄식했다.

밤바람이 서늘하게 불어와 한 겹 한 겹, 아름다운 비단을 말아 올렸다. 이 사치스러운 궁정은 얼마나 많은 적막한 심사를 숨기고 있는 것일까. 그리고 또 얼마나 많은 이들의 애수를 품고 있는 것일까!

이틀 동안 연속해서 비가 내렸다. 비가 그쳤을 때 꽃은 져 있었지만, 공기는 매우 맑았다.

병세가 계속 반복되었기 때문에 초교는 궁을 떠나지 못하고 있었다.

오후, 초교는 시녀들의 시중을 받으며 문밖에서 해를 쪼이고 있었다. 상처 자체는 예전에 이미 나은 상태였지만, 기력이 쇠한 나머지 사지에 힘이 없었다. 추수 등은 초교가 길을 걷는 것도 허락하지 않고, 어디를 가건 떠받들고 다녔다. 초교는 온종일 졸면서 나른하게 지냈고, 덕분에 몸에 살도 좀 붙기 시작했다.

초교는 침상 형태의 의자에 기댄 채 졸고 있었다. 나무 위의 매미는 이미 거의 사라져 몇 마리만이 남아 울고 있었다. 초교는 자신도 모르는 새 잠에 빠져들었다.

얼마나 지났을까, 사방이 갑자기 조용해졌다. 초교는 이상한 느낌에 재빨리 눈을 떴다가 당황하고 말았다. 나이가 쉰 정도로 보이는 부인이 앞에 서 있었다. 부인의 눈빛은 침착했지만,

안색은 마치 오랫동안 해를 보지 않은 것처럼 조금 창백해 보였다. 그녀는 매우 진지한 표정으로 초교를 살펴보고 있었다.

초교가 깨어난 것을 보자 귀부인은 고개를 끄덕여 인사를 대신하더니 물었다.

"물을 마시겠느냐?"

초교도 부인을 바라보았다. 그녀가 입은 옷은 소박해 보였지만, 자세히 살펴보면 모두 아주 귀한 천을 사용해 만든 것들이었다. 품계가 높은 여관일까? 그러나 그보다는 고귀한 느낌이었다. 더 윗자리에 있는 여인일까? 또 그렇기엔 오랜 세월 권력을 쥔 여인 특유의 위엄이 적어 보였다. 그녀의 손목에 단목으로 만든 아주 낡은 염주가 한 줄 보였는데, 신분과 어울리지 않는 물건 같아 보였다.

초교가 대답하지 않자 부인이 직접 나무그늘로 걸어가더니, 작은 탁자 위의 찻주전자에서 차를 한 잔 따른 후 천천히 돌아와 말했다.

"마시려무나. 초가을에는 입이 마르기 쉽지. 젊은 사람이라 해도 건강에 유의해야 한단다."

초교가 차를 한 모금 마셨다. 확실히 정신이 맑아지는 것 같았다. 그녀는 쑥스러운 표정으로 부인을 바라보며 조심스럽게 물었다.

"죄송합니다만, 저는 막 궁에 들어와 견식이 부족합니다. 제가 어떻게 불러야 할까요?"

"나 말이냐? 내 성은 도씨란다."

도씨는 변당에서는 흔한 성씨였다. 이 궁 안에만 해도 위로는 황후부터 아래로는 평범한 궁녀까지, 열 중 한둘은 도씨 성을 가졌을 터였다. 이 며칠 동안 초교는 이미 예닐곱 이상의 도씨 성을 가진 궁녀와 인사를 나눴다.

"내가 앉아도 되겠느냐?"

부인이 의자를 가리키며 매우 예의 바르게 물었다. 초교는 서둘러 고개를 끄덕이며 말했다.

"앉으시지요."

초교가 사방을 살피자 부인이 말했다.

"황후 마마께서 오셔서, 네 시중을 드는 아이들은 모두 황후 마마를 맞이하러 갔다."

초교는 궁금한 표정으로 부인을 바라보았다. 그렇다면 이 부인은 대체 누구기에 황후가 오는 데도 맞이하러 가지 않은 거지?

부인이 슬며시 미소 지었다. 그녀는 아마 평소에 거의 웃지 않는 모양이었다. 웃는 표정이 어쩐지 굳어 있고, 눈가에는 주름조차 지지 않았다. 그녀가 초교를 보며 말했다.

"별거 아니다. 나는 그저 너를 보고 싶었어."

부인의 말은 도무지 그 뜻을 알 수가 없었다. 초교는 대체 이 부인을 어떻게 응대해야 할지 알 수가 없었다. 이 궁에는 규칙도 많고, 사람도 너무 많았으며, 모든 이들은 대화를 나누더라도 본심을 온전히 드러내지 않았다. 초교가 속으로 부인의 신분을 추측하고 있을 때, 그 부인이 다시 말했다.

"너는 아주 착하구나."

초교가 미소 지으며 대답했다.

"칭찬해 주셔서 감사합니다."

"나는 너를 칭찬하는 게 아니다. 너는 확실히 아주 착한 사람이야. 하지만 나는 네가 궁정 생활에 어울리지 않는다고 생각한다."

초교는 부인의 신분을 깨달을 수 있었다. 아마도 초교가 이 책의 총애를 받는 줄 알고 질투한 누군가가 이 부인을 보낸 모양이었다.

"안심하세요. 저는 여기 오래 머물지 않을 거예요."

"아니, 그런 의미가 아니야."

부인이 고개를 저으며 말했다.

"누구나 처음에는 어울리지 않아. 하지만 천천히 적응하게 되는 거지. 황궁이란 곳은 특히 그렇단다. 네 날카로운 모서리들을 모두 갈아 버릴 수도 있는 곳이지. 하지만 나는 네가 괜찮은 사람 같구나. 만약 네가 들어온다면 아마 이 황궁도 조금은 변하겠지."

초교는 의심스러운 눈으로 부인을 바라보았다. 대체 이 부인이 무슨 말을 하는 것인지 도무지 이해할 수가 없었다.

"태자가 궁 안의 불당을 부수려 한 일을 알고 있느냐?"

부인이 갑자기 화제를 바꿨고, 초교는 고개를 저었다.

"모릅니다."

"태자가 궁에서 환희불을 공양하려 하고 있어. 아, 나는 정말······."

부인이 괴로운 듯 미간을 찌푸리더니, 초교에게 천천히 말했다.

"시간이 좀 나면, 태자에게 그러지 말라고 권해 다오. 어쨌든 변당의 태자 아니냐. 계속 그렇게 터무니없이 굴면 안 되는 거지."

그러더니 부인이 몸을 일으켰다.

"나는 이만 가마. 너는 몸이 좋지 않으니 나를 배웅할 필요는 없다."

부인은 천천히 측문을 통해 밀하거를 빠져나갔다. 이 부인은 마음대로 초교에게 와서 어수선한 말을 늘어놓고 가 버린 셈이었다. 초교로서는 고개를 갸웃하지 않을 수 없었다.

얼마 지나지 않아 추수 등이 돌아왔다. 모두 표정이 이상했고, 불안해 보이기도 했다.

"추수, 어찌 된 일이야? 황후 마마께서 오셨다면서? 어째서 나를 부르지 않았어?"

추수가 대답했다.

"황후 마마께서 이미 궁문 앞에 오셨다는 전갈을 받은 후, 아가씨께서 주무시는 것을 보고 아직 편찮으시다고 말씀드렸어요. 황후 마마의 여관이 아가씨는 오실 필요 없다고 해서, 저희들만 모두 맞이하러 갔었지요."

"그리고……?"

"저희가 한참을 기다렸지만, 황후 마마께서는 수레에서 내리시지 않았어요. 그러더니 몸이 불편하시다며 그대로 돌아가셨어요."

"아아."

초교는 고개를 끄덕였다. 어찌 된 일인지 알 것 같았다.

"나를 안으로 데려가 주렴."

시녀들이 다 함께 응답했다. 내시들이 다가와 초교가 기댄 침상을 들어 올려 안으로 옮겨 주었다.

사실 초교도 이미 이틀이나 이책을 보지 못했다. 초교는 아무렇지도 않았지만 추수 등은 매우 의기소침해하고 있었다. 초교의 병세가 위중해졌을 때, 이책은 어린 시절 자신이 머물던 밀하거의 문을 다시 열고 초교를 그곳에 머물게 했다. 이책이 무슨 마음을 품고 있는지, 이 황궁에 있는 이라면 모를 수가 없었다.

그러나 그 후로 벌어진 일들로 인해 밀하거의 하인들은 조금 우울해했다. 막 진심을 보이는 듯하던 태자는 그날 밤 바로 궁정의 모든 부인을 불러 함께 술을 마셨다. 소문에 따르면 그날 밤 시침을 든 이만 여덟이라고 하였다. 그리고 이 며칠 동안, 이책은 밀하거에 오지 않고 계속 연회만 열고 있었다. 새로 총애하기 시작한 궁녀를 위해 새로 건물을 지을 예정이라는 소문도 돌고 있었다.

추수와 다른 궁녀들은 계속 한숨을 쉬고 있었다. 마치 자기 자신이 냉대받는 것처럼, 심지어 말수도 적어졌다. 밀하거 전체는 조용하다 못해 이제 한숨 소리만 들릴 뿐이었다.

그날 저녁, 하늘이 조금씩 어두워지고 있었다. 창가에 서 있던 초교의 귀에 은은한 피리 소리가 들려왔다. 물안개가 피어난 연못 건너편에서 들려오는 소리였는데, 뒤엉킨 마음이 담긴 듯 몇 번이나 굽이치는 그 가락이 유난히도 마음에 들었다. 초교가 시녀들에게 물었다.

"피리를 부는 이가 누구인지 알고 있니?"

시녀들은 모두 고개를 저었다. 초교는 밖으로 나가려고 했지만, 추수 등이 깜짝 놀라 있는 힘을 다해 그녀를 잡았다. 아마 그녀가 다시 몸이 상하기라도 할까 봐 걱정하는 모양이었다.

어쩔 수 없이 초교는 얌전히 침상에 누웠다. 그리고 방 안의 시녀들이 모두 물러간 후, 창 앞으로 다가가 가볍게 공중제비를 넘었다. 몸에 힘이 없긴 없는 듯, 땅에 닿을 무렵 다리에 힘이 풀려 하마터면 넘어질 뻔했다.

그녀는 실내에서 신는 비단신을 신고 있어서, 돌길을 걸으니 발이 시려 왔다. 흰 비단 치마도 바닥에 끌리며 젖어 가고 있었다. 아무리 걸어도 누구도 보이지 않았다. 그러나 공기 중에 떠도는 희미한 빛이 아름다워 그녀는 계속 걸었고, 점차 밀하거에서 멀어졌다.

초교는 호수 중앙의 누각에 도착했다. 사방에서 바람이 불어와 물이 천천히 흔들리고 있었다. 눈처럼 흰 옷을 입은 남자가 보랏빛 피리를 들고 서 있는 것이 보였다. 맑고 차가운 달빛 속 그의 모습에서는 평소에는 보기 어려운 부드러움과 침착함이 배어 나오고 있었다.

초교가 천천히 오목교를 밟아 가자 남자가 고개를 돌렸고,

피리 소리도 멈췄다. 이책은 초교를 보고도 놀라지 않고, 그저 사악해 보일 정도로 매력적인 미소를 지었다. 그리고 손 안의 피리를 장난스럽게 굴리며 말했다.

"깊은 밤에 잠을 자지 않다니 최근 낮에두 계속 잠만 잔다는 이야기를 들었는데, 한밤중에 놀러 다니느라 그랬던 모양이군."

초교도 웃으며 그를 놀렸다.

"제가 듣기로는 전하께서 최근 밤마다 풍악을 울리며 혼신의 힘을 다해 체력을 소모하고 계시다던데, 피리를 불 기력이 남아 있으셨네요?"

"하하."

이책이 웃으며 말했다.

"내가 체력이 아주 좋지. 믿을 수 없으면 한번 시험해 보든가."

초교의 얼굴이 붉어졌다.

"사람이 단정하지 못하긴."

이책이 흰 눈을 하며 말했다.

"단정…… 단정이라. 연순은 단정하겠지. 하루 종일 엄한 표정을 짓고, 마치 천하 모든 이들이 그에게 돈을 빚지고 갚지 않은 것처럼 굴고 있으니 말이야. 교교, 정말 연순과 평생을 함께할 생각이야? 내가 확신하는데, 연순과 사는 일은 정말 아무 재미도 없을걸. 여자가 종신대사를 결정할 때는, 아주 여러 가지를 고려해 보아야 해."

"전하께서 심심하신 모양이군요."

초교가 그를 노려보았다.

"전하는 재미있는 분이고 말이지요."

"그거야······."

이책이 득의만만하게 웃었다.

"본 태자는 재주가 뛰어난 청년으로, 읽은 책이 수많은 수레를 가득 채울 정도로 학식도 풍부하며, 운치가 있고 호방할 뿐 아니라, 비할 사람이 없을 정도로 잘생겼지. 서몽 대륙 전체를 뒤진다 해도 본 태자야말로 제일가는 청년이지. 내가 가는 곳이라면 어디건 미혼의 소녀들이 우르르 달려들고, 이미 혼례를 치른 귀부인들조차 암암리에 추파를 보낸다고. 아래로는 세 살짜리 어린 소녀부터 위로는 팔순 노파까지, 본 태자만 보면 우리리 탄복하기 마련이거든."

초교가 입을 가리고 웃기 시작했다.

"맞아요. 전하의 외모는 송옥*에 비길 만하고, 반안**과도 흡사하지요. 전하의 우아한 자태는 용양***과도 비슷하다 할 만하고요."

"송옥이 누구지? 반안은 또 누구고? 용양은 사람 이름인가?"

초교가 웃으며 말했다.

---

* 중국 전국시대 초나라의 시인. 미남으로 유명했다. 옆집에 사는 미녀가 송옥의 눈에 들기 위해 3년 동안 담장 너머로 훔쳐보았다는 고사가 있어 규송窺宋이라는 성어가 생겼다.

** 중국 서진시대의 문인. 미남으로 유명했다. 반안이 외출하면 여인들이 반안이 탄 수레에 과일을 던져 수레가 꽉 찼다는 척과영차擲果盈車 등의 고사가 있다.

*** 중국 전국시대 송나라 때 인물. 미남으로 유명했다.

"유명한 미남이지요. 들어 본 적 없으신가요?"

"미남자?"

이책은 무시하듯 코웃음 쳤다.

"기회가 되면 한번 보고 싶군."

달빛이 땅에 은빛 광휘를 흩뿌리고 있었다. 밤바람이 불어오자 이책이 몸을 일으켰다.

"데려다주지. 밤바람도 세고, 너는 아직 몸도 좋지 못하니."

"고마워요."

초교가 응답했다. 그때 이책이 그녀가 신고 있는 신발을 보았다. 초교의 신발은 이미 흠뻑 젖어 있었다. 그는 미간을 가볍게 찌푸리고 물었다.

"어째서 이런 신발을 신고 나온 거지?"

초교는 상관없다는 듯 대답했다.

"괜찮아요. 죽는 일도 아닌걸요. 예전에는 맨발로 길을 다닌 적도 있는걸요. 저야 뭐, 전하처럼 귀한 몸이 아니니까요."

"교교, 제발 기억해 줘. 너는 여인이야, 전사가 아니라."

이책의 얼굴이 갑자기 엄숙해졌다. 그의 목소리에는 심지어 분노마저 어려 있었다.

"연순은 대체 어찌 된 건지. 무슨 일이건 스스로 처리하면 안 되는 건가? 너는 여인의 몸으로 어째서 집 안에 편안하게 있지 않고 도처를 유랑하는 거지? 자신의 몸이 어찌 되는지도 전혀 신경 쓰지 않고, 그렇게 심한 상처를 입고도 이야기하지 않고. 그러다 장래에 온몸이 상처투성이가 되면 시집은 어찌 가겠느냐 말이다! 누가 너를 데려가려 들지······."

초교가 외쳤다.

"내가 시집을 가지 못한다 해도, 전하께서 신경 쓰실 일은
아니에요."

"흥, 나에게 신경 쓰지 말라고 해도, 나는 반드시 신경 써야
겠어!"

초교가 미간을 찌푸렸다.

"전하, 여인을 너무 무시하시는군요!"

"내가 무시한다 해서, 뭐가 어떻다고?"

이책은 초교를 흘겨보았다. 마치 시정잡배처럼 건들거리는
태도였다.

초교는 그를 상대하지 않고 앞으로 나가며 말했다.

"전하와 이야기하지 않을래요. 이만 돌아가겠어요."

그러나 그녀가 말을 마치자마자, 갑자기 하늘이 뒤집혔다.
그녀가 정신을 차렸을 때는 이미 이책의 품에 안겨 있었다.

"전하! 뭐 하시는 건가요? 어서 내려 주세요!"

초교는 깜짝 놀라 서둘러 그를 밀쳐 내며 말했다. 그러나 이
책은 실눈을 뜨고 그녀를 흘겨보며 코웃음 쳤다.

"내려 주지 않을 거야."

초교의 눈에 작은 불꽃이 튀기 시작했다. 그녀가 칼칼한 목
소리로 말했다.

"놓아줘요. 놓아주지 않으면 저도 예의를 차리지 않을 거
예요."

이책은 전혀 신경 쓰지 않는 듯, 목을 불쑥 내밀고 말했다.

"팔에 칼을 묶어 두고 있지. 다리에도 있고. 나도 다 안다고. 찌르려면 여기를 찔러. 찌르지 않으면 내가 계속 업신여길 테니."

초교가 화가 나서 외쳤다

"어쩜 이렇게 무뢰하다지!"

이책은 귀찮다는 듯 그녀를 흘깃 보았는데, 마치 그걸 오늘에야 알았냐는 듯한 표정이었다.

바람이 소슬하게 불어와 두 사람의 옷자락이 마치 나비의 날개처럼 펄럭였다. 사방에 맑은 호수가 펼쳐져 있었다. 이책은 초교를 안은 채 오목교 위를 천천히 걸어갔다. 물가에 버들가지가 늘어져 있고, 때때로 비단잉어가 물 위로 튀어 올라 잔잔한 물결을 일으켰다.

이책은 걸으면서 즐거운 곡조를 흥얼거리고 있었다. 얼굴의 웃음기와 더불어 그는 지금 기분이 아주 좋아 보였다.

초교는 이책에게, 무엇 때문에 평범하지 않은 무술을 지니고도 예전에는 전혀 드러내지 않았는지 묻지 않았다. 또한 피리 연주 실력이 뛰어남에도 불구하고 왜 그 소녀를 유혹하기 위해 노인에게 대신 불게 했는지도 묻지 않았다. 그리고 그녀는 묻지 않았다. 며칠 동안 왜 한 번도 자신을 찾아오지 않았는지, 무엇 때문에 밤마다 풍악을 울리며 술을 마셨는지.

모든 이에게는 자신만의 시름이 있기 마련이고, 타인에게 보여 주고 싶지 않은 일면이 있기 마련이다. 더군다나 왕족이나 귀족이라면, 황족이라면. 황실을 상징하는 밝은 노란 비단

이 너무 무거울 수도 있을 것이다. 그렇기에 그녀는 그 비단 아래를 들춰 보고 싶지 않았다. 아마 본다 해도 이해하지 못할지도 모른다.

달빛은 차가웠지만, 미풍은 오히려 따사로웠다. 그들은 아무 말도 하지 않았다.

그날 밤은 결코 쉬이 잠을 이룰 수 없는 밤이었다. 초교는 꿈을 꾸었다. 꿈속에서 그녀는 대설이 흩날리던 그 밤으로 되돌아갔다. 성금궁의 회랑은 조용한데, 바람결을 타고 들려오는 노랫소리는 너무나 시끌벅적하니 즐거웠다. 그 즐거운 곡조며, 사치스러운 편종 소리가 궁정 전체에 울려 퍼지고 있었다.

꿈속의 사람은 잘려 나간 손가락에서 붉은 피를 흘리고 있었다. 그리고 그는 웃으며 초교에게 말했다.

"괜찮아. 조금도 아프지 않아."

그 봄처럼 따뜻한 미소가 초교의 마음을 사로잡았다. 그 밤이후 수년 동안, 그 미소를 떠올릴 때면 그녀는 평온한 안도감을 느낄 수 있었다.

잠에서 깨어났을 때, 초교의 베개는 온통 눈물로 젖어 있었다. 장밋빛 베개에 흘러내린 눈물 자국이 마치 핏빛 연지처럼 붉어 보였다. 그녀는 가만히 일어나 앉아 자신의 심장이 뛰는 소리를 듣고 있었다. 한참 동안, 아주 오랫동안. 그리고 초교는 갑자기, 자신이 더 이상 기다릴 수만은 없다는 것을 깨달았다.

궁녀들이 밤새도록 우산을 받치고 있더라도 연이 지는 것을 막을 수는 없다. 차가운 가을비가 내린 후 아침이 되면, 연못 가득한 푸른 연은 모두 져 버릴 것이다. 연못에는 검게 변한 잎만이 뒤엉켜, 연못물까지 혼탁해진 것처럼 보이게 되겠지.

그리고 황금빛 국화는 너무 이르게 피어 버렸다. 비가 계속 내리고 날이 추운 데도, 대지 가득 국화가 피어나니, 이보다 더 초췌해 보일 수는 없었다.

아침을 먹는 동안, 새로 책봉받은 궁녀가 총애를 받아 교만해진 나머지 이책의 기분을 상하게 하여 냉궁으로 가게 되었다는 소식을 들었다. 그 여인은 며칠 동안 총애를 얻었다는 이유로 상당히 날뛰고 있던 참이었다. 그 여인이 만난 이번 재난은 몇몇 부인이 협력하여 손을 쓴 것이라는 소문도 있었다.

이책이 형을 내리지는 않았지만, 지금은 가을이라 날이 추운데, 냉궁은 외지고 등불조차 밝히지 못하니, 앞으로 상당히 고통스럽고 힘들게 살 수밖에 없을 터였다.

궁녀들은 이 일에 대해 잠시 이야기했을 뿐, 딱히 관심을 많이 두지는 않는 기색이었다. 아마 이곳에서는 항상 있는 일일 것이다. 그러나 초교는 조금 울적했다. 그녀는 이책을 제대로 이해할 수 없었다. 그는 항상 싱글거리고 있었다. 때문에, 초교는 이책이 단순한 인물이 아니라는 것을 알고 있었지만, 자꾸만 대수롭지 않게 여기게 되곤 했다. 그러나 이책은 변당의 태자다. 미래에 제위에 오를 인물인 것이다.

식사를 끝낸 후, 초교는 이책에게 만나고 싶다는 전갈을 보내려 했다. 그러나 추수가 전갈을 지니고 떠나기도 전에, 선아가 빠르게 뛰어 들어오더니 숨을 헐떡이며 외쳤다.

"대하의 공주 마마께서 성에 들어오셨어요!"

초교가 멈칫하는 사이, 추수가 먼저 입을 열었다.

"대하의 공주 마마께서? 혼례를 치르실 때에야 오시는 거 아니었어? 아직 한 달이 넘게 시간이 남아 있다고 들었는데."

"누가 아니라니!"

선아가 말했다.

"게다가 공주 마마께서 의장대도 없이 혼자 말을 타고 오셨다던데. 지금 이미 심안전으로 드셨고, 황제 폐하와 태자 전하께서도 모두 그곳으로 가셨어."

"그 구공주 마마도 참 대단하시네. 올해 겨우 열세 살이라고 들었는데, 그렇게 대담할 줄이야."

"구공주 마마가 아니라 팔공주 마마셔. 바로 목합 황후의 친딸이지. 그들의 구공주는 병을 얻어 세상을 떠났다더군. 팔공주 마마가 여동생을 대신해서 오신 거지."

갑자기 초교의 마음 깊은 곳에서 무엇인가가 부서지는 것 같았다. 그녀는 자신도 모르게 가볍게 몸을 떨었다.

과거의 아름답고 연약하기만 하던 금지옥엽이 이 정도로 용감해졌다고? 고난은 과연 성장을 위한 가장 큰 촉매인 모양이다. 삶이란 얼마나 서글픈 것인가. 과거의 꽃 같던 소녀가 오늘은 차갑고 고귀한 얼굴로 보는 이들을 눈부시게 만들고 있으니. 이제 아무도 기억하지 못할 것이다. 아주 오래전, 조순아는 선량하며 밝게 웃는 사람이었다는 것을. 손에 토끼 꼬리를 들고, 아리땁게 웃으며 속삭이던 사람이었다는 것을 말이다.

'오라버니, 고마워, 순아는 정말 기뻐⋯⋯.'

세월은 빠르게 지나가고, 옛일은 연기처럼 흩어져 버리기 마련이다. 아무리 애쓴다 해도 어떤 것은 결국 과거가 되어 버리고, 어떤 감정도 결국은 백골 속에 묻혀 버리는 것이다. 천지간에 흐를 수밖에 없는 선혈이 있고, 죽음 속에서 영원한 생명을 얻는 애증도 세상에는 존재하는 것이다.

제13장 가을의 연못

이틀 동안, 이책은 후궁에 단 한 걸음도 하지 않았다. 조순아가 도착했기 때문에 이책의 혼사는 예정보다 일찍 거행될 예정이었다.

초교가 생각한 대로, 대하의 의장대와 사절단은 조순아보다 하루 늦게 도착했다. 비록 대하에 변고가 있어 조순아가 대신 오게 되었으나, 그녀의 고귀한 혈통 덕분에 별문제가 되지는 않았다. 혈맥과 적서의 구분을 중시하는 변당에서, 대하의 목합 황후가 낳은 유일한 딸인 조순아는 상당히 중요한 존재였다.

변당의 백관들은 조순아의 도착을 기뻐했다. 어사대의 글 잘 쓰는 이들은 모두 두 나라 화친의 역사적 의의를 찬양했다. 전쟁을 피하고 싶었던 문관들도 청산유수처럼 말을 쏟아 냈다. 그들이 쓴 글만 보면 대하와 변당이 마치 상고 시대부터 우정을 쌓아 온 것 같았다. 누가 변당에게서 홍천 18주를 빼앗아 갔는지, 변당 황실이 누구 때문에 서북을 잃고 도망쳐야 했는지 모두 잊은 것 같았다.

그리고 모두 안지 못하는 인이 하나 있었다. 초교는 미간을 찌푸린 채 새하얀 손가락으로 푸른 휘장을 가볍게 움켜쥐었다. 그녀의 이마에 붙여 놓은 꽃무늬가 더욱 청아하고 수려해 보였다.

조순아는 그날 이미 능욕을 당했으니, 지금 결코 청백한 몸이라고 할 수 없었다. 그녀는 대하의 공주니 아마 다른 비들처럼 궁에 들기 전에 자신을 증명할 필요는 없을 것이다. 그러나 일단 한 침실에 들면, 경험이 풍부한 이책이 그 사실을 알아차리지 못할 리 없었다.

물론, 이책이 사실을 알게 된다 하여도 대하에 이 일을 추궁하지는 못할 것이다. 대하의 공주가 일단 이책과 침상을 함께 쓰고 나면, 그 후에 방탕한 이책이 공주가 처녀가 아니라고 외친들 믿어 줄 이는 아무도 없을 테니까.

더군다나 이책은 계속 혼사를 반대해 왔다. 그러니 그가 공주에 대해 사실을 이야기하더라도 사람들은 이책이 다시 한 번 터무니없는 소리를 한다고 여길 것이다. 그리고 영리한 이책이라면 그런 모욕을 당해 가며 자신이 처녀가 아닌 여인을 맞이했다는 사실을 큰 소리로 떠벌리지도 않을 것이다.

그러하니 조순아는 순조롭게 혼사를 치를 것이다. 그러나 정조를 의심받는 타국의 공주의 미래란……. 조순아가 정말 이 모든 것을 감수하기로 한 것일까?

초교는 남몰래 더욱 경계하고 있었다. 안타깝게도 그녀의 이런 걱정은 입 밖에 낼 수 없었다. 지금 변당의 국면은 점점 더 혼란스러워지고 있었다. 초교는 생각을 바꿔, 더 이상 급박하게 황궁을 떠나려 하지 않았다. 그녀는 변당의 황궁에서 이틀을 더 머무르며 몸을 회복했고, 정신도 날로 맑아졌다.

이책이 상처를 치료하기 위한 영약을 아주 많이 보내왔기 때문에, 초교의 몸에 있던 상처는 이미 흔적조차 없었다. 예전부터 있던 상처도 열 중 예닐곱은 좋아진 상태였다. 여러 날 쉬다 보니 안색도 상당히 좋아졌고 살도 붙어, 더 이상 예전처럼 바람이 불면 쓰러질 것처럼 피골이 상접한 모습이 아니었다.

서늘한 밤바람이 불어왔다. 초교는 창틀 앞에 기대앉아 있었다. 바람이 그녀의 옷자락을 부드럽게 펄럭여 서늘한 기분이 들었다. 바로 그때, 바깥의 회랑에서 발걸음 소리가 들려왔다. 지금 이 시각에 이곳에 올 수 있는 사람은 단 한 사람뿐이었다.

과연, 얼마 지나지 않아 짙은 남색 장삼을 걸친 이책이 문가에 서서 그녀를 바라보고 있었다. 술을 마신 듯 그의 얼굴은 살짝 붉어져 있었고, 그저 그녀를 바라보기만 할 뿐 방 안으로 들어오지는 않았다.

이책은 다리에 힘이 빠진 듯 서 있는 것도 힘들어 보였다. 초교가 그를 부축하기 위해 팔을 뻗자, 이책이 갑자기 그녀를 잡아끈 채 문틀 위에 주저앉았다. 그러더니 고개를 숙여 제 이마를 초교의 어깨 위에 얹었다. 이책의 입에서 피곤에 지친 중얼거림이 흘러나왔다.

"교교, 피로해 죽을 것 같아."

초교는 깜짝 놀란 나머지 굳어 버렸다. 그녀의 손은 여전히 공중에 멈춰 있었다. 대체 어떤 동작을 취해야 하는 것인지 도무지 알 수가 없었다. 두야*의 향기가 바람을 따라 은은하게 풍겨 왔다. 이책의 옷소매에 물 흐르듯 세밀하게 금사로 놓은 자수가 보였다. 초교는 깊이 숨을 들이마시고 작은 소리로 물었다.

"전하, 무슨 일이라도 있으셨나요?"

이책은 고개를 저으며 아무 말도 하지 않았다. 초교가 다시 탐색하듯 물었다.

"대하와의 화친 때문인가요? 조순아가 마음에 안 드나요?"

이책은 여전히 대답하지 않았다. 초교는 어쩌지 못하고 그저 한숨을 쉬며, 그가 계속 자신에게 기대도록 해 주었다.

초가을이었다. 쓸쓸한 기운이 은은하게 퍼져 나가고 있었다. 창밖의 눈썹달은 창을 통해 은백색의 빛을 뿌려 주었고, 등불은 어두운 자줏빛으로 깜빡이고 있었다. 어둠과 밝음이 분명하지 않은 이 공간에서, 은빛 촛대를 따라 촛농이 천천히 흘러내리고 있었다. 가을벌레의 울음소리마저 들려와 더욱 썰렁한 느낌이 들었다. 이 넓은 전각은 정말 오랫동안 주인이 없었던 것이다.

"교교, 전에 사람을 보내 나를 찾았다던데?"

이책이 갑자기 입을 열었다. 그의 목소리는 쉬어 있었지만 방금과 같이 피곤해 보이지는 않았다. 그는 앉은 채로 몸을 곧

---

* 나도생강. 닭의장풀과의 식물로 7~9월에 흰 꽃이 핀다.

게 폈다. 그의 눈빛이 어두워 보여, 예전의 그 온유한 남자가 아닌 것만 같았다. 초교는 그가 연약함을 보여 주던 순간이 이미 지나가 버렸다는 것을 깨달을 수 있었다. 지금의 그는, 감히 대적할 자 없는 바로 그 변당의 태자였다.

"그래요."

초교가 고개를 끄덕였다.

"떠나고 싶어요."

"좋아. 내가 바로 사람을 시켜서 내일 너를 연북으로 보내 주겠다."

이책이 조금도 주저하지 않고 고개를 끄덕였다.

"아니에요. 저는 당분간은 연북으로 돌아가지 않을 생각이에요. 아직 끝내지 못한 일이 있어요."

이책이 가볍게 미간을 찌푸리며 초교를 응시했다. 그의 눈길에는 탐문하는 듯한 기색이 서려 있었다.

초교가 말했다.

"무엇 때문인지 궁금해하실 필요 없어요. 저는 기다리는 사람이 있어요. 그리고 그 사람이 누구인지는, 묻지 말아 주세요."

이책이 간사하게 웃으며 말했다.

"연순을 배신하고 바람을 피울 생각인가 보지. 아마 제갈월이 곧 도착할 텐데, 설마 제갈월을 찾아가려는 것은 아니겠지?"

초교는 귀찮다는 듯 그를 한번 흘겼다.

"마음대로 생각하세요."

"조심하는 게 좋을 거야."

이책이 문기둥에 기대며 말했다.

"네가 내 눈 닿는 곳에 있는 한은 너를 지켜 줄 수 있어. 하지만 네가 궁을 나서면 아무리 나라도 지켜 주기 어려워. 대하 사람들이 섬에 들어왔고, 그들은 네가 궁에 있다는 사실도 알고 있는 것 같더군. 대하 사람들 중 너를 증오하는 이들이 많다는 거야 내가 새삼 일깨워 줄 필요가 없겠지."

초교는 고개를 끄덕였다. 갑자기 팔을 하나 잃은 조승이 생각나 울적해지고 말았다.

"알겠어요."

이책은 그녀를 물끄러미 바라보다가 갑자기 몸을 일으켜 손을 잡아끌었다.

"가자. 보여 줄 곳이 있어!"

밤안개는 잿빛이었다. 어둠 속에서 등불이 희미하게 타오르고 있었다. 비단옷을 입은 이책이 초교의 손을 잡고 성큼성큼 걷고 있었다. 밤바람이 그들의 머리카락을 가볍게 흩날리니, 마치 최상품의 비단 휘장 같았다.

두 사람은 초교가 와 본 적 없는 정원에 도착했다. 길가에 꽃과 버들이 가득하고, 그 위에는 초가을의 이슬이 맺혀 있었다. 작은 문 몇 곳을 지나 푸른 버들을 헤치니 눈앞에 맑은 호수가 나타났다. 달빛 아래 눈으로 조각한 듯한 새하얀 연꽃이 호수 가득 그윽한 향을 내뿜고 있었다. 초교는 그만 취해 버릴 것만 같았다. 그녀는 잠시 넋을 잃고 바라보다가 물었다.

"어떻게 하신 거예요?"

이책이 웃으며 그녀의 손을 잡고 쭈그리고 앉더니, 손을 호수 속으로 넣었다. 그녀는 놀라며 가볍게 탄성을 질렀다. 이책이 의기양양하게 웃었다.

"내가 아주 영리하거든. 이른 아침에 사람을 보내 여기 아래에 연근을 심게 하고, 온천의 물을 끌어들였지. 하룻밤이면 꽃이 핀다고."

초교가 입을 가리고 웃었다.

"대단해요. 돈이 있으면 귀신도 부릴 수 있고, 권력이 있으면 신도 괴롭힐 수 있다더니. 전하는 돈과 권력이 다 있으니, 연꽃의 정령마저 전하의 명을 듣는군요."

"돈이 있으면 귀신도 부리고 권력이 있으면 신도 괴롭힐 수 있다고? 그거 재미있는 표현인데."

이책이 웃었다.

"자, 이쪽으로 와 봐."

두 사람은 돌을 깔아 놓은 오솔길을 따라 호숫가를 걸었다. 희미한 달빛 아래, 이책이 초교를 이끌고 작은 배 위에 올랐다. 그가 뱃머리에 서서 가볍게 노를 젓자, 작은 배는 천천히 물가를 떠나 호수 중앙으로 미끄러져 갔다.

연꽃의 그윽한 향을 품은 맑은 바람이 유유히 불어왔다. 물안개가 가득 피어, 수많은 연꽃이 몽롱하게 보였다. 물 위에 은근하게 흔들리는 맑은 달빛은 마치 거울 위에 맺힌 얼음이 깨지는 모습 같았다.

작은 배가 연꽃 사이를 움직였다. 흰 연꽃이 배에 부딪쳐 올 때마다 초교는 손을 뻗어 꽃을 어루만지며 조용히 미소 지었다.

이책은 노를 놓고 뱃머리에 앉아 묵묵히 그녀를 바라보고 있었다. 먼 곳의 등불이 연못을 비추어, 맑은 수면 위에 커다란 붉은빛이 비쳤다. 마치 비 온 후의 무지개처럼 아름다운 모습이었다. 초교가 이책에게 미소 지으며 말했다.

"전하, 감사해요."

"감사하다고? 뭐가 감사하지?"

이책의 눈이 살짝 휘면서 위로 올라가자 그 특유의 교활함이 드러났다. 반쯤 감긴 듯한 눈은 아주 많은 것을 숨기고 있는 것 같았다.

"저를 돌봐 주셔서 고마워요. 전하가 아니었다면 전 아마 죽었을 테니까요."

이책이 미소 지었다.

"그거야 정말로 나에게 고마워해야지. 목숨을 구한 은혜는 보통 은혜와는 다르니. 그럼 나를 떠나지 않는 것은 어때? 변당에 남아 네 몸과 마음을 모두 나에게 바치는 거야."

물이 여유롭게 흐르고 있었다. 그들의 대화는 연꽃의 향을 품은 바람 속으로 사라졌다. 초교가 고개를 들고 눈을 빛내며 말했다.

"연꽃의 아름다움이란, 진흙에서 나왔으나 물들지 아니하고, 맑은 물에 씻기어도 요염하지 아니함에 있나니.[*] 저는 전하와

---

* 주돈이의 《애련설》의 한 구절.

함께 이리 오래 있었는데도 정상적인 사람처럼 사유하고 말을 할 수 있으니, 이게 바로 연꽃의 정신이 아닌가 싶어요."

이책은 진심으로 감탄했다.

"교교가 이렇게 시에 재능이 있다니, 정말이지 점점 더 미련이 남는걸."

초교는 맑은 달빛을 바라보며 말했다.

"전하께서 미련을 두신 것은 너무 많지요. 탐욕을 부리는 것은 결코 좋은 일이 아닐 거예요."

이책이 몸을 일으켰다. 그의 소매가 바람을 따라 가볍게 흔들렸다. 이책은 담담하게 말했다.

"어떤 것은, 아무리 원한다 해도 결코 손에 닿지 않지. 그러니 조금이라도 더 많이 눈에 새겨 두려고 노력할 수밖에."

초교는 살짝 당황했지만 감정을 드러내지 않고 말했다.

"연꽃이 지더라도 다시 필 수 있지요. 전하께서 이 연못 가득 연꽃을 다시 피우신 것만도 이미 쉽지 않은 일인걸요."

이책이 고개를 끄덕이며 가볍게 탄식했다.

"그래, 내년이면 연꽃도 다시 피겠지."

작은 배가 흔들릴 때마다 부평초가 따라 흔들렸다. 배는 마치 새털처럼 가볍게 물결을 따라 천천히 움직였다.

"연북은 아주 춥다며?"

이책이 갑자기 물었다.

"항상 눈이 내려서, 꽃을 보기도 어렵다던데."

초교는 이책의 뒷모습을 바라보며 명랑하게 말했다.

"춘란과 추국, 모두 각자의 장점이 있지요. 연북의 눈이 가득한 들판이나 씻은 듯한 얼음산은 쉽게 보기 어려운 풍경이에요. 언젠가 전하께서 강남의 안개비에 질리는 날이 오면, 말을 달려 연북에 오셔도 괜찮아요. 눈을 밝으며 돌아보다 보면, 전하의 상상을 뛰어넘는 연북의 미인들을 만나실 수도 있을 거예요. 아마 전하의 마음도 꺾이고 말겠지요."

이책이 잠시 멈칫했다. 아주 찰나의 순간이었지만 잠시 넋을 잃은 듯했다. 그러나 곧 다시 즐거운 듯 소리 내어 웃었다.

"역시 네가 나를 가장 잘 이해하고 있다니까. 언제라도 나를 위해 생각해 주는군."

이때 쿵 소리가 들렸다. 배가 물가에 닿은 것이다. 이 호수는 그렇게 크지 않아 이렇게 짧은 시간 움직였을 뿐인데 벌써 도착해 버리고 말았다.

두 사람은 배에서 내려 천천히 밀하거로 향했다. 달빛이 그들의 몸 위로 흘러내렸다. 그렇게나 새하얗게, 그렇게나 처량하고 쓸쓸하게. 땅에 어른거리는 두 사람의 그림자가 끊임없이 이어졌다 떨어졌다 하다가, 마지막에는 서로에게서 멀어지고 말았다. 결국 그 그림자들은 같은 곳에 묶여 본 적 없는 존재들이었다.

눈 깜빡할 사이에 두 사람은 밀하거의 문 앞에 도착했다. 두 사람은 순간 어색한 표정으로 머뭇거렸다. 이책이 나른하게 석류나무에 기대자, 연지처럼 붉은 석류 꽃잎이 그의 몸 위로 떨어졌다.

이책이 피곤한 듯 하품하며 말했다.

"너무 늦었다. 내일 아침에는 아무래도 제때 일어나지 못하겠는걸."

초교가 고개를 끄덕였다.

"피곤하시군요. 오늘 아침 추수에게서, 전하께서 조회에 가실 때 신발도 제대로 신지 못하고 가셔서 황제 폐하께서 화를 내셨다고 들었어요."

"대체 그런 이야기들은 왜 하는 거람?"

이책이 손을 내저으며 말했다.

"정말이지 아침 일찍 깨는 건 싫다고. 아침 조회 같은 건 오후로 미뤄 버리면 안 되나? 정말 귀찮아. 아무튼 이렇게 하자. 내일 아침 내가 사람을 보내 너를 출궁시켜 줄 테니, 나가서 네가 알아서 살길을 찾도록 해. 나도 너를 배웅하지 않을 테니."

초교가 고개를 끄덕였다.

"전하를 귀찮게 하지 않을 수 있으니, 그 방법도 좋아요."

이책이 웃으며 말했다.

"좋아. 길이 머니까 몸조심하도록 하고. 만약……."

여기까지 말한 그의 얼굴에 말로 형언하기 어려운 씁쓸한 감정이 드러났다. 이책은 다시 자조하듯 웃더니, 몸을 돌리고 입가를 살짝 일그러뜨렸다.

"언젠가 연북이 너무 추워 견디기가 힘들면…… 그래서 강남으로 돌아와 쉬고 싶어지면…… 이곳에는 웅혼한 사막도 없고, 드넓은 초원도 없지만, 그래도 따뜻한 곳이니 언제라도 이곳으로 돌아와도 좋을 거다."

초교가 쓸쓸하게 웃었다.

"사람 사이에는 슬픔과 기쁨, 헤어짐과 만남이 있기 마련이지요. 저 달에게 어두울 때와 맑을 때, 둥글 때와 이지러질 때가 있듯이.* 세상사는 모두 인연에 달려 있지요."

이책은 고개를 저으며 가볍게 말했다.

"나도 너에게 그런 날이 영원히 오지 않기를 바란다. 스스로를 잘 돌보길 바라."

마음 깊은 곳, 갑자기 이해하기 어려운 슬픔이 깔리기 시작했다. 초교는 이책의 그림자가 멀어질 때까지 기다렸다가 천천히 몸을 돌렸다. 달빛이 그들 두 사람 사이, 인적 없는 넓은 곳을 희게 비추다가 마침내 적막한 궁정을 모두 덮어 버리고 말았다.

초가을 밤은 쌀쌀했다. 이책이 붉은 석류나무 사이로 사라지자, 푸른 돌이 깔린 오솔길 위에는 그저 두약의 맑은 향만이 남아 코끝을 간지럽히고 있었다. 차가운 달처럼 맑은 향이었다. 밀하거 앞 연꽃은 이미 다 진 다음이라 그저 검은 줄기들만이 바람에 흔들리고 있었다. 정원은 더욱 처량해 보였다.

초교는 천천히 침전으로 걸어갔다. 바람이 그녀의 긴 머리카락을 흩날려, 공중에서 날갯짓하는 나비처럼 흔들리며 춤을 추게 하였다.

---

* 소동파의 《수조가두水調歌頭》의 한 구절.

밀하거는 아주 넓었다. 누대만도 서른 개가 넘게 서로 이어져 있는데, 높고 낮은 굴곡을 이루며 빽빽하게 들어선 모습이 아주 보기 좋았다. 밀하거가 흥성하던 시기에는 어떤 광경이었을지 상상하기 어렵지 않았다.

초교는 한적한 오솔길로 조용히 걸어갔다. 때때로 나뭇가지 끝에 피어난 꽃이 그녀의 머리를 스쳤다. 그녀가 신은 비단신은 너무 얇아 돌길을 밟을 때마다 차가운 기운이 전해져 왔다.

한바탕 불어오는 바람에 희미한 술 내음이 섞여 있었다. 초교가 고개를 들어 보니 물가 2층 누대에 푸른 옷을 입은 남자가 오동나무 아래 서 있었다. 남자는 초교가 머무는 규방의 창문을 멍하니 바라보고 있었다.

"거기 누구신가요?"

초교의 맑은 목소리가 차가운 밤의 적막을 깨트렸다. 연못 위의 백로조차 깜짝 놀라 날아갔다. 남자는 의아한 표정으로 고개를 돌렸고, 초교는 깜짝 놀라 아무 말도 하지 못했다.

남자의 얼굴은 이책과 꼭 닮아 있었다. 어두운 밤 얼핏 보기에는 거의 같은 사람으로 보일 정도였다. 그러나 다음 순간, 초교는 이 우스운 생각을 지워 버렸다. 그들에게서 풍기는 느낌이 상당히 달랐기 때문이었다.

남자는 오동나무에 손을 짚은 채 조용히 서 있었다. 흐릿한 달빛 아래 잘생긴 얼굴은 냉정해 보이는 가운데 희미하게 우울한 기색이 엿보였다. 마치 늦가을 처마에 내린 차가운 서리 같은 느낌이었다. 그는 말없이 초교를 바라보며 천천히 미간을 찌푸렸다.

"너는 누구냐?"

어두운 밤, 멀리 연못에 희미한 빛이 떠도는 것이 보였다. 남자의 목소리는 마치 얼음을 깨고 나온 물처럼 지극히 차가웠다. 감정이라고는 전혀 섞이지 않은 듯한 목소리였다.

초교는 남자의 신분이 평범하지 않다는 것을 알아차리고, 예의 바르게 앞으로 한 걸음 나가 작은 목소리로 말했다.

"저는 이곳에 사는 사람입니다만, 실례지만 어떤 분이신지 여쭤도 될까요?"

남자가 멈칫했다. 그의 눈길에 일순간 망연한 기색이 어리더니, 한숨을 내쉬고는 혼잣말하듯 말했다.

"아, 이곳에 이미 누군가가 살고 있었군."

남자의 옷깃에 달빛이 비쳐 투명하고 매끄러운 광택이 흐르는 것이 보였다. 초교는 지금 자신이 본래 무슨 말을 했어야 했는지, 아니, 말을 하기보다는 어서 몸을 돌려 사라지는 편이 나았을 거라는 사실을 깨달았다. 그러나 그녀는 이미 남자의 사색을 방해한 뒤였다.

남자가 한 걸음 한 걸음 계단을 천천히 내려왔다. 누대 위에서 맑은 바람이 불어와 땅에 쌓여 있던 오동나무 이파리들을 말아 올렸고, 흙먼지도 잔뜩 일어났다. 초교는 자신도 모르게 눈을 가늘게 뜨며 흰 손을 이마에 갖다 댔다.

"이곳은 태청지를 등지고 있어 바람이 항상 센 편이지. 밖에 나올 때는 바람을 막는 모자를 준비하는 편이 나을 거야."

초교는 멈칫했다. 남자는 어느새 그녀 앞으로 다가와 있었다. 그의 눈에는 바다만큼 깊은 적막함이 담겨 있었다.

"고맙습니다. 제가 나온 지 오래되어 시녀가 저를 찾고 있을 것 같으니 이만 실례하겠어요. 밤바람이 세니 선생께서도 일찍 돌아가시는 편이 낫겠습니다."

초교는 더 이상 상대의 신분을 물을 필요가 없다고 생각했다. 설령 묻는다 해도 상대가 알려 주리라는 보장도 없었다. 초교는 그저 예의 바르게 인사하고 자리를 피하려 했다.

그러나 그 남자는 그녀의 말을 듣지 못한 것처럼 여전히 그 자리에 선 채 조용히 초교를 바라보더니, 흐릿한 안개 같은 목소리로 물었다.

"태자가 너를 아주 총애하는 모양이지?"

초교는 이 남자도 다른 이들처럼 자신을 이책의 총비로 오해하고 있다는 사실을 깨달았다. 그러나 그녀는 반박하지 않고, 조용히 예를 표하며 말했다.

"이만 물러가겠습니다."

"내 질문에 대답하지 않았다."

초교는 살며시 미간을 찌푸리며 고개를 돌렸다. 남자가 딱히 경박하게 구는 기색 없이, 그러나 그녀의 대답을 집착하듯 기다리고 있었다.

"제가 정말로 태자 전하의 총비라면, 지금 선생께서 저에게 하신 모든 행동이 적합하지 않겠지요."

남자가 살짝 당황하더니 말했다.

"오랫동안 궁에 돌아오지 않아 이곳에 이미 누군가가 살고 있는 줄 몰랐습니다. 미안합니다."

초교가 낭랑하게 답했다.

"알지 못했다면 탓할 수 없지요. 하지만 이제 아셨으니, 선생께서는 자리를 피해 주셔야 하지 않을까요?"

남자가 아연한 듯 실소하더니, 고개를 끄덕였다.

"과연 좀 비슷하군."

초교가 미간을 찡그리며 말했다.

"선생께서는 이 깊은 밤에 제 거처에 오셔서 모호한 이야기만 하시며, 신분도 드러내지 않으시는군요. 제가 선생께 속된 기운이 없다고 여기지 않았다면, 십중팔구 선생을 호색한으로 오해하여 사람을 불렀을 것입니다. 지금까지도 여전히 자리를 피하려 하지 않으심은, 제가 사람을 부르는 것이 두렵지 않으셔서인가요?"

남자는 한참 멍한 표정을 짓고 있더니 곧 정신을 차리고 말했다.

"미안합니다. 옛 친구를 생각하는 마음에 평소의 행동거지를 잃어버렸습니다."

"한순간 그러시는 것은 괜찮습니다. 즉시 거둬들이기만 한다면 말이지요. 이곳은 황궁이고, 변당은 예의를 극히 중요시하니, 조심하셔야 나쁜 일을 만나지 않으실 것입니다."

남자는 고개를 끄덕이더니, 두 손을 맞잡고 인사한 후 밀하거 밖으로 향했다. 그러나 막 두어 걸음 걷자마자 다시 고개를 돌려, 높은 처마를 가리키며 말했다.

"저기 풍경이 하나 매달려 있는데 먼지에 싸여 있으니, 시간이 나면 궁인들에게 청소를 시키시지요. 가을바람이 슬며시 불어오면 풍경 소리가 맑아 아주 듣기 좋을 것입니다."

"일깨워 주셔서 감사합니다."

남자는 담담하게 웃으며 따뜻한 눈빛으로 고개를 끄덕였다.

"나는 낙왕입니다."

달은 다시 서쪽으로 얼마간 이동해 있었다. 남자가 입은 구름 같은 청삼이 옥 계단 위를 가볍게 스치고 지나갔다. 초교는 그가 멀어지는 것을 지켜보면서, 마음 깊은 곳이 조금씩 차가워지는 것을 느꼈다.

낙왕?

낙왕······.

궁에 돌아와 보니, 추수는 겨우 졸음을 참으며 그녀를 기다리고 있었다. 아마 추수도 이책이 왔던 것을 알고 있는 모양이었다.

"아가씨, 오셨군요!"

초교를 본 추수가 기뻐하며 외쳤다.

"노비가 연자탕을 준비해 두었어요. 한 그릇 드시고 주무세요."

따뜻한 김이 피어오르는 그릇을 받아 들었지만, 초교는 맛있어 보이는 연자탕에 영 흥미가 없었다. 대신 그녀는 고개를 들고 물었다.

"추수, 낙왕에 대해 아는 것 있어?"

시녀는 당황스러운 듯 살짝 인상을 쓰며 물었다.

"아가씨, 어째서 그런 질문을 하시는 건가요?"

"별거 아냐. 그냥 묻는 거지. 불편하면 이야기하지 않아도 괜찮아."

"아, 불편한 것은 없어요. 다만……."

전각 안에 다른 사람이 없음에도 불구하고 추수는 주변을 두리번거리더니, 초교의 귓가에 대고 속삭였다.

"추문과 관련된 것이라서, 모두 감히 입 밖에 내지 못하는 것뿐이에요."

초교가 눈썹을 추켜세웠다.

"추문이라고?"

"네. 낙왕 전하의 부친은 여산왕 전하로, 황상의 숙부 되시는 분이세요. 처음에 황상께서 제위에 오르셨을 때, 여산왕 전하께서는 어떤 연유인지 병을 얻어 세상을 떠나셨어요. 그리고…… 소문에 따르면 황상께서는 젊은 시절, 지금의 태자 전하보다도 더 제멋대로 구셨다고 해요. 황상께서는 그때 문무백관이 모두 말리는 것도 듣지 않고 온 세상 사람들에게 비난받을 행동을 하나 하셨는데…… 바로 자신의 작은어머니를, 그러니까 여산왕 전하의 부인 되시던 분을 억지로 맞아들이셨어요. 2년 후, 왕비 마마께서 아드님을 하나 낳으셨고 그 아드님이 바로 지금의 태자 전하세요. 황상께서는 왕비 마마를 황후 마마로 세우려고 하셨어요. 그러나 마마를 책봉하려던 바로 그날, 조정의 대신 여덟이 죽음을 각오하고 간언한 후, 봉명대에 머리를 들이박고 죽었답니다. 그리고…… 황상께서는 그래도 생각을 바꾸지 않으셨지요. 20여 년 동안, 황상께서는 오로지 황후 마마 한 분만을 사랑하셨어요. 이 황궁 안에서 중궁의 지위는 아주 견고하답니다. 그 누구도 감히 대적할 수 없어요."

"그렇다면……."

"그러니까, 낙왕께서는 바로 태자 전하의 황숙인 동시에, 태자 전하와 어머니는 같고 아버지는 다른 형이 되시는 거지요. 여산왕 전하께서 일찍 돌아가신 후 황후 마마께서 황궁에 들어오셨을 때, 낙왕께서는 겨우 백일을 넘긴 아기였다고 해요. 그래서 황후 마마께서 데리고 들어오셨고, 스물이 되기 전까지는 황궁에서 태자 전하와 함께 자라셨어요."

"세상에!"

초교는 가볍게 탄식했다. 그 소박한 차림의 귀부인을 떠올리니 자신도 모르게 계속 한숨이 나왔다.

"태자 전하께서 낙왕과 함께 이 밀하거에서 함께 자라신 거니?"

"그건 아니에요."

추수는 살짝 입술을 깨물며 말했다.

"태자 전하와 낙왕께서는 당초에 황후 마마를 따라 연화전에서 사셨어요. 이 밀하거의 주인은 바로 부 공주 마마셨지요."

초교가 눈썹 끝을 들어 올렸다.

"부 공주?"

"네, 부 공주 마마는 진짜 공주 마마는 아니세요. 바로 진국공이었던 모용 장군의 손녀였지요. 모용 일족은 우리 변당의 유명한 무신 가문이에요. 모용 장군은 평생 나라에 충성하셨고, 장군의 네 아들도 전쟁터에서 나라를 위해 싸우다 세상을 떠났어요. 모용 장군도 결국 북벌 전투 중에 용맹하게 싸우다가 전사했고요. 그때 우리 변당에서는…… 반란군이 난을 일으키고, 대하의 군대가 백지관을 공격했었죠. 대하의 장군 몽전이 투항한 우리 병사 3만을 산 채로 구덩이에 파묻어 죽이는 일도 있었어요. 당시 이미 육순의 나이였던 모용 부인은, 성에 남은 노인들을 지키기 위해 네 명의 며느리와 모용 일족의 병사들을 이끌고 적에게 대항했어요. 부인이 시간을 끌어 준 덕분에 성은 마침내 원군이 도착할 때까지 버틸 수 있었지만, 모용 일족은 그 전투에서 모조리 세상을 떠나고 말았답니다. 가문의 병사들이 열한 명의 자제들을 지키며 도망쳤지만, 당경에 도착했을 때 남아 있던 것은 겨우 네 살이었던 부 공주 마마뿐이었어요. 황상께서는 모용 일가의 충성을 표창하시면서, 모용 장군을 진국공에 봉하시고, 모용 부인도 일등화영부인으로 봉해 주셨어요. 아들들도 모두 봉작을 받았고요. 그리고 부 공주 마마는 장의 공주로 책봉되었고, 궁에서 태자 전하, 낙왕 전하 등과 같은 대우를 받으며 자랐어요."

추수의 이야기를 들으며 초교는 속으로 놀라고 있었다. 이 모용 일족에 얽힌 이야기는 양가장*의 이야기와 비슷하지 않은

---

* 명나라 소설 《양가장연의楊家將演義》. 양씨 집안 여자 장수들의 이야기.

가. 초교는 이야기에 푹 빠져들어 추수를 재촉했다.

"그 다음에는?"

"다음에는……."

추수는 입술을 깨물며 한참 생각하더니, 소곤거렸다.

"후에 부 공주 마마는 죽었어요."

초교가 깜짝 놀랐다.

"죽었다고?"

"부 공주 마마와 태자 전하는 나이가 같았기 때문에 어린 시절부터 함께 놀곤 하셨어요. 황상과 황후 마마께서는 모용 일족에게 영광을 돌리기 위해, 모용 가문이 몰락했음에도 불구하고 태자 전하와 부 공주 마마께서 열일곱 살이 되던 그해에 직접 사혼을 내리시며, 부 공주 마마를 태자비에 봉하겠다고 하셨어요. 부 공주 마마의 가족들도 모두 황실의 종묘로 들이고요."

초교는 마음속으로 변당의 황제가 바랐던 것은 그것만이 아니었으리라고 생각했다. 모용 가문이 몰락했다 해도, 그 일족의 충성과 용기는 군대 내에서는 그 무엇과도 비할 수 없는 영향력과 호소력이 있을 것이다. 부 공주가 황실로 시집을 간다면 결국 군대의 호응을 얻게 되고, 황실의 지위도 더욱 견고해질 것이다.

"하지만 후에 혼사 당일, 부 공주 마마께서는 목을 매어 자진하셨어요."

"뭐라고?"

초교가 깜짝 놀라 안색이 변했다.

"자진했다고?"

"네."

추수는 약간 창백한 얼굴로 속삭였다.

"황실에서는 부 공주 마마가 병으로 죽었다고 주서름 내렸어요. 하지만 저는 어린 시절부터 궁중에서 자랐기 때문에 모든 것을 목격했죠. 당시 태자 전하께서 공주 마마를 맞이하러 밀하거에 도착하셨을 때, 태자 전하께서는 붉은 금포를 입고 계셨고 손에는 장밋빛 구슬을 들고 계셨죠. 예관들은 기쁜 표정으로 전하 뒤에 서 있었고요. 하지만 태자 전하께서 침전에 들어가셨을 때, 부 공주 마마는 보이지 않았어요. 모두 당황하여 사방으로 찾아다니기 시작했고, 마침내 태자 전하께서 부 공주 마마를 찾아내셨어요. ……부 공주 마마는 혼례 의상을 입고, 창밖의 그 오동나무에 흰 비단으로 목을 맨 상태였어요."

밤바람이 불어오며 얼음 같은 한기가 뼈에 스며들었다.

"그때 태자 전하께서는 비명을 지르시고 그대로 혼절하셨어요. 저는 그때 어머니를 따라 궁에 들어와 있었고, 혼례에서 화동 역할을 하게 되어 있었죠. 어머니와 다른 여관들이 서둘러 달려가 부 공주 마마를 끌어내렸어요. 전 무서워서 뒷걸음질 치다가 돌에 걸려 넘어졌지요. 울면서 어머니를 부르다가, 석류나무 아래 낙왕께서 보랏빛 옷을 입고 서 계신 것을 보았어요. 귀신처럼 새하얗게 질린 안색으로 조용히 사람들 뒤에 서서 오동나무를 바라보고 계셨는데, 눈은 새빨갛게 충혈되어 있었고, 한 마디 말도 없이 주먹만 꽉 쥐고 계셨어요. 마치 젖은 천에서 물이라도 짜내려는 것처럼 말이에요."

추수의 눈도 붉어져 있었다. 그녀는 가볍게 코를 훌쩍이며 말을 이었다.

"후에 행렬에 있던 예관이며 궁녀, 여관들은 모두 비밀리에 죽임을 당했어요. 저는 그때 아홉 살이 안 된 나이였기에 요행히 죽음을 면할 수 있었죠. 어머니가 세상을 떠난 후, 저는 계속 궁에서 시중을 들었어요. 하지만 그 후로는 낙왕 전하를 뵌적이 없어요. 그저 매년 황후 마마의 생신 때면 궁에 한 번 오는 것 외에는 거의 밖에 나서지 않는다고 하더라고요. 제가 듣기로는 낙왕 전하는 미산으로 보내졌다고 하더라고요. 천자를 대신하여 능을 지킨다던가. 아무튼 눈 깜빡할 사이에, 그 후로 벌써 6년이 넘게 흘렀네요."

초교는 마음이 울적해진 나머지 그저 천천히 고개를 끄덕였다. 이런 궁정비사라면, 그녀는 이미 너무 많이 보았다.

"사실 태자 전하께서는 예전에는 이러시지 않았어요. 부 공주 마마가 죽은 후로 점차 의기소침해지셨죠. 아가씨는 부 공주 마마를 보신 적 없으시죠? 부 공주 마마는 정말 선녀 같은 분이셨어요. 신분이 고귀할 뿐 아니라, 사람들을 대할 때도 항상 상냥하시고, 성격도 정말 온유하셨죠. 저희 같은 어린 여관들도 공주 마마의 은혜를 입지 않은 사람이 없을 정도니까요. 정말 모를 일이에요. 그렇게 온화하던 분이 마지막에 어찌 그런 길을 택하셨는지."

초교는 살며시 고개를 저었다.

"그렇게 충렬지사로 가득 찬 가문의 후예라면, 물처럼 온화한 사람일 수는 없었을 거야. 아마 그녀의 몸에 흐르는 피는 뜨겁게 들끓고 있었을 테지. 그녀는 부서진 옥이 될지언정 온전한 기와가 되고 싶지는 않은 사람이었을 거야 하지만 안타깝게도 스스로를 지킬 능력이 없었던 거지. 그리고 자신을 지켜줄 능력이 되는 사람에게 부탁하지도 않았고."

추수는 알 듯 모를 듯한 표정을 지었다. 초교는 그런 그녀의 어깨를 두드리며 미소 지었다.

"추수, 황궁을 좋아하니?"

추수는 잠시 아련한 표정을 짓더니 속삭였다.

"저도 모르겠어요. 어머니는 궁정의 여관이었는데, 태후 마마께서 어머니를 문사관의 관정이었던 아버지께 보내셨어요. 어머니는 그 후에 저를 낳으셨죠. 저는 여기서 태어났고, 황궁 밖으로 나가 본 적이 없어요. 저는 각 궁의 마마님들이나 부인들께서 총애를 다투고 암투를 벌이는 일들에 익숙해요. 평생 그런 마마님들과 다른 느낌의 주인을 모셔 본 건 딱 두 번인데, 바로 아가씨와 부 공주 마마세요. 음, 저는 황궁이 좋은지 아닌지 사실 잘 모르겠어요. 하지만 삶이란 건 본래 좋아하는지 좋아하지 않는지와 상관없이, 모두 이렇게 흘러가는 것 아닌가요?"

초교는 잠시 멈칫했지만 곧 미소 지었다.

"네 말이 맞아. 받아들이건 아니건, 삶은 모두 이렇게 흘러가지. 그리고 그건 다른 삶을 본 적 없기 때문에, 현 상태에 만족하는 것을 선택하기 때문이야."

그녀는 추수의 머리를 가볍게 쓰다듬었다.

"추수, 바깥의 세상은 여기와 다르단다. 큰 소리로 이야기할 수도 있고, 성큼성큼 걸어 다닐 수도 있어. 가고 싶은 곳이라면 어디든지 갈 수 있고, 네가 일을 하면 그만큼의 보수를 받을 수도 있지. 너 자신이 원하는 삶을 보낼 수 있고 말이야. 바깥세상은, 바람조차도 자유롭단다."

추수는 잠시 멍한 표정을 짓더니 속삭였다.

"그럼…… 제가 아침에 일어나고 싶지 않으면, 계속 게으르게 자고 싶으면, 그래도 아무도 저에게 뭐라 하지 않나요?"

초교는 실소했다.

"당연하지. 하지만 너는 그날 치의 품삯을 받지 못하겠지."

"와!"

추수는 갑자기 흥분하더니 초교의 손을 잡고 물었다.

"아가씨, 연북이 바로 그런 곳인가요? 정말로?"

초교는 아련한 눈길로 추수를 바라보았다. 지금 초교의 모습은 열일곱 소녀답지 않았다. 그녀는 추수를 넘어, 아주 먼 곳을 보고 있었다. 연북의 푸른 목초지, 새하얀 양떼, 그리고 신성한 설산…….

"연북이 지금은 어떤 모습일지 모르겠어. 나도 아직 한 번도 가 본 적이 없거든. 하지만 내가 약속할게. 언젠가는, 모든 것이 정말 그렇게 될 거야. 그러니까 꼭 살아남아야 해."

초교는 몸을 일으켜 창밖 나뭇잎이 무성한 오동나무를 바라보았다. 청삼을 입은 그 외로운 남자가 생각났다.

"오동 꽃이 피어 있는 만 리 길, 내내 이야기를 나눠도 끝이 나지 않아라.* 다음 세상에서는 제왕의 가문에 태어나지 않기를."

다음 날 아침 일찍, 마차가 움직이는 소리가 새벽의 꿈을 깨웠다. 초교는 다른 이들 몰래 간단한 행장을 꾸려 마차에 올랐다. 철유가 미소 지으며 말했다.

"초 아가씨, 날이 춥습니다. 마차 안에 마른 양식을 준비해 두었습니다. 아직 식사를 하지 않으셨지요?"

초교가 고개를 끄덕였다.

"고마워요."

대하에서 초교와 함께 이책을 호위한 적 있던 철유는 당연히 그녀의 신분을 알고 있었다. 그가 무던하게 웃으며 말했다.

"초 아가씨가 대하에서 벌인 전투들은, 이미 변당의 상무당에서 수업할 때에도 예시로 쓰이고 있답니다. 제 아들놈이 아가씨를 아주 좋아해서, 매일 아가씨 이름을 입에 달고 살 정도라니까요."

초교가 살짝 놀라 물었다.

"아들이라고요? 올해 나이가 어찌 되시는데요?"

철유가 웃으며 말했다.

"올해 스물다섯이죠. 아들은 열둘입니다. 제가 열세 살에 장

---

* 동진 때 자야라는 여인이 지은 〈자야가子夜歌〉의 일부. 민요풍의 애절한 사랑 노래이다.

가를 들었거든요. 막 딸도 하나 낳았답니다."

초교는 속으로 혀를 내둘렀다. 열세 살이라고……

낙왕의 충고는 유용했다. 이곳의 바람은 확실히 아주 셌다. 초교는 모자를 쓴 채 마차의 발을 걷어 올렸다. 바람이 스쳐 가는 소리는 마치 팔랑개비가 돌아가는 소리 같았다.

새벽의 햇빛이 금오궁 전체를 금빛으로 물들였다. 먼 곳의 누대며 높은 궁전이 마치 화려한 환상처럼 점차 멀어져 갔다. 뜬구름은 유유히 지나가고, 정원 가득 붉은 꽃과 푸른 버들이 맑은 호수를 감싸고 있었다. 마차가 대리석을 깔아 놓은 한적 광장을 지나가며 얼룩덜룩한 그림자를 만들어 내고 있었다.

초교는 고개를 들어 뜬구름을 바라보았다. 이책이 해당화 나무 아래 기대어 있던 모습이 생각나, 눈길이 점점 더 아련해졌다.

"당신의 마음은 태양과 같아, 아침에는 동쪽에 있다가 저녁에는 서쪽으로 돌아오네.* 원컨대 당신이 정말 그럴 수 있기를 바라."

마차가 마침내 겹겹이 세워진 건물 사이로 사라졌다. 아침 일찍 일어날 수 없다던 이책은 남작궁 가산 위에 서 있었다. 가산은 아주 높았고, 그 위에 푸른 대나무를 두루 심어 놓아 맑은 바람을 품고 유유히 흔들렸다. 가산 위에는 아름답고 정교한 정자가 하나 있었다. 이책은 청록색 장포를 입고, 머리에는 황금 관을 쓴 채, 손에는 피리를 들고 있었다. 그는 피리를 입가

---

* 〈자야가子夜歌〉의 일부.

에 가져다 대고 몇 번이나 불어 보려 했지만, 결국은 제대로 된 곡조를 이루지 못했다.

구름이 수많은 누대를 덮고 있었다. 멀리 마차가 먼지를 일으키며 가는 것이 보였다.

"전하."

바로 그때, 푸른 옷을 입은 남자가 빠르게 가산 위로 올라왔다. 그는 무거운 안색으로 말했다.

"아침에 전전에서 일이 있었습니다. 어서 가 보셔야 합니다."

이책이 고개를 돌렸다. 그의 얼굴에 방금까지 서려 있던 따뜻한 기운은 이미 사라지고 없었다. 이책이 잘생긴 이마를 찡그리며 물었다.

"무슨 일이냐?"

손체 역시 엄숙한 표정으로 한 글자 한 글자 나지막하게 말했다.

"대하의 공주에게 일이 생겼습니다."

오랜 세월이 흐른 후, 《서몽본기》는 피눈물로 얼룩진 이 일을 다음과 같이 적었다.

9월 초사흘, 대하의 팔공주 조순아가 궁 밖 침전에서 강간을 당하다. 강간한 자는 죽기 직전 큰 소리로 연북 대동의 구호를 외치다. 대하, 변당 두 나라에 잇따라 여론이 분분하고, 일순간에 연북을 멸하자는 소리가 일어나, 온 천하로 퍼져 나가다.

제14장 이책의 설전

　넓디넓은 대전 안을 변당의 문무백관이 가득 채우고 있었다. 변당의 황제 이역주는 휘황찬란한 옥좌 위에 앉아 있었는데, 쉰을 넘긴 나이보다 더 늙어 보였다. 귀밑머리는 반백이었고, 주름은 깊었으며, 가느다란 눈에 젊은 시절의 예리한 기운은 이미 없어진 지 오래였다. 그의 눈은 마치 오래된 우물처럼 어둡게, 탐문하는 듯한 시선들을 반사하고 있었다.

　칠순의 선비가 땅에 엎드려 큰 소리로 외쳤다.

　"북방의 오랑캐들이 하늘 무서운 줄 모르고 감히 우리 변당의 위엄을 무시하여, 보잘것없는 협소한 땅으로 시시때때로 도발하고, 동쪽의 정통을 엿보고 있사옵니다. 만약 우리 변당이 벽력같은 힘으로 교훈을 내려 주지 않는다면, 우리 변당의 위엄은 어찌 되겠사옵니까? 또한 우리 변당의 군세는 어찌 보이겠습니까? 우리 변당이 과연 서몽 대륙을 삼분하는 대국의 반열에 당당히 설 수 있겠습니까?"

사람들이 앞다투어 이 말에 화답했다. 그러자 젊은 관원 하나가 앞으로 나서더니 진지한 어조로 이야기했다.

"미천한 소신의 생각에, 대하가 연북과 전쟁을 벌이려 하는 지금, 우리가 끼어드는 것은 경솔할 듯합니다."

칠순의 선비가 갑자기 대로하여 큰 소리로 외쳤다.

"설창령! 너는 말끝마다 출병은 불가하다 하는데, 대체 무슨 꿍꿍이인 것이냐? 우리 변당이 나라를 세운 지도 천 년, 그동안 이러한 커다란 치욕을 당한 적은 없었다. 만약 이 일이 온 대륙에 퍼져 나가면, 우리 변당은 앞으로 대국을 자처하기 어려울 것이다. 설창령, 네가 연북을 비호하는 것은, 연북과 남이 알아서는 안 될 관계가 있기 때문은 아니겠지?"

"폐하!"

갑자기 통곡 소리가 들리더니, 백발의 노인 하나가 슬프게 외쳤다.

"우리 변당에 그동안 이런 커다란 수치는 없었습니다! 선조께서는 개국하신 이래 장구한 세월에 걸쳐 덕으로써 나라를 세우시고, 효와 청렴함으로써 조정을 다스리셨으며, 유가의 도로써 평천하를 이루셨고, 사방을 교화하여 복속하게 하셨습니다. 그간 우리 변당이 삼국의 우두머리라 자부하였는데, 그 위엄이 도전받은 것이나 마찬가지입니다. 이 일이 널리 알려지면, 우리 변당의 체면이 땅에 떨어져 고개를 들 수 없을 것입니다. 그야말로 나라 전체의 수치가 될 것입니다!"

설창령이 다시 앞으로 나와 격동적으로 외쳤다.

"황상, 대하의 공주가 모욕을 당하였다는 말은 의심할 만한 부분이 아주 많습니다. 대하 관원들의 말만 듣고 타국의 내란에 끼어들어서는 아니 됩니다!"

"대담하고도 간사하구나! 대전에서 그런 터무니없는 말을 내뱉다니. 일국의 공주에게 있어 명예와 절개란 것이 얼마나 중요한지 모르는 것이냐? 궁정의 여관들이 이미 공주의 몸을 살펴보았다. 대하의 팔공주가 우리나라와 혼서를 주고받자마자 우리나라에서 수치스러운 일을 당했다. 우리들이 어찌 그 잘못을 회피할 수 있겠느냐! 대하에게 이 일을 제대로 설명할 수 없다면, 그 결과가 어떠할 것 같으냐? 설창령, 우리가 대하에게 네 세 치 혀가 말하는 대로 의심할 부분이 많다고 말하고 끝낼 수 있을 성싶으냐?"

"나 대인! 저는 이 일이 옳지 않다거나 누군가를 처벌해야 한다고 말하는 것이 아닙니다. 다만 우리가 너무 성급하게, 누군가가 쳐 놓은 올가미 속에 빠지는 것은 아닌지 걱정하는 것입니다!"

"올가미?"

제 장군이 냉소했다.

"무슨 올가미란 말이냐? 올가미라면 아마도 연북이 치고 있겠지. 우리와 대하가 연합하는 것을 경계하여 국혼을 깨트리고 싶은 마음에 말이다!"

"저도 그 가능성을 배제하는 것은 아닙니다. 그러나 다른 가능성도 항상 열어 두어야 합니다. 정말 연북이 한 짓이라면, 무엇 때문에 죽기 직전 소리를 질러 자신의 신분을 밝혔겠습니까? 우리 변당의 격노를 자초한다면, 연북에게 좋을 일이 없지 않습니까?"

나 대인이 코웃음 쳤다.

"대동회는 항상 제정신이 아니었지. 어찌 평범한 상식으로 그들을 판단하겠느냐?"

제 장군 곁에 있던 소장이 말했다.

"연북이 우리를 현혹하여 우방을 의심하게 하려 한 것일 수도 있지요. 모두 보십시오. 설 대인이 바로 의심하고 있지 않습니까?"

설창령이 분노하여 말했다.

"군사와 관련된 대사니 당연히 주도면밀하게 고려해야 하는 것 아닙니까. 어찌 평범한 상식으로는 헤아릴 수 없다는 한마디로 결론을 내릴 수 있습니까? 본관은 조정의 녹을 먹는 몸으로서, 당연히 모든 상황을 세심하게 생각하고자 할 뿐입니다!"

"그렇습니까? 본관이 보기에 설 대인은 이미 충분히 주도면밀하게 고려해 보신 듯합니다만. 여기서 더 세심하게 생각하다가는 대하의 군대가 쳐들어오겠습니다!"

"서 참장, 너……."

"폐하, 북대영의 3만 병마가 전투태세를 갖추고 있습니다. 나라를 위해 일전을 치르기를 원하옵니다!"

"폐하! 피는 피로 갚아야 하는 법입니다. 명령을 내려 주십시오! 오래도록 전투에 나가지 않아 노장의 칼에 녹이 슬었습니다!"

"폐하! 신 등은 죽음을 각오하고 전쟁에 임하겠나이다!"

대전을 가득 채운 변당의 백관들이 모두 무릎을 꿇었다. 서 있는 사람은 오직 설창령 한 사람뿐이었다. 젊은 설창령은 화가 난 나머지 얼굴이 파랗게 질린 채 입술을 떨고 있었다. 그러나 더 이상 아무 말도 하지 못했다.

그때 대전 밖에서 갑자기 건들거리는 웃음소리가 들려왔다. 모두 고개를 돌려 보니, 머리에 금관을 쓰고 허리에 옥으로 만든 요대를 두른 이책이 눈을 여우처럼 가느다랗게 뜬 채 웃고 있었다. 이책은 대전으로 걸어 들어와 마치 아무 일도 없다는 듯 말했다.

"오늘 사람들이 모두 와 있군요. 유 각로까지 오셨으니, 무슨 재미있는 일이라도 있나 보지요? 서역에서 보마라도 보내왔습니까? 아니면 남구에서 미인이라도 진상해 왔나?"

사람들이 양옆으로 물러났다. 이책이 손체를 거느리고 사람들 사이를 걸어가 옥좌 아랫자리에 무릎을 꿇으며 말했다.

"소자가 늦잠을 잤습니다. 부황께 문안 올립니다."

"오냐."

늙은 음성이 천천히 울려 퍼졌다. 변당의 황제가 담담하게 말했다.

"이곳의 일은 알고 있느냐?"

"이곳이라고요? 오!"

이책은 문득 깨달은 듯, 갑자기 분노의 빛을 담고 화가 난 목소리로 말했다.

"그야말로 사람을 너무 업신여긴 것 아닙니까. 소자가 바로 그 일 때문에 왔습니다!"

조정을 가득 채운 문무백관은 이 기행을 일삼는 태자가 또 무슨 새로운 수작을 벌일지 두려워하고 있었다. 그러나 이 순간 이책의 말을 듣고, 갑자기 마음에 꽃이라도 핀 것처럼 기뻐하며 서둘러 따라 말했다.

"그렇습니다! 그야말로 사람을 너무 업신여긴 것이지요. 태자께서 하신 말씀이 지극히 옳습니다! 옳고말고요!"

이책은 노기등등하여 고개를 끄덕였다.

"대하에서 공주를 두 명 잇달아 보내왔는데, 그중 하나는 여인의 덕을 갖추지 못했고, 또 하나는 여인의 도리를 지키지 못하여 나에게 이런 망신을 주었으니, 정말이지 어찌 이럴 수 있단 말입니까! 부황, 소자는 대하가 우리와의 화친에 충분한 성의를 보이고 있지 않다고 생각합니다. 그러하니 대하의 공주를 어서 돌려보내는 것이 낫겠습니다. 소자 생각에는 차라리 회송의 장공주를 맞아들이는 편이 나을 것 같습니다."

대신들은 모두 당황했다. 나이가 칠순이 넘은 유 각로는 즉시 비명을 지르다시피 하며 몇 걸음 앞으로 나와 무릎을 꿇으며 말했다.

"태자 전하! 그럴 수는 없사옵니다!"

이책이 미간을 찌푸리며 말했다.

"음? 왜 안 된다는 것이냐?"

"대하에서 두 번이나 공주를 보내왔으니, 화친하고자 하는 그 성의를 알 수 있지 않습니까. 그런데 지금 대하의 공주가 우리나라에서 큰 모욕을 당했으니, 우리가 연북의 책임을 추궁하지 않는다면 수많은 이들에게 손가락질을 당하고 경멸을 받게 될 것입니다. 죄는 연북이 지은 것이지, 대하의 공주가 지은 것이 아닙니다. 전하께서 굽어 살피소서."

이책이 가볍게 눈썹 끝을 추켜세우며 말했다.

"아, 네 말도 일리가 있다."

유 각로가 이마의 식은땀을 닦으며 길게 안도의 한숨을 내쉬었다.

"태자 전하께서는 역시 영명하십니다."

이책이 발끈한 듯 말했다.

"유 각로의 말대로라면, 부황, 소자의 미래의 비가 연북에게 모욕을 당한 것 아닙니까. 소자가 비록 재주는 없으나, 제 여인이 그렇게 업신여김을 당하는 것을 좌시하고 있을 수만은 없습니다. 청컨대 병사를 내어 주십시오. 소자가 직접 병사들을 이끌고 나가, 제 검 아래 연북을 멸하고 돌아오겠습니다!"

백관들이 모두 기쁜 표정을 지으며, 흥분한 눈빛으로 서로를 마주 보았다. 태자가 오랜 세월 장난만 치는 것 같더니, 중요한 시기가 되자 제법 일국의 군주다운 모습을 보이고 있지 않은가. 변당과 같은 대국의 태자라면 당연히 이런 기세를 보여야 마땅한 것이다!

"그리고 부황, 소자에게 작은 청이 하나 더 있습니다."

황제가 살짝 미간을 찌푸리며 계속 말하라고 눈짓했다. 이책은 당당하고 차분하게, 눈을 빛내며 외쳤다.

"팔공주가 소자와 혼약을 맺은 이상, 이미 우리 벼당 사람 아니겠습니까. 그러하니 소자는 보잘것없는 연북 따위를 멸하기 위해 대하와 공동으로 병사를 낼 이유가 없다고 생각합니다. 저에게 10만의 정병만 내주신다면 연순을 사로잡고, 남은 잔당을 철저하게 토벌하고 오겠습니다. 그럼 전혀 문제 될 것이 없겠지요!"

모두 깜짝 놀랐다. 그러나 사람들이 입을 떼기도 전에 이책이 무시무시한 화살을 하나씩 날리기 시작했다.

"우리나라에서 연북으로 출정하려면 대하의 국경을 따라가야 하며, 그 길이 만 리에 이릅니다. 소자의 기억이 맞는다면, 우리 군대가 가장 멀리까지 가 본 것이 바로 진황까지인데, 당시 30만 대군에 백성 200만이 함께 움직였지요. 지금 제가 데려갈 군대는 당시의 절반도 되지 않으나 여정이 더욱 머니, 호부에서 이번 출정을 위해 백성 300만, 전마 20만 필, 그리고 병기와 갑옷 20만을 내어 주셔야겠습니다. 또한 방한용의 솜옷, 의원, 의약품, 말을 위한 건초도 필요하지요. 아마 양식은 30만담*을 징발하면 군사용으로는 그럭저럭 쓸 만할 것 같습니다."

호부상서 구세해가 불에 데기라도 한 양 어쩔 줄 몰라 하며

---

* 1담은 100근에 해당한다.

말했다.

"전하, 소신이 생각하기에…… 연북은 대하의 반역도이고, 전쟁의 원인도 대하의 공주에게 있으니 마땅히 대하에서도 출병해야 할 것이고, 대하가 전쟁의 주력을 맡아야 할 것입니다. 우리가 출병한다 해도 보조적인 역할을 하면 그만이고, 또한 대하에서 우리를 위해 양초와 군수품을 내도록 해야 할 듯합니다."

이책이 가늘고 긴 눈을 깜빡이며 말했다.

"네가 방금 나라의 기개를 이야기하지 않았던가? 나는 네가 변당의 위엄을 이야기하는 것을 분명히 들었다. 내가 당당한 변당 태자의 몸으로 그런 모욕을 당했는데, 다른 이의 병사를 빌려 정의를 되찾아 와야 한다는 말이냐? 유 각로가 방금 했던 말이야말로 옳은 것이다. 우리 변당이 나라를 세운 지 천 년, 이런 거대한 치욕을 겪은 일이 없었다. 대하에 밀려 황급히 도망쳐서 강남으로 내려와 땅을 내주고, 또 배상을 하고, 조공을 바친 것 정도야 별것 아닌 일이겠지. 대하에게 빼앗긴 홍천 18주 정도야 별다른 수치라 생각할 필요도 없고 말이야. 북쪽에 강도 같은 무리들이 날뛰고 있는데, 우리가 그들을 다스리지 않으면 모두 이 대륙의 진정한 주인이 누구인지 알지 못할 것 아닌가. 나는 너희들도 나와 똑같이 생각하리라 믿는다. 설마 이구동성으로 연북을 정벌하자고 이야기하면서, 마음속으로는 대하의 꽁무니나 따라다니며 깃발이나 흔들겠다는 생각을 하고 있었던 것은 아니겠지. 또한 대하는 방금 내전을 치러 자기네 먹을 끼니도 챙기기 어려울 텐데, 그들이 우리 병사들의 양식까지 순순히 내주리라고 생각하는 건가?"

이책은 싱글거리며, 방금 전까지 당당하게 이야기하던 장수들의 안색이 변하는 것을 지켜보았다. 장수들은 서로를 바라보며 흠흠, 헛기침만 할 뿐 아무도 나서지 않았다.

"연북은 병사도 많고, 장수들도 많으며, 연순은 뛰어난 인물이라고 하더군. 홀로 서남진부사가 반란을 일으키게 만들고, 우리가 100년에 걸쳐 30만 대군으로도 공략하지 못했던 진황성을 쑥대밭으로 만든 자가 바로 연순이지. 대하 300년 역사에서 처음으로 천도를 하게 만든 자란 말이다. 대하가 하마터면 나라를 잃을 뻔했던 것은 기억하나? 연순이 연북으로 돌아가는 길에, 서북의 번왕들이 그의 칼날을 막아 내지 못해 이미 그를 새로운 '연북 사자왕'이라고 부르고 있다던데. 우리 변당은 오랫동안 전쟁을 겪지 않았지. 남방을 지키고 있는 소수의 군사들을 제외하면 실제로 전투를 경험해 본 자들은 이미 대부분 나이가 쉰 이상이다. 또한 우리 군대의 편제도 정비되어 있지 않은 상태고, 무기들도 녹슬어 있지. 하지만 그게 무슨 상관인가? 우리들이 일치단결하면, 대하의 국토를 뛰어넘어 우리 변당을 침범하려 하는 그 무리들을 베어 버릴 수 있겠지."

이책은 점점 더 즐거운 표정으로 이야기했다.

"모두 기억하겠지. 매년 열병식을 열 때면, 우리 병사들은 가지런히 행진하고 고함 소리도 아주 우렁차지. 다들 사람을 죽여 본 적은 없지만 닭 정도는 죽여 보았을 테고 말이야. 또한 기녀들을 두고 다투는 일이라든가 주먹질을 하는 일에는 아주 정통하니, 노련한 실전 경험이 있다고 해도 좋겠지. 우리 상무당의 어린 장수들은 젊고 재능도 비범해. 여기 있는 대신들의 아들이며 손자들도 대부분 거기에 있을 텐데, 그들 모두 우리 변당의 자산이라 할 만하지! 그 소년들은 비록 전장에 나가 본 적 없고, 아마 닭 한 마리 비틀어 죽여 본 적 없을 테지만, 나는 그들이 고양된 상태로 전투에 임할 것이라 생각해. 내가 그들을 데리고 전장을 한 번만 경험하면, 분명 우리는 무적의 정예 부대가 될 것이다! 그리고 우리는 연북이 갖지 못한 진귀한 보물들을 지니고 있지. 최근 대동회에서는 무슨 변창이니, 혜예니, 오도애니 하는 무리들이 겨우 수천의 병사들을 이끌고 만이 넘는 군대를 도륙하며 이름을 떨치고 있는 모양이지만, 우리 변당은 무서워할 이유가 없지. 그들은 아직 너무 젊지 않은가. 우리에게는 두 장군이나 백 장군처럼 경험이 풍부한 노장들이 많으니. 우리 노장들이 전쟁터에 나가기만 하면, 분명 지나가는 곳마다 초목이 쓰러지고 적들은 멀리서 보기만 해도 도망칠 테지. 맞아, 두 장군, 내가 들어오다 문가에서 장군의 의치를 보았는데. 며칠 전부터 바람이 새는 소리가 들리는 것 같더군. 새로운 이가 잘 맞지 않는 모양이지? 상관없어. 내가 당장 그대를 위해 마노로 새로운 의치를 만들어 주지."

문무백관의 안색이 모두 흙빛으로 변했다. 이책은 신이 난 듯, 대전 안을 걸으며 당당하게 말했다.

"그리고 연북, 그 야만족의 땅은 말이야, 교화가 통하지 않고 효니 예니 하는 것도 없다더군. 백성들은 모두 무지몽매한 무리들뿐이라고 들었어. 하지만 우리 변당에는 수많은 박식한 선비들이 있지 않은가. 연북의 백성들이 반란을 일으키거나 하면, 우리 어사대의 박학한 어사대부들을 보내 그들에게 대의를 설파하게 하도록 하는 것은 어떻겠나. 그들도 분명 성현의 말씀 아래 굴복하고, 스스로 저지른 짓에 부끄러움을 느끼며 우리의 품으로 투항하겠지. 비록 대하의 황제가 8년 동안 연북 백성들의 충성을 얻어 내기 위해 갖은 노력을 다했음에도 불구하고 그들은 여전히 대하의 군대나 대하에서 새로 파견한 관리들을 공격하곤 했다지만 말이야. 그러나 대하가 우리와 비교나 되는 존재던가? 우리가 성현의 교훈을 받아들이던 시절, 대하의 선조들은 초원에서 바지도 제대로 입지 않고 날뛰고 있었던 것을, 하하! 아, 그리고 맞아, 중요한 이야기가 하나 더 있는데…….”

이책이 싱글거리며 무릎을 꿇더니 황제에게 말했다.

“부황, 제가 지금부터 하려는 이야기는 아주 중요합니다. 우리 변당의 국운과 관계있으니 결코 소홀하게 들으시면 아니 되옵니다.”

변당 황제의 입가에 웃음기가 번졌다. 황제가 제 아들을 내려다보며 말했다.

“말해 보거라.”

이책이 고개를 들더니 아주 엄숙하게 말했다.

“소자는 천도할 것을 청합니다.”

“뭐라고?”

이책의 말이 떨어지자마자, 대전을 가득 채운 문무백관들이 마침내 견디지 못하고 대경실색하여 소리 질렀다.

"휴······."

이책이 길게 한숨을 내쉬며 말했다.

"이게 모두 우리 변당의 위엄을 지키기 위해서라면 어쩔 수 없는 것이다. 이 전쟁을 피할 수 없다면 전쟁 후의 일도 생각해야 하지 않나? 우리가 승리를 거둘 것이야 자명하다 해도, 우리의 손실 역시 분명 적지 않을 테지. 병력, 재물, 양식, 무기, 백성들, 아마 그 수를 헤아릴 수도 없을 것이다. 이 전쟁은 시간을 오래 끌면 끌수록 국력을 소모하게 되겠지. 또한 우리 대군이 대하의 경계 안쪽으로 깊숙이 들어가 있을 때, 대하 황제가 소인배의 마음을 품지 않는다는 보장도 없지 않나? 대하 황제가 모두가 바라는 대로 정의롭게 행동한다 해도, 회송인들 그 기회를 잡으려 하지 않겠는가? 모두 우리가 지금 회송과 전투를 벌이는 중이라는 사실을 잊은 모양이지? 그러니 다들 마음속으로 준비해 두는 편이 좋을 거야. 우리 변당은 곧 역사상 유례없이 두 곳과 전쟁을 치르게 될 터이니. 전쟁의 승부는 예측하기 어렵고, 앞날도 추측할 수 없지. 그렇기 때문에 내가 바로 우리의 당경을 불태우고, 남강의 불모지로 천도할 것을 부황께 청하는 것이다. 그리하면 우리가 대하의 추격을 받는 일이 생기더라도, 또한 회송의 공격을 받더라도 그들이 우리를 찾아내지 못할 테니까. 우리가 남강의 밀림 속에 숨어 그들을 따돌리면 아마 그들은 화가 나서 죽으려고 할걸, 하하!"

사람들의 안색은 더 이상 그럴 수 없을 정도로 딱하게 변해 있었다. 그러나 이책은 다시 갑자기 흥분하여 외쳤다.

"그리고 내가 지금 이야기하던 중 아주 훌륭한 계책을 하나 떠올렸는데 말이야, 이 전투에서 우리가 요행히도 죽지 않고 변당의 무궁한 영광과 위엄을 지키게 된다면, 우리도 황실의 여자를 하나 뽑아 대하에 보내 화친을 맺을 수 있겠지. 언변이 좋은 관원들을 함께 수행시킨 후, 상대의 계책을 역이용하는 거야. 우리의 공주가 회송의 정탐꾼에게 모욕을 당했다고, 그리고 모두 흥분한 틈에 대하의 대신들에게 뇌물을 주고 우리 편을 들어 달라고 하는 거지. 하하! 그러면 대하도 어쩔 수 없이 회송과 전쟁을 시작할 수밖에 없겠지. 우리는 가만히 앉아서 호랑이들끼리 싸우는 것을 지켜보다가 어부지리나 얻으면 그만일 테고 말이야. 자, 내 계획이 어떠한가?"

사람들은 아무 말도 하지 않았다. 대전에 죽음과 같은 적막이 내려앉았다. 그러던 중 갑자기 누군가가 피식 웃는 소리가 들렸다. 사람들이 깜짝 놀라 웃음소리를 낸 사람을 노려보았다. 그 사람은 바로 설창령이었다.

설창령이 옷차림을 단정히 하고 무릎을 꿇은 채 낭랑하게 외쳤다.

"태자 전하께서 영명하시어, 소신의 마음이 기쁘기 한량없습니다. 소신이 방금 눈이 멀었던 모양입니다. 지금은 반드시 이 전쟁에 참여해야 한다고 여기고 있사오니, 태자 전하께서 소신을 저버리지 않으신다면, 소신은 전하의 말고삐라도 잡고 견마지로를 다하겠나이다."

"좋아, 내가 너를 기억해 두지."

이책이 웃으며 말하고 빠르게 몸을 돌려 역시 황제 앞에 무릎을 꿇었다.

"부황, 명을 내려 주십시오. 소자의 마음은 이미 결정되었습니다. 연북을 무너뜨리지 않는다면 소자는 사람이 아닙니다. 이번 전투로 인해 죽게 된다 해도, 연북과 동귀어진 하는 길을 택하여 우리 변당의 위엄을 지키고야 말겠습니다. 방금 수많은 대신들의 이야기를 들으니 소자의 피가 뜨겁게 끓고 있습니다. 그런 의미에서 방금 가장 큰 소리로 이야기했던 대신 몇을 뽑아 함께 전장에 나가고 싶습니다. 그들에게 공을 세워 역사에 이름을 남길 기회를 주기 위해 말입니다. 청컨대 부황께서 은혜로이 비준해 주소서!"

말을 마친 이책이 머리를 땅에 조아렸다.

변당 황제는 희미하게 신음 소리를 냈다. 황제가 입을 열어 답하고자 했을 때, 갑자기 누군가가 "황상!"을 외치며 땅에 무릎을 꿇었다. 바로 유 각로가 엄숙한 표정을 짓고 있었다.

"황상, 노신은 갑자기 설 대인이 설파했던 이야기가 이치에 맞는다는 것을 깨달았습니다. 대하 공주의 말만 듣고 병사를 일으킨다는 것은 정말이지 너무 경솔한 것 같습니다. 다시 주도면밀하게 조사한 후 이 일을 결정하는 것이 옳을 듯하옵니다."

"오?"

변당 황제가 목소리를 높였다.

"유 각로, 네가 설창령에게 간사한 소인이라고 하지 않았던가?"

이마에서 식은땀이 배어 나오고 있었지만 유 각로는 간신히 정신을 차리고 말했다.

"그게, 노신이 세심하지 못했사옵니다. 지금 생각하니, 선대인의 말은…… 그게, 이치에 맞는 것 같습니다."

황제가 제 장군을 돌아보며 물었다.

"제경, 네 생각은?"

"노신의 생각도 유 각로와 같사옵니다. 대군을 출정시키는 일은 나라의 큰일이니, 마땅히…… 마땅히 주도면밀하게 생각해야지요."

호부상서가 먼저 말했다.

"소신이 생각하기에 지금 출병한다면, 호부의 재량으로는 이런 대규모의 군대를 지탱하기 어렵사옵니다. 반드시 세세한 부분까지 논의해야 할 것입니다."

"그렇습니다. 병부에서 병사들을 뽑아 북으로 보내는 것도 하루 이틀 만에 되는 일이 아닙니다. 또한 우리나라에 오랫동안 전쟁이 없었으니, 전쟁을 치르려면 준비할 일이 많사옵니다."

이책이 미간을 찌푸리고 분노하여 외쳤다.

"모두 대체 무슨 말을 하는 건가? 내가 이렇게 모욕을 당했는데 반격을 할 수 없다고? 그대들의 말대로 한다면 우리 변당의 체면은 어찌 되겠는가? 죽는다 해도 연북과 함께 죽으면 그만인 것을!"

"태자시여."

나 대인이 다급하게 외쳤다.

"연북이 대관절 무엇이라고, 우리가 목숨까지 바칠 가치가 있겠습니까? 이 일은…… 천천히 생각하시는 것이 좋겠습니다."

"그럴 수 없지."

이책이 결연하게 말했다.

"내 비가 모욕을 당했다. 이게 어찌 큰일이 아니라는 건가. 일국의 태자로서, 나는 내 나라가 이리 모욕받는 것을 참을 수 없다. 또한 한 사내로서, 내 여인이 이리 무시받는 것도 견딜 수 없지. 여기서 내가 한 마디도 하지 않는다면, 그야말로 온 나라의 수치가 아니겠는가? 온 천하의 웃음거리가 되고 말 것이다."

유 각로가 서둘러 말했다.

"태자 전하께서 분노를 가라앉히시지요. 태자께서 오늘 일 순간의 의기를 참으신다면 그것은 곧 변당 백성들을 위해 희생하시는 것이며, 전쟁에서 죽을 수많은 병사들의 목숨을 구하는 일일 것입니다. 그 누구도 태자께서 옳지 않다 말하지 않을 것이며, 태자 전하께 충심으로 감사할 것입니다."

"또한, 대하의 공주가 아직 정식으로 변당에 시집을 온 것도 아니지 않습니까. 이 일이 비록 우리와 관계가 있으나, 대하의 시위들 역시 잘못이 없다고 할 수는 없지요. 또한 연북이 대하와 원한이 깊다 하나 우리 변당과는 아무 관련이 없지 않습니까? 공주를 바꿔 달라고 해도 큰 문제는 아닙니다. 어쨌든 대하 황제에게는 딸이 그렇게나 많으니까요."

"그렇습니다! 그들이 우리 당경에서 이런 추문을 만들었는데도 우리는 추궁하지 않았습니다. 저들이 만약 계속 시끄럽게 떠들다면, 우리도 바로 대하 황제에게 설명을 요구하면 됩니다."

이책이 난감하다는 듯 미간을 찌푸리며 천천히 말했다.

"너희들은 이런 굴욕을 받아들일 것인가? 너희들은 모두 나라의 중신이 아닌가. 장래 사서에 너희들에 대해 무어라 쓰일지 걱정스럽지도 않은가?"

"상관없습니다!"

모두 고개를 저었다.

"변당을 위해서라면 어떠한 굴욕을 받더라도 상관없습니다."

"아아."

이책이 머리를 흔들며 탄식했다.

"모든 이들이 이렇게 대의를 생각하는 것을 보니 나, 이책, 진심으로 부끄럽도다. 모두가 그렇게 분노를 억제하고 있는데 나라고 무슨 할 말이 있겠는가. 서기관, 서신을 작성하여 대하 공주를 위로한 후, 그녀를 돌려보내도록 하라."

바로 조회가 끝났다. 관리들이 잇달아 물러났고, 황제 역시 이책에게 몇 마디 건넨 후 후궁으로 돌아갔다.

이책의 뒤에 있던 손체가 다가오더니 살그머니 엄지손가락을 들어 올렸다.

"전하께서는 정말 대단하십니다. 그야말로 최고의 경지에 오르셨습니다."

이책이 코웃음을 치며 말했다.

"쓸모없는 늙은이들 정도야. 하지만 가끔은 이런 쓸모없는 늙은이들도 꽤 힘을 발휘하곤 하지."

이책이 냉소하며 말을 이었다.

"설창령인가, 그자는 쓸 만하더군. 기억해 두어라. 지금은 기용할 수 없겠지만 지켜보도록 하지."

"예."

손체가 고개를 끄덕이며 물었다.

"전하, 이후로는 어찌하실 것입니까?"

이책은 긴 손가락으로 태양혈을 누르며 말했다.

"아직 제대로 생각해 보지 않았다. 조순아는 정말이지 나를 난감하게 만드는군. 대하의 공주가 그 정도까지 모질게 마음먹고 변당을 전쟁에 끌어들이려 할 줄은 생각도 하지 못했다. 자신의 명예며 절개까지 모두 이용하다니……. 조순아를 살펴보았다는 여관은 만나 봤나? 정말로 정조를 잃었다던가? 그리고, 대체 대동회라고 외치고 죽은 자를 본 자는 누구지?"

"여관은 모두 세 명이고, 궁에서 오래 있었던 나이 든 여관들이었습니다. 그들 모두 공주가 처녀가 아닌 듯하다고 이야기하더군요. 그리고 금위군이 공주가 거하던 전각에 들어갔을 때, 그자가 막 공주의 침상에서 내려오며 큰 소리로 '연북대동'이라 외친 후 자살했다더군요."

이책이 고개를 저었다.

"대하 황제가 이런 일로 도박을 할 줄이야. 정말로 밑천을 날려 먹는 것도 생각지 않고!"

"전하, 공주를 정말로 대하로 돌려보내실 생각입니까?"

"보내지 않으면 어쩌겠느냐? 여기 놔둘 수는 없지 않은가?"

이책이 코웃음을 쳤다.

"조순아를 돌려보내면 대하 황제도 자신의 음모가 탄로 났다는 것을 깨닫겠지. 그자는 지금 변당에 이지해야 하는 입장이니, 감히 나와 더 이상 갈등을 일으키려고 하지는 않을 것이다. 그저 대신들을 억누르기만 하면, 저들 대하는 변당에 어떤 풍파도 일으키지 못할 거야."

손체가 고개를 끄덕였다.

"그렇습니다. 상대가 힘든 상황일수록 우리는 견고해지는 법이지요."

그때였다. 갑자기 시위 하나가 숨을 몰아쉬며 달려왔다. 땀을 어찌나 흘렸던지, 옷깃이 반은 젖어 있었다. 시위가 큰 소리로 외쳤다.

"전하, 큰일 났습니다!"

이책이 미간을 찌푸리며 물었다.

"무슨 일이냐?"

시위가 쿵 소리가 나도록 땅에 무릎을 꿇더니, 당황한 얼굴로 말했다.

"대하의 공주가 황성 중앙의 장미 광장에서 머리를 부딪쳐 자진을……!"

"뭐라고?"

손체가 놀라 소리쳤다. 그러나 시위가 서둘러 말을 이었다.

"그러나 다행히도 머리가 깨졌을 뿐, 크게 다치지는 않았다고 합니다. 다만 백성들이 몰려 있던 참이라 일대에 혼란이 일었다고 합니다."

이책이 차갑게 코웃음 치며 무시하듯 말했다.

"고육지계를 쓰는군. 동정표를 얻으려고 말이지. 그렇게 해서 우리 당경의 백성들을 전쟁에 끌어들이시겠다?"

손체가 미간을 찌푸렸다.

"그 정도 작은 일로 이렇게 당황하여 달려오다니, 너는 대체 어디 소속이냐?"

"전하, 제가 달려온 것은 이것 때문만이 아닙니다."

그 시위가 새빨갛게 달아오른 얼굴로 헐떡이며 말했다.

"중요한 것은, 북대영이 바로 장미 광장 근처에서 훈련 중이었다는 것입니다. 병사들이 그 상황을 목격해 버리고 말았습니다. 군관들은 본래 혈기를 억누르기 어렵습니다. 북대영의 3만 군사들이 이미 중앙대가에 모여 연북을 공격해야 한다고 시끄럽게 떠들면서…… 지금 궁문으로 몰려오고 있습니다!"

"그게 대체 무슨 소리지?"

이번에는 손체뿐 아니라 이책까지 안색이 변했다. 바로 그때였다. 다른 시위가 말을 달려왔다. 그는 궁중의 예의범절조차 지키지 않고 달려오며 큰 소리로 외쳤다.

"큰일입니다! 전하!"

"무슨 일이냐?"

이책의 얼굴에 더 이상 장난기라고는 보이지 않았다.

"전하……."

말에서 내려온 시위의 옷은 핏물로 얼룩덜룩했다. 그것을 본 손체가 분노하여 외쳤다.

"북대영이 제정신이 아닌 모양이지? 타국의 공주를 위해 감히 자신들의 견우를 공격해?"

시위가 무릎을 꿇은 채 큰 소리로 외쳤다.

"전하께 보고드립니다. 북대영이 황성 금위군에게 손을 쓴 것이 아닙니다. 다만 북대영은 철유 대인이 몰고 있던 마차를 포위하고 있습니다. 3만 북대영 군인들은 대하의 관원들에게서, 마차 안에 이번 사건의 주모자가 있다는 이야기를 듣고 더이상 걷잡을 수 없이 분노하였습니다. 우리 선봉대에서 스물이 넘는 형제들이 대하 수행원들의 손에 죽었는데, 북대영 병사들은 피를 보자 완전히 통제가 불가능한 지경이 되었습니다."

이책의 표정이 침울해졌다. 그의 눈이 분노를 담은 채 마치 여우처럼 가늘어졌다. 이책이 냉랭하게 말했다.

"조순아 혼자서는 할 수 없는 일이군. 수상한 점이 있어."

새벽의 짙은 안개가 조금 걷혔다. 대리석을 깔아 놓은 장미 광장에 햇빛이 비춰 들고, 은빛 갑옷이 번쩍이고 있었다.

북대영 3만 병사들이 광장의 돌계단을 **빽빽**하게 채우고 있었다. 모두 매우 젊은 얼굴들이었다. 그들에게서는 아직 하룻강아지 범 무서운 줄 모르는 풋풋함마저 엿보였다. 당경의 평온한 환경에서 자란 청년들이 눈을 부라리며, 높은 대 위로 밀려 올라간 마차를 호시탐탐 노리고 있었다. 그들이 손에 쥔 병기가 서슬 푸른 소리를 냈다.

아침노을 아래, 장미 광장 높은 대 위에서 내려다보는 당경의 모습은 그야말로 장관이었다. 그 높고 큰 성벽이며 휘황찬란한 궁전, 빽빽하게 늘어선 민가와 가게들, 빛나는 칼을 든 병사들과 광장 아래에서 목을 빼고 바라보고 있는 백성들……. 초교의 마음이 문득 가라앉았다. 거센 바람이 그녀가 입은 바람막이 아랫단을 사납게 펄럭여, 마치 날개를 펼치고 날아가고 싶어 하는 커다란 새 같았다.

초교는 모자를 벗었다. 아름다우면서도 강인한 얼굴이, 평온한 눈빛이 드러났다. 순식간에, 사방팔방 떠들썩해졌다.

한 달 전, 초교의 초상이 대하에서 변당으로 들어와 거리마다 붙었고, 상무당의 학생들은 그녀의 신출귀몰한 작전이며 전술을 몇 번이나 반복해 연구했다. 그리고 지금 이 순간 그들의 눈앞에 있는 것은 열여덟이 채 안 된 젊은 여인이었다. 모든 이들이 순간 넋을 잃고 말았다.

이 사람이, 홀로 진황성에 들어가 서남진부사를 이끌었던 그 사람이라고?

이 사람이 고작 4천의 병사들을 이끌고 수많은 전투를 벌이며 단 한 번도 패하지 않았던 그 장수라고?

이 사람이…… 만 리에 걸쳐 도망치는 동안 대하의 추격자들의 함정에서 수십 번은 빠져나왔던, 바로 그 연북의 정신적 지주라고?

이 사람이 바로 몰래 우리 변당에 잠입하여 이런 경천동지할 사건을 일으켰다는 말인가?

"나는 태자 전하의 금위군 통령 철유다. 너희들 상관을 불러와라!"

철유는 여러 곳에 부상을 입은 상태였지만, 여전히 검을 쥐고 초교의 앞을 가로막고 있었다. 철유의 젊은 몸은 마치 거대한 산과 같아 보였다. 그는 단호한 눈길로 북대영 병사들을 노려보며 소리쳤다.

"노방산을 불러와라!"

그러나 철유는 지금 이 순간, 자신과 교류가 있는 북대영의 고급 장교들이 모두 금오궁의 대전으로 몰려가 연북으로 출병하기를 청하고 있다는 사실을 알지 못했다. 이 자리에 남아 있는 것은 철유와 별다른 교분이 없는 아래 계급의 장령들뿐이었다.

철유의 검은, 피를 탐하듯 차갑고 예리한 빛을 흩뿌리고 있었다. 그의 발아래로 열이 넘는 병사들이 올라오고 있었다. 그 병사들은 북대영의 군복을 입고 있었지만, 도법은 대하군이 주로 쓰는 벽감식 도법이었다. 그러나 지금 그런 것을 말한들 누가 들어 줄까? 철유는 그저 분노하여 외칠 수밖에 없었다.

"너희가 이리 모여 있는 것은, 반란을 일으키려는 것이냐?"

초교를 지키는 금위군은 2백여 명이었다. 그들 대부분은 상처를 입었고, 가슴에 화살을 맞은 사람도 있었다. 그러나 그들은 여전히 쓰러지지 않고 최후의 최후까지, 초교에게 날아오는 화살을 제 몸으로 막고 있었다.

"태자 전하께서 저 간악한 여인에게 속으신 것이다! 저 우둔한 자들 역시 그것을 모르고 연북의 잔당을 지키고 있구나! 우리는 변당의 군인이며 칼날이다! 우리의 변당이 이런 모욕을 받는 것을 좌시할 것인가! 저 간악한 여인이 도망치는 것을 지켜보기만 할 것인가!"

사람들 속에서 누군가가 소리 높여 외쳤다. 철유의 말을 듣고 냉정을 찾고 있던 젊은 병사들이 갑자기 다시 들끓기 시작했다.

"그래! 놓아줄 수 없다!"

"태자께서 여색을 좋아하셔서 저 요망한 여인에게 속으신 거다!"

"연북의 반역자, 감히 우리 변당의 위엄을 범하려 하다니, 죽여 버리자!"

"죽여라!"

거센 바람이 불어왔다. 사람들의 눈빛 속에는 기묘한 빛이 떠올라 있었다. 초교는 이제 무슨 말을 해도 소용이 없다는 것을 깨달았다. 군인들의 분노는 모든 것을 불태울 수 있을 것 같았다. 진황성에서, 서북의 전장에서, 그녀가 항상 보아 왔던 분노였다. 그녀는 그 분노가 얼마나 대단한 힘을 발휘할 수 있는지 잘 알고 있었다.

초교가 큰 소리로 철유를 불렀지만 철유는 고개를 돌리지 않았다. 초교의 목소리는 꽤 컸지만, 하늘을 뚫을 듯한 고함 소리 속에 묻혀 버리고 말았다.

"가요! 가서 전하를 찾아와요. 지금 상황을 바꿀 수 있는 사람은 전하밖에 없어요!"

철유는 고개를 돌리지 않고, 군인 특유의 집착 서린 목소리로 대답했다.

"태자 전하께서는 저에게 아가씨를 지켜 드리라고 하셨습니다."

철유는 이제 더 이상 자신의 딸 얘기를 하며 웃음 짓는 젊은 아비가 아니었다. 그는 결연한 의지를 지닌 군인이었다.

"형제들이여, 올라가자! 우리는 반란을 일으키는 것이 아니다. 제국의 존엄을 지키는 것뿐이다! 역사가 우리를 기록할 것이다. 후세 사람들이 우리를 공정하게 판단할 것이다! 우리의 선혈로 군인의 충성을 보여 주자!"

귀를 찢을 듯한 고함이 공중에 울려 퍼졌다. 철유는 머리카락마저 꼿꼿하게 세운 채 사자와 같이 포효하며, 춤을 추듯 검을 휘둘렀다. 그가 검은 그림자로 변한 것처럼 북대영 병사들 사이를 빠르게 오가자, 갑자기 핏물이 거대한 반원 형태를 이루며 튀어 오르고 야수의 울부짖음 같은 비명 소리가 잇달아 울렸다. 마침내 철유가 멈춰 섰을 때, 그는 북대영 병사를 잡고 검을 겨누고 있었다.

"어째서 당당하게 앞으로 나와 이야기하지 않는 것이냐? 무엇 때문에 사람 뒤에 숨어 있는 거지?"

쿵, 철유가 잡고 있던 병사를 텅 빈 공간에 내던졌다. 철유는 다시 한 걸음 한 걸음 앞으로 걸어가, 사신과도 같은 눈길로 그 병사를 사납게 노려보았다.

"너는 대체 누구냐? 내가 바로 북대영 출신이다. 그런데 어째서 나는 너를 한 번도 본 기억이 없는 거지?"

병사는 당황하여 뒷걸음치며 대답했다.

"대체 뭘 하시려는 겁니까? 제 입을 막는다 해서 천하 수많은 이들의 입을 막을 수 있을 성싶으십니까?"

"나는 그저 네가 누구인지 알고 싶을 뿐이다."

"하하."

병사가 갑자기 큰 소리로 웃기 시작했다.

"대인께서는 우리 변당의 군인으로서, 변당을 전복할 음모를 꾸미는 자는 잡지 않고 제가 누구인지 물으며 핍박하고 계시는군요. 이야말로 본말이 전도된 것 아닙니까? 저는 그저 보통의 병사입니다. 대인처럼 높은 봉록을 받고 있지도 않고, 대단한 무예도, 높은 지위도 갖지 못한 보통 병사 말입니다! 그러나 저는 군인으로서의 정신을 지니고 있습니다. 저는 오로지 나라를 위해 충성할 따름입니다!"

철유는 분노한 나머지 병사의 옷깃을 잡고 소리쳤다.

"너는 우리 변당 사람이 아니다! 너는 대하 사람이지. 지금 이렇게 인심을 현혹하고 있는 것은 대체 무엇 때문이냐?"

"철유 대인!"

병사가 눈을 붉히며 삽시간에 목소리를 키워 외쳤다.

"당신은 한때 북대영의 자랑이었다! 당신도 한때는 우리의 우상이었어! 하지만 지금 당신 꼴이 이게 뭔가? 태자 전하 뒤에 숨어서, 전하께서 제멋대로 행동하시는 것을 보고만 있고, 나라의 이익조차 생각지 아니하고 변당을 부끄럽게 만들고 있으니. 당신의 군인 정신은 어디 있지? 당신의 양심은? 개에게 팔아먹었나?"

광풍이 포효하고 햇빛마저 차가운 아침이었다 사람들이 다시 들끓기 시작했다. 철유는 충혈된 눈으로 분노하여 소리쳤다.

"더 말할 것 없다. 너를 죽여 버리겠다!"

"나를 죽여라!"

병사는 두려움 없이 북대영을 향해 두 팔을 활짝 펴고 외쳤다.

"내 피로 변당군의 혼을 북돋을 수만 있다면, 나는 죽어도 여한이 없다! 고조, 무황, 현성, 고열 장군, 약무영왕, 하늘에서 모두 우리를 굽어보고 계신다! 변당의 군대여, 일어나라! 변당 만세!"

말을 마친 병사는 갑자기 몸을 돌리더니 철유의 칼날 위로 스스로 뛰어들었다! 순간, 차가운 칼날이 병사의 목을 베고 말았다. 핏방울이 튀자 철유는 깜짝 놀라 뒷걸음질 쳤다.

병사는 칼집으로 몸을 지탱하며 간신히 쓰러지지 않은 채서 있었다. 무슨 말인가 하려는 듯 입을 달싹거렸지만 아무 소리도 나오지 않고, 그저 선혈이 계속 흘러내려 은빛 갑옷을 물들일 뿐이었다. 그의 갑옷에 새겨진 장미가 핏빛으로 피어나며 요사한 빛을 내고 있었다.

초교는 천천히 눈을 감았다. 모든 것이 늦어 버렸다는 것을, 직감적으로 깨달을 수 있었다.

"저 여자를 죽여!"

누가 먼저 외친 것일까. 분노한 이들이 둑이 터진 물처럼 세차게 외치며 대 위로 올라오기 시작했다.

"철유! 어서 가요! 가서 전하를 찾아와요!"

철유가 검날을 세우더니 입에서 핏물을 토해 낸 후 단호하게 말했다.

"태자 전하께서는 제게 아가씨를 지키라 하셨습니다."

초교는 몸을 굽혀 죽은 금위군의 칼을 뽑아 들고, 냉랭한 눈빛으로 자신에게 다가오는 북대영 병사들을 바라보며 천천히 말했다.

"그렇다면…… 좋아요. 우리 함께 한바탕 놀아 보지요."

"하하! 대하를 놀라게 한 불세출의 명장과 어깨를 나란히 하고 싸울 수 있다니, 여기서 죽는다 해도 이 철유는 여한이 없습니다!"

발걸음 소리가 천둥같이 울리고 있었다. 변당 제국의 젊은 정예들이 귀청이 터질 것 같은 고함을 질렀다. 초교의 편은 겨우 2백여에 불과하건만, 북대영 병사들은 마치 이미 서북의 전장에 나선 것 같았고, 요동의 땅을 달리는 것도 같았다. 은빛 갑옷이 장미 광장을 가득 채우고 있었다. 병사들은 손에 칼을 들고 한 걸음 한 걸음 다가왔다. 초교의 발아래 대지가 격렬하게 떨리는 가운데, 군대는 마치 거대한 산처럼 압박해 왔다.

철유는 팔 근육을 팽팽하게 긴장한 채 꼿꼿한 자세로 완강하게 서 있었다. 열네 살에 군대에 들어온 후, 요동보위전과 남구초멸전에 참전했다. 홀로 수천 리에 이르는 봉쇄선을 뚫은 적도 있었다. 철유는 변당 군인의 모범인 동시에 우상이었다. 이 순간, 홀로 서 있는 그는 마치 한 자루 예리한 칼날처럼 보였고, 어떤 힘에 부딪쳐 치명적인 대가를 치르는 한이 있더라도 물러나지 않을 것으로 보였다!

"제국의 영광을 위하여!"

북대영에서 갑자기 모두 함께 구호를 외치더니, 병사들이 물밀 듯이 밀려오기 시작했다.

허공에 핏물이 솟구쳤다. 철유가 팔을 한 번 휘두르자, 머리 세 개가 마치 흐물흐물한 배추처럼 사람들 무리 속으로 날아가 순식간에 사람들의 발에 밟혀 고깃덩어리가 되고 말았다.

양편의 사람들이 정면에서 충돌했다. 양쪽에서 용솟음치는 파도처럼, 그들은 서로에게 부딪치며 선혈의 물보라를 피워 내기 시작했다. 귀를 자극하는 무기의 날카로운 소리가 하늘 위로 솟아올랐다. 2백여 금위군은 단호한 자세로 그들에게 부여된 사명을 다하고 있었다.

북대영의 젊은 병사들은 인원은 많았지만, 대부분 금위군이 서 있는 대의 십분의 일도 되지 않는 높이의 돌계단에 서 있었다. 그들은 철유가 이끄는 금위군 앞에서는 역부족이었지만, 어떻게든 대 위로 올라오려 했다. 한 줄, 또 한 줄, 그리고 또 한 줄…….

대 위로 올라오려던 병사들이 한 줄, 또 한 줄 쓰러져 갔다. 그들의 젊은 눈동자는 광기에 휩싸여 있었고, 그들의 피는 뜨겁게 끓고 있었다. 금위군은 그런 그들을 바라보며 점차 절망스러운 표정을 지었다. 누군가는 계속 칼을 휘둘렀고, 누군가는 머뭇거리기 시작했으며, 또 누군가는 미친 듯이 고함쳤다.

"올라오지 마라! 올라오지 마!"

그러나 금위군이 잠시 주저하는 순간, 칼이 그들의 목을 베어 왔다. 금위군은 자신들의 전우에게 살해당하고 말았다.

북대영은 이미 미쳐 버린 것 같았다. 평생 닭조차 죽여 본 적 없을 귀족병들이 칼을 휘두르고, 전우들의 잘린 팔다리며 선혈을 밟고 대 위로 올라왔다. 그들은 두려움 없이 제 생명조차 내버리려 하고 있었다.

하늘에는 매가 길게 울고, 구름이 가득 몰려와 맑기만 하던 아침 하늘의 빛깔이 순식간에 변하고 말았다. 백성들은 모두 대경실색하여 사방으로 흩어지고 있었지만, 중앙대가가 모두 막혀 있었기 때문에 어디로도 도망칠 수 없었다.

사람들은 그저 고함을 지르고, 서로를 밀치고 밟으면서 헤어진 가족을 찾아다녔다. 도처에 고함 소리만이 가득했다. 남편은 아내를 부르고, 아내는 아이를 부르고, 아이는 어머니를 부르고…… 향 하나 피울 시간도 지나지 않아, 번화하던 중앙대가는 천국에서 아수라 지옥으로 변하고 말았다!

그리고 바로 이 순간, 이책이 황성 금위군을 이끌고 금오궁을 빠져나왔다. 평소 결코 말을 타지 않던 번당의 태자는 직접 말을 달려 금오대가를 달려가고 있었다. 이책의 장포가 바람결에 세차게 펄럭였고, 그의 눈빛은 매처럼 예리하게 빛나고 있었다.

"태자 전하!"

척후가 달려와 외쳤다.

"중앙대가는 백성들로 꽉 차 있어 금위군이 뚫고 들어갈 수 없습니다."

"꽉 차 있다?"

이책이 눈썹 끝을 추켜세우며 차갑게 말했다.

"들어갈 수 없으면 시체를 밟고 가면 되겠지. 길을 내주지 않으면 모두 죽여 버려라!"

"전하?"

척후병이 당황하여 존비의 구분마저 잊고 중얼거렸다.

"그들은…… 모두 당경의 백성인데……."

"백성……."

이책이 눈을 가늘게 뜨고 차가운 어조로 말했다.

"우리가 중앙대가로 들어가는 것이 한순간 늦어질 때마다 북대영의 군인을 하나 더 죽이는 셈이고, 금위군 병사를 하나 더 죽이는 셈이다. 그들이야말로 제국의 진정한 자산인 것을."

척후병은 깨달음을 얻은 듯 단호하게 대답했다.

"예, 전하께서는 잠시만 기다리십시오. 속하가 금위군의 형제들을 이끌고 길을 열겠습니다."

이책이 조용히 명령했다.

"수고해라! 그리고 손체, 병부에 가서 낭병 5만을 뽑아 와 성의 난을 평정하도록. 그리고 봉화와 파발로 북방대영에 대하의 동향을 살피라 일러라. 그리고⋯⋯."

이책은 입을 열기 어려운 듯 잠시 신음하더니, 미간을 찌푸리고 마침내 간신히 말했다.

"남강으로 척후병을 보내라. 앞으로 열두 시진 동안 밤낮을 가리지 말고 남강 수로를 살피도록. 서북의 연북병을 방어하라는 이야기다."

손체가 당황하여 잘생긴 눈썹을 치켜세웠다.

"연북이라고요? 연북이 변당에 전쟁을 선포할 여력이 있겠습니까?"

"못할 것 같나?"

이책이 차갑게 코웃음 쳤다. 그의 목소리는 겨울밤의 물만큼이나 차가웠다.

"만약 초교가 변당에서 죽는 불행한 일이 생긴다면, 우리는 연순의 분노를 받아 낼 각오를 해야겠지. 더군다나⋯⋯."

이책은 천천히 눈을 감았다. 푸른 호수를 가득 채운 연꽃 속에서 아름답게 웃던 여자의 얼굴이 떠올랐다. 그의 목소리가 갑자기 줄어들었다. 그는 미간을 찌푸리고 가볍게 한숨을 내쉰 후 희미하게, 그러나 강철처럼 단단한 목소리로 말했다.

"나도 그들을 용서할 수 없을 것이다."

"예, 속하가 바로 가서 처리하겠습니다."

"그리고 철저히 조사할 것이 있다!"

이책이 다시 눈을 떴다. 방금 전까지의 유약한 모습은 순식간에 사라지고, 그의 눈길은 분노의 화염으로 불타오르고 있었다. 그는 뚜둑 소리가 나도록 주먹을 쥐며 말했다.

"이번 북대영 훈련과 관련한 모든 자료를 가져와라. 북대영 모든 통령의 신변 자료도. 계급을 따지지 말고, 맡은 임무의 크고 작음도 따지지 말고 또한 아주 사소한 일이라도 상관없으니 최근 누구를 만났는지, 무슨 이야기를 했는지, 어디에 갔는지까지도 모두 조사해 와라. 어느 날 설사를 해서 변소에 조금 더 오래 앉아 있었다던가, 그런 것까지도 모두 알고 싶다!"

손체는 영리한 사람이었다. 그는 이책의 말이 의미하는 바를 알아차리고 순식간에 안색이 변했다.

"전하께서는 이 난리가 우연이 아니라고 생각하시는지요?"

"우연이라고?"

이책은 분노한 나머지 오히려 웃음이 나올 지경이었다. 그가 손체를 응시하며 음산하게 말했다.

"조순아의 침궁이 피습당하고, 조회에서 모든 관원이 대하의 편을 들고, 또 조순아가 장미 광장에서 고육지계를 사용하여 백성들을 흥분시키고. 북대영이 마침 장미 광장 옆에서 훈련하고 있었는데, 공교롭게도 장령들이 군대에 있지 않아 우리 병사들이 이리도 쉽게 선동당했다. 또 저들은 철유의 행적을 알고 있고, 마차 안에 초교가 타고 있다는 사실마저 알고 있었지! 이렇게 수많은 우연이 겹쳤는데, 전혀 이상하지 않다는 말이냐?"

손체는 입을 벌린 채 단 한 마디도 하지 못했다. 이책이 음울한 얼굴로 계속 냉정하게 말했다.

"처음부터 끝까지, 우리는 어떤 정보도 얻지 못했다. 심지어

두명덕, 정치판에서 사라진 지 오래인 그 늙은이조차 알고 있는 것을 우리는 우둔하게도 모르고 있었다는 말이다! 이렇게 빈틈없이 계획하고, 한 단계 한 단계 정교하게 배치하여 온갖 곳에 진을 치고 목을 졸라 오는데, 이 모든 것이 우연일 수 있는 것 같나?"

거센 바람이 불어왔다. 앞쪽의 아우성은 더욱 격렬해졌다. 금위군은 백성들을 몰아내기 시작했고, 우림군은 하늘을 향해 화살을 마구 쏘아 댔다. 백성들은 공포에 질려 도망치기 시작했고, 모든 것은 거대한 희극처럼 변해 버리고 말았다.

손체는 이책을 물끄러미 바라보았다. 마음 깊은 곳에 도저히 억제할 수 없는 암담한 생각이 생겨나고 있었다. 이책이 고개를 끄덕이며 진지하게 말했다.

"네 생각이 맞다. 이미 죽음의 발자취가 변당에 들어왔어. 우리가 부주의한 틈을 타서, 보이지 않는 손이 우리의 머리 위에 그물을 펼쳐 놓은 것이다. 누군가가 이미 북대영에 들어왔고, 당경성에 침투했다. 심지어 우리 대전에까지 들어와 있지!"

"대하입니까? 회송입니까?"

"납란홍엽은 현재 당경에 없다. 현장에 없는 이가 이런 거대한 소동을 벌이기는 어렵겠지. 그리고 대하의 조순아는…… 궁정 내 암투라면야 따라올 자가 없겠지만 이런 정교한 계획을 짜낼 능력은 없을 거다."

손체가 미간을 찌푸렸다.

"그렇다면 대체 누구입니까?"

"누구냐고?"

이책이 냉소하며 고개를 들었다. 그는 하늘에 떠도는 짙은 구름을 바라보며 천천히 고개를 저었다.

"그저 내 추측이 틀렸기만을 바랄 뿐이다."

제15장 궁지에 몰려 반격하다

날카로운 화살 한 대가 날아와, 마치 늑대의 예리한 발톱처럼 장미 광장의 적막을 깨트렸다. 모든 이가 순식간에 입을 다물고 고개를 돌렸다. 수레 위 높은 곳에 밝은 노랑빛 장포를 입고 금관을 쓴 소녀가 서 있는 것이 보였다. 소녀는 얼음처럼 차가운 얼굴로 황금빛 활을 초교를 향해 겨누고 있었다. 소녀의 이마를 감싼 흰 천에서는 붉은 핏자국이 은은하게 배어 나오고 있었다.

획, 날카로운 화살이 현을 떠나 초교의 심장을 향해 날아왔다. 그리고 바로 이 순간, 철유가 대갈일성을 지르며 맹렬하게 뛰어들어 초교의 앞을 가로막았다.

푹! 화살은 철유의 팔을 꿰뚫었다.

"철유!"

초교가 비명을 지르며 재빨리 앞으로 나섰지만, 날카로운 화살들이 갑자기 날아와 그녀 앞 돌길에 박혔다.

소녀의 입가에 냉소가 떠올랐다. 그녀가 수레에서 내려 초교를 향해 걸어오기 시작했다. 사치스러운 황금빛 신발에 핏자국이 묻어도 전혀 신경 쓰지 않는 태도였다. 소녀는 웃으며 한 걸음 한 걸음 계단을 올라와 마침내 초교 앞에 섰다. 시체들을 사이에 두고, 소녀는 초교와 자신의 시위들만 들을 수 있을 정도의 낮은 목소리로 말을 걸었다.

"마음이 아픈 모양이지? 하지만 아직 충분하지 않아!"

말을 마친 소녀는 시위에게서 칼을 건네받더니, 이미 온몸에 상처를 입은 채 초교 앞에 서 있는 철유의 배에 꽂았다!

쿵! 철유가 입에서 선혈을 토해 내며 땅에 쓰러졌다!

"초교, 너는 항상 정의를 추구하지 않았나? 그런데 지금 다른 이가 너 때문에 고통받고 있는 것을 어째서 지켜보고만 있는 거지? 네가 지금 당장 죽으면 나는 이자를 놓아줄 생각인데."

초교는 입술을 다문 채 소녀를 바라보았다. 그런 그녀의 표정은 얼음에 덮인 깊은 바다처럼 고요하고 차갑기만 했다.

소녀가 냉랭하게 웃으며 칼을 휘둘렀다.

"나는 네 가식적인 모습을 그대로 두고 볼 수 없단 말이다!"

머리 위에서 날카로운 바람 소리가 들렸다. 보이는 것은 온통 선혈뿐, 초교는 칼을 꽉 쥐었다. 모든 근육이 전율하고 있었다. 무서워서가 아니라 힘이 빠졌기 때문이었다. 그러나 다음 순간, 초교는 표범처럼 뛰어올랐다!

그러나 소녀는 칼을 진짜로 초교에게 휘두른 것이 아니었다. 초교가 막 뛰어오른 그 순간, 소녀 곁에 있던 시위들이 순식간에 초교를 둘러쌌다. 소녀는 일부러 넘어졌고, 땅에 낭자한 선혈이 밝은 노랑빛 옷에 묻고 머리에 쓰고 있던 금관도 떨어졌다. 소녀는 고개를 들고, 비참한 얼굴로 소리쳤다.

"나는 변당의 태자비다! 그러나 몸을 이미 더럽힌 이상, 죽을 수밖에 없다. 나를 죽여라!"

방금까지 침묵하던 군인들이 다시 한 번 노기가 치밀어 오른 듯 초교에게 달려들었다. 초교는 눈앞에 흔들리는 수많은 칼날을 바라보며, 더 이상 견디지 못하고 쿵 소리를 내며 땅에 쓰러지고 말았다.

만약 나에게 기회가 한 번 더 있다면, 나는 어떻게 할까? 여전히 우유부단하게, 모질지 못하게 굴까? 다시 한 번 내 손으로 호랑이를 산으로 돌려보낼까……?

하지만 안타깝게도, 이 세상에 '만약'이라는 것은 존재하지 않는 법이지…….

정신을 잃는 마지막 순간, 초교는 어렴풋하게나마 철유가 몸을 일으키는 것을 본 것 같았다. 철유는 계속 같은 말을 반복하고 있었다. 태자 전하께서 저에게 아가씨를 지키라 하셨습니다.

바보 같으니라고……. 초교의 눈가에서 눈물이 흘렀다. 그녀는 거대한 장미 광장에 힘없이 쓰러진 채, 다시 한 번 그 동굴 안에서 대성통곡하던 소녀의 얼굴을 떠올렸다.

'너희들을 죽일 거야! 죽일 거라고! 죽일 거야!'

소녀의 외침이 귓가에 들리는 것 같았다. 오늘, 소녀는 정말로 자신의 말을 이룬 셈이었다.

얼마나 잠들어 있었을까. 차가운 물이 쏟아지는 바람에 초교는 눈을 떴다. 조순아가 눈앞에서 아름다운 얼굴로 웃고 있었다.

"철유는?"

초교는 가라앉은 목소리로 물었다. 조순아는 담담하게 웃으며 마치 날씨 이야기라도 하듯 대답했다.

"죽었겠지. 아마 분노한 북대영 병사들에게 조각조각 났을걸. 정말 이상하단 말이야. 예전에 진황성에 있을 때는 변당의 군인들이 너무 허약하다는 이야기만 들었는데, 실제로 보니 소문과는 영 다른 것 같아. 이럴 줄은 몰랐지 뭐야."

초교는 천천히 눈을 감고, 가슴에 치밀어 오르는 슬픔을 간신히 억눌렀다. 그리고 가볍게 고개를 끄덕이며 천천히 말했다.

"언젠가 오늘 저지른 모든 일에 대한 대가를 받을 거야."

"그럴까?"

조순아가 웃기 시작했다.

"하지만 안타깝게도 너는 그날을 볼 수 없겠지."

초교는 조순아를 노려보며, 한 글자 한 글자 단호하게 말했다.

"연순이 나를 위해 복수해 줄 거야."

"내 앞에서 그 이름을 말하지 마!"

조순아가 의자를 걷어차며 사납게 몸을 일으켰다. 그녀는 불길이 이는 듯한 눈초리로 의자에 묶여 있는 초교를 노려보며 외쳤다.

"그 이름을 다시 한 번 입 밖에 내면, 너를 바로 죽여 버리 겠어!"

초교는 무시하듯 조순아를 바라보며 냉담한 미소를 지었다.

"연순이 무서운 모양이지?"

조순아는 차갑고 독기 서린 눈초리로 초교를 바라보았다. 그러나 초교는 두려운 빛 없이, 그저 한 마리 고양이처럼 눈을 가늘게 뜨며 물었다.

"나를 죽인 후 상황을 어떻게 수습할 생각이지?"

조순아가 차갑게 웃었다.

"그건 네가 신경 쓸 필요 없는 문제지. 하지만 나는 미래에 어떤 일이 벌어질지, 너에게 이야기해 줄 마음이 있어. 너는 그 미래를 보지 못할 텐데, 앞으로 내가 할 일을 네가 보지 못한다 면 그건 그거대로 섭섭한 일이니까 말이야."

조순아는 즐거운 듯 이야기를 시작했다.

"변당은 곧 분열될 거야. 이책은 아주 비참하게 죽고, 변당 조정은 거대한 대참사를 맞이하게 되겠지. 변당의 강경파는 곧 깨끗하게 청소당할 거야. 그리고 대하는 이미 연북을 포위하고 있어. 연북은 돈도 양식도 부족한 상황인데 곧 겨울이 닥쳐오 겠지. 연북 사람들이 지치고, 양식이 떨어질 때가 되면 대하군 은 변당군과 함께 연북으로 쳐들어갈 거야. 그때가 되면 연북의 백성들은 생매장당할 거고, 연북군도 전부 섬멸당할 거야. 연북의 토지는 핏물로 물들게 되겠지. 대동회? 연북의 철웅군? 모두 제국의 발아래 꿇어 엎드리게 될 것이다. 대하는 칼을 휘둘러 너희 여북에게 제국을 배반하면 어떤 결말을 맞게 되는지 알려 줄 거야!"

조순아의 붉어진 눈에는 광기가 서려 있었다. 그녀는 초교를 바라보며 계속 말했다.

"그리고 나는 연순을 사로잡을 거야. 그를 내 발아래에 무릎 꿇리고, 울면서 나에게 용서를 빌게 만들 것이다. 나는 연순의 눈알을 파내고, 연순의 다리를 자르고…… 내가 할 수 있는 모든 방법을 다 써서 그를 고통스럽게 할 것이다. 너희가 직접 세운 모든 것을 부술 거라고! 어때, 무섭지 않아?"

초교는 조순아를 바라보며 조용히 물었다.

"당신이 그 모든 것을 해낼 수 있다고 생각해?"

"당연히 가능하지."

조순아가 거만하게 웃으며 말했다.

"당연히 해낼 수 있지! 지금 우리가 어디 있는지 알고 있어? 바로 장미 광장 아래의 창고에 있어. 곧 광장에 장작더미가 도착할 거고, 너는 기둥에 묶여 산 채로 불에 타서 죽게 될 거야. 아, 혹시 이책이 너를 구하러 올 거라는 희망을 품고 있는 것은 아니겠지? 그런 생각은 버리는 게 좋아. 그는 오지 못할 테니까. 이미 누군가가 그의 발을 묶어 두었거든. 만약 연순이 네가 변당 북대영에 의해 산 채로 불에 타 죽었다는 사실을 알게 되면 어떤 반응을 보일까? 연순이 너를 그렇게나 사랑하는데, 당연히 미쳐 버리고 말겠지? 아마 연북군을 이끌고 복수하러 오지 않을까? 내 생각엔 남강의 수로를 따라 변당과 전쟁을 벌이러 올 것 같은데? 그는 자살하고 싶은 심정이 되어, 온 천하의 적이 되기를 자처하지 않을까? 하하!"

조순아는 마치 꿈을 꾸는 듯한 어조로 말했다.

"나는 너희들을 무너뜨리기 위해서라면 어떤 수단이라도 쓸 수 있어. 그래, 어떤 방법이라도 좋으니 너희들을 없애 버리고 말 거야. 그날을 위해서라면 나는 어떤 치욕도, 어떤 괴로움도 다 참아 낼 수 있어. 너희들이 죽어 나가는 그날을 볼 수만 있다면! 너희들은 내 인생을 망쳐 놓았지. 너희들이 나에게 준 것을, 나는 천 배 만 배로 되돌려 줄 거야! 어때, 내가 원망스러워? 그때 나를 구한 것이 후회스럽지? 혹시 후회스러운 나머지 벽에 부딪치고 싶은 마음은 들지 않아? 하지만 지금 그런 마음이 든들 네가 무엇을 할 수 있을까? 너는 그렇게나 선량한 사람이지, 온 천하의 남자들이 모두 너에게 빠져 있고! 하지만 그게 또 뭐라고? 어차피 너는 내 손에 죽을 텐데? 어때? 어째서 이마에서 식은땀을 흘리고 있지? 무서운 거야? 너도 무서워할 줄 아는 사람이었나? 어째서 울지 않는 거지? 어째서 살려 달라고 빌지 않는 거야? 네가 소리 높여 외치면 연북 고원에서 연순이 네 최후의 유언을 들을 수도 있을지도 모르는데! 하하……."

바로 이 순간, 조순아의 말이 갑자기 뚝 멈췄다. 그녀의 눈이 공포에 질리는가 싶더니, 새하얀 손 하나가 재빠르게 조순아의 얼굴을 잡아 가볍게 비틀었다. 달칵, 소리와 함께 조순아의 턱이 빠졌다.

초교는 방금 풀어낸 포승을 버리고 의자에서 일어났다. 조순아가 묶어 둔 방식의 결박이라면, 초교는 손을 뒤로 한 상태에서도 3분이면 한 두름은 풀어낼 수 있었다. 초교는 바닥에 쓰러져 있는 조순아 곁에 천천히 주저앉았다.

"당신 말이 맞아. 지금 나는 아주 후회하고 있거든. 당시 내가 인의를 지킨답시고 당신을 구했던 것을 아주 후회하고 있다는 이야기야. 하지만 나라는 사람은, 잘못을 저질렀다는 것을 깨닫는 그 즉시 바로잡으려고 하는 편이지."

그녀의 안색은 차가웠지만 눈빛은 아주 평온했다. 초교는 조순아의 의복을 풀어헤치며 차갑게 말했다.

"내가 선량한 사람이라니…… 잘못 본 거야. 나는 확실히 사람을 함부로 죽이지는 않아. 하지만 결코 선량한 사람은 아니야. 당신이 나를 위협하는 순간, 나는 결코 손에 자비를 두지 않을 테니까. 당신이 나를 무섭게 만들 수 있다고 생각했어? 겨우 이 정도 수단으로 나와 연순을 어떻게 할 수 있을 거라고 여겼던 거야? 우리를 무너뜨릴 수 있을 거라고? 정말이지 당신은 너무 순진하고, 스스로의 능력조차 제대로 헤아리지 못하고 있어. 온 천하에 우리를 죽이고 싶어 하는 사람들은 그 수를 셀 수도 없을 정도로 많아. 그러니 우리는 당신 하나 정도는 신경 쓰지도 않아. 이 세상에 내 목숨을 가져갈 수 있는 사람이 과연 있을지도 의문이지만, 그런 사람이 있다 해도 당신이 그 사람은 아닐 거야."

조순아는 어쩔 줄 몰라 하며 고함을 지르려 했지만, 입 밖으로는 단 한 마디도 나오지 않았다.

초교는 조순아의 옷을 벗긴 후, 자신의 옷을 그녀에게 입히고는 머리를 흩트려 놓았다. 그리고 조순아 이마 위의 흰 천을 벗기고, 마지막으로 그녀를 보며 한 글자 한 글자 단호하게 말했다.

"조순아, 당신은 쓸모없는 인간이야! 당신은 결코 나를 이기지 못해. 과거에도 그랬고, 지금도 그렇고, 영원히 그럴 거야. 그러니 당신은 나를 건드리지 말았어야 했어. 왜냐하면 당신은 이런 일에는 너무 서투니까. 당신은 아예 자격 미달이었다고!"

말을 마친 초교는 조순아의 얼굴에 주먹을 휘두르기 시작했다.

조순아의 목구멍에서 신음 소리가 한 번, 또 한 번 들려왔다. 초교의 주먹질은 아주 느렸지만 힘은 충분했다. 순식간에 조순아의 얼굴에서 피가 흐르기 시작했고, 곧 본래 얼굴을 알아볼 수 없을 지경이 되었다.

조순아는 비명 소리조차 내지 못하고, 그저 억눌린 듯 헐떡거리고 있을 뿐이었다. 그녀는 마치 싸움에 진 수탉같이 온몸에 힘이 빠진 채 땅에 쓰러져 있었고, 머리카락은 핏물로 얼룩진 얼굴 위로 흩어져 있었다. 그 모습은 마치 물에서 건져 낸 물고기 같아 보였다.

초교는 몸을 일으켜 그 밝은 노랑빛 장포를 제 몸에 걸친 후, 자신의 머리카락도 흐트러트렸다. 그리고 손으로 얼굴을 몇 번 문질러 피를 묻힌 다음, 바닥에 쓰러져 날카로운 소리로 외쳤다.

"여봐라! 거기 누구 없느냐!"

병사 여럿이 즉시 안으로 들어왔다. 초교는 피가 가득 묻은 손으로 얼굴을 가린 채 조순아를 가리키며 날카롭게 소리쳤다.

"감히 본궁을 기습했다! 죽여 버려! 태워 죽여라!"

병사들이 우악스럽게 초교의 피 묻은 옷을 입은 조순아를 잡아끌었다. 조순아의 얼굴은 이미 피로 인해 본래의 얼굴을 분간하기 어려운 데다, 턱마저 빠진 상태라 말도 할 수 없었다. 조순아는 끌려 나가면서 고개를 돌려 초교를 바라보았다. 검은 머리카락 사이로 예리한 시선을 숨기고 있던 초교가 살며시 입술을 벌려 속삭였다.

"배웅은 하지 않겠어."

사람들이 조순아를 끌고 나간 다음, 초교가 큰 소리로 외쳤다.

"본궁이 부상을 입었다. 궁으로 데려가 다오!"

거센 바람이 날카로운 소리를 내며 불어왔다. 검은 구름이 머리를 짓누르고, 나뭇잎들은 바람에 흔들리고 있었다. 장미 광장에 높은 장작더미가 쌓여 있는 것이 보였다. 초교는 마차에 앉아 얼굴을 감싼 채 멀어져 가는 적을 눈으로 살폈다.

하늘이 어둡고, 구름이 낮게 깔려 있어 공기조차 매우 음울하게 느껴졌다. 거센 바람이 나뭇잎이며 돌조각을 말아 올려 땅에서 구르게 하고 있었다. 맹렬하게 흔들리는 나무는 곧 부러질 것만 같았다. 한낮인데도 해는 보이지 않고, 그저 어둑어둑한 빛이 당경을 뒤덮고 있는 것이 곧 억수 같은 비가 쏟아질 것 같았다.

마차는 나는 듯이 달렸다. 마차를 모는 이는 힘껏 말을 채찍질하고, 병사들은 곁에서 말을 달리며 마차를 호위했다. 마차는 성벽을 둘러싼 도로를 따라 빠른 속도로 거대한 황성을 달리고 있었다.

바람에 날리는 모래며 자갈이 마차를 때리며 음산한 소리를 냈다. 초교는 피로 얼룩진 손과 흰 천으로 얼굴을 가린 채, 침착하게 주변의 상황을 살피며 도망갈 기회를 노리고 있었다. 빠른 시간 내에 연순을 찾아야만 했다. 아마 그는 아직 당경성 안으로 들어오지 않았을 것이다. 그가 당경성 안에 있었다면, 오늘 나타나지 않았을 리 없으니.

오늘 있었던 일이 연순의 귀에 들어가면 무슨 일이 벌어질까? 초교로서는 상상조차 할 수 없었다. 조순아는 비록 우둔하지만, 한 가지만은 정확하게 짚어 냈다. 초교와 연순 두 사람은, 서로의 조력자일 뿐 아니라 서로의 약점이기도 했다.

이책은……. 초교는 이책이 이런 일 때문에 무너질 거라고 생각하지 않았다. 그는 아주 영리한 사람이고, 필요한 상황이 닥치면 천하를 바꿀 만한 능력을 보여 줄 것이다.

말발굽 소리가 거리의 고요함을 깨트리고 가을바람이 소슬하게 불어왔다. 모래 먼지가 날리니 거리는 더욱 스산해 보였다.

마차가 내황성으로 들어가기 시작할 무렵, 초교는 결정을 내렸다. 지금 바로 마차에서 내려 도망치지 않는다면 더 이상 좋은 기회를 찾기 어려울 것이다. 초교는 살짝 이를 악물고 손으로 다리에 있는 비수를 확인한 후, 움직이기에 좋은 수간을 조용히 기다렸다.

그러나 바로 이때, 맑은 휘파람 소리가 들려오더니 휙 소리와 함께 날카로운 화살이 날아왔다.

말이 울부짖는 소리가 들렸다. 순식간에 대하의 병사들은 혼란한 상황에 빠졌다. 격한 외침 소리가 끊임없이 들려왔다. 길 양편의 높은 나무 위며 담장 위에 살수들이 보였고, 칼이며 화살들이 번쩍였다. 살수들의 무예에 허술한 부분이라고는 하나도 없었다. 대하의 병사들은 창졸간에 제대로 방어하지 못하고 반수 이상이 상처를 입은 채 말에서 떨어지고 말았다. 3백여로 이루어진 조순아의 친위군이 무너지는 중이었다!

"하늘이 나를 돕는구나!"

초교는 속으로 기뻐했다. 아무래도 조순아에게 원한을 품은 이들이 적지 않은 모양인데, 그들이 바보가 아닌 이상 지금의 기회를 놓칠 리 없었다.

초교는 이 틈을 타서 몰래 도망치기 위해 재빨리 마차에서 뛰어내렸다. 그러나 갑자기 눈앞에 차가운 빛이 번득였다. 복면을 뒤집어쓴 흑의인 두 명이 양옆에서 나타난 것이다. 초교는 이를 악물었다. 이들의 목표가 조순아, 그 재수 없는 공주인 것이 확실했다.

초교는 몸을 비틀어 앞으로 달려 나가 강하게 대항했다.

쿵, 쿵, 초교는 몸을 날려 두 사내의 하반신을 사납게 차올렸다. 귀를 찢을 듯한 비명 소리가, 이 기이할 정도로 조용한 거리에 유난히도 흉악하게 들려왔다. 그러나 초교는 자신의 발길질이 가져온 결과를 감상할 여유도 없이 바로 몸을 빼어 달리기 시작했다. 그녀는 그들이 노리는 이가 자신이 아닌 조순아라는 점을 감안하여 악랄한 수를 쓰지는 않았다. 그러나 그녀의 발길질을 받은 이상, 그들은 이후로 정상적으로 사내구실을 하지 못할 가능성도 있었다. 물론 그것은 초교가 고려할 사항은 아니었다.

살기가 소용돌이치고, 도처에 칼날이 번쩍이고 있었다. 흑의인들은 지독하게도 악랄한 살수를 쓰고 있었는데, 단 한 사람도 살려 두지 않겠다는 각오를 한 것 같았다. 뒤쪽에서 밀려오는 사람들은 거대한 도끼를 들고 있었는데, 살아 있는 사람이 보이면 바로 정면에서 도끼를 휘둘렀다. 그들의 눈이 닿는 곳이면 어디건 핏물과 뇌수가 흘렀다. 정말이지 악독했다!

초교는 눈을 가늘게 뜨고 온몸의 힘을 집중하여 전력으로 도망쳤다. 지금 도망칠 길은 단 하나뿐이었다. 바로 큰길로 나가는 것이었는데, 아무리 저런 자들이라 해도 큰길에서 공공연하게 흉악한 일을 저지를 만큼 대담하지 않으리라는 생각에서였다.

상대방이 초교의 생각을 꿰뚫어 본 것 같았다. 갑자기 뒤에서 검은 그림자 하나가 뛰어올랐다. 그의 움직임은 지극히 빨랐고, 결코 초교보다 하수가 아니었다. 검은 그림자는 순식간에 그녀에게서 대여섯 걸음 떨어진 곳까지 접근해 왔고, 거의 어깨를 나란히 하고 달리게 되었다. 상대는 달리면서 등에서 쇠뇌를 뽑았고, 곧이어 화살이 날아오는 소리가 들렸다!

이 순간, 초교는 흰 천으로 얼굴을 가리고 있는 데다 그나마 드러난 얼굴도 핏물이 말라붙어 있었다. 또한 머리카락도 엉망으로 흘러내려 마치 미친 사람 같아 보였다. 그러나 이 모든 것은 그녀의 움직임과 시력에 장애가 되지는 않았다. 초교는 상대의 활이 자신의 다리로 날아오는 것을 보고, 재빨리 한 손으로 옆에 있는 담장의 돌출된 부분을 잡고 뛰어올랐다.

화살은 소리 내며 담장에 부딪치더니 순식간에 부러졌다. 상대의 힘이 얼마나 센지 그것만 보아도 충분히 알 수 있었다.

대단한데! 초교는 눈을 가늘게 뜨고, 상대방이 낙심하지 않고 다음 화살을 메기는 것을 지켜보았다.

그러나 계속 저자가 원하는 대로 하게 둘 수는 없지. 초교는 차갑게 코웃음 치며, 품 안에서 무엇인가를 한 줌 꺼내며 소리쳤다.

"암기!"

북대영과 대결했던 것만으로도 초교는 이미 약해질 대로 약해져 있는 상태였고, 온몸에 힘이 하나도 없었다. 그러나 위기가 다가오자 마지막까지 숨어 있던 능력이 폭발하고 있었다. 목소리도 이미 쉴 대로 쉬어 본래의 목소리가 나오지 않았지만, 이렇게 생사가 걸린 순간이 되니 상대가 들을 수 있을 정도로는 외칠 수 있었다.

상대의 반응은 극도로 재빨랐다. 그는 기묘하게 몸을 틀어 피했다. 그러나 아무리 살펴보아도 그에게 날아오는 암기는 없었다. 그가 고개를 들어 보니 초교는 이미 멀리 도망친 다음이었다. 그는 차갑게 코웃음 치며 다시 한 번 초교를 추격하기 시작했다.

이곳은 외진 곳이라 전부 골목길뿐이었다. 초교는 뒤에서 그림자가 따라붙고 있는지 살필 여유도 없이, 길도 고르지 못하고 계속 골목길을 돌아다닐 뿐이었다. 그러나 너무 빨랐다. 초교는 무엇인가 이상하다는 생각이 들기 시작했다.

상대방의 반응이 정말이지 너무 빨랐다. 그녀가 속도를 올리면 상대도 속도를 올렸다. 그녀가 느려지면 그도 느려졌다. 그녀가 골목을 돌면, 상대는 심지어 단 한 순간도 머뭇거리지 않았다. 그들의 걸음걸이도, 속도도, 동작도 모두 일치했다. 상대는 마치 초교의 그림자처럼 따라붙었다. 게다가 처음부터 끝까지, 상대는 단 한 마디도 입 밖으로 내뱉지 않았다!

조순아, 이 바보가 대체 어떤 자를 끌어들인 거지?

초교는 화가 나서 죽을 지경이었다. 마음이 급해진 순간, 커다란 용수나무 한 그루가 길을 막고 있는 것이 보였다. 초교는 눈을 가늘게 뜨며 재빨리 나무를 향해 달려간 후, 재빨리 발을 멈추고 몸을 틀어 용수나무 한쪽으로 몸을 숨겼다.

일반적인 상황에서라면, 아무 준비 없이 그렇게 갑자기 멈추는 것은 불가능했다. 상대의 움직임이 아무리 민첩하다 해도 그가 멈추기 위해서는 반드시 초교보다 한 걸음 더 나아간 상태여야 했다. 초교는 그렇게 생각하며 손에 비수를 꺼내 들고 있었다.

그러나 이 순간, 날카로운 위기감이 마음에 휘몰아쳤다. 초교는 조금도 머뭇거리지 않고 바로 몸을 굽혔다. 그와 동시에 용수나무의 다른 한편에서 검날이 그녀의 머리를 스쳐 왔다. 심지어 머리카락 몇 올이 베여 양쪽으로 떨어질 정도였다!

초교는 욕설이라도 퍼붓고 싶은 심정이었다. 상대방은 뜻밖에도 그녀가 이런 초식을 쓸 것을 미리 계산하고 있었던 것 같았다. 속도며 보법 등이 모두 제대로 들어맞았다. 그녀가 몰래 상대를 기다리고 있던 때에, 이미 상대는 그 뒤의 일까지 계산해 놓은 상태였던 것이다! 정말이지 답답해 죽을 지경이었다!

전광석화의 순간, 초교는 이미 모든 전투력을 발동하기 시작했다. 자세를 조절하고, 즉시 전투를 위한 모든 준비를 마쳤다. 저자를 제거하지 못한다면, 그야말로 자신을 가르친 현대의 교관에게 미안한 일이 아니겠는가.

그러나 바로 이 순간, 머리 위에서 날카로운 소리가 들렸다. 아주 흉흉한 기세의 바람 소리가 섞여 있었다. 초교가 무슨 일인지 반응하기도 전에 갑자기 등에 고통이 찾아왔다. 무엇인가가 죽어라고 그녀를 억누르고 있었고, 격렬한 통증 때문에 그녀는 거의 피를 토할 것만 같았다!

그러나 그 다음에 발생한 모든 일이 정말로 그녀로 하여금 피를 토하게 했다.

울먹이는 소리가 들려왔다. 예닐곱 살쯤 돼 보이는 아이가 초교의 등에 타고 있었다. 놀라서 얼굴이 울긋불긋해진 아이가 큰 소리로 울고 있었다!

본래 초교와 상대가 이곳으로 오기 전, 아이는 이 나무 위에서 놀고 있었던 것이다. 나무 위에 아이가 숨어 있다는 것조차 눈치채지 못했다니, 이래서야 군사정보처의 지휘관 출신이라고 하기 민망할 지경이었다.

그들이 다투는 동안, 아이는 놀란 나머지 손을 떨다가 그만 아래로 떨어져 초교의 몸에 부딪치고 만 것이었다. 사람으로 하여금 이보다 더 피를 토하게 만들 만한 일이 있을 수 있을까?

초교가 한 손으로 아이를 밀어 버리고 요행을 바라는 마음으로 반격하려 했을 때, 상대의 검은 이미 그녀의 목을 겨누고 있었다.

재빠른 발걸음 소리가 다가왔고, 그녀는 곧 포위당했다. 칼날 여럿이 그녀를 겨누고 있었다. 초교는 사납게 고개를 들고, 여전히 울고 있는 아이를 노려보았다. 그때 뒤에서 누군가가 말하는 것이 들렸다.

"공주의 무예가 이 정도일 줄은 몰랐습니다."

다른 사람이 말을 받았다.

"조씨는 기마와 궁술로 일어난 가문 아닌가. 무예를 할 줄 아는 거야 이상할 것도 없지. 하지만 공주의 무예가 이렇게 뛰어날 줄은 나도 몰랐군."

저들이 조순아를 뭐라고 부르는 거지? 공주? 그럼 대하 사람들인가?

먼 곳에서 말이 한 필 달려왔다. 얼굴을 검은 천으로 감싸고 있던 남자가 말에서 뛰어내리며 말했다.

"수하들이 시간을 끌고 있으니, 아직 시간이 있습니다."

초교와 대적하던 흑의인이 고개를 끄덕이며 곁에 있던 이에게 말했다.

"저 여인을 끌어내라. 광장으로 가자."

한 흑의인이 초교를 잡으며 말했다.

"무기를 내려놔."

이런 상황에서는 고개를 숙이고 말을 듣지 않을 수 없었다. 초교는 소리 나게 비수를 내던졌다. 그녀는 이 내력이 불분명한 자들에게 자신의 신분을 밝히고, 조순아가 아니라고 말하면 어떨까 고민했다. 그때, 그 무예가 고강한 흑의인이 초교 앞으로 다가오더니 긴 손가락을 내밀어 그녀의 턱을 잡았다.

초교는 차갑게 코웃음 치며, 재빨리 고개를 돌려 남자의 손을 사납게 깨물었다!

살이 찢어지는 소리가 들린 것도 같았다. 남자의 상처에서 선혈이 흐르기 시작했다. 초교는 희고 수척한 얼굴에 눈을 크게 뜨고, 턱에 핏줄기를 흘리며 사납게 남자를 노려보았다. 마치 결코 굴복할 마음이 없는 늑대처럼.

"아!"

맑은 외침 소리가 들렸다. 그러나 그 외침은 초교의 겁 없는 행동에 대한 반응이 아니었다. 남자는 마치 그 자리에 굳어 버린 것처럼 초교를 바라보며, 그녀가 자신을 물도록 내버려 두고 있었다. 그는 아무 말도 하지 않고 움직이지도 않았다. 남자는 머리에 검은 두건을 두르고 있었기 때문에 두 눈만 내보이고 있었다. 그리고 지금 그 눈에는, 뜻밖에도 웃음기가 퍼지고 있었다.

초교 역시 멍하니 굳어 버리고 말았다. 너무나 익숙한 눈이었다. 그녀는 마치 바보가 된 것처럼 천천히 입을 벌리고, 물끄러미 그를 바라볼 뿐이었다.

"하하!"

남자는 갑자기 큰 소리로 웃으며 두건을 벗고 초교를 일으켜 세웠다. 그리고 두 팔을 벌려 그녀를 제 품에 단단하게 끌어안았다.

"네가 그렇게 쉽게 죽을 리는 없다고 생각했지!"

제갈월은 마치 아이처럼 큰 소리로 웃었다. 그의 눈빛에는 기쁨이 가득했다. 얼굴은 조금 창백했고, 턱에는 수염도 푸르게 조금 자라 있었지만, 그는 그저 초교를 단단히 끌어안을 뿐이었다. 마치 그녀를 자신의 몸 안으로 녹여 넣고 싶은 듯이!

초교는 그의 가슴에 머리를 기댔다. 단단한 가슴 근육을 통해 그의 힘찬 심장 박동을 느낄 수 있었다. 예전에 발생했던 모든 일이 떠오르며, 초교의 시선이 갑자기 아련해졌다. 죽음에서 도망친 직후이기 때문일까. 무어라 표현하기 어려운 감정이 가슴 안에서 마구 소용돌이치고 있었다. 초교는 평소의 상태를 잃고, 그저 그의 품에 머리를 묻고 눈물이 마음껏 흐르도록 내

버려 두었다.

광장은 쥐 죽은 듯 고요했다. 때때로 바람이 깃발을 펄럭이는 소리만이 들릴 뿐이었다.

모든 이들이 고개를 들고 장미 광장을 바라보고 있었다. 300년 전, 사람들은 이 광장에 처음으로 높은 대를 세우고 제국의 반역자 하란야를 불태워 죽였다.

당시 하란야는 홍천 고원의 최고 장관이었다. 그는 홍천 고원을 조씨 일족에게 빼앗기는 것을 수수방관하며 제대로 반격하지 않았다. 심지어 조씨의 병사들이 진황을 공격해 오자 성을 버리고, 일가를 이끌고 밤을 새워 도망쳤다. 그는 대당의 북방 경계선을 포기했으며, 만 리가 넘는 국토를 버리고 말았다. 그 결과 대당은 변술 평원으로 물러설 수밖에 없었다. 대륙의 유일한 통치자였던 대당은 역사 속으로 사라지고, 하와 송, 두 나라의 위협을 받아 나라의 이름을 변당으로 바꾸어야 했다. 이것은 역사상 최대의 치욕으로 기록되었다.

그 후로 장미 광장의 동작대는 악인을 처형하는 장소가 되었다. 그리고 지금 이 순간, 피로 얼룩진 여자가 동작대 위에 묶여 있었다. 옷은 갈기갈기 찢어지고, 검은 머리는 바람에 춤을 추고 있었으며, 본래의 얼굴은 이미 알아볼 수 없을 지경이었다.

그녀의 발아래에는 장작이 수북이 쌓여 있고, 병사 하나가 횃불을 든 채 곁에 서 있었다. 이미 시간이 꽤 흐른 다음이었다. 방금 누군가가 그녀를 구하려고 시도하는 바람에 소규모의 소동이 있었다. 그녀를 구하려 했던 이들은 겉보기에는 보통 백성들처럼 보였지만, 예리한 안목을 지닌 이라면 그들 모두 병기를 숨기고 있다는 사실을 알아챌 수 있었다.

광장은 점점 더 떠들썩해졌다. 수많은 사람들이 팔을 휘두르며 고함을 지르고 있었다. 조순아는 힘없이 눈을 떴다. 몇 번이나 발버둥치고 비명을 질렀지만 따귀만 돌아올 뿐이었다. 못이 잔뜩 박인 병사들의 손은 거칠고 우악스러웠고, 따귀는 너무나 아팠다.

턱이 탈구된 상태였기 때문에 조순아는 단 한 마디도 할 수 없었다. 그녀의 눈썹에도 피가 뭉쳐 있어, 온 세상이 핏물에 얼룩진 것처럼 보였다. 아래를 내려다보니 온통 낯선 얼굴투성이였다. 모두가 격분한 표정이었다. 조순아는 갑자기 두려움에 온몸을 떨기 시작했다.

나…… 이대로 죽는 건가? 불에 타서?

갑자기 벼락이라도 치듯 이름 하나가 머릿속에 떠올랐다. 그 이름을 가진 여자의 맹렬한 눈빛이, 그 여자의 차가운 말이, 그녀의 무시하는 듯한 표정이 마치 거대한 불길처럼 조순아의 마음을 태우기 시작했다.

초교!

초교…… 초교!

조순아의 얼굴이 점차 일그러지기 시작했다. 천지를 훼멸시켜도 부족할, 이 세상 모든 것을 부술 것 같은 원한이 하늘에서 황천까지 가득 채우고 있었다.

초교, 내가 사랑하던 사람을 데려간 여자, 내 행복을 빼앗은 여자. 내 나라를 전복시키고, 내 존엄을 범하고, 나로 하여금 도처를 떠돌아다니게 만든 여자. 나를…… 그 비천하고 더러운, 그 구역질이 나오는 천민들에게 능욕당하게 한 여자!

그리고 지금, 나는 그녀 때문에 이곳에서 죽는다!

……결코 너를 놓아주지 않겠다!

귀신이 되어서라도, 18층 지옥에 떨어지는 한이 있더라도, 나는 결코 너를 그대로 두지 않을 것이다!

조순아는 악귀라도 된 것처럼 이를 악물었다. 반드시, 반드시 죽일 것이다. 죽일 거야. 반드시!

"집행하라!"

외침이 들렸다. 그러나 바로 이 순간, 사람들 틈에서 갑자기 다시 한바탕 소란이 일었다. 방금 소동을 벌였던 이들이었다!

조순아의 마음 깊은 곳에 갑자기 삶에 대한 욕망이 치밀어 올라왔다. 아래를 바라보는 그녀의 눈길은 활활 타오르고 있었다. 그러나 그 순간 기묘한 생각이 떠올랐다.

지금 소동을 벌이는 자들은 초교를 구하려는 자들이 아닌가!

조순아는 차라리 자신이 죽더라도, 그 누구도 구하러 오지 않기를 바라고 있었다. 그렇게 생각하는 스스로가 변태 같다고 생각하면서, 조순아는 냉소했다. 자조로 가득 찬 그녀의 웃음소리는 마치 올빼미의 울음소리 같았다. 하지만 그렇잖은가. 그녀가 오늘 살아난다면 초교 덕분에 살아나게 되는 것이 아닌가.

대 아래에 있던 이들은 조순아가 웃는 것을 보고 그녀가 이미 미쳤다고 생각하며 손가락질했다.

거센 바람이 불어오며, 모든 소리를 전부 다 멀리로 가져가 버렸다. 중앙대가는 사람들로 가득 차 있었다. 누군가가 일부러 이곳을 혼란하게 만들어 바깥에 있는 이들이 들어오지 못하게 하려는 것 같았다.

사도옥은 혼란한 중앙대가를 바라보며 미간을 찌푸렸다. 젊은 연북의 전사 10여 명이 그에게 빠른 속도로 달려왔다. 좌정릉이 나지막하게 말했다.

"사도 소장, 북대영의 인원이 너무 많습니다. 우리로서는 도저히 들어갈 수 없어요. 들어간다 해도 아가씨를 구출할 방법이 없습니다."

백하가 미간을 찌푸리며 말했다.

"일단 주군께 비둘기를 보냈습니다."

"지금으로서는 주군께 알린들 이미 늦었다."

사도옥이 나지막하게 말했다.

"지금 시간을 끌고 있는 자들이 누구인지는 확실하게 조사했나?"

좌정릉이 말했다.

"그들의 움직임이 너무 비밀스러워 확실하게 조사하지는 못했습니다. 그러나 제가 보기에, 지금 여기에서 아가씨께 구원의 손길을 보낼 수 있는 이라면 제갈가의 넷째 도련님 아니면 변당의 태자겠지요."

"분명 제갈가의 사람들일 것이다."

사도옥이 고개를 끄덕였다.

"변당의 태자는 중앙대가 밖에 있으니까."

"그럼 이제 우리는 어떻게 하면 좋겠습니까? 제갈가의 사람들이 시간을 끈다 해도, 북대영이 분명 행동을 시작할 텐데."

"저들만 바라보고 있을 수는 없지."

사도옥은 고개를 흔들며 중앙대가를 가리켰다.

"저기로 가자."

"중앙대가로 말씀입니까?"

"그래!"

사도옥이 고개를 끄덕였다.

"변당의 태자를 위해 길을 열어 주는 거다!"

그러나 연북의 전사들이 혼란한 인파 속으로 들어갔을 때, 갑자기 누군가가 놀란 나머지 큰 소리로 비명을 질렀다. 모든 이들이 그 비명 소리를 따라 고개를 들었고, 곧 모두의 얼굴에 불가사의한 것을 본 듯한 경악의 표정이 나타났다!

어두운 구름 아래, 높은 지붕 위로 설백의 준마가 나는 듯이 달리고 있었다. 말은 평지를 달리는 것처럼 지붕과 지붕 사이를 뛰어다녔고, 말 위에 앉은 남자는 마치 그림에서 빠져나온 듯, 보통 사람과는 다른 아름다움을 흩뿌리고 있었다.

설백의 준마는 천리마로, 발을 면포로 감싸고 있었지만, 말발굽을 디딘 곳마다 기왓장이 부서지며 사방으로 먼지가 피어올랐다. 희디흰 먼지 속 남자의 모습은 마치 사람이 아닌 귀신처럼 보이기도 했다.

몇 번 뛰어오르던 말이 갑자기 앞다리를 들더니 길게 울부짖으며 광장으로 뛰어내렸다. 사람들은 이구동성으로 비명을 질렀고, 광장을 포위하고 있던 북대영 수천 병사들이 서둘러 앞으로 달려 나와, 홀로 말을 달려온 남자를 향해 창을 겨눴다!

"감히 나를 막는 것이냐?"

남자가 가볍게 눈썹 끝을 치켜세웠다. 남자는 얼음처럼 차가운 눈길로 모든 이들을 하나하나 훑기 시작했다.

"태…… 태자 전하……."

인파 속에서 누군가가 떨면서 외쳤다. 그 말을 들은 모든 이들이 대경실색했다. 창을 들고 있던 병사들도 놀란 나머지 손을 떨면서, 모두 창을 버리고 땅에 무릎을 꿇었다.

"태자 전하!"

"태자 전하시다!"

"전하께서 오셨다!"

거대한 고함이 일어났다. 북대영의 병사들이 아무리 대담하다 해도, 태자와 정면으로 충돌할 수는 없었다. 그들의 심리적 방어선은 단숨에 무너져 내렸고, 모두 순한 양이라도 된 것처럼 이책의 발아래 엎드렸다. 방금 전까지만 해도 정의를 외치던 이들도 마침내 두려움으로 몸을 움츠리고 있었다. 다들 제 머리를 땅에 묻을 수 있다면 그대로 묻을 태세였다!

이책은 더 이상 이들에게 눈길을 주지 않고, 냉담한 표정으로 천천히 동작대 위로 올라갔다.

조순아의 수하 하나가 모든 계획이 무너지려는 것을 보고 이책을 막으려 했다. 그러나 그가 한마디 내뱉기도 전에, 한 줄기 은빛 광선이 그 남자의 목을 그었다. 이책의 움직임을 본 사람도 없건만, 이책이 그 남자 곁을 지나치는 순간 남자는 눈을 크게 뜬 채 바닥에 쓰러졌고, 쿵 소리와 함께 거대한 먼지가 일어났다.

이책은 천천히 새하얀 비단 수건을 꺼내 피가 묻은 손을 닦은 후 바닥에 내던졌다. 붉은빛이 점점이 묻은 새하얀 비단 수건이 바람을 따라 공중에서 격렬하게 펄럭였다.

누구도 감히 말을 하지 못했다. 고개를 드는 자도 없었다. 모두 숨소리조차 죽이고 있었다.

언제나 우매하고 여색에 빠져 있던, 제멋대로 방자하게 굴던 태자였다. 그런 그가 갑자기 사람들이 주시하는 가운데 빛을 발하기 시작한 것이다. 이책의 눈빛에는 벽력같은 분노가 숨어 있었다. 그의 몸에서 피어오르는 살기는, 근 100리 내의 야수들 모두 도망치게 만들 만한 것이었다. 아무리 사납고 고집스러운 북대영의 병사들이라 해도 이러한 이책에게 대항할 용기는 없었다.

"모두 비켜라!"

중앙대가의 도로가 마침내 정리되었고, 이책의 수하들이 물밀 듯이 광장으로 들어왔다. 그들 모두 손에 칼을 쥐고 있었고, 표정은 흉악했다. 그들을 한번 보는 것만으로도 보통 사람이라면 등줄기가 쭈뼛해질 정도였다.

이들은, 온 대륙에 이름을 떨치고 있는 '제일건달병'들이었다. 이름은 위풍당당했지만, 기루에서 싸우면 북대영 병사들에게도 번번이 지고 마는, 이책의 개인 군대인 낭병이었다. 그러나 지금 이 순간, 그들의 표정은 엄숙했고 군용은 가지런했다. 그들의 손에 들린 칼은 날카롭게 빛났고, 결연한 표정으로 인파를 뚫고 들어왔다.

이책은 동작대 위에 햇불을 들고 있던 북대영의 병사를 노려보며 차갑게 말했다.

"꺼져라!"

그자는 너무 놀란 나머지 발에 힘이 풀려 정말로 동작대를 따라 굴러떨어지고 말았다.

"미안하다. 내가 늦었지."

거센 바람이 불어왔다. 이책의 얼굴에는 무어라 표현할 수 없는 미안함이 서려 있었다. 그는 미간을 꽉 찌푸린 채, 피로 얼룩져 이미 본래의 얼굴조차 알아볼 수 없는 여자를 물끄러미 바라보았다. 이책의 심장도 마치 누군가에게 능지처참을 당하고 있는 것처럼, 피를 흘리고 있었다.

이책은 여자의 결박을 풀어 준 후 그녀를 품에 안아 올렸다.

조순아는 핏물과 산발한 머리카락 사이로 눈을 크게 뜨고 이책을 바라보았다. 죽을 지경에서 살아난 기쁨이 순간적으로 그녀의 마음을 덮쳐 왔다.

이 사람이, 내가 시집을 가려던 그 사람인가?

그녀는 순간 혼란스러운 나머지 제대로 생각할 수 없었다.

죽을 것이라 생각했는데 지금, 그녀가 시집가려던 사람이 그녀를 구하러 왔다. 그녀의 눈에서 갑자기 눈물이 터져 나왔다. 조순아는 슬프게 울기 시작했다.

이책은 연군을 군힌 채 그녀를 안아 들고 대 아래로 내려가기 시작했다.

조순아는 마침내 속박에서 벗어나 자유를 얻은 셈이었다. 그녀는 마치 상처 입은 작은 짐승처럼 이책의 허리를 꽉 끌어안고 몸을 덜덜 떨고 있었다.

그러나 다음 순간, 여인에 정통한 남자는 발걸음을 멈췄다. 이책은 잠시 당황한 눈빛으로 조순아를 내려다보더니, 곧 쭈그리고 앉아 그녀를 반쯤 내려놓았다. 그리고 가볍게 그녀의 새까만 머리카락을 헤쳐 보았다. 그러나 조순아의 얼굴에는 피가 가득 엉겨 붙어 있어 원래의 모습을 알아볼 수 없었다.

이책은 누군가를 놀라게 할까 두려운 듯, 삼월의 호수처럼 부드러운 목소리로 물었다.

"너는 누구냐?"

조순아는 웅얼거리는 소리만 낼 뿐 제대로 말을 할 수 없었다. 이책은 그제야 그녀의 턱이 탈구된 것을 발견했다. 그가 무슨 수법을 썼는지는 알 수 없었지만, 달각 하는 소리가 들리더니 조순아의 턱이 즉시 제자리를 찾았다. 조순아의 마음 깊은 곳에서 슬픔이 배어 나왔다. 그녀는 울면서 말했다.

"나는 대하의 팔공주예요. 나는 조순아예요."

이책은 잠시 얼이 빠진 듯 몸을 굳히더니, 고개를 들어 대

아래를 내려다보았다. 자신의 병사들은 북대영과 대치 중이었고, 그들 중 누군가는 이미 손을 쓸 준비를 하고 있었다. 백성들은 땅에 엎드린 채 덜덜 떨면서 대경실색한 표정으로 이책을 바라보고 있었다. 하늘에는 검은 구름이 가득했고, 도처에 거센 바람이 불고 있었다.

이책이 갑자기 웃기 시작했다. 그 웃음소리는 너무나 따뜻하게 들렸다. 이책은 고개를 숙여 조순아를 바라보며, 조순아로서는 알아들을 수 없는 말을 중얼거렸다.

"이제 알겠다. 누가 그녀를 괴롭힌 것인지!"

쿵 소리가 났다. 변당의 태자는 자신이 귀한 공주를 안고 있었다는 사실을 잊은 것처럼, 조순아를 마치 물건이라도 되는 것처럼 땅에 떨어뜨리고는 몸을 일으켰다. 그는 심지어 조순아의 몸을 넘어 성큼성큼, 대치 중인 군대 사이로 뛰어갔다. 그리고 과장되게 팔을 휘두르며 북대영의 병사들에게 외쳤다.

"자자, 흥분을 가라앉히라고. 모두 냉정해지도록."

눈 깜빡할 사이에, 그는 다시 그 제멋대로 구는 우매한 태자로 변했다. 그는 병사들 앞에 서서 건들거리며 웃기 시작했다.

"너희들이 여기서 재미있는 일을 벌이고 있다는 말을 듣고 구경하러 왔지. 겸사겸사 저들도 같이 데려왔고 말이야. 우리에게는 신경 쓰지 말고 하던 것을 계속해, 계속!"

이책 뒤에 있는 5만 낭병은 주인의 표정이 변한 것을 보자 자신들도 긴장을 풀고 평소의 모습으로 되돌아갔다. 그들은 건들거리며 어깨동무했다. 이제 그들에게서 군대의 대형이라고 할 만한 것은 보이지 않았고, 방금 모두가 보았던 강인한 병사들의 모습은 환각이라는 생각이 들 정도였다.

낭병들은 즐거운 듯 앞으로 나와 북대영 병사들의 어깨를 치고 눈을 껌뻑였다.

"왜 그래? 형제들, 방금 우리가 제법 괜찮아 보였지? 몇 달이나 연습했다고. 하하, 어땠어?"

광장은 시끌벅적해졌고, 병사들이 다시 바닥에 쓰러져 있는 조순아에게 달려왔다. 조순아는 슬프고 분한 마음에 고개를 들고 외쳤다.

"나는 대하의 공주다!"

대하의 관리들이 공주의 목소리를 듣고 깜짝 놀라 즉시 위로 달려왔다. 잠시 후, 광장 전체에 큰 소란이 일어났다.

대하의 관원들이 우르르 달려들어 조순아를 부축했다. 겹겹이 싸인 인파 사이로, 이책이 병사들과 즐거운 듯 파안대소하고 있는 것이 보였다. 전혀 태자답지 않은 모양새였다.

조순아는 이책이 보여 준 행동이며 그 말들을 생각했다. 모든 것이 날카로운 화살이 되어 그녀의 가슴에 와 박혔다. 조순아는 수하가 가져온 담요에 싸인 채로, 새하얀 이를 드러내어 아랫입술을 피가 나도록 깨물었다.

초교, 초교, 내가 어찌 너를 증오하지 않을 수 있을까?

가슴속 가득한 슬픈 분노가 조순아를 무너뜨리고 있었다. 눈물은 이미 모두 말라 버린 듯 나오지 않았다. 조순아는 천천히 고개를 들어 하늘 위 검은 구름을 바라보았다. 소리치고 싶었으나 목소리를 낼 힘조차 없었다.

"맹세한다. 이 생에 반드시 네가 모든 이에게 버림받는 것을 보고야 말 것이다. 네가 아무것도 가진 것 없이, 비참하게 죽어가는 모습을 반드시 볼 것이다. 만약 이 맹세를 지키지 않는다면, 나, 사람이 아닐 것이다!"

거친 바람이 날카로운 소리를 내며 불어왔다. 오늘의 이 희극도 천천히 막을 내리고 있었다.

제16장 이 마음도 모두 지나면

이책이 온 성에 사람을 풀어 비밀리에 초교를 찾고 있을 때, 초교는 사실 그에게서 멀지 않은 곳에 있었다. 바로 손체가 있는 상서부에서 3백 걸음도 떨어지지 않은 곳이었다.

별원 안은 매우 조용하고 어두웠다. 물처럼 차가운 밤, 달빛은 유난히도 밝았다. 강남 특유의 건축 양식으로 지어진 정원에 해당화가 흐드러지게 피어 있고, 살짝 열린 창밖으로는 대나무가 보였다. 제갈월은 서탁 앞에 앉아 무엇인가를 쓴 후 잘 봉해서 곁에 서 있던 월칠에게 건넸다. 그러더니 담담한 눈빛으로 월칠을 바라보며 말했다.

"내 명에 다른 의견이 있는 자가 있다고? 들라 하라."

월칠은 창백한 안색으로 아무 말도 하지 않았다. 제갈월의 뜻은 명백했다. 누구든 들어오면 죽을 것이다.

제갈월은 고개를 숙이고 있어 표정이 보이지 않았다. 그저 담백한 목소리만이 들릴 뿐이었다.

"나가라."

월칠은 대사면이라도 받은 듯 서둘러 문을 열고 물러갔다.

얼마 지나지 않아 부스럭거리는 소리가 들려왔다. 제갈월은 붓을 내려놓고 고개를 돌렸다. 초교가 내실로 이어지는 둥근 문가에서 문틀을 잡고 서 있었다. 남성용의 흰 장포를 걸치고 있는 탓인지 더욱 수척해 보였고, 얼굴은 여전히 창백했으며, 머리카락은 제멋대로 흘러내리고 있었다. 그녀는 말없이 제갈월을 바라보았다.

"깼군."

제갈월이 손가락으로 내실을 가리켰다.

"저쪽에 음식을 데워 났으니 좀 먹도록 해."

그러나 초교는 움직이지 않았다. 제갈월이 미간을 가볍게 찡그리며 말했다.

"네 병세는 아직 좋지 않아. 식사할 생각이 없으면 돌아가 눕든지."

초교는 여전히 움직이지 않았다. 창에 하늘빛 잠자리 날개 같은 휘장이 구름처럼 넘실거리고 있었는데, 가을로 접어드는 이 시기에는 더욱 스산해 보였다. 바람이 나뭇잎 사이로 불어오는 소리는 마치 부슬부슬 비가 내리는 소리 같았다. 초교는 물끄러미 제갈월을 바라보며 한 마디도 하지 않았다.

제갈월이 몸을 일으켜 내실로 걸어가 그녀의 손목을 잡았다. 그녀의 손목은 마른 나머지 한 손에도 차지 않았다. 그는 미간을 찌푸리며 초교를 끌고 안으로 들어갔다.

"제갈월."

그녀가 작은 소리로 불렀다. 그 목소리에는 심지어 애걸하는 기색마저 어려 있었다.

제갈월은 바로 발을 멈췄으나 고개를 돌리지 않았다. 그의 등 뒤에서 초교의 목소리가 천천히 들려왔다.

"난 가야 해."

밤바람이 불어와 그녀가 입은 옷을 펄럭였다. 그녀는 키가 큰 편이었지만, 제갈월의 옷을 입으니 역시 옷이 너무 컸다. 제갈월은 여전히 초교의 말을 무시하며 말했다.

"지금 바깥바람이 아주 세다. 여기에는 여자가 없어서, 일단은 내 옷을 너에게 입혔어."

"제갈월, 정말로 가야 해."

제갈월은 그녀의 말을 전혀 신경 쓰지 않는 것처럼 몸을 돌렸다.

"의사가 주고 간 약은 다 마셨어? 열이 내리지 않은 것 같으니 좀 더 누워 있도록 해."

"제갈월, 나는 정말⋯⋯."

"음식이 마음에 들지 않으면 이야기하고. 다시 만들어 오라고 할 테니."

"내 말을 들어 줘⋯⋯."

"당경에 온 후로 시간이 꽤 흘렀는데, 밖에 나가 본 적은 있어? 바깥에 물건이 괜찮은 곳이 좀 있던데, 사람을 시켜 사 오게 하지."

"제갈월, 내 말을 들어 줘."

초교가 제갈월을 잡아끌며 간절하게 말했다.

"구해 준 것은 정말 고마워. 하지만 나는 지금 당장 돌아가야 해. 반드시 연순을 찾아야 해⋯⋯. 우리 연북의 정세는 아직 안정되지 않았고, 나는 어서 돌아가야 해. 나는⋯⋯."

말이 끝나기도 전에 제갈월은 그녀의 손을 떼어 내고 몸을 돌려 떠나려 했다. 초교가 깜짝 놀라 그를 잡아끌며 큰 소리로 외쳤다.

"제갈월, 나는⋯⋯."

"제갈월, 제갈월! 그만 좀 해. 내가 너에게 빚이라도 졌나? 꼭 그렇게 불러야겠어?"

제갈월은 갑자기 몸을 돌리더니 날카로운 눈썹을 세웠다. 입술은 붉고 눈빛은 별처럼 반짝이고 있었다. 그는 노한 소리로 외쳤다.

"너와 연순, 너희 연북, 네 머릿속에는 전부 다른 사람뿐이군. 그 머릿속에 너 자신을 담아 본 적은 있나? 나를 담아 본 적은 있고?"

초교는 갑자기 얼이 빠지고 말았다. 제갈월이 사납게 그녀를 노려보고 있었다. 그의 눈에 마치 불길이 일고 있는 것 같았다. 그들은 그렇게 잠시 서로를 바라보았다. 계속 숨겨 두고 있던 무엇인가가 순식간에 얼음을 깨고 빙산의 일각이나마 보여 주고 있는 것 같았다. 그들 사이의 분위기가 차가워지고, 두 사람의 호흡마저 무거워졌다. 그러나 그 누구도 먼저 입을 열지 못하고 있었다.

한참 후, 초교는 화제를 바꾸기 위해 작은 소리로 속삭였다.

"당신을 제갈월이라고 부르지 않으면 뭐라고 부르지? 제갈 넷째 도련님? 제갈? 월?"

말을 마친 초교는 갑자기 몸서리를 쳤다. 그녀는 자신도 모르게 소름이라도 돋은 것처럼 팔을 만졌다.

"설마 오라버니라고 부르라는 것은 아니겠지?"

제갈월은 그녀에게서 눈길을 피하고 밖으로 나갔다. 마치 어떻게든 이 자리를 떠나고자 하는 듯한 태도였다.

초교는 서둘러 그를 쫓아가다가 부주의하게 탁자보를 잡아당기고 말았다. 탁자 위에 있던 그릇이 떨어지면서 그 안에 들어 있던 탕이 그녀의 몸에 쏟아졌다.

초교가 신음 소리를 내며 두툼한 양탄자 위에 쓰러졌다. 제갈월이 재빨리 몸을 돌려 그 굴러다니는 그릇들을 치웠다. 초교의 팔은 이미 발갛게 부어오르고 있었지만, 아무 소리도 내지 않고 참고 있었다.

제갈월은 마치 사람이라도 죽일 것 같은 표정으로 그녀를 안아 올리더니 성큼성큼 방 밖으로 나갔다. 그는 회랑 두 곳을 지나 욕실로 들어가서, 자신의 옷이 젖는 것도 신경 쓰지 않고 초교의 팔에 차가운 물을 들이부었다.

"아픈가?"

초교는 입술을 깨문 채 말없이 고개를 저었다. 제갈월은 그녀의 새하얀 팔이 발갛게 부어오른 것을 보고 분노한 목소리로 말했다.

"이런 상태가 되어서도 아프지 않다고?"

차가운 물을 계속 부어도 붓기가 가라앉지 않았다. 제갈월이 사람을 불러 약을 가져오게 하려는 생각으로 고개를 들어 보니, 초교의 상반신이 온통 젖어 있었다. 새하얀 목 아래로 몸의 곡선이 드러나고, 긴 머리카락도 모두 풀어헤친 상태였다. 제갈월로서는 그 고운 모습에 눈길을 주지 않을 수가 없었다.

초교가 그의 시선을 알아채고 즉시 두 손으로 가슴을 가리며 외쳤다.

"뭘 보고 있는 거야?"

제갈월은 살짝 민망해하면서도, 여전히 고집스러운 표정으로 조소했다.

"남자인지 여자인지 구분도 안 되는 네 몸을 봐도 아무 생각 없으니 안심하시지."

초교는 화가 나서 인상을 썼다. 그녀는 제갈월이 몸을 일으키는 것을 보고, 그가 부주의한 틈을 타서 힘을 주어 그의 옷자락을 잡아당겼다!

욕실 안은 습기로 미끄러웠다. 쿵 소리와 함께 제갈월은 바닥에 벌렁 나자빠지고 말았다. 무슨 품위니 하는 것을 챙길 여유도 없었다.

초교가 그 모습을 보고 큰 소리로 웃기 시작했다. 그러나 즐

거움이 극에 달하면 슬픔이 생긴다고 했던가. 제갈월이 발버둥
치다 그녀의 다리를 잡았고, 초교는 온몸에 힘이 빠진 상태라
몸이 기울어지며 공교롭게도 그의 품 안으로 넘어지고 말았다.

　욕실은 지붕 없이 대나무 울타리로만 이루어져 있었고, 아
래로는 온천을 끌어들이고 있었다. 고개를 들면 바로 하늘에
반짝이는 별들이 보였다. 주위의 등불은 가을바람 속에 희미한
빛을 발하고 있었다. 은빛 달은 하늘에 아득하게 걸려 있었다.
밤바람 사이로 풍겨 오는 해당화의 향에 취해 버릴 것만 같았
다. 휘장이 바닥에 끌릴 때마다 연푸른 비단이 사락거리는 소
리를 낼 뿐, 이 밤은 지극히도 고요했다.

　한참 후, 누군가의 꿈을 깨트리려는 듯 물시계 소리가 희미
하게 들려왔다. 제갈월은 초교의 어깨 위에 따뜻한 손을 얹었
다. 소매 단의 세밀한 자수가 때때로 초교의 목을 스쳤고, 그때
마다 그녀는 몸을 움츠렸다.

　밤바람이 가볍게 불어오고, 먼 곳의 해당화는 흐드러지게
붉었다. 초교는 짧은 꿈속에 빠진 것만 같았다. 검은 보석처럼
빛나는 제갈월의 눈이 그녀의 눈을 사로잡고 있었다. 그의 눈
빛이 천천히 다가왔다.

　초교는 깜짝 놀라 발버둥 치며 벗어나려 했다. 그를 밀어 버
리려고도 했다. 그러나 온몸이 갑자기 굳어 버리고 말았다. 그
녀는 뜨거운 감촉에 그만 넋이 나가 버렸다. 초교는 그저 눈을
크게 뜨고 있을 수밖에 없었다.

　마침내 그녀는 몸을 일으켜 뒤로 물러났다. 소슬한 가을바

람이 두 사람 사이를 스쳐 가고, 두 사람은 이대로 끝없는 어둠 속에 삼켜진 것만 같았다. 어색한 적막이 흘렀다. 초교는 이 부자연스러운 분위기를 벗어나고 싶어서, 일부러 노기를 담아 이야기했다.

"내가 남자인지 여자인지 구분도 가지 않는다더니, 어째서 이런 행동을 하는 거야?"

그녀는 말을 끝내자마자 즉시 구덩이라도 파고 자신을 파묻고 싶었다. 이건 그야말로 말을 하면 할수록 더 암담해질 뿐이었다.

제갈월의 안색도 평온하지 않았지만, 목을 꼿꼿하게 세우더니 차갑게 코웃음 쳤다.

"너야 남자인지 여자인지 구분이 안 가지만, 보다시피 나는 확실하게 남자이기 때문이지."

초교의 분노가 폭발했다.

"당신, 너무 파렴치한데."

제갈월이 그녀를 흘겨보았다.

"그동안 정말 파렴치한 것이 무엇인지 보지 못한 모양이군."

두 사람은 잠시 평온함을 가장하기 위해 서로를 질책했고, 덕분에 두 사람의 안색도 조금은 나아졌다. 이때 밤바람이 갑자기 서늘하게 불어왔다. 온천으로 뛰어들 것이 아니라면, 이곳은 오래 머물기에 적합하지 않아 보였다.

제갈월이 몸을 일으키며 물었다.

"걸을 수 있겠어?"

초교의 옷은 반쯤 젖어 있었다. 걷는 것은 문제없었지만, 젖은 옷을 입고 일어난다면 이 어색하고 부끄러운 분위기를 피할 수가 없었다.

제갈월이 고개를 숙이고 작은 소리로 투덜거리더니, 겉옷을 벗어 그녀에게 던졌다. 그리고 앞장서서 걷기 시작했는데, 그의 뒷모습은 의외로 품위 있고 자연스러워 보였다. 그러나 두어 걸음 걷고는 초교가 따라오지 않자 바로 고개를 돌려 외쳤다.

"따라올 거야, 말 거야?"

초교는 옷을 입고 있던 참이었다. 팔에 화상을 입어 동작이 느릴 수밖에 없는데, 그가 소리치자 마음이 울적하여 그녀도 소리쳤다.

"대체 소리는 왜 지르는 거야?"

제갈월이 미간을 찌푸리며 돌아오더니, 무릎을 꿇고 초교에게 옷을 입혀 주었다. 그리고 그녀의 소매를 잡아끌고 침실로 향했다.

초교는 비틀거리며 그에게 끌려가다가, 참지 못하고 소리쳤다.

"천천히 갈 수 없어? 번갯불에 콩이라도 볶아 먹을 것도 아니고!"

"다시 한 번만 입을 열어 보지?"

"내가 입을 열면, 어쩔 건데?"

제갈월은 약을 가져왔다. 그리고 솔을 사용해서 희뿌연 연고를 초교의 팔에 한 번, 또 한 번 발라 주었다.

"아침과 저녁으로 한 번씩 바르면 며칠 내로 나을 거야. 물에 닿지 않게 하고, 매운 것은 당분간 먹지 말도록 해."

약솔은 아주 가느다란 짐승의 털로 만든 것이었다. 그것이 피부에 닿을 때마다 살짝 오싹한 기분이 들었다. 제갈월이 앉아 있는 의자는 초교가 앉아 있는 침상보다 살짝 높았다. 등불 아래 그의 옷자락에 흰 광택이 흐르고 있었고, 잘생긴 얼굴의 윤곽은 아스라하게 보였다. 그러나 약을 바르는 그의 표정은 아주 진지했다.

"제갈월, 정말로…… 난 정말 가야만 해."

제갈월이 고개를 들어 그녀를 응시했다. 초교의 얼굴에 웃음기라고는 전혀 없었다. 그녀는 맑은 눈으로 진지하게 그를 바라보고 있었다.

"알고 있어. 고맙다는 말 한마디는 아무것도 아니라는 것을. 당신은 몇 번이나 나를 도와주었지. 위험을 무릅쓰면서, 그리고 압력을 받아 가면서. 당신이 어떤 대가를 치렀는지도 나는 모두 알고 있어."

제갈월은 말없이 약솔을 내려놓고 연고의 뚜껑을 천천히 닫았다.

"하지만 나는 당신에게 달리 보답할 방법이 없어. 나로서는 아무것도 보답할 수 없으니 그저 고맙다고 말할 수밖에 없었어. 이해해 줄 수 있어?"

제갈월은 안색조차 변하지 않고 몸을 일으켜 방을 나가려 했다. 초교는 그의 손을 잡고 큰 소리로 말했다.

"제갈월, 부탁이야. 나를 보내 줘. 이 일은 이렇게 끝나지 않을 거야. 이번 일은 결코 조순아 혼자 꾸며 낼 수 있는 계책이 아니야. 분명 배후에 조순아를 조종하고 있는 누군가가 있어. 그 누군가는 연북과 대하의 갈등을 이용해서 도발하려 했고, 나를 그 수단으로 삼으려 했지. 내가 당경에 있다는 사실을 연순이 알게 되면, 연순이 다른 이의 올가미에 걸리게 될 가능성이 아주 높아. 조순아의 배후에 누가 있는지는 모르지만, 변당과 대하를 선동해 전쟁을 일으키려 하고 있는 것 같아. 조순아는 그저 구실에 불과하고…… 만약 대하의 황제가 진노한다면 분명 전쟁이 일어나겠지. 그러니 나는 어서 연북으로 돌아가야 해. 곧 겨울이 오는데, 연북은 식량도 부족하고, 대동회의 내부도 안정되지 않은 상태야. 서남진부사도 내가 제어하지 않으면 무슨 일을 저지를지 몰라. 이렇게 할 일이 많이 남아 있으니, 반드시……."

"제정신이 아닌 모양이군."

제갈월이 사납게 고개를 돌렸다. 그의 눈은 충혈된 것처럼 붉었다. 그가 초교의 턱을 잡고 매섭게 말하기 시작했다.

"지금 네 모습을 좀 보라고. 그렇게 많은 사람들에게 공격받고, 몇 번이나 죽을 뻔하고. 온몸은 상처투성이에, 또 중병에 걸려 몸도 제대로 가누지 못하면서. 밖에는 전부 다 너를 죽이려는 사람들뿐이야. 이책은 너를 지켜 주려 하더라도, 당경에는 달리 속셈이 있는 관리들이 있고, 대하에서 심어 놓은 첩자들도 있지. 그리고 조순아가 데려온 사람들에, 대하에서 혼례를 축하하러 온 제후들, 심지어 상금에 눈이 먼 사냥꾼들까지 너를 노리고 있다고! 그런데 이런 순간에 네가 사람들 앞에 나타나면, 이책이 온 나라의 반대도 무릅쓰고 너를 지켜 줄 수 있으리라 믿는 건가? 연순이 너를 위해 모든 것을 돌아보지 않고 달려올 거라고 믿는 거냐고! 일단 네가 수면 위로 떠오르면, 변당의 황제도 대하와의 관계를 고려하지 않을 수 없다는 걸 모르지 않을 텐데. 네가 다른 이의 손에 떨어지면 살아날 가능성이라고는 없다고. 정말 제정신이 아닌 건가?"

"아니야!"

초교가 큰 소리로 외쳤다.

"나는 내가 무엇을 하고 있는지 알아."

그녀의 가슴이 오르락내리락했다. 그녀는 단호한 눈길로 말했다.

"나는 항상 그래 왔는걸. 온 천하가 나의 적이었어. 연순과 함께 성금궁으로 들어가던 순간부터, 나는 이런 날이 오리라는 것을 예상하고 있었어. 하지만 그래서 그게 뭐가 문제라는 거지? 나를 죽이려는 사람들이 이리 많으니, 어차피 나는 영원히 숨어 있을 방법은 없어. 내가 숨는다 해도 그건 나 자신을 점점 더 유약하게 만들 뿐이야. 그리고 그들은 더욱 멋대로 나를 살해하려 들겠지. 내가 지금 나가야만, 나는 스스로를 지킬 능력을 얻게 될 거야. 제갈월, 내가 말했잖아. 나에게는 나의 믿음이 있어."

"네 믿음 따위 꺼지라 그래!"

제갈월이 낮게 소리쳤다. 그의 목소리에는 거대한 격분과 답답함이 서려 있었다. 제갈월은 칠흑같이 검은 눈동자로 초교를 어둡게 응시하며, 분노로 이를 갈며 외쳤다.

"믿음? 그게 중요해? 중요하다고? 네 목숨보다도 중요하냐는 말이다!"

"중요해!"

초교는 그를 보며 한 마디 한 마디 단호하게 말했다.

"당신은 이해하지 못하겠지만, 그 믿음은 내가 살아가는 데 있어 유일한 희망이야. 누군가가 나를 필요로 하면, 나는 반드시 가야 해."

찰나, 광풍이 휩쓸고 지나가듯 머릿속이 혼란해졌다. 제갈월은 마치 분노한 야수처럼 포효했다. 그는 사납게 초교에게 다가가 그녀를 제 몸 아래 억누르고, 분노를 담아, 격렬하게, 내키지 않는 힘을 쓰며 그녀의 입술에 입을 맞췄다.

가슴에서 불길이 활활 타오르는 것 같았다. 그의 입맞춤은 그렇게나 깊었고, 그렇게나 강렬했다. 초교는 그만 넋이 나가고 말았다. 익숙한 향기가 그녀를 가득 채우고 있었다. 그의 향은 마치 등나무 덩굴의 뿌리처럼 그녀의 몸 어디에도 뻗지 않는 곳이 없었다. 그의 향은 그녀를 덮어 버렸고, 그녀를 장악했고, 그녀를 포위했다. 초교의 몸이 뜨겁게 타오르고, 초교의 피가 타올랐다. 이것은 이제 더 이상 단순한 입맞춤이 아니었다. 말로는 표현할 길 없는, 너무나 많은 감정이 그에게서 빠르게 쏟아져 나와 제멋대로 그녀 안으로 흘러내리고 있었다.

초교는 공포에 질려 있는 힘을 다해 그를 밀쳐 냈다. 결국은, 그의 힘도 점차 약해졌다. 그는 어쩔 수 없다는 듯, 너무나 절망적이고 슬픈 눈빛으로 그녀를 바라보며 자조하듯 웃었다.

"아직도 모르겠어? 나도 네가 필요하다!"

초교는 멈칫했다.

방 안의 분위기가 가라앉았다. 촛대 위 팔뚝만 하게 큰 초가 밤새도록 타오르며 흘린 촛농이 아래에 더미를 이루고 있는 모습이 마치 진홍빛 산호 같았다. 목이 멘 것처럼 아무 소리도 나오지 않았고, 호흡조차 쉽지 않았다.

제갈월은 음울한 눈길로 그녀를 바라보며 아무 말도 하지 않았다. 그의 눈빛 속에 수많은 풍경이 하나하나 스쳐 가고 있었다. 그 과거의 세월들, 감정을 표현하는 법을 알지 못했던 풋풋한 소년 시절, 그리고 그 한 대의 화살 이후 두 사람은 하늘 끝에 서서 서로를 바라보기만 했다. 그들은 함께 행복할 수 있던 기회를 그렇게 놓쳐 버리고 말았다.

초교는 깊이 숨을 들이마셨다. 그녀의 눈빛 속에 서려 있던 감동, 연약함, 그 모든 감정들이 점차 사라져 갔다. 마침내 그녀는 모든 우울한 기분을 꾸역꾸역 삼키고, 나지막하게 속삭였다.

"부탁이야……."

촛불은 여전히 햇불처럼 밝았지만, 방 안 전체는 어두운 빛으로 뒤덮여 있는 것 같았다. 겹겹이 가려진 푸른 비단 아래, 남자의 얼굴에 어두운 그림자가 서렸다. 그의 얼굴은 평소보다 더욱 맑아 보였지만, 지금 이 순간, 그의 표정은 너무나 울적해 보였다.

제갈월이 단정하게 몸을 일으키며 냉랭하게 웃었다.

"결국 내 자신이 이렇게까지 무너지고 말았군. 대문을 열어 둘 테니 가든지 남든지 마음대로 하도록."

말을 마친 그는 더 이상 미련이 없다는 듯 소매를 떨치며 방을 나섰다.

달은 물과 같이 차갑고, 별은 투명하니 밝았다. 초교는 침상에 앉아 따뜻하게 녹아내리는 촛불을 물끄러미 바라보았다. 갑자기 무척 피곤해졌다. 초교는 천천히 숨을 내쉬었다. 마음속 가득 쓰라림이, 세상 온갖 풍파를 겪은 듯한 괴로움이 맴돌고 있었다.

"견뎌야만 해!"

고요한 방 안에 그녀의 목소리가 천천히 울려 퍼졌다. 아주 작고, 듣는 이의 마음을 쓰리게 만드는 목소리였다.

"시간이 모든 것을 희석시켜 줄 거야. 버티기만 하면, 모든 것은 지나갈 거야."

그녀는 마치 자기 자신을 설득하듯 고개를 끄덕인 후, 서북쪽을 바라보며 다시 단호하게 고개를 끄덕였다.

"나는 연북으로 갈 거야."

초교가 방문을 나섰을 때, 월칠이 문가에서 기다리고 있었다.

"도련님께서 이미 연 세자의 행적을 찾아 두셨습니다. 저에게 아가씨를 연 세자께 모셔다 드리라고 하셨습니다."

초교는 멈칫했다. 그녀는 자신도 모르게 고개를 돌렸다. 보슬비가 내리는 물가의 누대에, 시든 꽃이 말라 떨어져 바닥은 온통 도미화로 가득했다. 희뿌연 안개 속에 그의 그림자가 보였다. 그는 하늘빛 우산을 남겨 둔 채, 멀리 겹겹이 세워 둔 가산의 정자 안으로 향하고 있었다. 그는 초교에게서 너무나도 가까이에 있었지만, 동시에 너무나도 멀리 있었다.

초교는 그의 모습을 분명하게 볼 수 없었다.

"초 아가씨, 가시지요."

광야의 바람이 계속 거칠게 얼굴을 때려 왔다. 한 시진이 지났을 무렵, 초교는 월칠 등 시위 몇 명과 함께 황무지에 서 있었다. 월칠이 말에서 내려 말했다.

"초 아가씨, 이미 사람을 보내 연 세자에게 통지했습니다. 이책 태자도 지금 연 세자의 군영지에 있다고 합니다. 이곳에서 잠시만 기다리시면, 연 세자가 맞이하러 올 것입니다."

초교가 고개를 끄덕였다.

"고마워요."

월칠이 말했다.

"감사하실 필요 없습니다. 저야 도련님의 명을 따랐을 뿐이니까요."

초교는 고개를 숙이고 한참 침묵하다가 가까스로 말했다.

"돌아가면, 나를 대신해서 고맙다고 전해 주세요."

"알겠습니다."

월칠이 고개를 끄덕였다.

"저는 여기까지만 바래다 드리겠습니다. 연 세자가 곧 올 테니, 저는 먼저 가겠습니다."

"그래요. 조심해서 가도록 해요."

월칠이 인사를 올리며 말했다.

"재회할 날이 있겠지요."

말을 마친 그는 말에 올라 다른 시위들을 이끌고 사라졌다.

광야의 바람은 마치 좋은 향료를 뿌린 부채처럼 가볍게 초교의 옷자락을 펄럭였다. 아주 먼 하늘 끝, 천둥 같은 말발굽 소리가 들려왔다. 먼지가 희뿌옇게 일어나는 것을 보니 성대한 무리가 달려오는 모양이었다.

눈가가 시큰해 왔다. 그러나 그녀는 그저 뜨거운 바람이 눈에 들어왔기 때문이라고 생각하기로 했다. 초교는 고개를 숙이고, 자기 자신조차 들을 수 없을 정도로 작은 소리로 중얼거렸다.

"당신, 건강해야 해."

그 다음, 깊이 숨을 들이마시고 다시 천천히 토해 냈다. 모든 것을 이 숨에 실어 보내려는 듯이. 그리고 몸을 돌려 먼지가 일어나는 방향을 향해 성큼성큼 걸어가기 시작했다. 이 아름답고 따뜻한 변당의 보슬비를, 그 모든 것을 뒤에 남겨 두고.

멀리 산꼭대기에서 한 사람이 그녀가 떠나는 뒷모습을 바라보고 있었다. 그는 마지막 한 잔의 술을 마신 후 말을 달려 산을 내려갔다. 산바람이 그의 짙은 보랏빛 장포를 펄럭이고, 햇빛이 그의 아름다운 얼굴을 비추며 그의 뒤로 길고 긴 그림자를 만들어 냈다.

해가 지면 지친 새는 둥지로 돌아가는 법, 모든 것이 원점으로 되돌아가고 말았다. 최초에 시작한 그곳으로.

4
부

연북燕北

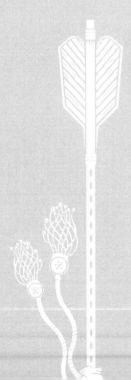

제1장 북방의 삭풍

778년 9월 8일 새벽, 정주의 남구 평원에는 아주 강한 바람이 불고 있었다. 끝없이 펼쳐진 마른 풀들이 황금빛 바다처럼 바람을 따라 흔들리고 있었다. 눈을 들어 살펴보면, 아득한 멀리에 나무 한 그루가 서 있는 것이 보였다. 정주에서 가장 높은 봉우리인 학기봉은 짙은 안개에 덮여 그저 회색 윤곽만 보이는 것이, 마치 깊은 잠에 빠진 코끼리 같았다.

밝은 노랑 바람막이를 걸친 이책 뒤로 황가의 의장대가 있었다. 이책은 보기 드물게 황가의 위엄을 내보이는 중이었다. 그는 말 위에 앉아 있었는데, 바람이 불어와 귀밑머리가 어지럽게 날리고 있었다. 이책은 귀찮은 듯 손으로 머리카락을 뒤로 젖히며 친위대들에게 말했다.

"너희들, 저리로 가라. 말을 타고 저쪽에 가서 나를 위해 바람을 막아라."

육윤계가 미간을 찌푸리며 말했다.

"전하, 연북의 대군이 앞에서 보고 있습니다."

"그게 뭐 어떻다고?"

이책이 눈썹을 추켜세우며, 여전히 나른한 어조로 말했다.

"연북의 대군이 보고 있는 것과 내가 너희를 저쪽에 세우는 것이 무슨 상관이란 말이냐?"

철유는 아직 부상에서 회복되지 않아 어깨에 붕대를 감고 있었다. 그러나 그런 것도, 보기에는 우둔해 보이지만 실제로는 예리한 그의 신경에 영향을 끼치지 못했다. 철유는 귀찮다는 듯 흰 눈을 하며 거친 목소리로 말했다.

"전하, 연 세자가 앞에 있으니 좀 삼가시지요."

육윤계가 말을 받았다.

"우리는 겨우 이 정도 인원으로 몰래 온 것 아닙니까. 저쪽 입장에서는 한 사람이 한입 먹기에도 부족하죠."

"정말 이상하군. 대체 무슨 소리를 하는 거냐? 나는 그저 너희를 저쪽에 세우고 싶을 뿐이다. 바람이 내 피부를 상하게 하지 않도록 말이야. 그게 연 세자와 무슨 상관이지?"

손체가 흥이 떨어진 듯 가볍게 코웃음 쳤다.

"전하께서 사랑을 속삭이는 것을 저희가 방해할까 봐 그러시는 거 아닙니까?"

"응? 뭐라고? 대체 무슨 생각을 하는 거냐? 내가 그렇게 정세 판단을 못하는 사람으로 보이는 거냐?"

사람들의 눈길이 동시에 이책에게로 향했다. 그들의 눈길은 명확하게 이야기하고 있었다. 그렇고말고요.

　"전하, 초 아가씨께서 오셨습니다."

　한 친위대가 멀리서 손짓하며 외쳤다. 그러자 이책이 서둘러 다시 한 번 말했다.

　"어서 가라, 어서! 저쪽으로 가지 않으면 벌로 봉록 반년 치를 삭감할 테다."

　말이 떨어지자마자 이책의 주변은 그림자 하나 남지 않고 깨끗해졌다. 말을 타고 이책에게 다가온 초교는 '워워' 소리를 내며 말고삐를 잡고, 의아해하며 물었다.

　"다들 어디 가는 거죠? 저렇게나 급하게."

　"뭘 좀 잘못 먹은 모양이더라고. 볼일을 보러 갔어."

　초교가 웃으며 말했다.

　"전하, 정말 감사드려요."

　이책이 눈썹을 추켜세우며, 여우처럼 좁고 긴 눈에 담담한 빛을 담고 물었다.

　"무엇에 감사하는 거지?"

　"일단 전하께서 저를 도와주신 것에 감사드리고, 또 제 위급한 상황을 틈타 해치지 않아 주신 것에도 감사드리고요. 지금 같은 시기에 연북에게 해를 가하지 않고 중립을 지켜 주신 것에도 감사드려요."

　이책은 손가락을 흔들며 고개를 저었다.

　"조순아의 일은 너와 무관해. 나는 본래 그녀를 취할 마음이 없었거든. 그녀가 비록 얼굴도 예쁘고 몸매도 아주 좋지만 말이야. 성격이 너무 급하고 화를 잘 낸다고. 또 머리도 나쁘고 질투심도 많으니, 그녀를 취하면 본 태자의 후궁이 평화로울 날이 없을걸? 연북에 대해서라면 더욱 마음에 담아 둘 필요 없어. 지금 보건대, 전쟁을 해 봤자 변당에는 좋을 일이 하나도 없지. 네가 없었다 해도 내가 바보처럼 대하의 끄나풀이 되는 일은 없었을 거야. 하하, 게다가 나는 본래 평화를 사랑하는 사람이라고. 전쟁터의 참혹한 살육은 내 옷을 더럽히기만 할 뿐이겠지."

초교는 소리 내어 웃었다.

"좋아요. 그럼 전하와 저는 서로 빚이 없는 기예요. 장래 진장에서 만나는 일이 있더라도, 손에 정을 남겨 두어서는 안 되는 거죠."

"그건 아니지."

이책의 표정이 변하더니 손가락을 꼽아 가며 세기 시작했다.

"너는 내 궁에서 그렇게 오랜 시간 동안 먹고, 자고, 입고, 또 놀았잖아. 심지어 내 부인 두 명을 내쫓게 만들었을 뿐 아니라, 나와 내 부인들 사이의 감정마저 상하게 만들었지. 그러면서 내가 잃어버린 재산은 셀 수도 없다고. 경제적 손실은 물론이고 정신적인 피해, 부부간의 화목을 잃게 만든 비용, 가정을 파괴한 비용 등등. 모두 하나하나 명백하게 따져 봐야 하지. 우리는 다 어른이고, 내 보기에 너는 일을 공정하게 처리하는 편이니, 분명 이 빚을 무시하지는 않겠지. 장래에 계산서를 제대로 작성

해 연북으로 사람을 보내 주지. 하지만 너희 연북은 가난하니, 재물로 받는 대신 이렇게 하도록 하지. 5년 동안 전장에서 내 깃발을 보는 일이 생기면 바로 고개를 돌리고 도망치도록 해라. 연습, ㄱ 자식은 너무 흉악해. 나는 그와 얼굴을 보고 싶지 않단 말이다. 만약 전장에서 그가 나를 물기라도 하면 어쩌겠냐고."

펙! 초교가 주먹을 휘둘러 이책의 어깨를 때렸고, 이책이 비명을 질렀다.

"악! 교교, 그 감정 표현의 방식 좀 바꿀 수는 없는 거야?"

초교는 따뜻하게 미소 지었다. 이책의 말은 앞으로 5년 동안, 변당은 대하의 압력에 굴해 연북에 병사를 일으키는 일은 없을 거라는 의미였다. 5년 후라면 연북은 분명 스스로 견고한 세력을 만들 수 있을 것이다. 그때가 되면 대하라 해도 연북에 대항해 군사를 일으킬 만한 배짱은 없을 것이다.

초교의 코끝이 약간 시큰해 왔다. 목소리 역시 조금은 잠긴 것 같았다. 그러나 그녀는 여전히 웃으며 말했다.

"좋아요. 백은으로 계산해 계산서를 보내 주세요. 얼마나 빚을 졌는지 보게."

"아……."

이책이 한탄하며 살짝 고개를 숙이더니, 눈 끝을 위로 들어 올렸다. 그의 눈꼬리에 희미한 빛이 어리더니, 조용히 초교를 바라보며 말했다.

"지금까지 말한 빚은 사실 아주 작은 부분이지. 너는 나에게 너를 잊지 못하게 만들고, 내 곁에 있어 주지 않을 거면서, 동시에 내가 항상 네 근황을 알 수 있게 하겠지. 앞으로의 긴 세월 동안, 내 끝을 기약할 수 없는 그리움이며 그 고통을 어떻게 황금이니 백은이니 하는 것으로 헤아릴 수 있을까?"

거센 바람이 불어와 땅 위의 마른 지푸라기들을 말아 올렸다. 그의 물과 같은 얼굴에는 외로움이 서려 있었다. 이책은 입끝을 들어 올리며 담담하게 미소 지었다. 어쩔 수 없다는 듯한 그 웃음은 너무나 씁쓸해 보였다. 이책이 자조하듯 살짝 고개를 저었다.

초교는 당황하고 있었다. 그녀의 눈길은 마치 굳어 버린 쇳물처럼 응결되어 버렸다. 그녀는 무슨 말이라도 건네고 싶었지만 대체 무슨 말을 해야 할지 알 수 없었다.

"하하!"

이책이 갑자기 초교를 가리키며 배를 잡고 웃다가 말에서 떨어질 뻔했다.

"표정 좀 보라지. 교교, 설마 내가 제갈월, 그 녀석처럼 바보일 거라고 생각하는 거냐?"

초교는 놀림받았다는 사실을 깨닫고 즉시 이책에게 주먹을 휘두르려 했다. 그러나 이책이 민첩하게 피하며 의기양양하게 말했다.

"매번 너에게 손을 쓰게 해서야, 본 태자가 너무 체면이 안 서지 않겠어?"

"바보!"

이책이 웃으며 말했다.

"너도 너무 자신하지는 마라. 어쨌든 연순, 그 자식은 운수가 없는 편이라니까. 어릴 때부터 너랑 함께하게 된 걸 보면 말이다. 온 천하에 너를 제외하면 여인이 아예 없는 줄 알고 있겠기. 제간월, 그 자식은 더 바보라니까. 내 생각에 제감월이 평생 순종적이고 아리따운 여인들만 봐서 질려 있던 상태에서, 불시에 너처럼 별 재미도 없는 여자가 시루의 콩나물처럼 불쑥 튀어나오는 바람에 네가 보물 같은 존재라고 생각하게 된 것 같아. 설마 내가 그 둘과 똑같은 바보라고 생각하는 것은 아니겠지? 하하!"

초교가 화를 내며 말했다.

"계속 이야기하실 건가요?"

"알았어, 그만할게, 그만한다니까. 교교, 그런데 물어볼 것이 하나 있어. 아주 중요한 건데, 꼭 솔직하게 답해 주었으면 좋겠어."

이책이 서책이라도 뒤집듯 빠르게 얼굴빛을 바꾸고 진지하게 물었다. 그러자 초교도 진지하게 대답했다.

"물어보세요. 연북의 군사 기밀만 아니라면 아는 것은 다 말해 줄 테니까."

"정말 다 말해 줄 거야?"

"네, 말해 줄 테니까 물어보세요."

"그게, 그게, 내가 묻고 싶은 것은……."

이책은 은밀하게 주변을 둘러보더니 미간을 찌푸렸다.

"내가 묻고 싶은 것은……."

"대체 뭘 묻고 싶으신 거예요?"

초교는 그가 두리번거리는 것을 보고 슬며시 불안해졌다. 이책은 단 한 번도 이런 식으로 군 적이 없었다. 대체 무슨 일인거지? 연북의 군사 계획이라도 묻고 싶은 걸까? 아니면 앞으로연북이 어떤 식으로 행동할지를?

"내가 묻고 싶은 것은……."

이책이 입 끝을 살며시 들어 올리더니 갑자기 큰 소리로 외쳤다.

"나는 연순이 아직도 경험이 없는지 묻고 싶어!"

"전하! 죽고 싶으신 모양이군요!"

"말하기 싫으면 하지 않으면 그만이지, 꼭 그렇게까지 얼굴이 변해야겠어?"

"제 생각에 전하께서는 오늘 정말로 두드려 맞고 싶으신 것같아요!"

"악! 교교, 냉정해, 냉정, 나는 악의는 없다고! 악! 손체! 철유! 어서 와서 나를 호위하라!"

돼지 멱따는 듯한 비명 소리가 울려 퍼졌다. 변당에서 가장존귀한 태자의 비명이 광야 저 멀리까지 울려 퍼졌건만, 안타깝게도 그의 수하들 중 가까이 있는 자는 단 하나도 없었다. 이책의 수하들은 모두 손체의 영도하에 산비탈의 바람 부는 곳에쭈그리고 앉아, 법률이 허락하지 않는 놀이에 빠져 있었다.

"자자, 어서 판돈을 걸라고. 나는 전하가 감히 맞받아치지못한다는 데 열 냥을 걸지."

스물 남짓한 젊은 청년이 그럴 리 없다는 듯 말했다.

"전하께서 그러실 리 있겠습니까? 여인에게 맞고 다니셔서야 체면이 말이 아니죠. 저는 전하께서 안색을 바꾸신다는 데 열 냥 걸겠습니다."

모든 이가 동정하듯 그를 바라보았다. 육윤계가 물었다.

"새로 온 모양이지? 당경 출신은 아닐 테고?"

"예!"

그 젊은 병사의 얼굴은 정의롭게 빛나고 있었다. 한눈에도 제국에 대한 충성심에 불타는 전사임을 알아볼 수 있었다.

"저는 북촉군 제30군 제5대대 제7종대의 소대장입니다. 반란군에 참가하지 않고 적시에 위에 상황을 보고한 공로로 전하께 뽑혀 합류하게 되었습니다. 앞으로 잘 부탁드립니다."

"걱정 말게. 우리 모두 같은 제복을 입었으니, 이후로 너는 우리 형제라고."

철유가 쾌활하게 말했다.

"우리 신참을 응원하기 위해 나는 전하께서 감히 되돌리지 못한다는 데 돈을 걸지. 이렇게 하면 신참이 이길 때 더 많이 벌 수 있을 거 아닌가."

"그렇지. 당경은 물가가 비싸니까. 형제, 우리 모두 너를 지지하겠다고."

금위군은 잇달아 은자를 손체 쪽에 놓으며 입으로는 정의로운 말들을 내뱉고 있었다. 우리는 너를 위해 돈을 그냥 내놓는 거다, 청년, 앞으로 잘해 보자고, 우리 형제들을 위해 앞으로 네 힘을 보여 주도록!

북풍이 불어오고, 황량한 초원이 금빛으로 물들기 시작했다. 새벽의 바람이 깊은 한기를 품고 두 사람의 바람막이를 펄럭였다.

"됐다. 배웅은 여기까지만 할게. 가는 길 내내 순조롭기를 빌어 주마."

초교는 고개를 끄덕였다.

"전하도 조심하세요. 제 생각엔 이번 일이 그렇게 간단한 것 같지 않아요. 그러니 항상 경계하셔야 해요."

"안심해라. 누가 나를 건드리기라도 하면 바로 그들의 집을 털고, 그들의 부인들을 빼앗아 버릴 테니까."

초교가 웃었다.

"한 번도 진지하게 들어 주지 않으시는군요."

이책이 맞아서 파랗게 부어오른 입술을 비죽거리면서도 눈웃음을 쳤다.

"삶에는 본래 너무 많은 번뇌가 깃들어 있지. 하루 종일 진지하게 얼굴을 굳히고 있어서야 너무 재미없는 거 아니겠어? 교교, 충고하건대 언제나 그렇게 너무 진지하게 굴 필요 없어. 어지간한 것은 그냥 넘겨 버려. 눈은 한쪽만 뜨고 다른 쪽은 감고 있는 게 좋아. 임기응변과 스스로를 위로하는 법을 배워야 해. 너는 너무 피곤하게 살고 있어. 항상 그 너무 많은 일을 어깨 위에 얹고 살고 있잖아. 나는 네가 늘 기억했으면 좋겠어. 너는 여인이고, 이 세상에는 네 믿음, 네 신념 말고도 중요한 일들이 아주 많다는 걸."

이책이 이런 말을 하는 경우는 거의 없었기에, 초교는 자신도 모르게 그의 말을 따라 물었다.

"어떤 중요한 일들 말인가요?"

이책이 손가락을 꼽으며 말했다.

"예를 들어 거리를 돌아다닌다든가, 옷을 산다든가, 연지니 분이니 하는 것을 바른다든가. 아무것도 하지 않으면서 음악을 듣고, 화장을 하고, 기나긴 밤이 오면 심신 건강에 유익한 오락 활동도 찾아 하고. 새로운 생명을 만들어 내어 인생을 풍부하게 만들고…… 악, 뭐 하는 거야, 나는 아주 진지하게 이야기하는 거라고."

"그 입에서 제대로 된 말이 나올 리 없죠!"

초교가 무시하듯 말했다. 그러나 이책이 웃으며 말했다.

"하지만 지금 이상하게 굴고 있는 사람은 바로 너라고. 우리 이미 작별 인사를 열 번도 넘게 나눴는데, 너는 계속 머뭇거리며 떠나지 않고 있으니. 계속 여기서 내 이런 말들을 들으면서도 말이야. 혹시 나를 떠나기가 아쉬워서 그러는 건가?"

"그런 게 아니에요! 나는…… 나는 여기 있는 게 좋아서 그럴 뿐이에요. 변당의 산수를 좀 더 많이 보고 싶다고요. 그럼 안 되나요?"

"되지, 왜 안 되겠어? 잘 보도록 해."

이책은 여우처럼 싱글거리며 도전하듯 초교를 바라보았다. 그러나 입을 다물고 더 이상 아무 말도 하지 않았다.

초교는 입술을 깨문 채 미간을 찌푸렸다.

"변당의 공기는 정말 좋아요."

"그런가? 연북은 1년 내내 눈이 쌓여 있어 공기가 더욱 맑다고 들었는데."

"대하의 공주를 취하기로 결정하셨나요?"

"상황을 봐서 되는 대로 하려고. 변당과 대하는 아직 논의 중이고, 나는 일단 아랫사람에게 일을 처리하도록 맡겼어. 몇 번이나 사달이 난 것을 고려해서, 이번에는 양국에서 유명한 지관을 초청해서 풍수를 잘 살펴보고, 양국의 국운도 점쳐 볼 생각이야. 대하 공주의 위로 8대조 모계 혈족의 못자리부터 시작해서, 우리 두 사람 구족 이내의 혈연관계가 있는 모든 친척들의 생시와 팔자까지 살필 생각이지. 그 다음에 모두 함께 투표하여 결정할 거야. 아마도 몇 년 내로는 이 논의가 끝나기 어렵겠지. 그리고 논의가 끝날 무렵에는 그 공주도 시집 갈 나이가 지나 버릴 테고."

"손해가 막심하신데요. 공주를 취하실 기회를 잃어버리다니."

"그렇게 말하지 말라고. 나도 양국의 번영을 위해 고심한 끝에 내린 결정이라고."

"조순아는 어디로 갔나요?"

"몰라. 대하가 데려갔어. 하지만 진황으로 돌아가지는 않았고, 아마 유배당한 것이 아닐까 싶어."

"상처는 다 나았나요? 별문제는 없죠?"

"별거 아냐. 만약 네가 방금 나를 한바탕 패지 않았다면, 아마 더 빨리 나을 수 있었겠지."

"오늘 머리가 아주 보기 좋으신데요."

"그래? 바람에 흩날려서 제대로 모양이 나지 않았는데."

"오늘 입으신 옷도 아주 보기 좋아요, 무슨 천으로 만든 거예요?"

"신남사라는 비단이지. 너도 내 궁에 있을 때 입어 본 적 있어."

"요대도 굉장히 보기 좋네요. 그 옥은 하락 지역의 옥인가요?"

"아니, 잘못 봤다. 이건 강가에서 주운 그냥 돌이야. 철유와 도박을 하다가 졌는데, 돈이 없다고 하니까 내 요대의 옥을 빼내 가더군."

"몸에서 풍기는 향도 참 좋아요. 특별히 제조한 향인가요?"

"아니야. 사실 여기 오기 전에 내가 숙취가 좀 있었어. 손체도 너무 많이 마신 나머지 내 옷에 토해 버렸는데, 미처 옷을 갈아입지 못하고 왔네."

"전하께서는 잠시 후에 당경으로 돌아가시겠죠."

"너와 함께 연북으로 갈 계획은 없지."

"그는 지금 어떻게 지내고 있나요?"

"아주 괜찮을걸. 이미 돌아갔으니까."

광야의 바람이 갑자기 거세게 불어왔다. 초교의 얼굴은 조금 쌀쌀맞아 보였다. 그녀는 말 위에 앉아 오래도록 아무 말도 하지 않았다.

이책은 계속 따뜻하게 미소 지으며 초교를 바라보고 있었다. 마치 그들이 날씨며 옷, 그리고 자질구레한 것들을 이야기할 때와 똑같이.

"전하, 제가 부끄러움을 모른다고 생각하시지요?"

이책이 미소 지었다.

"나는 후궁에 3천 미녀를 두고 있고, 겪어 본 여인은 셀 수도 없어. 그렇게 따지면 내가 더 부끄러움을 모르지 않나?"

초교는 고개를 저었다.

"그거랑은 달라요."

"교교, 너무 많이 생각할 필요 없어."

이책이 손을 내밀어 그녀의 어깨를 가볍게 두드렸다.

"그리고 양심의 가책을 느낄 필요도 없어. 그는 아주 지혜로운 사람이야. 그러니 아무 일도 없을 거다."

"그러길 바랄 뿐이에요."

초교는 씁쓸하게 웃었다.

"그가 언제 떠났나요?"

"어제 저녁. 너보다 한 발 먼저 떠났지. 나에게 인사도 한마디 없이 사람들을 이끌고 가 버리더군."

"두 분이 친한 편인가요?"

"친하다고는 할 수 없지. 예전에는 그냥 얼굴만 알았던 거고, 이번에야 진정으로 교류하기 시작한 거니까."

초교는 고개를 숙이고 아무 말도 하지 않았다. 이책이 웃으며 물었다.

"교교, 마음이 흔들리는 거야?"

초교가 고개를 들고 희미하게 웃으며 말했다.

"제가 아니라고 말하면 믿으실 건가요?"

"믿지."

이책이 고개를 끄덕이며 웃었다. 초교의 목소리가 갑자기 낮아졌다.

"저는 그에게 빚을 아주 많이 졌어요. 그리고 아마 이번 생에는 갚을 기회가 없을 거예요. 저는 그가 저 때문에 가문의 비난을 받을 것이 두려워요. 저는 다른 이에게 빚지는 것을 좋아하지 않거든요."

"정말로 사람에게 빚지고 싶지 않다면, 앞으로 그와 다시는 만나지 말도록 해. 설사 그에게 무슨 일이 생긴다 해도 신경 쓰지 마. 너의 걱정 없이도 그가 평온하게 지낼 수 있을 거라고 믿는 것이 좋아. 어떤 마음은, 본래 갚을 수 없는 거야. 네가 신경을 쓰면 쓸수록 더욱 어지러워질 뿐이지."

초교는 살짝 당황하며 고개를 들었다. 이책이 옅은 안개처럼 담담하게 미소 짓고 있었다. 초교는 고개를 끄덕였다.

"전하 말씀이 옳아요."

"교교, 연북의 앞날은 예측하기 힘들다. 나는 멀리 변당에 있을 테니, 내 채찍은 그곳까지 닿을 수 없어. 스스로 조심해야만 해."

초교가 웃으며 말했다.

"고마워요. 그리고 안심하세요. 나는 혼자가 아니니까요. 연순이 곁에 있어 줄 거예요."

이책이 살짝 멈칫하더니, 바로 웃기 시작했다.

"내가 정말 바보로군. 너도 곧 시집을 갈 텐데, 내가 너에게
왜 이리 간곡하게 이야기하고 있는 건지."

그는 고개를 흔들더니 정색하고 말했다.

"좋아, 시집을 갈 때가 되면 나에게 연락하도록 해. 아주 훌
륭한 예물을 보내 줄 테니까."

"하하, 당연하죠. 전하께서는 그렇게 부유하시니, 반드시 엄청
난 예물을 보내 주셔야 해요. 그때 피하려 하셔도 소용없어요!"

"이봐! 그렇다고 그렇게 터무니없이 요구하면 안 될 말이지.
사실 나도 가난하다고. 매달 부황에게서 받는 봉록으로는 취봉
루에서 한바탕 마시기에도 부족하다고."

초교가 미소 지었다.

거센 바람이 불어오는 가운데 태양이 천천히 지평선 위로
떠오르기 시작했다. 초원의 안개가 천천히 걷혔다. 이책이 연
북의 군대를 가리키며 말했다.

"어서 가. 연 세자가 기다리다 지쳐 칼을 들고 나를 베러 올
지도 모르겠다."

아침 햇빛이 초교의 얼굴에 옅은 금빛을 넓게 흩뿌리고 있
었다. 그녀는 조용히 미소 지으며, 마음에서 우러나온 인사를
했다.

"전하, 고마워요. 그럼 저는 이만 가겠어요."

초교가 말고삐를 돌리려고 할 때, 갑자기 이책이 그녀를 잡
았다. 그가 약간 괴이한 안색으로, 평소와는 다른 표정으로 그
녀를 보고 있었다. 초교가 살짝 눈썹을 치켜세웠다.

"무슨 일이신가요?"

"아, 아무것도 아냐."

이책이 고개를 젓고 미소 지었다.

"만약 언제라도, 역 세자가 갑자기 정신을 차려서 다른 여인들을 들이고 너를 박대하는 일이 생기면…… 언제라도 내가 있는 곳으로 돌아오라고."

초교가 웃으며 말했다.

"그런 날은 오지 않을 거예요."

그녀는 손을 내밀어 목을 그어 보였다.

"연순이 그리한다면 저는 일단 그 여인들을 깨끗하게 제거하고, 그 다음에 그도 저세상으로 보내 버릴 테니까요. 그 다음에 제가 직접 왕이 되어서 그의 유산을 독점하겠어요!"

이책은 혀를 내두르며 무서운 척 움츠리고 말했다.

"정말이지 독한 여인이라니까."

"가겠어요!"

"어서 가, 어서 가라고! 계속 미적거리다간 날이 저물고 말겠어!"

초교는 웃으며 말고삐를 잡아당겼다. "이랴!" 소리와 함께 말은 히힝, 즉시 달려 나가기 시작했다.

"교교! 모든 일을 깊이 생각해야 해. 쉽게 타인을 믿어선 안 돼!"

초교가 팔을 저으며 큰 소리로 외쳤다.

"잔소리는 그만해요!"

"망할 계집애. 고기 좀 많이 먹어. 몸이 너무 말랐어, 비위가 상할 정도라니까!"

남구 평원 위에 바람이 갑자기 거세게 일어났다. 하늘 위의 새들이 날개를 펼치고 포르르, 하늘 끝으로 날아갔다. 태양은 마침내 지평선 위로 전부 떠올랐고, 멀리 보이던 여자의 그림 자가 점차 사라졌다.

연북의 군대는 조용히 줄을 맞춰 서 있었다. 검은 옷을 입은 남자가 말 위에 몸을 곧추세우고 있는 것이 보였다. 아주 먼 거 리였지만, 여전히 그 남자의 몸에 배어 있는, 벼려진 보검 마냥 차가운 기질을 읽어 낼 수 있었다.

"지금 여인들은 안목이라고는 전혀 없다니까. 저렇게 거드 름이나 피우면서 표정이나 굳히고 있는 남자를 좋아하다니. 나 처럼 부드럽고 잘생긴 남자는 오히려 인기가 없다니, 정말이지 말도 안 되는 일이지."

이책은 소심하게 투덜거리며 불만스럽게 몸을 돌렸다. 거센 바람이 불어와 그의 머리카락을 흩트렸다. 그가 입은 장포도 바람을 따라, 하늘에 날리는 연처럼 춤을 추었다.

"부디 네가 선택한 그 길이, 너에게 맞기를 빈다!"

이책이 크게 외치고, 말의 엉덩이에 채찍을 갈겼다. 그리고 뒤도 돌아보지 않고 나는 듯이 말을 달려갔다. 손체 등이 깜짝 놀라 서둘러 땅 위의 은자를 줍고는 이책을 쫓기 시작했다.

"전하! 기다리십시오!"

"전하께서 왜 혼자 달리시는 거지? 그것도 저렇게 빠르게?"

육윤계가 욕하며 말했다.

"정말 우둔하기는! 방금 전하께서 마지막으로 하신 말씀을 못 들은 게냐? 지금 도망치지 않으면 연북의 대군이 와서 우리를 갈기갈기 찢어 놓을 걸."

"아? 맞아! 다들 빨리 뛰어라!"

"어서 힘을 내!"

초교가 연순 곁에 말을 멈췄다. 검은 장포를 입은 연순은 날카로운 눈썹을 세우고, 불쾌한 표정으로 미간을 찌푸리며 이책이 떠나간 방향을 노려보고 있었다. 그러나 이미 보이는 것은 누런 먼지뿐이었다. 연순이 나지막한 목소리로 천천히 말했다.

"저자가 방금 뭐라고 외친 거지?"

초교는 갑자기 난처한 기분이 들어 얼굴을 발갛게 물들이며 말했다.

"아? 모르겠어. 제대로 듣지 못했거든."

과연 연순이 이대로 넘어가 줄까?

"이렇게 오래 무슨 이야기를 나눈 거야? 이책과 아주 친해진 모양이지?"

바로 그 사람과 오래 지냈기 때문에, 초교도 말솜씨가 상당히 는 상태였다.

"그렇게까지 친한 건 아니고, 두 나라가 협력하여 발전하는 아름다운 미래에 대해 좀 이야기했지."

그러나 안타깝게도 연북의 세자는 그렇게 속이기 쉬운 존재가 아니었다. 연순이 차갑게 코웃음 치더니, 말 머리를 돌려 대오를 향해 손을 휘둘렀다. 연북군이 출발하자, 연순이 초교에게 말했다.

"네가 최근 겪은 일들을 전부 이야기해 줘. 큰일이건 작은 일이건, 일의 경중은 상관없어. 나를 속이는 것은 허락하지 않겠어."

"아?"

초교는 갑자기 안절부절못하고 연순 곁에서 말을 달리며 말했다.

"하지만 모두 이야기하려면 시간이 아주 오래 걸릴 텐데."

"상관없어."

연순이 고개를 돌리고 온화하게 미소 지었다. 그러나 그 얼굴에는 예전 진황성에서 보았던 따뜻한 느낌이 없었다. 오히려 아주 희미하게나마 교활한 느낌이 풍겨 오고 있었다.

"이곳에서 연북까지는 아득히 머니까. 우리에겐 시간이 많아."

"연순."

초교의 얼굴이 일그러졌다.

"어째서 지금의 당신이 예전과 다르다는 느낌이 드는 걸까?"

"그래?"

연순은 평온한 기색으로 답했다.

"그건 아마 누군가가 내 물건을 빼앗아 가려고 하는 것을 발견했기 때문일 거야. 아무래도 내 물건은 상당히 인기가 좋은 것 같아. 내가 제대로 지켜보고 있지 않으면, 본전까지 날리게 될 것 같아."

"아? 뭐라고? 누가 감히 그런, 누가 감히 당신 물건을 빼앗아 가려 한다는 거야? 너무 심하잖아!"

초교는 아무 것도 모르는 것처럼 누한 목소리로 말했다

"하하, 너도 그렇게 생각하는 거지."

연순이 소리 내어 웃더니, 진지한 얼굴로 고개를 끄덕였다.

"그래, 너무 심하지. 내가 소철나무 한 그루를 10년 넘게 지켜서, 드디어 꽃이 피려는 참인데 말이야. 내가 어떻게 그 꽃을 다른 이가 캐어 가도록 내버려 둘 수 있겠어? 비록 그 꽃이 평범하고 다른 꽃들처럼 아름답지 않다 해도, 어쨌든 나와 그렇게 오래 함께했는데 말이야. 아무리 하찮은 물건이라 해도 오래 곁에 두고 있으면 감정이 생기기 마련이잖아? 게다가 나는 정을 아주 중요하게 여기는 사람이라고. 그런데 나에게서 정든 물건을 빼앗아 가려 한다면, 그것은 바로 그들이 나를 업신여기고 있다는 이야기지."

초교는 귀밑까지 얼굴이 빨개져 소리쳤다.

"이봐! 연순, 너무하잖아. 어떻게 나를 하찮은 물건에 비유할 수 있어!"

"하하!"

연순이 팔을 벌려 한 아름에 초교의 허리를 안아 그녀를 자신의 말로 옮겨 태웠다. 그리고 그녀를 뒤에서 끌어안고 웃으며 속삭였다.

"누군가가 내게서 그 꽃을 빼앗아 가려고 하면, 나는 목숨을 걸고 싸울 거다."

연순의 호흡이 조용히 그녀의 새하얀 목에 닿았다. 초교의 피부에 작게 소름이 일었다.

"연순, 안심해도 좋아. 아무도 네게서 빼앗아 가지 않아. 너의 그 꽃은, 자신이 어디에서 피어야 하는지 잘 알고 있어."

거센 바람이 불어왔고, 머리 위에서는 황금 깃발이 사납게 펄럭이고 있었다. 초교는 연순의 품에 기댄 채, 모든 근심과 걱정을 일순간에 날려 보냈다. 이책의 말이 옳다. 사람에게는 몸이 하나뿐, 이미 서쪽으로 가기로 결정한 이상 북쪽의 그 길은 자신과 상관없는 것이다. 그곳의 풍경이 어떠하건, 그곳에 비가 내리건 바람이 불건 모두.

초교는 매우 즐거웠다. 그녀는 지금 또 다른 연순을 만난 것 같았다. 진황성에서 뜻을 펴지 못하고 우울하게 지내던 세자도 아닌, 우리에 갇힌 채 마음 가득 원한을 품고 있던 남자도 아닌, 진황성을 탈출하던 날 살인에 눈이 멀었던 그 광인도 아닌 연순을. 따뜻하고 경쾌한 연순, 수년 전 적수 호반에서 만났던 그 소년이 다시 눈을 반짝이며 살아온 것만 같았다.

진황성, 그 죽음의 울타리를 벗어나니 그들도 더 이상 예전의 그들이 아니었다. 햇빛은 눈을 찌를 듯 황금빛으로 빛나고 있었다. 매 두 마리가 대오의 앞에서 나는 것이 보였다. 바로 그들의 매가 거대한 날개를 펼치고 바람을 따라 춤추고 있었다.

"이랴!"

연순이 갑자기 말 엉덩이에 채찍을 휘두르자 말이 말발굽을 들어 올렸다. 그들 뒤 대군이 연순의 말을 따라 거세게 내달리기 시작했고, 누런 먼지가 높이 일어났다.

"아초!"

바람이 너무 거셌기 때문에, 이리도 가까운 거리에서도 큰 소리로 외쳐야 겨우 들을 수 있었다. 초교는 고개를 돌리려고 노력하며 소리쳤다.

"뭐라고?"

"내가 집으로 데려가 줄게!"

연순이 채찍을 든 손을 들어 올려 서북쪽 지평선을 가리키며, 예리한 눈빛으로 외쳤다.

"우리의 왕국으로 돌아가자!"

제2장 연북으로 돌아가다

위대한 대지!

하늘은 순수하게 짙은 남색이었다. 공기 중에도 자유로운 바람이 섞여 있었다. 높고도 아득한 하늘, 눈처럼 새하얀 매들은 날갯짓하며 길게 울부짖었다. 눈을 들어 보면 시월의 마른 풀이 끝없이 펼쳐져 있었다. 바람이 맹렬하게 불어와 전사들의 갑옷을 펄럭여, 갑옷과 칼집이 부딪치는 맑은 소리가 끊임없이 들리고 있었다. 저 멀리 아득한 곳에, 침묵하는 거대한 용과 같은 높은 성이 지평선 끝에 조용히 웅크리고 있는 것이 보였다. 바로 대륙 동쪽에서 연북으로 들어가는 첫 번째 관문이자 군사 요충지인 북삭관이었다.

북삭관 앞이 바로 그 이름 높은 화뢰원이었다. 연북의 사자 왕 연세성이 아들들을 이끌고 결사의 각오로 대하의 군대를 맞아 항전했던 곳, 그리고 최후에 긴 잠에 **빠져들었던** 바로 그곳. 광활한 화뢰원 도처에 붉은 홍운화가 피어 있었다. 전해 내려오는 이야기에 따르면 홍운화는 썩은 고기를 자양분으로 삼아 피는 꽃으로, 피와 살이 많이 쌓인 곳일수록 꽃이 더욱 화려하게 핀다고 하였다. 보통은 무덤가에서나 볼 수 있는 꽃이었지만, 그해의 전쟁 이후 화뢰원에 가득 피어난 홍운화는 9년 동안 계절도 가리지 않고 항상 붉은빛을 발하며 피어 있었다.

찰나의 순간, 초교는 수년 전 그 뜨겁고 비장한 전쟁의 풍경을 본 것만 같았다.

철기병이 광활한 대지를 달리고 있었다. 핏빛 노을 아래 깃발들이 펄럭였다. 끝이 없는 초원에서, 울창한 밀림에서, 고고하게 우뚝 솟은 설봉에서, 푸른 피가 흐르는 광활한 대지에서, 전사들의 칼은 피를 탐하며 울부짖었다. 용사들은 갑옷을 입은 채 연북의 구석구석에서 죽어 갔다. 여인들과 아이들조차 무기를 들고 나라를 지키기 위해 싸우고 있었다. 도처에 슬픈 노래가 들려오고, 또한 웅장한 연북의 민요가 흘러넘쳤다.

사람들은 죽어 가면서도 눈을 감지 못했다. 자유를 숭배하던 그들의 심장은 결코 멈추지 않았고, 그들의 피도 여전히 뜨겁게 흐르고 있었다. 그들은 피처럼 붉은 꽃으로 연북의 땅을 가득 채우며 피어나, 뜨거운 피와 충성심으로 이 대지의 신성함을 증명하고 있었다!

이곳은 위대한 대지였다! 어떤 표현을 쓴다 해도 그 위대함을 단 만분의 일도 묘사할 수 없었다. 이곳의 풀 한 포기, 나무

한 그루, 돌멩이 하나에 모래 한 알까지 모두 이 땅이 겪은 수난을 입증하는 동시에, 백성들이 수난을 겪을 때마다 어떻게 굽히지 않고 일어섰는지 보여 주고 있었다!

연북! 연북!

8년 동안, 초교가 마음속으로 이 연북이라는 두 글자를 얼마나 많이 외쳤는지 모른다. 그녀와 연순은 치욕을 참아 가며 몇 번이고 생사의 문턱을 넘나들었다. 그것은 모두 연북으로 돌아올 오늘을 위해서였다. 지금, 그녀는 마침내 연북의 대지 위에 서 있었다. 연북의 얼음처럼 차갑고 건조한 바람을 맞으며 무리지어 가는 가축들을 바라보던 초교는 갑자기 울음을 터뜨리고 말았다.

그녀는 계속 어떤 곤경 속에서도 굳세게 견디고 있었다. 그러나 이 순간, 도저히 참을 수 없는 눈물이 폭포처럼 흘러내렸다. 설백의 여우 모피를 입은 초교는 말 위에 앉은 채, 고개를 들고 몸을 곧추세웠다. 그녀는 괴롭지 않았다. 실망하지도 않았다. 그러나 마음속에 너무나 복잡한 기분이 소용돌이치고 있었다. 마음속 바람이 이루어진 후의 감동이, 수많은 전투를 겪은 후의 피로함이, 그리고 형언할 수 없는 수많은 감정이 교차하고 있었다.

그녀는 알고 있었다. 이제부터 그들은 더 이상 아침저녁으로 불안감을 느낄 필요가 없었고, 더 이상 발걸음을 내딛을 때마다 신중하게 주위를 살펴볼 필요가 없었다. 또한 더 이상 언제라도 머리를 베일까 걱정할 필요도 없었고, 주변 모든 이의 시선을 살필 필요도 없었다. 이제 그 누구도 함부로 그들을 죽이거나 위협하지 못할 것이다. 그들은 이제야 타인에게 좌지우지되는 삶에서, 타인에 의해 도륙당하는 운명에서 벗어나 진정으로 일어선 것이다!

연북, 마침내 내가 왔다!

말발굽 소리가 들렸다. 눈매가 벼려 놓은 칼처럼 날카로운 남자가 초교에게 다가왔다. 그는 계속 말없이 대군을 이끌고 그녀 뒤에 서 있었다. 그는 말없이 그녀가 침묵하는 것을, 그녀가 전율하는 것을, 그리고 그녀가 조용히 울음을 터뜨리는 것을 바라보았다.

이 세상에서 그녀를 이해할 수 있는 것은 그 한 사람뿐이었다. 그녀가 지금 무엇을 느끼는지, 오로지 그만이 알고 있었다. 그들은 같았다. 북삭관을 본 그날, 그 역시 스스로를 억제할 수 없었다. 그는 연북의 백성들과 군대 앞에서 눈물을 흘리지는 않았지만, 막사 안으로 돌아가자마자 소리 없이 흐느꼈다. 수년 동안 단단한 표정만을 지어 온 그의 얼굴을 불태우는 듯한 뜨거운 눈물이었다.

그날, 8년 만에 처음으로 그는 대취했다. 술에 취한 가운데, 그는 자신의 부친을 본 것만도 같았다. 아버지는 커다란 손으로 힘차게 그의 어깨를 두드리며 껄껄 웃었다.

'이 녀석, 아주 잘 자랐구나. 네 아비보다도 커지고 말았구나!'

"이곳이 바로 북삭이야."

연순이 석양 아래 회색 성을 가리키며 평온하게 말했다. 초교는 고개를 돌려 형형한 눈빛으로 그를 바라보았다.

서쪽으로 기우는 석양이 금빛 찬란한 광휘를 흩뿌리고 있었다. 연순은 말 위에 앉아 고요한 눈길로 초교를 바라보았다. 그는 검은 군장을 입고, 병사들과 똑같은 모양의 검은 가죽옷을 걸치고 있었지만, 사람 전체가 날카로워 보였다. 연순은 올해 스물 하나에 불과했다. 젊고, 마르고, 꼿꼿하고, 잘생겼다. 찬란한 빛을 숨기고 있는 검은 눈은 깊이를 알 수 없는 우물 같았다.

사람을 늙게 하는 것은 세월이 아니다. 누군가의 삶을 성숙하게 하는 것은 경험이다.

문득 수년 전 사냥터에서 일부러 화살이 빗나가게 쏘던 소년이 떠올랐다. 진황의 거리에서 옷깃을 나부끼던 젊은 세자, 맑은 빛을 반사하는 적수 호반에서 소년은 눈가에 웃음을 가득 담고 초교를 바라보았다. 소년의 머리 위에 둥근 달이 밝았었지. 투명한 그 빛이, 마치 안개처럼 소년을 감싸고 있었다.

초교는 다시 진황성의 어두운 뇌옥을 떠올렸다. 천장에서는 얼음처럼 차가운 눈꽃이 끊임없이 떨어지는 가운데 두 아이는 두꺼운 벽을 사이에 두고 서로의 손을 꽉 잡았다…….

마치 이 8년 동안의 세월이 다시 덮쳐 오는 것만 같았다. 진창에 빠졌던 남자는 그 피 웅덩이에서 몸을 일으켜, 이제 그 길고도 고된 여정을 시작한 것이다.

차가운 북풍이 불어오고, 머리 위의 매는 사납게 날갯짓하고 있었다. 연북 고원이 새로운 주인을 환영하고 있었다. 초교의 피가 점차 끓기 시작했다. 그녀는 예감할 수 있었다. 한 시대가 끝났다는 것을, 새로운 시대가 이곳에서 시작되고 있다는 것을!

얼마나 다행인가, 초교는 이 모든 것을 직접 볼 수 있었다. 그녀가 동요 없이 계속 연순의 곁에 머물렀기 때문에!

연순이 초교에게 담담하게 미소 지었다.

"아초, 집에 돌아온 것을 환영한다."

갑자기 하늘에서 매의 울부짖음이 들려왔다. 오랜 세월을 버텨 온 북삭성의 문이 천천히 열렸다. 연순이 슬며시 고개를 들자, 저녁 햇빛이 그의 이마에 핏빛으로 쏟아져 내렸다.

성 안에 들어서자마자 누군가가 맞이하러 나왔다. 연순이 그 사람을 가리키며 웃었다.

"아초, 현현이야. 연북에서 가장 거칠고 야만스러운 사람이지."

현현이라는 소녀는 기마용의 옷을 단정하게 차려입고 있었다. 새하얀 낙타털이 그녀의 하얀 턱을 감싸고 있었고, 새까만 두 눈은 마치 포도 알처럼 투명하니 윤기가 흐르며 빛나고 있었다. 초교의 이름을 들은 소녀의 눈에 놀란 빛이 스쳐 갔다. 그녀는 제 앞에 있는 늘씬한 초교를 위아래로 훑어본 후, 놀란 듯 외쳤다.

"당신이 초교라고요?"

"현 옹주님, 연북 고원의 가장 아름다운 칼날이시라고 들었습니다. 뵙게 되어 영광입니다."

바람이 불어와 소녀의 머리카락을 휘날렸다. 현현의 눈매는 연순과 꽤 닮아 보였다. 나이는 아직 열여덟에서 열아홉 정도에 불과했지만, 연씨 가문 특유의 늘씬한 몸매를 이어받은 것이 분명해 보였다. 피부는 눈처럼 하얗고, 전체적으로 명랑하고 쾌활한 분위기가 풍겼다. 현현이 찬란하게 미소 지으며 말했다.

"당신이 오는 거였군요. 어쩐지, 어쩐지."

연순이 미간을 찌푸리며 가볍게 질책했다.

"현현, 그렇게 예의 없이 굴지 마라."

"알겠어요, 오라버니."

현현이 생글거리며 연순의 어깨를 두드렸다.

"진황성, 그 거지 같은 곳에서 나쁜 것만 배워 왔군요. 입만 열었다 하면 무슨 규율 아니면 예의 타령이니. 그나저나 초교, 당신에 대한 이야기는 많이 들었어요."

현현이 초교를 바라보며 다정하게 말했다.

"진황성에서 우리 오라버니와 8년이나 함께 지냈다지요? 고생을 많이 했다고 들었어요. 또 군대를 구하기 위해 대하와 한바탕 싸움도 했다면서요. 정말이지 대단해요!"

"저도 옹주께서 화운군을 이끌고 연북을 종횡무진 하시며 파탁, 그 우둔한 무리가 사방으로 도망가게 만드셨다는 이야기를 예전부터 들어 왔답니다."

"하하, 나는 연가의 자손이니까요. 내가 다른 사람을 죽이지 않으면 다른 사람이 나를 죽이러 올 테니 어쩔 수 없었죠. 나는 당신과 비할 바가 못 된답니다. 당신은 우리 연북의 일등 공신이에요."

헌현이 웃으며 말했다.

"방금 오라버니가 여인을 데려오고 있다는 이야기를 듣고 오라버니가 혹시 당신에게 미안할 짓을 저지르는 건 아닌지 걱정했지 뭐예요. 하지만 당신이 왔으니, 이제 아무 걱정 없어요!"

그녀가 웃으며 연순을 놀리더니, 마치 연기처럼 재빨리 사라져 버렸다. 곧 말의 울음소리가 들려왔고, 말발굽 소리가 멀어져 갔다. 뒤에 있던 하인들이 당황하여 큰 소리로 외쳤다.

"현현 대인! 저하의 말을 타고 가시다니요!"

"어릴 때부터 저랬다."

연순이 현현이 사라진 방향을 바라보며 미소 지었다.

초교는 그의 옆얼굴을 바라보았다. 이전에는 본 적 없는 따뜻한 표정이 연순의 눈에 스쳐 가고 있었다. 그녀는 그 따뜻함이 바로 혈육 간의 정이라는 것을 알고 있었다. 아주 오랫동안, 연순의 얼굴에서 보지 못했던 것이었다.

마지막 햇빛이 사라지고 있었다. 대지가 어둠에 가라앉고, 별빛이 하늘을 스치기 시작했다. 밤하늘의 별들은 차갑고 날카로운 눈동자가 되어 연북 고원을 내려다보고 있었다. 초교는 깊이 숨을 들이마셨다. 얼음처럼 차가운 공기가 폐에 가득 찼다.

"사실, 내가 그녀보다 행운이지!"

연순이 갑자기 나지막하게 한숨을 내쉬었다. 그는 고개를 돌리지 않았지만, 여전히 먼 곳을 보고 있었다. 그는 바다처럼 깊은 눈빛으로 초교의 손을 잡고 있었다.

저녁을 먹은 후, 초교는 임시로 만든 서재에 앉아 최근 전투와 관련한 문건을 읽고 있었다. 그녀는 연북의 상황이 낙관적이지 않다는 것을 알고 있었다. 당초 진황성에서 일으킨 의거에 맞춰, 연북은 같은 날 정변을 일으켰다. 대동회와 예전 연왕의 수하들은 부대를 이끌고 재빨리 연북의 동서 양쪽의 중요한 성들을 점령했다. 그러나 북부의 미림관 일대는 평소 대하가 견융을 방어하는 요충지로, 성이 견고하고 주둔하는 병사들이 1만이 넘어 쉽게 공격할 수가 없었다. 또한 인원 부족과 진략상의 실수로 인해 동부 전란 소식이 신속하게 전달되어, 연북의 기의군이 미림관에 도착했을 때는 대하군이 이미 전투 준비를 끝낸 다음이었다.

대동회는 비록 인재가 넘친다고 자화자찬하지만, 실제로 전략에 능통한 사람은 많지 않았다. 그들의 전술은 낮은 수준이었다. 대동회가 그동안 승리를 거둬 온 것은 모두 사기에 힘입은 것이었다. 대하의 정예 부대 앞에서는 그런 날카로움만으로는 계속 지탱할 수 없을 것이다. 전쟁은 일종의 예술이었다. 그리고 이곳에는 예술을 이해하는 사람이 너무 적었다.

그녀는 빠르게 모든 정보를 종합하고, 붉은 먹으로 하나하나 주의할 부분을 적어 내려가기 시작했다. 문서를 거의 다 훑어보았을 때, 하늘은 이미 어두워져 있었다.

갑자기 문 두드리는 소리가 들렸다. 초교가 대답하자 문이 빼꼼 열리더니 현현이 머리를 들이밀고 소곤거렸다.

"오라버니는요? 여기 있나요?"

"없어요."

초교가 몸을 일으켰다.

"앞뜰에서 손님을 만나고 있어요. 옹주님께서는 오라버니를 찾고 계신 건가요?"

"오라버니가 없다면 됐어요."

연순이 없다는 이야기를 듣자 현현이 갑자기 즐거운 표정으로 성큼성큼 안으로 들어왔다.

"전 당신을 찾아온 거예요. 자, 가요. 내가 이곳을 구경시켜 드릴 테니까."

말을 마치자마자 현현은 초교의 의견은 묻지도 않고 그녀를 끌고 밖으로 나갔다. 초교는 당황한 나머지 겨우 외투만 챙겨 들고 끌려 나갔다.

"옹주님, 무슨 일로 저를 찾으신 건가요?"

현현과 초교는 거리를 지나 여읍의 서쪽으로 갔다. 여읍은 지세가 비교적 높았는데, 여읍의 서쪽은 작은 산비탈이었다. 수많은 병사들이 그곳에 진을 치고 있었다. 황혼 무렵이라 모닥불이 타오르고, 도처에 음식 끓는 냄새가 진동했다. 병사들은 초교를 알지 못했지만, 멀리 현현이 오는 것을 보자 모두 큰 소리로 웃으며 인사했다.

"오! 대인이 오셨네. 식사는? 같이 앉아서 드시지요?"

현현은 쾌활하게 웃으며 소리쳤다.

"꺼져! 나는 저쪽에서 전복에 바닷가재에 돼지구이까지 먹었는데, 누가 너희들의 국수 따위를 먹고 싶겠어?"

병사들이 하하 웃으며 잇달아 두 사람에게 길을 열어 주었다. 그들은 초교를 보자 조금 조심하는 빛을 보였다.

"저거! 저 아이예요. 당신에게 드릴 거예요."

현현이 웃으며 초교를 끌고 앞으로 나갔다. 초교의 눈앞이 갑자기 밝아졌다.

온몸이 검붉은 전마 한 필이 나무에 묶여 있었다. 말발굽은 새까맣게 빛나고, 코에는 흰 털이 한 줌 나 있는 말이었다. 건강하게 살집이 붙은 데다 눈빛이 아주 맑은 것이, 한눈에 보기에도 좋은 말이었다.

초교가 천천히 손을 내밀어 가볍게 말의 콧잔등을 쓰다듬었다. 말은 온순하게 울음소리를 내더니, 뜨거운 숨을 그녀의 손바닥에 내뿜었다. 초교가 큰 소리로 웃자, 현현도 웃으며 말했다.

"아도가 당신을 좋아하는군요."

"아도?"

"응, 이 아이의 이름이에요. 내가 지었죠."

현현이 말 머리를 두드리며 의기양양하게 웃었다.

"이 아이는 회회산 기슭 야생마 무리의 왕이었어요. 내가 이레나 걸려 겨우 잡아서 1년이 넘게 훈련시켰죠. 이제 이 아이는 당신의 말이에요."

유성을 잃은 후로 초교는 계속 자신의 말이 없었다. 지금 현현이 선물한 이 말은 확실히 좋은 말이었다. 초교는 자신도 모르게 마음이 따뜻해져 웃으며 말했다.

"고마워요. 옹주님."

"나를 옹주라 부르지 마세요."

현현이 말했다.

"나는 가문의 적출도 아닌걸요. 부친이 살아 계실 때도 아무도 나를 옹주라 부르지 않았어요. 지금 그렇게 불릴 때면 더욱 몸 둘 바를 모르겠어요."

"음, 그럼 어떻게 부를까요?"

"현현이라고 불러 줘요. 나는 오라버니가 하는 대로 당신을 아초라 부를게요. 우리 중 누구도 귀천이 없는 걸로 해요."

초교가 웃었다.

"현현."

현현이 웃자 그녀의 눈이 마치 실선처럼 가느다랗게 변했다. 초교는 감격하지 않을 수 없었다. 이 소녀는 아직 스물도 되지 않았다. 그녀는 연세성의 동생인 연세봉의 외동딸이었다. 그러나 신분이 낮은 무희가 낳은 딸이었기에 연씨 가문이 학살당하던 때에도 요행히 목숨을 건질 수 있었다.

그녀가 진황성에 끌려가 노비가 되었을 때 대동회의 무사가 그녀를 구해 냈고, 그 후로 지금까지 그녀는 연북의 정신적 지주였다. 그녀는 연순을 대신하여, 연북에 남은 연가의 유일한 혈맥으로서 옛 사람들이며 대하에 반대하는 인의지사들을 모았다. 더군다나 최근 그녀는 최전선에 몇 번이나 투신하는 등,

연북에서 으뜸가는 장수가 되어 있었다.

전쟁의 불길이 일어나는 난세니, 사실 그 누구라도 자신의
이야기로 소설 한 편을 써낼 수 있을 것이다.

"아초, 진황성은 재미있나요?"

아무래도 아직 스물이 안 된 소녀다 보니, 현현은 곧 화제를
바꿨다.

"진황성은 아주 번화하다고 들었어요. 또 바닷가에 가면 장
사를 하러 온 불락 사람들을 볼 수 있다면서요. 그곳 사람들은
머리는 빨갛고 눈은 파랗다던데, 본 적 있나요?"

초교가 웃으며 답했다.

"본 적 있지만 많이 보지는 못했어요. 그런데 번화함이나 외
국인 이야기를 하자면, 변당 쪽이 할 이야기가 더 많아요."

"변당?"

"그래요."

두 사람은 잠시 말을 끌고 높은 산비탈로 올라가, 외투를 바
닥에 깔고는 어깨를 나란히 하고 앉았다. 밝은 달빛이 그들의
어깨 위로 떨어졌다. 초교가 천천히 말했다.

"그곳은 아주 아름다운 나라예요. 1년 내내 눈이 내리지 않
고, 겨울도 없이 사계절이 봄처럼 따뜻한 곳이죠. 꽃들이 화려
하게 피어나고, 상업이 아주 발달했어요. 당경성의 백성들은
3백만이 넘는데, 거의 우리 연북의 오분의 일이지요."

"와!"

연북에서만 자라 온 현현은 눈을 휘둥그렇게 떴다.

"그렇게 대단한가요!"

"그럼요."

초교가 웃으며 이책의 의기양양한 표정을 떠올렸다.

"정말 대단하죠."

"언젠가 기회가 되면 꼭 직접 가서 봐야겠어요."

현현이 작은 주먹을 휘두르며 단호한 표정으로 말했다.

"전쟁에 이기면 바로 가 봐야지."

초교가 말했다.

"좋아요. 전쟁에 이기면 가도록 해요. 내가 같이 가 줄게요."

"와아, 당신이 먼저 이야기한 거예요. 그때 가서 무르기 없기예요."

현현은 서둘러 목을 가다듬더니, 열심히 풀을 뜯고 있는 말을 가리키며 말했다.

"아도가 들었으니 증인이에요!"

그 말은 확실히 영리했다. 현현이 자신의 이름을 부르는 것을 듣자, 고개를 돌려 바라보았다. 초교가 웃었다.

"그래요, 아도가 증인이에요."

이때, 갑자기 말발굽 소리가 들려왔다. 현현이 활발하게 몸을 일으켜 아래를 내려다보더니, 환한 얼굴로 손을 흔들며 외쳤다.

"소화, 소화, 여기! 여기야!"

얼마 지나지 않아, 스물 남짓한 잘생긴 청년이 말을 타고 나타났다. 그는 말에서 내려 달려오더니 숨을 헐떡이며 물었다.

"무슨 일이기에 이렇게 급하게 찾는 거야?"

"친구를 하나 소개하고 싶어서."

현현은 초교를 가리키며 의기양양하게 말했다.

"이 사람이 누구인지 알아? 들으면 넌 깜짝 놀라 까무러칠걸. 후후, 바로 초교라고. 서남진부사를 이끌고 서북군을 물리친 그 초교!"

"뭐라고?"

소화가 잠시 멈칫하더니, 매우 놀란 듯 눈을 휘둥그렇게 뜨고 도저히 믿을 수 없다는 듯 외쳤다.

"이렇게 어린데?"

현현은 그에게 흰 눈을 해 보이며 초교에게 말했다.

"아초, 이 사람은 소화예요. 소화의 정식 이름은…… 아? 소화, 네 이름이 뭐였더라?"

안색이 어두워진 소화가 울적하게 말했다.

"내 이름조차 기억 못하는 거야?"

"기억하지 못한들 아무 상관 없잖아?"

현현이 미간을 찡그리며 당당하게 말했다.

"어차피 네 정식 이름은 아무도 부르지 않는걸, 뭐!"

소화는 그녀를 흘기더니, 고개를 돌려 초교에게 말했다.

"초 아가씨, 저는 엽정화라고 합니다. 제1군 서기관이지요. 사람들이 저를 소화라고 부르니, 아가씨도 저를 그리 불러 주시면 됩니다."

초교가 웃으며 말했다.

"소화 장군, 알게 되어 기뻐요."

"피, 장군은 무슨. 흥, 다음 생에나 불릴 명칭인걸."

"이봐, 현현! 새 친구 앞에서 그렇게 말하는 건, 너무 의리 없는 행동이라고!"

현현은 허리에 손을 얹고 말했다.

"의리에 대해서라면 말이지, 미녀를 보자마자 제대로 걷지도 못하는 네가 의리가 없는 거지. 말해 두겠는데, 아초는 우리 오라버니의 부인이 될 사람이야. 그러니 이상한 꿍꿍이는 그만두는 게 좋을걸."

소화는 귀까지 빨개져서 외쳤다.

"내가 무슨 꿍꿍이를 가졌다고? 그런 말로 사람을 중상모략하지 마!"

현현은 손가락을 내밀어 소화의 가슴을 쿡쿡 찌르며 패기 있게 말했다.

"너한테 그러면, 어쩔 건데?"

소화가 얼굴을 찡그리며 말했다.

"무지막지하긴! 너랑 말한들 무슨 소용 있겠냐. 초 아가씨, 저는 아직 일이 남아 있어 먼저 실례하겠습니다."

"됐어, 일은 무슨 일이 있다고 그래? 서기관이라니, 흥, 대체 무슨 관직인지도 모르겠던데. 오 선생이 네 체면을 세워 주려고 대강 아무 일이나 준 것 같은데!"

"너……."

두 사람이 귀까지 붉히며 다투려 하는 것을 보고, 초교가 재빨리 분위기를 바꿨다.

"지금 군대를 새로 편제한 지 얼마 되지 않았으니, 서기관은 중임을 맡은 직책이죠. 바쁜 거야 당연하고요."

"아초, 소화 편을 들지 말아요."

초교가 웃으며 말했다.

"편을 드는 게 아니에요. 전선에서 전쟁을 시작하면, 서기관은 후방에서 아주 결정적인 역할을 하게 될 테니까요. 신병을 뽑아 훈련시키고, 군법을 제정하고, 질서도 확립해야 하고요. 아무래도 한계가 있는 민병의 역량을 종합하여 최전선에 있는 부대를 지원할 조직도 만들어야 하죠. 새로운 점령지의 방어라 든가 치안, 또 새로운 통치 기구를 만드는 일에도 신경 써야 하고, 민심도 안정시켜야 하고요. 양식이며 건초를 모아 군수품 보급도 해야죠, 백성이며 마차, 수레 등을 조직해서 군수품 운 송도 해야 하고요. 일이 아주 번잡하게 많으니, 절대 보통 사람 으로서는 해낼 수 없는 일이에요."

초교가 말을 끝냈을 때, 두 사람은 멍하니 그녀를 보고 있었 다. 초교가 살짝 당황하여 의아한 듯 물었다.

"왜 그러는 건가요? 내가 틀린 말이라도 했나요?"

"아, 아뇨."

현현이 고개를 돌리고 소화에게 물었다.

"지금 저런 일들을 모두 하고 있어?"

"아니."

소화가 고개를 저었다.

"나는 전투와 관련한 정보를 기록하는 일을 맡고 있어. 가끔은 병사들이 집에 서신을 보내는 것도 대신 써 주고."

초교는 매우 난처해졌다. 그게 무슨 서기관이란 말인가. 그긴 그저 주둔기에서 문서와 관려되 잡다한 일을 하는 것에 지나지 않는 것 아닌가.

"소화, 보아하니 앞으로 항상 아초 근처에 있는 게 낫겠어."

현현이 눈을 깜빡였다.

"아초가 너에게 가르쳐 줄 것이 많은 것 같아."

소화가 서둘러 고개를 끄덕였다.

"어떻게 그렇게 승리를 거뒀는지 알겠어. 정말 대단하다. 견식이 늘었어."

초교는 어쩔 수 없이 한숨을 쉬었다. 보아하니 연북의 군대는 정말로 철저하게 재정비해야 할 것 같았다.

그들은 잠시 대화를 나누다가 헤어졌다. 초교가 말을 제법 달린 후에 고개를 돌려 보니 현현과 소화는 걸으면서 여전히 네가 나를 밀치면 내가 너를 한 대 치는 식으로 투닥거리고 있었다. 어쩐지 우습다는 생각이 들었다.

소화는 연세봉의 저택에서 꽃을 가꾸던 이의 아들이었다. 연북이 공격당했을 때, 그는 현현과 함께 사로잡혔다. 현현의 말에 따르면, 그해 현현이 초인적인 용기를 내어, 놀란 나머지 바지에 오줌을 지리며 울고 있는 소화를 구해 함께 대하의 마수에서 벗어났다고 했다.

그러나 초교가 듣기로는 그해 한 아이가 현현을 구했다고 했다. 그 아이가 현현을 등에 업은 채 100리가 넘는 길을 걸은 후에야 현현을 구하러 오는 대동회의 대오를 만났다고 했던가. 그 아이는 바로 소화임에 틀림없었다.

아득하게 대설이 내리는 가운데, 두 아이는 가족을 잃었다. 열 살 남짓한 소년이 다른 아이를 등에 업고, 눈 쌓인 땅을 밟아 100여 리를 도망치다니. 정말이지 상상하기 어려운 일이었다.

서재에 돌아와 보니 연순은 여전히 돌아오지 않은 상태였다. 초교가 그의 방에도 가 보았지만, 역시 보이지 않았다. 문을 지키는 하인에게 물어보니, 세자는 뒷산으로 간 것 같다는 답이 돌아왔다.

여읍의 지형은 높은 편이었고, 성주의 관저는 성에서 가장 높은 곳에 위치하고 있었다. 뒤에는 작은 산이 하나 있었다. 초교는 두툼한 여우 가죽으로 만든 외투를 입고, 한 걸음 한 걸음 산 위로 올라갔다. 멀리 정상에 나무 한 그루가 보였는데, 그 주변은 모두 돌이었고, 풀은 한 포기도 보이지 않았다. 나무는 밤하늘 아래 조금 스산해 보였다. 연순은 바로 그 나무 아래 바위에 앉아 있었다.

연순이 초교의 발걸음 소리를 듣고 생각에서 깨어난 듯 고개를 돌리더니, 그녀에게 손을 뻗으며 웃었다.

"돌아왔구나."

"응."

초교는 살며시 숨을 헐떡이며 그의 손을 잡고 그 곁에 앉았다.

"현현이 나에게 말을 한 필 줬어. 회회산 야생마들의 왕이라던데. 아주 아름다운 말이야."

"믿지 않는 게 좋을걸."

연순이 키득거렸다.

"최근 그 애는 아주 많은 사람들에게 말을 선물했는데, 언제나 그 말이 회회산 야생마들의 왕이라고 말한다고. 어제는 나에게 말 두 필을 주면서, 각각 암컷과 수컷 중 왕이니 자웅쌍왕이라고 하더군. 그 애 말에 따르면, 회회산 기슭의 말들은 모두 독립하여 사니, 모든 말이 다 왕이라던가."

초교는 그만 머리를 흔들며 웃고 말았다. 그녀는 현현이 비밀스럽게 굴던 모양을 생각하고는 자신도 모르게 말했다.

"정말 어린아이네."

연순이 그녀를 곁눈질하며 말했다.

"너라고 그 애보다 클 건 없는데?"

초교는 애매하게 답했다.

"나는 마음이 성숙했지."

연순이 고개를 돌렸다. 달빛이 그의 얼굴 위를 비추며 희미한 빛의 안개를 만들어 내고 있어, 더욱 창백해 보였다. 초교가 물었다.

"몸은 좋아진 거야? 이렇게 추운데, 그만 방으로 돌아가는 게 낫지 않을까?"

"몸은 괜찮아. 지금은 그냥 여기 앉아 있고 싶어."

연순은 산 아래 펼쳐진 풍경을 바라보며 담담하게 말했다.

"그동안 네가 내 곁에 없었기 때문에 나는 항상 좌불안석이

었어. 지금 네가 돌아왔으니…… 이제야 마음이 편해진 것 같
아. 이 편안한 마음으로 연북을 보고 싶어."

산 아래 수많은 집에 등불이 걸려 있었다. 조용하고도 평화
로운 풍경이었다. 멀리 병사들이 부르는 군가가 들려왔다. 그
노랫소리는 조금 처량하면서 동시에 장중했다. 연순이 갑자기
한탄하듯 속삭였다.

"아초, 연북은 아주 가난하고, 내부의 암투도 끊이지 않아.
이미 내가 기억하고 있던 예전의 연북이 아니야. 이곳에 돌아
온 후, 혹시 실망하지는 않았어?"

초교는 연순을 바라보았지만 그는 그녀를 보고 있지 않았
다. 초교는 나지막하게 소곤거렸다.

"연북이 여전히 예전의 연북이라면, 우리가 앞으로 노력할
필요가 없겠지."

연순은 몸을 살짝 떨면서, 아무 말도 하지 않았다.

초교는 연순의 손을 꽉 쥐었다. 그의 손은 마치 얼음처럼 아
주 차가웠다. 새끼손가락은 없었지만, 다른 네 손가락은 길고
거친 데다 못이 잔뜩 박혀 있었다. 무공을 수련하며 칼을 잡아
생긴 못도 있었고, 거친 일을 하다가 생긴 못도 있어 도무지 귀
족의 손 같지 않았다. 초교는 그의 손을 힘주어 잡은 후 입가로
가져가 입김을 불어 주고 문질러 준 후 생긋 웃었다.

"가난한 걸로 치자면, 우리 두 사람의 그때만큼 가난할 수
있겠어?"

연순은 고개를 돌려 초교의 아름다운 얼굴을 물끄러미 바라

보았다. 그녀는 밤의 장막 속 이슬에 반짝이는 꽃잎처럼 웃고 있었다. 연순은 과거를 떠올리며 조금 쓰라린 기분을 느꼈다. 어떻게 잊을 수 있을까. 진황성에서 둘이 함께 첫 번째 신년을 보내던 때, 한성 도처에서는 기쁨에 넘쳐 폭죽을 터뜨리고 등불이 휘황찬란하며 사죽 소리가 끊이지 않았다. 그러나 두 아이는 성금궁 서북쪽의 가장 외진 낡은 전각에서, 사방에서 바람이 새어 들어오는 낡은 방 안에 웅크리고 있었다. 몸을 따뜻하게 할 수 있는 것이라면 뭐든지 다 두른 채. 낡아빠진 면 옷, 홑이불, 창가에 걸려 있던 휘장까지도. 그야말로 두 작은 거지라고 할 만한 몰골이었다.

바닥에는 작은 솥이 있었다. 그들은 불을 쬐며 계속 장작을 넣고 있었다. 초교는 얼굴이 붉게 달아오른 채, 작은 숟가락으로 끊임없이 솥 안을 젓고 있었다.

한 사람 앞에 흰죽 반 그릇, 얼어 버린 무말랭이 몇 조각. 그것이 그들의 제야를 위한 음식이었다. 연순은 괴롭고 울컥한 나머지 먹지 않으려 했고, 초교는 그릇을 들고 그를 달랬다. 후에 초교가 그의 어깨에 기댄 채 잠이 들었고, 연순은 고개를 숙이고 그녀를 바라보았다. 초교의 손은 동상에 걸려 있었고, 밥을 먹었는데도 배에서는 여전히 소리가 났다. 얼굴은 곪은 나머지 누렇게 뜨고, 영원히 크지 않을 것 같은 모습이었다. 그때 그는 마음속으로 맹세했다. 언젠가는 그녀에게 풍요로운 나날을 보내게 해 주겠다고. 그리고 눈 깜빡할 사이에 이렇게 오랜 세월이 흘렀는데도, 그녀는 여전히 자신을 위해 생사를 걸고 동분서주하고 있었다.

"어머!"

초교가 갑자기 깜짝 놀란 듯 큰 소리로 외쳤다. 연순이 살짝 당황하여 물었다.

"왜 그래?"

"우리가 궁 안에 묻어 놓은 술 말이야. 잊고 마시지 않고 와 버렸잖아."

연순이 웃었다. 그의 눈빛 속에 예리하고 차가운 빛이 스쳐 갔다.

"그 술이라면 걱정할 필요 없어. 앞으로 기회가 있을 테니까."

그 말 속에는 날카로운 칼날이 숨어 있었다. 치가운 바림이 불어와 그의 냉담한 얼굴선을 스치고, 천천히 광활한 연북의 대지로 퍼져 나갔다.

"연순, 무기와 양식 문제를 단기간에 해결해야 한다고 했지. 하지만 가능할까? 우리가 변당의 암시장에 진출하는 걸 이책이 묵인해 주긴 했지만, 우리가 필요한 양은 너무 많아. 아마 변당 의 상층부를 놀라게 만들 텐데."

초교는 고심 끝에 마음속 의문을 토해 냈다. 연순이 눈꼬리를 살짝 들더니, 한참 후에야 나지막하게 말했다.

"회송."

"회송? 회송이 우리를 도와줄까?"

"회송의 장공주를 만난 적 있어."

"납란홍엽!"

초교는 깜짝 놀라 눈을 휘둥그렇게 뜨면서 연순을 바라보고, 한참 고민한 후 다시 속삭였다.

"그렇다면 전에 이책에게, 변당의 암시장을 통해 군수품을 보급받고 싶다고 했던 것은 구실에 불과했던 거야? 진짜 목적은, 이책을 비호자로 삼아 남강 수로 길을 빌려 자유롭게 회송에 들락거리려는 것이고?"

연순이 고개를 끄덕였다.

"역시 알아차리는군."

초교가 미간을 찡그리며 말했다.

"변당과 회송은 지금 전쟁 중이야. 우리가 이런 식으로 회송에게 철광이며 금을 지원하게 되면, 우리가 회송 편에 서서 이책과 적이 되는 것은 아닐까?"

"그럼 어떻게 해야 하지?"

연순의 눈빛이 날카롭게 빛났다.

"변당은 공공연하게 대하와는 적이 되지 않으려 하니, 우리의 양식과 군수품을 지원할 수도 없지. 그렇다면 우리는 또 다른 세력을 찾을 수밖에 없어. 내가 대하에 가서 양식을 사 올 수는 없잖아?"

비록 뭐라 표현하기 어려운 기분이 들긴 했지만, 초교는 연순의 말이 옳다고 인정하지 않을 수 없었다. 어쨌든 회송이 그럴 만한 배짱이 있어 다행인지도 모른다. 그렇지 않았다면 그들은 미림관의 문을 열고 견융인과 거래를 해야 했을 테니까.

"아초, 이책이 내 의도를 모를 거라고 생각해?"

연순은 한숨을 내쉬고 천천히 말했다.

"우리가 아무리 조심스럽게 일을 처리하더라도, 그렇게 많은 양의 양식과 건초가 변당의 국경을 통과하려면 결국은 암시장을 한 바퀴 돌아야 하지. 이책이 과연 그 사실을 모를 수 있을까?"

초교가 눈을 반짝였다.

"그는 그저 모르는 척하는 것뿐이야. 변당 입장에서 보자면, 대하와 연북이 사생결단의 각오로 싸우는 것은 좋은 일이야. 변당에게 있어 가장 좋은 일은 대하와 연북이 오랫동안 싸우다가 결국 동귀어진 하는 것이겠지. 회송이 우리의 군량을 지원하는 것은 결국 변당의 이익에 부합하는 일이야. 그렇기에 이책은 묵인하기로 한 것이지. 오랫동안 세 나라가 솥의 발처럼 균형을 이루고 있었으니, 변당의 적은 회송만이 아니야. 변당에게 있어 가장 거대한 적은 바로 홍천에 근거지를 두고 있는 대하지. 그리고 이책은 이것을 너보다 훨씬 더 잘 알고 있을 거야."

연순은 슬며시 한숨을 토해 냈다. 그의 눈길이 아련하게 산 아래 수많은 등불을 바라보고 있었다.

"그리고, 우리는 정말로 버티기 힘든 상황이야. 우리는 대하와 장기전을 벌이게 될 테니, 눈앞의 이익만 생각하는 것이 아니라 반드시 먼 미래까지 생각해야 해. 북방에서는 견융족이 계속 우리를 노리고 있지. 매년 가을과 겨울이 되면 백성들은 그들에게 강탈을 당하곤 해. 백성들은 전쟁의 참혹함을 충분히 겪었고, 이미 피폐해진 상태야. 백성들은 우리가 연북으로 돌아오기를 기대하면서도, 우리가 돌아오면 대규모의 전면전이 폭발할 수 있다는 사실을, 그들이 더욱 큰 고초를 겪을 수도 있다는 사실까지는 생각하지 못했을 거야. 네가 예전에 말한 것처럼 백성들은 연북의 근본이야. 그 연북의 근본들이 겨울을 보낼 양식이 없어. 만약 제대로 양식을 보급해 주지 않는다면, 우리 백성들은 얼어 죽거나 굶어 죽게 될 거야. 그렇게 되면 우리도, 안 그래도 곤궁한 상황에서 더욱 힘들어지게 될 거고. 우리는 백성들에게, 우리가 돌아왔기 때문에 그들이 풍요롭게 살 수 있으리라는 신념을 갖게 해 주어야 해. 그들이 우리에게 충성하며 따르도록."

초교의 마음은 조금 답답했지만, 결국은 고개를 끄덕였다.

"그래."

"아초, 너무 많이 생각하지 마. 모든 것은 곧 지나갈 거야."

연순이 그녀의 어깨를 두드리며 굳센 표정으로 미소 지었다.

"그 많은 고난을, 우리는 모두 견뎌 냈잖아. 지금이 그때보다 더 나쁜 것도 아니잖아?"

차가운 밤바람이 불어왔다. 초교의 길고 검은 속눈썹이 떨리고 있었다. 그녀는 미소 지으며 말했다.

"연순, 나는 당신을 믿어."

연순의 눈썹 끝이 살짝 떨렸다. 한순간, 무엇인가가 그의 눈빛 속을 스쳐 갔다. 그러나 그는 그것이 무엇인지 말하지 않고, 그저 초교를 안고 이마에 가볍게 입을 맞췄다. 그의 입술은 차갑고 축축했다.

초교는 그의 넓은 가슴에 몸을 기댔다. 두툼한 외투를 통해서도 연순의 단단한 심장 소리를 들을 수 있었다. 한 번, 또 한 번, 그의 심장 소리가 초교의 귓가에 굳세게 들려왔다.

그들의 움직임은 아주 자연스러웠다. 8년 동안, 그들은 항상 이런 식이었다. 두 사람 중 누구도 말을 하지 않았다. 그들의 묵계는 마치 오래 묵은 술처럼, 때때로 이렇게 농후한 향을 내뿜고 있었다.

오랜 세월 곤경 속에서 서로를 의지하며 살아온 끝에, 초교와 연순은 나이에 비해 담담한 성정을 지니게 되었다. 괴로운 경험이 그들을 성숙시켰던 것이다. 몸 안에는 여전히 뜨거운 피가 흐르고 있었지만, 그들은 그 피를 안정시키는 법을 잘 알고 있었다.

"연순, 대하가 연북을 공격하기 위해 누구를 보낼까? 몽전? 조철? 그 외에 누가 있을까?"

"몽전은 이미 늙었지."

연순의 목소리는 밤바람에 쉬어 버린 나머지, 세상의 풍파를 다 겪은 것처럼 들렸다.

"조철은…… 아마도 여러 가지로 곤란하겠지."

"응? 어째서?"

연순이 슬며시 웃더니, 고개를 숙여 제 얼굴을 초교의 이마에 갖다 대고는 부러 미간을 찌푸렸다.

"아초, 일부러 그런 쉬운 일을 묻는 거야?"

초교도 제 이마를 연순의 얼굴에 비비며 투덜거렸다.

"당신과 있을 때는 머리를 쓰고 싶지 않단 말이야."

연순은 울지도 웃지도 못하며 초교를 바라보았다. 항상 지혜로워 보이는 그녀라도 가끔은 이렇게 소녀다운 투정을 부릴 때가 있는 것이다.

"그날 우리가 진황성에서 반란을 일으킨 후, 여러 지역에서 기회를 틈타 일어나기 시작했어. 지방 제후들 중 조심스럽게 조씨의 역량을 탐문해 보는 경우도 있었고. 진황성에 전염병까지 돌았기 때문에, 조씨는 어쩔 수 없이 천도해야만 했지. 대하 건국 이래 조씨가 이 정도까지 약해진 것은 처음이었고, 온 천하의 웃음거리가 될 만한 일이었지. 하지만 당시 조철만은 진황성을 떠나지 않고 그곳을 지키며, 백성들을 지키는 동시에 제후들을 위협했지. 조철은 현재 군사적으로나 정치적으로나 아주 높은 명성을 얻은 상태야. 생각해 봐. 대하의 황제, 언제나 권력을 노리고 있는 황족들, 그리고 제국의 장로회에 있는 그 늙은이들이 조철 같은 자를 용납할 수 있을 리 없잖아."

초교가 고개를 끄덕였다.

"당신 말이 옳아."

연순은 그녀가 눈도 제대로 뜨지 못하는 것을 보고 피식 웃으며 말했다.

"아주 피곤해 보이는군."

"아……냐. 열심히 듣고 있다고."

초교가 하품했다. 연순이 몸을 일으켜 그녀를 안아 들었다.

"가자. 괜히 다른 사람 때문에 마음 졸이지 말고. 어쨌든 닥

칠 일이라면 닥쳐올 테니 일단은 기다려 보자고. 누가 먼저 앞
장을 서서 올 것인지.”

초교는 연순의 품 안에서 살며시 대답하더니 손으로 그의
목을 감고 그대로 잠들어 버렸다.

달빛 아래, 멀리 군영에서 소등나팔 소리가 들려오고, 수많
은 등불이 일시에 꺼졌다. 그 모습은 그야말로 장관이었다.

연순은 품속의 초교를 내려다보았다. 갑자기 마음속에 새로
운 힘이 가득 차는 것만 같았다.

———➤———

제갈부의 청산별원 안, 제갈부의 넷째 도련님은 온실에서
차를 마시고 있었다. 그는 항상 수양에 힘쓰는 사람이었다. 비
록 가문에서 세력을 잃고 관직에서 물러난 지금도, 외부 사람
들이 생각하는 것처럼 의기소침하거나 스스로를 포기하지 않
았다. 오히려 유유자적하게 차를 품고 난을 키우며, 글을 쓰
고 서책을 읽었다. 또한 짬짬이 시간을 내어 제갈부의 목장에
서 말을 타고 달리기까지 했다.

제갈월의 이런 모습만 본다면, 그 누구라도 얼마 전 제갈월
이 가문 내 권력 각축전에서 밀려났다고는 상상조차 할 수 없
을 터였다. 제갈월은 단 한 번, 중대한 실수를 저질렀다. 그리
고 그 실수로 인해 철저하게 권력에서 배제되었으며, 현재 제
갈부의 대문 밖으로 나가는 것조차 금지당하고 있었다.

월칠이 온실 안으로 들어와 작은 소리로 말했다.

"도련님, 돌아왔습니다."

"그래."

제갈월이 나른하게 답했다. 그는 지금 지지한 표정으로, 찻잔 뚜껑으로 찻잔 안의 찻잎을 밀어내던 참이었다.

"칠황자님께서 진황으로 돌아오셔서 지금 성금궁 방향으로 가고 계십니다. 상률원의 병사들이 좌우에서 따르고 있고, 서남군의 관병들은 단 한 명도 곁에 없습니다. 듣자 하니 이미 삼황자님께서 인계받으셨다고 합니다."

제갈월의 동작이 살짝 멈췄다. 그러나 곧 얼굴에 별다른 감정을 드러내지 않고 빙그레 웃었다.

"서북의 각 성과 군에서는 이미 양식이며 건초를 준비했다고 합니다. 파도합 가문은 정병 10만을 내놨고요. 십사황자님도 빠르게 이동하여 합류할 예정이라고 합니다. 이번에 대하에서 출병하는 병력은 30만에 달합니다. 모두 정예병과 중갑보병으로, 매우 용맹한 자들입니다."

제갈월이 차를 마시며 가볍게 코웃음 쳤다.

"개들이 떼로 몰려간들 사자 한 마리를 당해 낼 수는 없는 법이지. 패기 없는 자들을 그리 많이 보낸들 뭘 하겠나. 내가 보기에 대하의 명운은 이미 다했어."

월칠이 잠시 멈칫하더니 말했다.

"도련님, 삼황자님은 상무당 출신이고, 십사황자님은 최근 서북에서 연북군을 상대로 연전연승했습니다. 파도합 가문도 병마가 강하기로 유명하고요. 어찌 모두 쓸모없다고 하십니까?"

제갈월이 천천히 고개를 들었다. 그의 눈이 마치 먹물을 찍어 놓은 듯 새까맣게 빛나고 있었다.

"탁상공론과 실제 칼을 쓰는 일은 다른 일이지. 조제건 조양이건, 아니면 다른 누구라도 온전한 지휘권을 얻어 지휘한다면 이번 전쟁의 승률은 절반 정도는 될 것이다. 그러나 지금 사령관이 세 명인데다. 그 사령관들 스스로 자신이 아주 대단한 인물이라 여기는 자들이야. 이게 어떤 결과를 가져올 것 같으냐?"

월칠은 그만 말문이 막히고 말았다. 제갈월이 슬며시 미간을 찌푸리며 나지막하게 말했다.

"군대에 목소리는 단 하나만 있어야 하는 법. 그래야만 진략을 실행할 때 윗사람도 모범이 되고 아랫사람도 본을 받는 법이다. 지금 세 사람이 버티고 서서 서로를 견제하려 할 테니, 연순이 백치가 아닌 이상 이로 인해 자신이 얻을 수 있는 이익이 뭔지 모르지 않을 것이다."

제갈월이 천천히 몸을 일으켜 내정으로 걸어가며 말했다.

"주성에게 통지해라. 서북쪽에 있는 우리 사업들은 모두 거둬들이라고. 이 전쟁은 시간만 오래 끌게 될 것이고, 그쪽에서 이익이 나올 일은 없을 것이다."

가을 하늘은 높고 날씨는 상쾌했으며, 햇빛은 눈을 찌를 듯이 빛나고 있었다. 제갈월의 넓은 청삼 자락이 천천히 난초 사이로 사라졌다. 월칠은 제갈월의 뒷모습을 바라보며 문득 의문을 느꼈지만, 감히 소리 내어 물을 수는 없었다. 그러나 월칠은 정말로 알고 싶었다. 도련님께서는, 대하와 연북 중 누가 이기기를 바라고 계신지요?

시월 초엿새, 바람이 크게 불었다.

십사황자 조양이 서북군을, 삼황자 조제가 서남군을, 그리고 파도합 가문의 장자 파도고력이 금일군을 지휘하고 있었다. 또한 서북의 각 성과 군에서 낸 북방연맹의 사로대군이 나란히 서북으로 들어가고 있었다. 서남군과 금일군은 정면에서 강력한 공세를 펼치고, 서북군은 좌측에서, 북방연맹은 우측에서 공격할 예정이었다. 그들은 마치 거대한 해일처럼 강력하게 내달리고 있었다. 총 병력은 50만에 달했으며, 후방에서 양식이며 군수품을 조달하고 보급하는 군대며 백성들까지 합하면 1백만이 넘는 대군이 연북 땅으로 향하고 있었다.

대하에서 서북의 역로까지, 수레며 말들이 밤낮없이 멈추지 않았다. 셀 수 없는 양식이며 물자, 인력, 전마들이 끊임없이 북벌 대영으로 흘러 들어갔다. 대하는 반년 동안 쌓아 둔 분노를 일시에 폭발시킬 준비를 하고 있었다. 그들은 기고만장한 상태로, 연북이 자신들에게 비할 바가 되지 못한다고 생각하고 있었다.

전쟁의 불길이 타오르기 시작하고, 칼날은 이미 번쩍이고 있었다. 물러나려 해도 물러날 수 없고, 피하려 해도 피할 수 없었다. 연북 대군은 북삭에 모여 삼엄하게 경계하며 전투태세를 갖추고 있었다.

세상을 놀라게 할 전쟁이 시작되려 하고 있었다.

제3장 북벌을 시작하다

10월 13일, 연북 고원에 첫 번째 대설이 내렸다. 대설은 사흘 밤낮 동안 계속되어 눈이 족히 한 자가 넘도록 쌓였다. 차가운 공기는 신속하게 서북 대지 전체를 쓸어버렸다. 세상은 기이할 정도로 추웠고, 떨어지는 물방울조차 공중에서 얼음이 되어 버릴 정도였다. 분명히 맑은 날인데, 고개를 들면 하늘의 태양이 보이지 않고 그저 어두운 선 하나만이 보일 뿐이었다. 칼로 베는 듯 차가운 바람에 걸음걸이를 옮기기조차 힘들 정도였다.

이 보기 드문 대설 때문에, 연북 고원에서 셀 수 없는 수의 소와 양, 말 들이 얼어 죽고, 수많은 막사와 집들도 바람에 무너졌다. 무수한 연북의 백성들이 집을 잃은 동시에, 흉흉한 기세로 북으로 올라오고 있던 대하의 군단도 어쩔 수 없이 발걸음을 멈추고, 서북 내륙의 백림성에 진을 치고 눈과 바람이 지나가기를 기다리게 되었다.

젖 먹던 힘까지 다해 전쟁을 준비하던 두 대군은 이로 인해 서로 대치하는 냉전 상태에 빠지게 되었다.

대설이 내리는 중, 스물이 넘는 대오가 북삭성 밖 역로에서 나는 듯이 달리고 있었다. 그들의 말은 살이 찌고 건강해 보였으며, 머리에는 가죽으로 갑옷을 씌워 놓아 눈보라를 무서워하지 않고 달리고 있었다. 대오는 곧 성 가까이까지 도착했다. 척후 한 부대가 앞으로 달려 나와 큰 소리로 외쳤다.

"누구냐?"

대오는 아무 말도 하지 않았다. 대신 가장 앞에 있던 이가 붉은빛 작은 깃발을 세워 들었다. 척후는 깜짝 놀라 바로 뒤로 물러서서 길을 내주었다. 대오는 계속 나는 듯이 달려, 눈 깜빡할 사이에 새하얀 설원으로 사라졌다.

"신 형, 방금 누구의 대오였던 거요? 뭐가 그리 대단해?"

한 젊은 척후가 물었다. 곰 가죽으로 만든 모자를 쓰고 있었지만 얼굴은 새빨갛게 얼어 있었다.

"허튼소리 마라."

척후 부대의 우두머리가 갑자기 질책하더니, 조심스럽게 좌우를 둘러보았다. 마치 앞에 가던 사람이 돌아와 그들의 대화를 들을까 봐 두려워하는 모양새였다.

"저건 제2군의 혈도기란 말이다."

우두머리의 목소리는 아주 낮았지만 사람들은 모두 똑똑하게 들을 수 있었다. 한순간, 모두 등줄기가 쭈뼛하게 차가워지는 것을 느끼며 제2군이 사라져 간 방향을 바라보았다.

7일 전, 연북의 새로운 왕은 북삭성에서 집결령을 내렸다. 현재 미림관 최후의 부대까지 모두 도착한 상태였다.

전쟁이 코앞이건만, 북삭성 앞에는 여전히 대량의 난민들이 모여 있었다. 눈보라가 백성들의 집을 무너뜨렸고, 이 짧은 사흘 동안 이미 수백이 넘는 이들이 얼어 죽거나 굶어 죽었다. 그들은 모두 성 안으로 들어가, 이 돌연히 찾아온 재난을 피할 수 있기를 바라고 있었다.

그러나 눈앞에 대하와의 전쟁이 닥쳐 온 지금, 북삭성은 이미 일급 준비 상태에 들어가 있었다. 성문 앞에 난민들이 점점 더 많이 모이고 있었지만, 연순은 간자 등이 성에 들어오지 못하도록 성문을 굳게 닫아 두라고 명을 내린 상태였다. 수천이 넘는 병사들이 순번을 정해 성을 지키고 있었고, 우뚝 솟은 북삭성 문 앞에는 백성들의 비명이며 부녀자들의 울음소리만이 울려 퍼지고 있었다.

"길을 열어라!"

급박한 말발굽 소리가 들려왔다. 그중 누군가가 계속 양옆에 있는 백성들을 채찍으로 내려치고 있었다. 제2군의 선봉대가 나는 듯 북삭성 문 아래에 도착했다. 검붉은 갑옷을 입은 장수가 핏빛 군기를 휘두르며 큰 소리로 외쳤다.

"제2군 선봉대의 설치원이다. 문을 열어라!"

얼마 지나지 않아, 횃불들이 성루 위에 장사진을 이뤘다. 성루 위 누군가가 큰 소리로 외쳤다.

"조 장군의 서신을 가져왔는가?"

설치원이 외쳤다.

"서신은 여기 있다!"

성루 위에서 대광주리 하나가 천천히 내려왔다. 설치원의 수하 하나가 말을 달려 앞으로 나가 서신을 광주리 안에 넣었다. 잠시 후, 성루 위의 횃불이 밝아지더니 끼익 소리와 함께 대문이 경계심 없이 열렸다.

"아! 문이 열렸다!"

갑자기 거대한 환호성이 울렸다. 수천이 넘는 백성들이 기뻐하며, 이미 얼어붙은 손발을 움직여 와자지껄하게 성문을 향해 달려들었다. 마치 홍수가 터진 것 같은 그 혼란스러움에 제2군의 선봉대가 휩쓸려 서로에게서 떨어지게 될 지경이었다.

"미련한 놈들!"

인파 속에서, 검붉은 갑옷을 입은 장군이 분노로 소리치며 즉시 말에서 내렸다.

"어서! 저들을 제지하라!"

성을 지키는 최 장령은 이제야 큰일이 났다는 것을 의식하고 서둘러 고함을 질렀다. 병사들이 즉시 성문으로 달려가 소리쳤다.

"감히 귀찮게 굴다니, 전부 활로 쏘아 죽일 테다! 물러나! 다들 물러나란 말이다!"

그러나 인파에 파묻힌 병사들의 목소리는 북풍 속에 모기 소리처럼 들려올 뿐이었다. 성 밖에 있어도 어차피 죽는 길밖에 없으니 백성들은 이미 눈이 벌게진 상태였다. 처음으로 살아날 희망이 보이는데 밖에서 죽음을 기다릴 리 없었다. 그들은 죽음을 각오하고 앞으로 달려 나오며 소리쳤다.

"들어가게 해 줘! 우리도 연북의 백성이다! 들어가게 해 달라고!"

"설 장군! 설 장군!"

최 장령은 이 혼란스러운 판국에 아군에게 일이 생길까 봐 대경실색하여 외쳤다. 이때, 한 줄기 피가 갑자기 하늘로 솟구쳤다. 젊은 군관이 재빠르게 칼을 뽑아 들고, 한 난민의 견갑골을 내리친 것이다. 군관의 기세는 맹렬하고, 힘은 호되게 매웠다.

그 난민은 바로 새하얀 설원 위에 쓰러졌다. 피가 흰 눈 위에 붉은 소용돌이를 이루었다. 촌무지렁이 백성들이 이런 장면을 본 적 있을 리 만무했다. 그들은 모두 대경실색하여 비명을 지르며 물러났다.

최 장령은 당황했다. 누군가가 감히 무력행사를 할 거라고는 생각지 못했던 것이다. 그러나 그가 막 입을 열려고 했을 때, 젊은 군관이 차가운 표정으로 인파 속에서 걸어 나와 평온한 어조로 말했다.

"내가 바로 설치원이오."

최 장령이 깜짝 놀라 뭐라 말하려 했을 때, 백성들 속에서 비명 소리가 들려왔다. 한 부인이 비통하게 울부짖고 있었다.

"여보! 여보, 일어나 봐요!"

"살인이다! 살인이야! 군대가 사람을 죽였다!"

돌멩이 하나가 수많은 물결을 일으키듯, 부인의 울음소리가 백성들의 폭동을 일으켰다. 궁지에 몰릴 대로 몰린 이들은 모두 분노의 고함을 질렀다. 칠순 먹은 노인 하나가 앞으로 달려 나와 소리쳤다.

"대체 무엇 때문에 사람을 죽이는 게냐? 무엇 때문이냐고? 내 세 아들은 지금 모두 군대에 가 있다! 너희들과 함께 대하의 개 새끼들과 싸우려 하고 있단 말이다! 그런데 지금 너희들이 나를 성에 들어가지 못하게 해? 우리를 성에 들어가게 해 다오!"

추운 날씨였지만 최 장령의 이마에서는 식은땀이 배어 나왔다. 그는 대체 어찌해야 할지 몰라 안절부절못하고 있었다.

젊은 설치원이 미간을 가볍게 찡그리며 나지막하게 말했다.

"시간이 많지 않으니, 귀관께서 빨리 결단을 내리시는 것이 좋겠소."

"아?"

최 장령은 멍하니 되물었다. 그는 원래 쇠를 다루는 대장장이였다. 전쟁에서 상당히 용맹하게 싸우며 열이 넘는 적을 죽였고, 그 후 작은 부대를 맡게 되었을 뿐, 그에게는 별다른 병법이나 책략이 없었다. 오늘 밤은 바로 그의 부대가 성을 지키는 순서였는데, 이런 일이 벌어지고 말았다. 그는 그저 멍하니 눈앞의 젊은 남자를 바라보며 되물을 뿐이었다.

"뭐라고요?"

난민들이 밀려 들어오는 것을 보고 북삭을 지키던 병사들은 어쩔 줄 몰라 하고 있었다. 열 명 남짓한 병사들로는 난민들을 제지할 수 없으니, 성문은 이미 점령당한 것이나 마찬가지인 상태가 되었다. 설치원이 눈을 차갑게 빛내며 나지막하게 말했다.

"궁수들, 준비!"

명이 떨어지자, 스물 남짓한 제2군 전사들이 즉시 말에서 뛰어내려 빠르게 활을 들었다. 그리고 최 장령이 눈을 휘둥그렇게 뜨고 지켜보는 가운데, 날카로운 화살들이 난민들의 다리 쪽을 향해 날아갔다. 삽시간에 비명 소리가 울려 퍼졌다. 난민들은 대경실색했고, 하늘도 놀랄 만큼 참혹한 비명이 들렸다.

"어서!"

설치원이 표범이 으르렁거리듯 외쳤다.

병사들은 한바탕 활을 쏘아 먼 곳의 백성들을 위협한 후, 바로 활을 내리고 칼을 든 채 앞으로 달려 나갔다. 그들의 동작은 매우 악랄했다. 그들은 비록 칼을 칼집에서 뽑지는 않았지만, 그들이 가는 곳마다 피를 보고 있었다. 강철로 만든 무거운 칼집이 백성들의 머리 위를 사납게 내려쳤고, 얼마 지나지 않아 열이 넘는 백성들이 바닥에 쓰러졌다.

"모두 비켜라!"

병사들과 난민들은 함께 뒤섞여 있었다. 성벽 안 연북군이 이 장면을 보고 급하게 나팔을 불었고, 수많은 병사들이 성에서 달려 나왔다. 그러나 문 앞의 혼란한 인파에 가로막혀 성 밖으로 제대로 나오지 못했다.

바로 이때였다. 멀리 아득한 설원에서 갑자기 말발굽 소리가 들려오더니, 수많은 인마가 접근해 왔다. 앞에서 달려오던 키가 작은 검은 옷의 전사가 말 위에서 뛰어내리더니, 여린 목소리지만 사람들을 놀라게 하기에 충분한 기세로 외쳤다.

"누가 이런 혼란을 만들고 있는 것이냐?"

그 뒤로 1백이 넘는 병사들이 말에서 내렸다. 작은 키의 장수가 날카로운 눈으로 상황을 훑어본 후, 허리춤에서 칼을 뽑아 차가운 목소리로 외쳤다.

"어서! 저 병사들을 제지해라!"

이 병사들의 무예는 극히 고강한 데다, 동작은 군더더기 없이 재빨랐다. 그들은 호랑이처럼 사납게 달려 나와 칼을 휘두르기 시작했다. 그들은 여럿이 한 명을 포위하는 방식으로 제2군 병사들을 포위했다. 백성들은 이들이 자신들을 위해 손을 쓰는 것을 보자 이구동성으로 환호성을 질렀고, 상황은 즉시 정리되었다.

땅에는 30, 40명의 백성들이 상처를 입은 채 쓰러져 있었다. 그중 몇몇은 이미 움직이지 못하고 있어 생사조차 판별하기 어려웠다. 키가 작은 장수는 미간을 찡그리더니 고개를 돌리고 나지막하게 말했다.

"군의를 불러 상처 입은 자들을 치료해 주어라."

"대체 누구냐? 감히……."

설치원이 대로하여 성큼성큼 앞으로 나왔다. 그러나 키가 작은 장수는 그가 말을 끝내는 걸 기다리지 않고, 퍽 소리가 나도록 그의 얼굴을 때렸다. 그리고 설치원이 반응하기도 전에 다시 한 번 손이 날아왔다.

"너는 연북의 전사가 아닌가! 네 칼이 향해야 할 곳은 대하이거늘, 어찌 연북의 백성에게 휘두른단 말이냐!"

키가 작은 장수가 금석이라도 끊을 듯 단호한 목소리로 외쳤다. 설치원은 화가 나서, 두 눈을 분노로 태우며 주먹을 쥔 채 앞으로 달려 나갔다. 그러나 그 장수는 재빠른 표범처럼 위로 뛰어올랐다. 그저 칼집이 한 번 번쩍이는 것이 보였을 뿐인데, 설치원의 어깨에서 퍽 소리가 들렸다. 장수가 다시 다리를 비껴 옆으로 차올렸고, 설치원은 그만 땅에 나자빠지고 말았다.

"저자를 묶어라! 전하께 보내 처리하도록!"

난민들이 한바탕 환호성을 질렀다. 키가 작은 장수가 몸을 돌려 백성들에게 소리쳤다.

"백성들이여, 북삭은 곧 전쟁에 휘말릴 것이다. 이곳은 너무 위험하다. 우리 전하께서는 서쪽의 낙일산 기슭에 모두를 위해 눈보라를 피할 집을 만들고 계시다. 그곳에는 양식도 있고 옷도 있으니, 어서 나의 수하들과 함께 그곳으로 가도록 하라!"

사람들 무리 사이에서 한바탕 소란이 일었다. 키가 작은 장수와 함께 온 병사 몇 명이 인파 속으로 들어가 질서를 잡았다. 얼마 지나지 않아, 몇몇 군의관이 다급하게 성 안에서 달려 나왔다. 키가 작은 장수가 조사해 보니 방금 난동 중에 백성 열셋이 죽었다. 장수는 안색이 변하며 미간을 찌푸렸다.

대략 반 시진 정도 지난 다음, 백성들은 병사들을 따라 서쪽으로 향했다. 키가 작은 장수가 성 안으로 들어가자, 성문이 천천히 닫혔다. 마침내 성 밖의 온갖 시끄러운 소리가 멀어져 갔다. 눈보라조차 더 이상은 그렇게 맹렬하지 않은 것 같았다.

키가 작은 장수는 겁이 나서 덜덜 떨고 있는 최 장령에게 몇 마디 한 후, 설치원을 가두고 있는 마차로 다가갔다.

"녈 장군, 미안합니다. 방금은 실례했습니다."

키가 작은 장수가 모자를 벗자 마른 얼굴이 나타났다. 수려한 외모에 빛나는 눈, 키가 작은 장수는 뜻밖에도 매우 아름다운 젊은 여인이었다.

"누구신지?"

설치원의 얼굴은 여전히 부어 있었고, 그녀에게 걷어차인 부분도 아직 아팠다. 그는 본래 그녀와 이야기를 나눌 생각이 전혀 없었지만, 그녀의 얼굴을 보자 깜짝 놀라 자신도 모르게 입을 열고 말았다.

"참모처의 초 대인이십니다."

최 장령이 재빨리 소개했다.

"대인, 이분은 제2군에서 북삭을 지원하러 온 선봉대의 대장, 설치원 장군입니다."

초교는 새빨갛게 언 얼굴로 고개를 끄덕이며 매우 온화하게 말했다.

"이런 악천후에 천릿길을 오시느라 고생하셨습니다."

설치원은 미간을 찌푸렸다. 이 초 대인이라는 자는 대체 어디서 튀어나온 것인지. 설치원은 사납게 초교를 노려보다가, 차갑게 코웃음 치며 말했다.

"오늘 일은 이대로 넘어갈 수 없습니다."

"그야 당연하지요. 성문 밖에서 죽은 이가 열이 넘고, 마흔이 넘게 부상을 입었습니다. 이런 일을 이렇게 가볍게 끝낼 수는 없지요."

초교가 살며시 입 끝을 들어 올려 미소 지었다. 그러나 그녀의 눈빛에 웃음기라고는 전혀 없었다.

"그러나 설 장군께서는 성을 지키려는 마음이 간절하여 그런 일을 저지르신 것이겠지요. 또한 전쟁이 임박한 상황이니, 저는 잠시 책임을 추궁하는 일을 미루도록 하겠습니다."

"당신……."

"설 장군, 이 악천후에 오신 것을 보니 분명 급한 일이 있으시겠지요? 만약 다른 일이 없으시다면, 저는 먼지 가 봐야겠군요."

설치원은 깊이 숨을 들이마신 후 사납게 초교를 노려보다가, 다시 한 번 차갑게 코웃음 치며 자신의 수하들을 이끌고 자리를 떠났다.

최 장령이 이마의 식은땀을 닦으며 초교에게 말했다.

"대인, 괜찮으신지요?"

초교는 미간을 서서히 찌푸리며 한탄했다.

"그가 제2군 소속인 것을 알았다면 그렇게 때리지 않았을 텐데. 귀찮아졌어."

"예?"

최 장령이 당황했다.

"예는 무슨 예냐?"

초교가 고개를 돌리더니 분노한 목소리로 외쳤다.

"방금 제2군 사람들이 아니었다면, 하마터면 성문을 지키지 못할 뻔했다. 지금과 같은 시기에 정탐꾼이 성에 들어오는 일이 생기면 어떤 결과가 생길지 모르는 것이냐? 연북의 모든 이든이 시시유 눕힉 땅도 없이 몰살당할 수도 있다! 북삭은 연북의 관문인데, 이렇게 소홀하게 굴다니. 설치원이 방금 마음대로 평민을 학살한 일이 옳았던 것은 아니지만, 너는 온 연북의 운명을 하찮게 여겼다!"

최 장령은 깜짝 놀라 얼굴이 하얗게 질렸다. 그는 마치 도둑질하다 잡힌 사람처럼 두 눈을 굴리며 주변을 살피더니, 갑자기 쿵 소리가 나도록 땅에 무릎을 꿇고 큰 소리로 외쳤다.

"대인, 소인이 죽을죄를 지었습니다! 소인의 목숨만은 살려주십시오."

초교는 천천히 미간을 찌푸렸다. 이런 이가 성을 지키는 대장이라니. 대체 누구의 책임을 추궁해야 할지 알 수 없었다. 그저 한없이 무력하게만 느낄 뿐이었다.

"스스로 군정원에 가서 보고하라!"

초교는 냉담하게 한마디 던진 후 몸을 돌렸다. 대설이 전혀 멈출 기색 없이 표표히 내려오고 있었다.

방문을 열자 한바탕 열기가 훅 끼쳐 왔다. 초교가 갑옷을 벗으며 주변을 둘러보았지만 연순은 보이지 않았다. 초교는 서재로 향하던 중 우연히 서둘러 달려오던 아정과 마주쳤다. 그녀가 입을 열기도 전에 아정이 숨을 헐떡이며 말했다.

"아가씨, 전하께서 부르고 계십니다."

초교가 눈썹 끝을 추켜세웠다.

"어디에서? 무슨 일이지?"

"제2군의 대표가 왔습니다. 전하께서 회의를 열기 위해 아가씨를 기다리고 계십니다."

회의실로 들어가기도 전에, 쉰 목소리가 날카롭게 고함지르는 것이 들렸다.

"우리에게 1백만 대군이 있는데 무엇 때문에 대하를 두려워한다는 말입니까? 평원에서 그들과 부딪쳐 봐야 합니다!"

이 외침을 듣자마자 초교는 미간을 찡그렸다. 최근 그녀는 항상 미간을 찡그리고 있는 것만 같았다.

"맞습니다! 우리는 연북의 정의로운 군대! 결코 대하의 개새끼들을 두려워하지 않습니다!"

문밖에 있던 병사가 초교를 보고 회의실을 향해 외쳤다.

"보고드립니다! 참모처의 초 대인이 오셨습니다."

"들어오게 하라."

초교는 방으로 들어가 자리에 앉아 있는 이들에게 경례하며 인사했다. 오늘 회의에 참석한 이들은 지난번보다 훨씬 많았다. 지난번에 있었던 이들 외에도 제1군, 제2군의 대표, 그리고 제3군의 부장, 대동회의 당주며 장로들, 그 외의 변군, 민단군, 자위군의 대표들이며 연북 고원의 작은 부족의 족장들까지 모여 있었다. 사람들이 어찌나 많은지 회의실 안이 붐빌 정도였다.

연북의 모든 무장 세력이 모여 있는 셈이었다. 초교는 가슴을 펴고 회의실로 들어가 미소 지으며 연순 곁에 앉았다.

"늦었습니다. 죄송합니다."

"그 일은 어찌 되었지?"

연순의 안색은 그다지 좋아 보이지 않았다. 아무래도 이들 때문에 꽤 화가 난 모양이었다.

"모두 해결되었습니다. 건축도 끝났고, 난민들이 한동안은 눈보라를 피할 수 있을 것입니다."

"저는 반대합니다!"

갑자기 날카로운 목소리가 들렸다. 연순과 초교의 대화를 듣고 있던 북삭의 군수장인 류구 부장이 몸을 일으켜 좋지 않은 낯빛으로 말했다.

"대체 무엇 때문에 군수용 자재를 내어 난민들에게 집을 마련해 주어야 했던 것입니까? 그 자재들이라면 우리는 성벽을 10척은 높이 올릴 수 있었습니다. 그랬다면 대하를 방어하는 데 큰 도움이 되었겠지요. 그리고 무엇 때문에 난민들에게 양식을 나누어 주어야 합니까? 초 대인은 지금 우리가 어떤 상황에 처해 있는지 모르십니까? 대하군은 이미 경계까지 와 있습니다. 전쟁이 곧 시작될 거란 말입니다. 군대에도 양식을 제대로 보급할 수 있을지 말하기 어려운 상황에서, 군량미로 난민을 구제하시다니요!"

"류구 부장, 내 기억이 틀리지 않다면 열흘 전 내가 성벽을 보수할 때 당신은 전혀 지지하지 않았지요. 북삭군 전체에서도 단 한 명의 병사도 보내지 않았고요. 오히려 그 인근의 백성들이 적극적으로 도움을 주었습니다. 그 백성들이 아니었다면 지금, 북삭의 성벽이 20척 높아질 일은 없었을 겁니다. 그 외에도 꼭 말씀드리고 싶은 것이 있는데, 성벽의 높이는 규정을 따라야 합니다. 지금 우리 성벽은 이미 충분히 높아요. 만약 여기서 더 높인다면, 우리 병사들의 화살의 정확도가 떨어지게 될 것이고, 방어상의 장점도 대폭 줄어들게 될 것입니다. 앞으로 군대의 일을 이해하지 못하는 사람은 군대의 일과 관련한 문제에 대해 발언할 때 좀 더 신중할 것을 요청하는 바입니다."

초교의 표정은 차가웠고, 얼마 전의 부드러운 표정은 더 이상 보이지 않았다. 그녀는 군수장을 냉담하게 바라보며 말했다.

"그리고 한 마디 더 하고 싶군요. 우리가 연북을 해방시키고자 하는 것은 연북 백성들의 자유를 위해서입니다. 만약 백성들이 모두 죽어 버린다면, 전쟁을 한들 아무 의미가 없어요."

류구는 얼굴이 파랗게 질려 강변했다.

"예전에도 항상 이랬습니다. 매년 눈보라가 오기 마련이고, 대하는 단 한 번도 군량으로 백성을 지원한 적 없었고요. 그렇다고 백성들이 굶어 죽었다는 이야기는 듣지 못했습니다."

"당신 말이 맞아요. 그리고 대하가 백성들을 돌보지 않았기 때문에 대하는 연북에서 물러나게 된 거죠."

초교는 두 손을 벌리고 어깨를 으쓱하며 말했다.

"연북에 주둔하던 대하의 병사들은 모두 내지에서 뽑아 온 자들이었죠. 그들은 군대에게 급여와 보급품을 지급했어요. 묻건대, 류구 부장, 당신은 언제 당신의 부하들에게 급여와 보급품을 내려 주었나요? 당신의 부하들은 무엇 때문에 아무 보상도 없이 당신과 함께하고 있죠? 당신은 부하들이 당신을 따라 스스로의 안위를 돌보지 않고 전투에 나서기를 바라면서, 그들의 부모며 처자식들은 집에서 굶어 죽고 얼어 죽게 만들 셈인가요?"

회의실 안에 갑자기 어색한 침묵이 흘렀다. 그 누구도 입을 열지 않아, 야수처럼 잔혹하게 불어 대는 바람 소리만이 들렸다.

연순이 냉담한 목소리로 천천히 말했다.

"본론으로 돌아가지. 방금 누가 발언 중이었지?"

"저입니다."

제3군단의 군단장 노걸이 말했다. 그는 서른 전후로 나이가 많지 않았지만 수염이 아주 무성하게 나 있고 얼굴이 붉은 것이 전형적인 고원 사람의 생김새였다. 그가 거친 목소리로 말했다.

"저는 이해 못하겠습니다. 무엇 때문에 우리가 여기저기 숨어야 하는 겁니까? 무엇 때문에 거북이처럼 북삭성 안에 웅크리고 있어야 하냐고요? 우리에게는 50만 군대가 있고, 대하의 선발대는 겨우 10만입니다. 다섯이 하나를 치는 데도 질 것 같습니까?"

북삭성 제2기병단의 단장 진희도 맞장구쳤다.

"이게 대체 누구의 계획입니까? 이건 그야말로 우리 연북 전사들에 대한 모욕입니다. 우리는 전쟁을 하고 싶습니다. 적들과 정정당당하게 결전을 치르고 싶단 말입니다!"

"그렇습니다!"

부족장들도 하나씩 격동한 목소리로 외쳤다.

"연북의 사내들은 강합니다. 결코 여기저기 숨어 다니는 겁쟁이가 아니라고요!"

초교는 갑자기 혐오감이 밀려옴을 느꼈다. 방금 성밖에서 본 참상을 떠올리니, 이들은 그저 사람을 귀찮게 하는 파리 떼 같았다. 초교는 고개를 들고 매처럼 날카로운 눈빛으로 말했다.

"계획을 짠 사람은 저입니다. 의견이 있으신 분?"

무리들이 갑자기 조용해졌다. 초교가 북삭에 온 후로 열흘이 지났다. 그들은 더 이상 열흘 전처럼 초교를 무시하지 않고 있었다. 며칠 안 되는 사이에 그녀는 군대의 조직이며 기구를 정비했을 뿐 아니라, 각 주둔지의 관리 체계를 개혁했고, 일의 효율성을 극도로 끌어올렸다. 또한 신기한 방식으로 '벽돌'이라고 하는 붉은 돌을 만들어 냈는데, 이 물건은 비록 돌처럼 단단하지는 않았지만 성을 매우 빠르게 쌓을 수 있었고, 성벽도 더욱 견고하게 할 수 있었다.

그녀는 멀지 않은 적수에서 대량의 얼음을 가져와 성벽 밖에 빠르게 30여 척 높이의 이중 성벽을 건축했다. 얼음으로 만든 이중 성벽은 성벽을 견고하게 만들 뿐 아니라 적들이 성벽에 기어오르지 못하도록 막는 효과도 있었다.

초교는 다시 성벽 근처에 수많은 웅덩이와 함정을 파 놓았다. 이제 북삭은 예전의 바람이 불면 쓰러질 듯한 낡은 성이 아니라 철혈의 견고한 성채가 되어 있었다.

상황이 그러하니 비록 그녀에게 불만이 있다 하더라도 감히 입을 열 수 있는 사람은 없었다. 더군다나 그녀는 방금 난민의 처리 문제를 해결하는 공을 세운 참이었다. 지금 군대 내에서 그녀의 신망은 이미 예전과 달라져 있었다

"의견이 있습니다."

나지막한 목소리가 천천히 울려 퍼졌다. 사람들이 고개를 돌려 보니, 바로 제2군의 선봉대 대표였다.

설치원이 차갑게 초교를 바라보며, 낮고 묵직하게 말했다.

"이 전쟁을 위해, 우리는 8년을 준비해 왔습니다. 이 8년 동안, 우리는 적극적으로 뛰어다니며 사람들을 구슬리고, 물자를 모았으며, 비밀리에 병사들을 훈련시키고 군대의 실력을 키워 왔습니다. 우리는 화뢰원에서의 치욕을 결코 잊을 수 없습니다. 우리 선조들의 시신 위에 피어난 화운화가 여전히 피어 있고, 그들은 우리가 치욕을 씻어 주기만을 기다리고 있습니다. 우리가 묵묵히 8년을 기다리며 준비해 왔는데, 지금 돌아온 것은 무엇입니까? 뜻밖에도 도피로군요?"

그의 음울한 눈빛은 뜻밖에도 연순을 향하고 있었다. 설치원은 차갑게 말을 이었다.

"연씨 가문의 죽음을 두려워하지 않는 정신은, 대체 어디로 간 것입니까? 진황성의 번화함이 전하의 뼈와 살을 태워 버린 것은 아니겠지요?"

말이 떨어지자마자 회의실 안은 두려운 적막 속으로 빠져들었다. 검은 옷을 입은 연순은 담담한 눈길로 계속 의자에 기대

앉아 있었으나, 설치원의 말을 듣자 눈썹 끝을 살짝 치켜세웠다. 그러더니 뜻밖에도 소리 내어 웃었다. 그 웃음소리는 마치 섣달 내린 눈처럼 사람들 뼛속 깊이 차갑게 스며들었고, 모두 등줄기가 쭈뼛함을 느꼈다.

설치원과 함께 앉아 있던 제2군의 군단부장 여신이 서둘러 말했다.

"설치원은 성격이 경솔한 편입니다. 전하께서, 설치원이 연북을 걱정하는 마음으로 행한 발언이라는 점을 고려하셔서 너무 책망하지 말아 주시옵소서."

북삭성의 성주 하안도 몸을 일으켜 말했다.

"설 장군의 말이 비록 타당하지 않으나, 연북의 승리를 위해 한 말입니다. 전하께서는 그가 다년간 생명을 무릅쓰고 혁혁한 전공을 세운 점과, 연북의 독립을 위해 큰 공헌을 한 점을 생각하셔서 한 번만 용서해 주십시오."

다른 장령들도 잇달아 몸을 일으켜 설치원을 위해 간청했다. 오로지 제1군단의 대표만이 움직이지 않고 음울한 표정을 짓고 있었다. 마치 아직 생각을 결정하지 못한 것 같은 태도였다.

"나는 설 장군이 거침없이 이야기하는 것이 좋다."

연순이 눈을 가늘게 뜨고 담담하게 말했다.

"모두 앉도록. 그대들 모두 연북의 공신이며, 나 연순이 그대들의 도움을 얻을 수 있는 것은 홍복 아니겠는가. 내가 어찌 공이 있는 자에게 이유 없이 죄를 묻겠는가? 하물며 설 장군은 그저 자신의 생각을 말했을 뿐, 나에게 불경한 뜻이 있는 것도 아니었다. 설 장군에게 무슨 죄가 있다는 말인가. 설 장군, 그렇지 않은가?"

연순의 목소리는 극히 냉담했고, 눈초리도 신랄했다. 그의 말 속에 예리한 칼끝이 숨어 있는 것을 눈치채지 못할 수는 없었다. 설치원은 부득불 몸을 일으켜 다시 입을 열지 않을 수 없었다.

"말장이 우둔하여 생각한 바를 제대로 표현하지 못했습니다. 결코 전하께 거스를 뜻은 없었으니, 그저 전하의 용서를 바랄 뿐입니다."

모두 함께 전하의 현명함을 연호했고, 전전긍긍하며 다시 자리에 앉았다. 그러나 설치원은 자리에 앉지 않고, 고개를 돌려 초교를 바라보며 말했다.

"그러나 제가 방금 제기한 의문에 대해, 초 대인께서 해답을 주시기 바랍니다."

그 말에 제2군의 여신마저 미간을 찡그렸다. 방금 설치원은 연순에게 대든 셈이었지만 연순이 이미 문제 삼지 않겠다고 했거늘, 그는 여전히 귀찮게 굴고 있었다. 연순은 지금 연북의 지도자였다. 계속 이렇게 연순의 기분을 상하게 하면 제2군에게 좋을 일이 없었다.

여신이 분위기를 완화시키기 위해 무슨 말이라도 하려고 했을 때, 초교가 먼저 음울한 표정으로 천천히 몸을 일으켰다. 그녀는 차가운 눈길로 설치원을 바라보며 입을 열었다.

"설 장군, 이렇게 유치한 문제를 물어 오다니 매우 유감입니다."

설치원의 눈이 차갑게 빛났다. 그가 반박하려 하자 초교의
안색이 더욱 차가워졌다.

"전쟁은 산수 문제가 아닙니다. 정식으로 전쟁을 시작하면,
양쪽의 역량은 사람 수만으로 결정되지 않습니다. 전쟁의 승리
를 결정하는 요인은 아주 많고, 사람 수는 그저 그중 한 요소
일 뿐이에요. 쌍방의 사기, 병사들의 전투력, 전체적인 실력 수
준, 무기의 차이, 정보의 정확성, 정보 전달의 속도, 병사들을
통솔하는 장수의 개인적인 능력, 병사들의 실전 경험, 그리고
전쟁터의 지형, 후방의 보급, 여론의 지지까지, 이 모든 것들이
전쟁의 판세에 중대한 영향을 끼칩니다. 단순히 사람 수로 이
기고 지고를 논하거나, 몇 명이 몇 명을 상대한다는 식의 얕은
식견으로 접근한다면, 그건 전쟁을 전혀 이해하지 못하는 문외
한이나 범할 저급한 착각이지요!"

순식간에 모든 이가 찬물이라도 뒤집어쓴 것 같은 표정이
되었다. 초교의 이 발언은 이 자리에 있는 모든 이를 꾸짖는 것
이나 마찬가지였다. 진희가 차갑게 코웃음 치며 일어났다.

"우리 모두 문외한이란 말씀이군요. 오로지 초 대인만이 전
략의 고수고 말입니다. 나는 연북에서 10년이 넘도록 전투를
치렀지만, 당신 같은 광인은 본 적이 없습니다."

"역사는 우리에게, 항상 과거의 공로와 전적만을 입에 담는
자는 결코 미래를 말할 자격이 없다는 사실을 알려 주었지요. 하
물며 그 과거라는 것이 그렇게까지 기억할 만한 것도 아니고요."

초교는 조금의 관용도 베풀지 않고 말했다.

"모두 우리가 현재 처해 있는 상황을 직시하기 바랍니다. 우리는 단순히 전쟁만을 마주하고 있는 것이 아닙니다. 전쟁 한 번의 승패는 전체적인 판세에 아무런 영향도 끼치지 않아요. 대하 입장에서 말하자면, 우리는 변경에서 일으킨 작은 반란에 불과합니다. 그들에게는 홍천이 있고, 언제라도 수십만에서 1백만이 넘는 대군을 보내 우리를 포위할 수 있어요. 진황에서 소집령을 내리면 이틀도 지나지 않아 군대 10만은 징발할 수 있겠죠. 하지만 우리는 스스로는 물론이고 온 가족의 목숨을 걸고 대하와 결전을 치르는 것이죠. 우리 앞에 있는 길이 무엇입니까? 전쟁에서 이긴다면 계속 생존할 수 있을 것이고, 전쟁에서 패배한다면 전부 죽게 되겠죠. 우리가 아무리 죽음을 두려워하지 않는다 해도, 아무 가치도 없이 죽을 수는 없지요. 부분적인 승리는 전체의 판국에 어떤 영향도 주지 못합니다. 북삭성에서 적들을 맞아 우리가 얻어야 하는 것은 전술상의 승리가 아니라, 우리에게 유리한 판국을 열 수 있는 기회입니다!"

초교는 눈을 결연하게 빛내며 주먹을 쥐고 힘차게 휘둘렀다.

"우리에게 필요한 것은, 한두 번의 전투에서 대하의 군대를 물리치는 것이 아니라, 그들에게 지속적인 부담을 안겨 주며 죽음으로 인도하는 것입니다. 그 다음에 일격을 가하면 그들은 전부 물러가고 말 것입니다."

연순이 몸을 일으켜 나지막하게 말했다.

"여러분, 초교의 말이 옳다. 북삭성에서 우리가 얻어야 할 것은 단순한 승리가 아니라, 우리 자신을 지키는 상황에서 최대한도로 적을 붕괴시키는 것이다. 이 전쟁은 생사를 결정하는 일전이며, 연북의 존망은 여러분의 손에 달려 있다."

연순은 평온한 안색으로 사람들을 바라보았다. 그의 눈빛은 마치 깊은 바다와 같이, 그 안에 격렬한 파도를 품고 있었다. 갑자기 연순이 사람들 앞에 허리를 깊이 굽혀 절을 했고, 모두 아연실색하고 말았다.

곧, 연홍현이 바닥에 무릎을 꿇고 낭랑한 목소리로 외쳤다.

"죽음을 각오하고 전하를 따르겠습니다!"

그 뒤를 따라, 회의실에 있던 모든 이들이 연순 앞에 무릎을 꿇고 이구동성으로 외쳤다.

"죽음을 각오하고 전하를 따르겠습니다!"

창밖의 바람 소리는 여전했다. 대하의 철기병이 곧 도착할 것이다.

<특공황비 초교전> 4권에서 계속